LA VIE POLITIQUE AU QUÉBEC ET AU CANADA

PRESSES DE L'UNIVERSITÉ DU QUÉBEC
2875, boul. Laurier, Sainte-Foy (Québec) G1V 2M3
Téléphone : (418) 657-4399 • Télécopieur : (418) 657-2096
Courriel : secretariat@puq.uquebec.ca • Catalogue sur Internet : www.puq.uquebec.ca

DISTRIBUTION

CANADA et autres pays

DISTRIBUTION DE LIVRES UNIVERS S.E.N.C.
845, rue Marie-Victorin, Saint-Nicolas (Québec) G7A 3S8
Téléphone : (418) 831-7474 / 1-800-859-7474 • Télécopieur : (418) 831-4021

FRANCE

LIBRAIRIE DU QUÉBEC À PARIS
30, rue Gay-Lussac, 75005 Paris, France
Téléphone : 33 1 43 54 49 02
Télécopieur : 33 1 43 54 39 15

SUISSE

GM DIFFUSION SA
Rue d'Etraz 2, CH-1027 Lonay, Suisse
Téléphone : 021 803 26 26
Télécopieur : 021 803 26 29

LA VIE POLITIQUE AU QUÉBEC ET AU CANADA

2e édition

André Bernard

2000

Presses de l'Université du Québec
2875, boul. Laurier, Sainte-Foy (Québec) G1V 2M3

Données de catalogage avant publication (Canada)

Bernard, André, 1939-

La vie politique au Québec et au Canada

2ᵉ éd.
Comprend des réf. bibliogr. et un index.

ISBN 2-7605-1063-8

1. Québec (Province) – Politique et gouvernement.   2. Canada - Politique et gouvernement.   3. Relations fédérales-provinciales (Canada) – Québec (Province). I. Titre.

FC2911.B49 2000   320.9714   C00-940060-5
F1052.B49 2000

Nous reconnaissons l'aide financière du gouvernement du Canada par l'entremise du Programme d'aide au développement de l'industrie de l'édition (PADIÉ) pour nos activités d'édition.

 Nous remercions le Conseil des arts du Canada de l'aide accordée à notre programme de publication.

Mise en pages : Info 1000 Mots inc.

Conception graphique de la couverture : Richard Hodgson

Table des matières

Avant-propos
de la première édition

Ce livre remplace *La politique au Canada et au Québec*, un ouvrage publié initialement en 1976. Comme *La politique au Canada et au Québec*, il est destiné principalement aux jeunes adultes qui atteignent l'âge de voter et qui veulent avoir une vue d'ensemble de leur environnement politique. Il est également destiné aux personnes qui connaissent encore peu le Canada ou le Québec et qui désirent accéder à quelques-unes des informations qui permettent de mieux comprendre la vie politique qui se déroule dans cette partie du monde.

Puisqu'il n'est pas destiné aux spécialistes et puisqu'il paraît alors que l'accès aux banques de données est devenu très facile grâce à l'informatique, ce livre (contrairement à *La politique au Canada et au Québec*) ne comporte pas l'appareil de notes et de références que l'on trouve habituellement dans les ouvrages rédigés par des universitaires. Ce livre est néanmoins complété par des indications bibliographiques permettant d'accéder aux sources documentaires relatives à chacun des nombreux sujets abordés.

Le plan de ce livre, comme celui de *La politique au Canada et au Québec*, reflète le cheminement qui mène à la mise en œuvre des décisions d'autorité, cheminement qui part des désirs de changement et des réactions aux désirs de changement, passe par l'élaboration de projets de décision puis, finalement, aboutit à la ratification de certains de ces projets. La mise en œuvre des décisions d'autorité suscite immanquablement de nouveaux désirs de changement, de sorte que le cheminement reflété par le plan de ce livre s'inscrit dans un enchaînement sans fin.

La vie politique au Québec et au Canada rend compte, dans toute la mesure du possible, des importantes contributions apportées à la connaissance de la politique contemporaine par les innombrables spécialistes qui s'y intéressent. C'est d'abord à toutes ces personnes que ce livre est dédié.

Il est également dédié aux étudiants et étudiantes, aux collègues et autres membres du Département de science politique de l'Université du Québec à Montréal qui m'ont apporté leur soutien tout au long des années.

André BERNARD

Introduction

La politique touche tout le monde, même les gens qui n'en ont pas conscience. Personne ne peut complètement esquiver les obligations et interdictions qu'imposent les autorités ou les sollicitations provenant des protagonistes de la vie politique. Par conséquent, l'indifférence affichée à l'égard de la politique, la neutralité systématique et diverses autres attitudes relatives à la vie en société qu'on a l'habitude de qualifier d'apolitiques s'avèrent, à la réflexion, indiscutablement politiques puisqu'elles sont toutes définies par rapport à la politique. En définitive, il n'est guère possible d'échapper à la politique.

Et tenter d'échapper à la politique, c'est accepter de laisser le champ libre aux autres. En politique, la fuite peut s'avérer plus dommageable que l'engagement.

LA PARTICIPATION À LA VIE POLITIQUE

En fait, la plupart des adultes s'intéressent à la vie politique, au moins occasionnellement. Beaucoup parlent souvent de politique. Rares sont les personnes qui, en état de le faire, refusent de voter lors des élections qui leur paraissent importantes ou lors des principaux référendums.

La participation au référendum du 30 octobre 1995, au Québec, donne d'ailleurs une mesure de la mobilisation possible, puisque 94 % des personnes inscrites sur les listes électorales ont voté à cette occasion.

La mobilisation observée en octobre 1995 est cependant exceptionnelle. En effet, lors des élections législatives du Québec de 1985 et de 1989, le taux de participation n'a été que de 75 %. Aux élections fédérales du 18 février 1980, au Québec, 69 % des personnes inscrites ont voté, mais 76 % l'ont fait à celles de 1979, 1984 et 1988, le taux de participation enregistré au Québec, lors des élections fédérales récentes, étant voisin du taux calculé pour l'ensemble du Canada. Aux élections du 15 novembre 1976, celles qui ont donné une première fois la majorité des sièges au Parti québécois, plus de 85 % des personnes inscrites ont voté. Depuis 1931, aux élections législatives du Québec, le taux de participation a fluctué entre 72 % (1944) et 85 % (1976) ; il a été légèrement supérieur à 85 % lors du référendum du 20 mai 1980.

Le vote et la participation à la vie politique

Le vote est souvent considéré comme l'expression par excellence de la participation politique. Au Canada, comme dans plusieurs autres pays, le déroulement de la vie politique est ponctué par la tenue d'élections nombreuses, élections fédérales, élections provinciales, élections municipales, élections scolaires... À l'occasion de chacune de ces élections, d'importantes ressources sont mobilisées et l'attention est attirée par les déclarations des personnes qui briguent les suffrages et par les manœuvres des organisations qui s'affrontent. De plus, le vote s'exerce selon un rituel particulièrement rigide (calendrier, procédures, règles, et ainsi de suite) et il fait l'objet de toutes sortes de spéculations et d'interprétations.

Les variations dans les taux de participation aux scrutins apparaissent souvent comme des signes de fluctuations dans l'intensité de la mobilisation politique. Supérieurs à 85 %, comme en 1976, en 1980 et 1995, au Québec, ces taux de participation témoignent assurément d'une mobilisation exceptionnelle. Cependant, les participations les plus faibles ne sont pas nécessairement enregistrées à des moments de faible mobilisation.

Il y a beaucoup à tirer des réflexions suggérées par l'examen sommaire des taux de participation aux scrutins (au Québec et au Canada, le taux de participation électorale est obtenu en divisant le nombre des bulletins reçus par le nombre des personnes inscrites, alors que dans les pays où il n'y a pas de listes des personnes habilitées à voter, il est calculé sur la base d'une approximation du nombre de ces personnes). Ces réflexions mènent à penser que le vote est un geste hautement valorisé par la plupart des gens puisque, compte tenu des personnes malades ou absentes, les abstentions volontaires sont rares lors des scrutins dont les conséquences paraissent à la fois importantes et incertaines.

Le vote est d'autant plus valorisé qu'il est davantage qu'un choix entre diverses options. Il est en effet un geste qui manifeste l'adhésion à la société, l'intérêt pour les affaires qui préoccupent « les autres ». Le vote, en plus d'être un choix, est un symbole. À la limite, il est un acte de foi.

Mais, tout important soit-il, le vote n'est qu'une des multiples façons de participer à la vie politique. La participation à la vie politique peut, en effet, prendre de nombreux aspects.

La variété des degrés et des formes de participation à la vie politique

Il y a, en effet, de nombreux degrés sur l'échelle de la participation à la vie politique (ou de l'engagement) entre, d'une part, la passivité extrême de personnes en situation d'absolue dépendance (cas des enfants ou des adultes souffrant d'une maladie grave, par exemple) et, d'autre part, l'engagement sans limites de révolutionnaires capables de donner leur vie pour la cause qui les motive.

Certaines formes de participation à la vie politique exigent peu des personnes qui les adoptent et, pour cette raison, elles sont beaucoup pratiquées et, partant, rangées, par les analystes, aux divers degrés du bas de l'échelle de l'engagement. Ainsi, certaines personnes préfèrent, en tout domaine, la docilité et le conformisme : elles adoptent les comportements qui leur semblent prescrits, évitant d'émettre des opinions qui pourraient les distinguer...

Situé à l'un des niveaux inférieurs sur l'échelle de la participation à la vie politique, le conformisme est encouragé par les autorités, car la docilité qui y correspond consolide leur pouvoir. Cette forme de participation à la vie politique, le conformisme, attire moins l'attention que d'autres modes de participation qui requièrent davantage d'énergie. Le conformisme est pratiqué par tout le monde, à un moment ou l'autre, dans un domaine ou l'autre, mais il est souvent associé à d'autres formes de participation politique.

En fait, au Canada, en plus de pratiquer le conformisme (ce que l'on fait en respectant les lois) et de voter lors des scrutins, la plupart des adultes ont déjà posé des gestes politiques qui se situent à un niveau assez élevé sur l'échelle de la participation politique. Ainsi, la plupart ont déjà tenté de faire des démarches individuelles auprès des autorités pour obtenir le respect de la loi ou, au contraire, pour solliciter des dérogations ou des modifications aux lois et règlements en vigueur. Beaucoup ont participé à des manifestations commandées pour appuyer ou combattre des projets politiques. Beaucoup ont fait des dons ou, parfois, des contributions intéressées à des organisations engagées dans la vie politique. Beaucoup ont été membres d'un parti politique (aujourd'hui même, 5 % des adultes sont membres de l'un ou l'autre des partis qui se font la lutte au Parlement fédéral du Canada ou à l'Assemblée nationale du Québec ou, encore, aux instances locales). D'autres militent ou ont milité dans diverses organisations de promotion d'objectifs particuliers, que ces objectifs concernent des quartiers ou des groupes restreints ou, au contraire, des collectivités de milliers ou même de millions de membres... Le militantisme demande plus que la simple adhésion, mais il exige moins que l'engagement partisan à plein temps.

Parmi les personnes qui ont adhéré à un parti ou accédé à des postes de direction dans les organisations qui mènent une action politique, il y en a plusieurs milliers qui, au Québec, présentement, consacrent presque toutes leurs journées à la vie politique.

Finalement, compte tenu des activités des personnes qui occupent des postes d'autorité ou qui sont engagées à plein temps à la direction d'un parti ou d'une organisation faisant la promotion d'objectifs particuliers, il faut conclure que les formes de participation à la vie politique sont fort nombreuses.

En raison des multiples formes qu'elle peut prendre et des circonstances qui changent, la participation d'une même personne à la vie politique peut varier considérablement au cours de son existence. Telle personne, qui milite aujourd'hui dans un parti, peut avoir décidé de le faire après de longues années d'abstentionnisme électoral ; telle autre, maintenant en retrait, a peut-être eu, jadis, des fonctions électives importantes. Pour une même personne, les phases d'engagement intense, celles qui correspondent aux campagnes électorales par exemple, peuvent être séparées les unes des autres par de longues périodes de relative inactivité politique. Quand un projet de loi menace leur situation, certaines personnes trouvent en elles-mêmes des ressources insoupçonnées pour défendre ce qu'elles appelleront des droits acquis ou, plus simplement, la liberté ou la justice. Par ailleurs, parmi les membres des partis politiques, il y en a qui ne vont même pas aux assemblées, alors que d'autres sont de toutes les activités. En vérité, l'intensité de la participation à la vie politique varie beaucoup d'une personne à l'autre, comme elle varie beaucoup, dans le temps, pour une même personne.

Par ailleurs, l'orientation donnée à l'action politique peut changer au cours d'une vie : combien de parlementaires, qui défendent aujourd'hui les traditions, ont été des contestataires de l'ordre établi à l'époque de leur jeunesse ?

Enfin, il faut aussi le reconnaître, les raisons qui mènent à l'action politique paraissent innombrables. Une personne peut vouloir participer aux élections tout simplement pour contribuer à la défaite des options qu'elle craint et à la victoire de celles qu'elle préfère. Une autre peut sentir le besoin de s'impliquer dans un mouvement parce qu'elle souscrit à ses objectifs et parce qu'elle s'identifie à ses leaders. De plus, elle peut le faire parce qu'elle y trouve des gens avec qui elle entretient des relations satisfaisantes ou parce qu'elle entend, par là, manifester sa désapprobation à l'égard du gouvernement ou d'une de ses politiques. De nombreuses personnes s'engagent dans l'action politique parce qu'elles veulent modifier les institutions, et non pas seulement les politiques. Le militantisme de ces personnes en suscite un autre, celui des personnes qui trouvent leur intérêt dans la défense des autorités en place ou dans celle de leurs politiques ou encore dans la défense des institutions. Les personnes qui occupent les postes d'autorité et leurs subalternes peuvent, à leur tour, avoir mille raisons de rester en fonction et de poursuivre la mise en œuvre de leurs politiques, y compris celles qui consolident les institutions. En définitive, aux sources de la participation à la vie politique, peuvent se superposer les uns aux autres des motifs et des mobiles différents, au gré des sollicitations, qui sont extraordinairement variées.

Bref, quand on y regarde de près, on constate que les circonstances peuvent mener, un jour ou l'autre, et pour toutes sortes de raisons, la plupart des membres de la société à investir dans l'action politique, pendant une période plus ou moins longue, beaucoup de temps, d'énergie et de ressources.

LA PARTICIPATION À LA VIE POLITIQUE ET LE POUVOIR

Mais, dans tous les cas, on investit dans l'action politique parce que, en dernière analyse, on souhaite que soit imposée une volonté plutôt qu'une autre, parce qu'on souhaite faire prévaloir ses propres préférences, ses propres volontés.

Car, à l'évidence, l'enjeu fondamental de la politique, c'est la capacité d'imposer une volonté plutôt qu'une autre, autrement dit, c'est le pouvoir, ou, si l'on veut, la décision qui fait autorité. Quel que soit le jugement que l'on porte sur les protagonistes de la vie politique, on doit admettre que la politique a trait au pouvoir et, par-dessus tout, au pouvoir légitime.

Le pouvoir légitime

Le pouvoir légitime, c'est celui qui s'appuie sur la loi, quelle qu'en soit la forme. Appuyé sur la loi, le pouvoir légitime a consolidé ses assises de bien des façons, notamment grâce à des organisations qui, dans la plupart des pays, sont aujourd'hui considérables. Ces organisations, organes de coordination au service de la prise de décisions politiques, agences spécialisées de ce qu'on appelle le secteur public, milices, armées et autres administrations financées par des prélèvements obligatoires, donnent aux autorités des moyens incomparables d'imposer leur volonté.

Grâce à ces organisations, en particulier les tribunaux et les forces de l'ordre, les autorités peuvent utiliser, en dernier recours, la coercition pour imposer leur volonté, pour imposer l'obéissance à leurs décisions. La crainte du châtiment constitue indiscutablement l'assise ultime du pouvoir légitime.

Par ailleurs, grâce à un endoctrinement subtil qui s'opère depuis des siècles, les autorités bénéficient d'un préjugé qui leur est favorable. Depuis fort longtemps, en effet, les autorités ont obtenu que les populations acceptent les hiérarchies, de la même façon qu'elles se plient, par exemple, aux phénomènes naturels qu'elles ne peuvent changer.

Jadis, la justification de ces hiérarchies était surtout fondée sur la conviction qu'elles correspondaient à l'ordre naturel ou, pour les croyants, à la volonté de Dieu, des dieux. Bien des gens, encore aujourd'hui, estiment que les hiérarchies sociales ou politiques sont dans l'ordre des choses.

Tout en paraissant inéluctables, les hiérarchies publiques sont justifiées, depuis un siècle ou deux, dans certains pays dont le Canada, en vertu de convictions selon lesquelles elles découlent de la souveraineté du peuple, car ce dernier choisit ses gouvernants, lesquels, à leur tour, choisissent leurs subalternes.

Finalement, quelle que soit la justification donnée aux hiérarchies institutionnelles, presque partout, la plupart des gens ont tendance à se plier sans trop discuter aux décisions du pouvoir légitime, aux décisions des autorités. Il s'ensuit que les autorités n'ont pas à recourir constamment à la coercition ; il leur suffit de s'appuyer sur le respect qu'elles obtiennent de la plupart des gens.

Ce respect de l'autorité, on le voit, résulte en partie de l'apprentissage de la vie en société que subissent les êtres humains. En effet, dès son enfance, chaque être humain se fait inculquer le respect de la personne qui récompense et qui punit, qui récompense le comportement qui plaît et punit celui qui déplaît. Il apprend vite à plaire à qui le nourrit et à fuir qui l'ennuie. Tout comme le goût des récompenses, la crainte des punitions apprend à obéir aux parents et aux autorités. Mais, pour faire de l'obéissance une habitude qui ne dépend plus des menaces et des promesses, il faut lui donner l'air d'une vertu, d'une règle de vie associée aux notions de bien et de mal, acquises par l'éducation. Cet apprentissage de la vie en société, qu'on l'appelle socialisation, acculturation ou endoctrinement, amène finalement la plupart des gens à se conformer, sans trop contester, à la plupart des volontés ou décisions des personnes qui occupent des postes d'autorité.

De toute façon, ces personnes, qui occupent les postes d'autorité, ont habituellement une grande maîtrise de l'art de se faire obéir, maîtrise développée au cours de leur propre apprentissage de la vie en société. Mieux que d'autres, elles ont appris à imposer leur volonté. Davantage que d'autres, elles savent séduire, intéresser, convaincre, persuader, d'autant plus qu'elles ont des atouts ou des ressources qui impressionnent la plupart des gens et qu'elles ont su se doter, grâce à leur activité passée et grâce à bien d'autres choses, de moyens qui font défaut aux autres.

Les leaders qui captivent davantage, qui passionnent les foules, ont ce que les spécialistes appellent du «charisme» (prononcez «karism»). Le charisme, ou simplement le charme exceptionnel de certains leaders, ajoute d'ailleurs aux possibilités conférées aux postes d'autorité par les organisations qui s'y rattachent et par le respect qui leur est accordé. Il peut même arriver que son charisme facilite l'accession d'une personne aux postes d'autorité.

Par ailleurs, lorsqu'elles mettent en œuvre des politiques qui plaisent aux catégories de personnes qui ont le plus d'influence, ou quand elles s'appuient sur une majorité, les autorités consolident les assises de leur pouvoir.

Quand on prend conscience de leurs immenses possibilités, on comprend pourquoi les postes d'autorité sont convoités avec un appétit sans égal. On comprend aussi tout l'intérêt que présentent les actions qui visent à influencer les décisions des personnes qui occupent ces postes d'autorité.

On comprend également pourquoi, tout au long de l'histoire, la politique a fait tant de morts, pourquoi elle a si longtemps ressemblé à un grenouillage indécent d'arrivistes cupides et de mégalomanes, à un monde d'intrigues et de violence, à un système d'exploitation des populations au bénéfice de minorités privilégiées.

Le pouvoir légitime et les institutions démocratiques

Cependant, grâce aux acquis des ancêtres qui ont lutté pour l'égalité et la liberté, les institutions du pouvoir légitime ont évolué, pour devenir ce qu'elles sont aujourd'hui, au Canada notamment, des institutions que l'on dit démocratiques.

Au Québec ou, plus largement, au Canada, ces institutions démocratiques sont fondées sur le principe de la primauté du droit, d'un droit qui garantit l'égalité juridique des membres de la société, qui garantit en outre certaines libertés individuelles, dont la liberté de conscience et de religion, et la liberté de pensée, de croyance, d'opinion et d'expression. Fondées sur le principe de la primauté du droit, les institutions du Québec et du Canada sont démocratiques parce qu'elles font prévaloir, entre autres, la volonté de la majorité pour le choix des gouvernants.

Les institutions politiques du Canada présentent, sous divers aspects, des ressemblances avec celles du Royaume-Uni de Grande-Bretagne et d'Irlande du Nord surtout, avec celles des États-Unis d'Amérique ensuite, et, enfin, avec celles de la France. Les déclarations relatives aux libertés ont été, dans une large mesure, inspirées par celles dont ces trois pays ont donné le modèle. La structuration territoriale des institutions au Canada, qualifiée de fédérale, s'apparente quelque peu à celle des États-Unis. Les institutions législatives canadiennes sont celles d'un parlementarisme semblable à celui du Royaume-Uni, et les symboles du pouvoir, au Canada, sont ceux d'une monarchie, tout comme au Royaume-Uni. Distinction faite du Québec, dont le droit civil est d'origine française, le Canada est un pays de tradition juridique britannique. Quant à la pratique démocratique en vigueur au Canada, elle est assez proche de celles des États-Unis, du Royaume-Uni et de la France : on dit de cette pratique qu'elle est pluraliste ou libérale. Finalement, parce qu'elles ont des traits qui empruntent à trois modèles différents, les institutions politiques du Canada paraissent plus complexes que celles de bien d'autres pays.

Les institutions démocratiques sont aujourd'hui, au Canada et au Québec, le cadre principal du déroulement de la vie politique.

LE DÉROULEMENT DE LA VIE POLITIQUE

La vie politique peut apparaître comme une joute incessante entre les forces du changement et les forces de l'ordre établi, les autorités, dans une démocratie, devant tenir compte des unes et des autres.

Du point de vue de chacune des péripéties de cette joute sans cesse recommencée, la vie politique se déroule selon un processus qui, partant de l'expression d'un désir de changement, passe par la mobilisation des personnes favorables à ce changement, puis par l'opposition de celles qui craignent ce changement, pour arriver enfin aux décisions des autorités et à leur mise en œuvre. Dans le jeu des organisations diverses, groupes de pression et partis politiques occupent le centre de l'arène. L'enjeu, c'est la décision des autorités. Mais les décisions des autorités ne plaisent jamais à tout le monde, de sorte qu'elles suscitent immanquablement de nouveaux désirs de changement. Il s'ensuit que les tentatives visant à modifier les institutions existantes, leurs juridictions, leurs territoires, leurs politiques et bien d'autres choses encore, se renouvellent sans cesse.

Les fondements de la vie politique

Les demandes adressées aux autorités, de toute façon, seraient très nombreuses même si la population était petite et homogène, son territoire exigu et ses institutions réduites à peu de choses. En effet, tout peut susciter de telles demandes. Dans un petit village isolé, une tempête, une inondation, une sécheresse, un incendie, une invasion d'insectes, bref, une simple perturbation de l'ordre naturel commande une action concertée, orchestrée par les personnes qui y ont de l'autorité.

Les autorités sont d'autant plus sollicitées que la population est plus considérable et divisée, son territoire plus vaste et varié, son économie plus diversifiée, ses institutions plus complexes. Or, de bien des points de vue, le Québec, comme le Canada, offre l'image d'une très grande hétérogénéité.

La plupart des fondements de la vie politique se trouvent dans cette hétérogénéité et dans l'hétérogénéité des attitudes et des comportements qu'elle engendre.

Il n'y a pas qu'au Canada que les populations se divisent en catégories nettement différenciées. La plupart des populations des grands pays du monde sont divisées et, dans la plupart des pays, les clivages sociaux sont sources de conflits, qui peuvent parfois avoir un impact majeur sur les autorités, sur leurs politiques, sur les institutions, sur les frontières...

Au Canada, la plupart de ces conflits politiques sont marqués par des influences qui proviennent d'ailleurs. La population du Canada entretient en effet des échanges très importants avec d'autres populations du monde, en particulier celle des États-Unis. En outre, terre d'immigration, le Canada est la patrie de millions de personnes qui considèrent un autre pays que le Canada ou que les États-Unis comme leur «mère-patrie» (ainsi de nombreux Canadiens se disent encore d'origine britannique et davantage, encore, se disent d'une origine autre que canadienne). Les influences venues de l'extérieur jouent sur les conflits qui défraient la chronique des événements au Canada.

Ces conflits sont aggravés, au Québec surtout, par les conceptions contrastées que les gens peuvent avoir de leurs institutions. Les perceptions que l'on peut avoir du fédéralisme ou du parlementarisme ou encore de la démocratie sont variées. Elles le sont pour diverses raisons, notamment parce que les modèles auxquels on les associe sont hétérogènes, parce que l'image qu'on en donne est souvent caricaturale, parce que les institutions sont multiformes et, enfin, parce que les intérêts des uns et des autres encouragent des visions différentes.

Les conflits politiques peuvent porter sur de nombreux sujets. Ainsi, ils peuvent concerner le partage du territoire, les membres de chaque catégorie et de chaque communauté préférant le voisinage de leurs semblables. Ils peuvent aussi concerner les normes de comportement ou règles à imposer à la population du territoire ou aux membres de la catégorie de référence ou, encore, à d'autres personnes. Ils peuvent se rapporter aux institutions, à la répartition des juridictions, aux modes de représentation, et ainsi de suite. Ils peuvent avoir trait aux mesures à prendre pour tirer bénéfice des changements qui se produisent dans le monde, pour éviter les conséquences négatives de la conjoncture, pour agir en fonction des objectifs les plus variés. À la limite, les affrontements politiques peuvent toucher n'importe quel sujet.

Pour prendre la mesure des conflits nés des clivages sociaux du Québec ou du Canada, il paraît utile d'examiner à la fois les particularités de ces conflits et de ces clivages. C'est ce que proposent les trois premiers chapitres de ce livre, consacrés à l'examen des fondements de la vie politique, autrement dit à la recherche des sources des demandes adressées aux autorités.

Les agents médiateurs de la vie politique

Les deux chapitres subséquents, les chapitres 4 et 5, ont pour objet l'examen des organisations que bâtissent et font vivre les protagonistes de la vie politique pour assurer la défense ou la promotion des intérêts, projets ou points de vue qui ont leur préférence. On dit de ces organisations, les groupes de pression et lobbies, d'une part, et les partis politiques, d'autre part, qu'elles sont les principaux agents médiateurs de la vie politique. Chacune de ces organisations réunit des personnes qui, dans l'ensemble, partagent les mêmes intérêts, convictions ou objectifs. Chacune permet de mettre en commun certaines des ressources de ses membres et elle donne plus d'efficacité et d'efficience à leurs activités.

Du point de vue de leur action politique, ces groupes de pression et lobbies sont engagés dans la défense et la promotion d'intérêts particuliers, présentés comme l'expression du bien commun. Leur action auprès des autorités prend la forme de démarches diverses, de sollicitations assorties de promesses, de pressions accompagnées de menaces, de campagnes de mobilisation populaire, voire de véritables cabales.

Les partis politiques se distinguent des groupes de pression et lobbies (étudiés dans le chapitre 4) par leurs objectifs particuliers, qui sont de mener et de maintenir leurs chefs aux postes d'autorité. Alors que les lobbies adressent leurs demandes aux autorités, les partis visent la conquête des postes d'autorité grâce auxquels ils recherchent l'exercice réel de l'autorité, la capacité d'imposer leur volonté, leurs projets.

En raison des acquis hérités du passé, les équipes dirigeantes des grands partis politiques ont depuis longtemps compris que leur victoire lors des élections dépendait, dans une large mesure, de leur capacité de satisfaire simultanément les aspirations d'un très grand nombre de personnes dont les intérêts particuliers pouvaient être fort différents.

Les grands partis, ceux qui arrivent à faire élire plusieurs de leurs candidats et candidates lors des élections, tentent de réaliser une agrégation d'intérêts ; autrement dit, ils cherchent à réunir des intérêts qui peuvent paraître conciliables, pour former des ensembles dont l'envergure puisse procurer l'espoir de la victoire aux élections. Ce faisant, ils peuvent arriver à donner l'image d'organisations qui transcendent les intérêts particuliers, qui font la promotion de vrais projets de société.

Bien qu'ils ressemblent, à bien des égards, aux grands partis d'autres pays dits démocratiques, les partis politiques du Canada présentent plusieurs particularités. En effet, au Canada, la pratique a mené les partis à une sorte de spécialisation institutionnelle, du moins dans les provinces du centre et de l'ouest de la fédération. Ainsi, au Québec, les partis qui s'affrontent lors des élections municipales sont distincts et indépendants des partis qui participent aux élections à l'Assemblée nationale, et ces derniers sont différents de ceux qui présentent des candidats et candidates aux élections fédérales.

À cette particularité du système des partis du Canada s'ajoutent diverses autres caractéristiques décrites au chapitre 5. Ainsi, contrairement aux pays du continent européen, le Canada n'a pas connu de partis communistes ou fascistes importants. À la différence des pays européens, de même, le Canada n'a guère connu le phénomène des coalitions gouvernementales formées par des parlementaires de plusieurs partis. De plus, au Canada, les partis ont réussi à s'imposer comme partenaires dans la gestion des élections. En définitive et compte tenu de quelques autres caractéristiques qui le singularisent, le système des partis politiques au Canada paraît atypique, comme le montre le chapitre 5.

Comme le montre également le chapitre 5, les partis politiques sont devenus les principaux agents médiateurs de la vie politique, en raison de leur rôle dans le processus électoral, qui est le mécanisme essentiel de la démocratie représentative. Cependant ils ne sont pas les seuls agents médiateurs de la vie politique. Les groupes de pression et les lobbies sont, eux aussi, des agents médiateurs importants ; ils sont d'autant plus importants que leur action s'exerce, sans discontinuer, par d'incessants jeux d'influence.

Les procédés de la médiation politique

Ces jeux d'influence, auxquels sont consacrées d'énormes ressources, sont l'un des deux grands procédés ou mécanismes de médiation de la vie politique, l'autre étant les élections.

Considérés du point de vue de leur dynamique, ces procédés ou mécanismes peuvent d'ailleurs apparaître comme des processus, c'est-à-dire un enchaînement ordonné d'opérations aboutissant à un résultat. Le résultat des élections est l'aboutissement d'une série d'opérations qui s'enchaînent dans le temps à partir des préliminaires de ce qu'on appelle la campagne électorale jusqu'aux suites du décompte du scrutin. L'aboutissement des jeux d'influence, une décision politique, se produit au terme d'une série de démarches.

Les élections et les jeux d'influence (qu'examinent les chapitres 6, 7 et 8) sont les deux grands procédés ou mécanismes de médiation de la vie politique parce qu'ils sont les deux principaux moyens par lesquels les agents médiateurs de la vie politique obtiennent les résultats recherchés. C'est par les élections que l'un des partis politiques (dans un système de bipartisme) arrive à porter et à garder plusieurs de ses membres aux postes d'autorité. C'est par le truchement des jeux d'influence que certains groupes de pression ou lobbies arrivent à obtenir les décisions politiques souhaitées ou, du moins, des décisions qu'ils peuvent accepter provisoirement.

En fait, les jeux d'influence (étudiés dans le chapitre 8) sont le propre de la vie politique. Dans la plupart de ses formes, la participation à la vie politique s'apparente aux jeux d'influence. Il est même permis de les assimiler à la participation politique, tout simplement puisque les élections elles-mêmes sont l'occasion de jeux d'influence. De plus, c'est dans un contexte de jeux d'influence que s'élaborent habituellement la plupart des très nombreuses décisions politiques qu'envisagent les organes décisionnels à Québec, à Ottawa et dans d'autres capitales, dans les cités, villes et villages du Québec et d'ailleurs, et, selon les politologues qui les ont étudiés, dans les autres pays dits démocratiques.

La prise des décisions politiques : les institutions et les autorités

Alors que les autorités fédérales du Canada sont étudiées dans le chapitre 9, les autorités du Québec sont présentées dans le chapitre 10. Ces chapitres permettent de distinguer les divers organes dont relèvent les décisions politiques. Ceux-ci sont nombreux, en raison du modèle institutionnel fédéral adopté au Canada, du régime parlementaire et de la décentralisation municipale pratiquée dans plusieurs provinces, notamment au Québec.

La prise de chaque décision politique s'effectue en plusieurs étapes. Une première étape, que l'on peut appeler étape de la délibération, est consacrée à l'examen des diverses façons de résoudre le problème à régler ou de répondre au besoin à satisfaire. La suivante est celle du choix, qui, après ratification, débouche sur l'action.

Quelles qu'aient été les personnes associées à l'élaboration de la décision, le choix final doit être effectué par les autorités selon un procédé qui lui donne sa légitimité. Cette légitimation, ou ratification, relève de l'une ou l'autre des institutions présentées dans les chapitres 9 et 10. Dans de nombreux cas, elle requiert même le concours de plusieurs de ces institutions.

Parmi les décisions dont la ratification requiert le concours de plusieurs des institutions examinées dans les chapitres 9 et 10, les plus importantes sont sans doute celles auxquelles on donne le nom de *lois*. Ainsi, au Québec, un projet ne peut devenir loi tant qu'il n'a pas été accepté, à la fois par la majorité des membres de l'Assemblée nationale et par le gouvernement (et ratifié par le lieutenant-gouverneur). Par ailleurs, le gouvernement ne peut agir que dans le respect des lois. La même règle est imposée aux instances décentralisées.

Étudiée au chapitre 10, l'Assemblée nationale du Québec n'exerce que certaines juridictions législatives, délimitées, pour l'essentiel, dans quelques articles de la Loi constitutionnelle de 1867. Ces juridictions, dites provinciales, sont de celles qui touchent le plus directement les gens.

L'examen des institutions du Québec et du Canada permet de voir le rôle extrêmement important assumé par les exécutifs, et surtout par leurs chefs, quels que soient leurs titres. À Ottawa, à Québec, à Toronto ou dans une autre capitale, le premier ministre exerce un ascendant considérable au sein des organes décisionnels. Il domine le gouvernement, appelé aussi conseil des ministres, conseil exécutif ou Cabinet. Dans les instances locales, de même, la personne qui dirige l'exécutif occupe une position prééminente, compte tenu du contexte.

Cette prééminence des leaders découle en partie des pratiques en vigueur dans les institutions, de la logique du processus électoral et, plus largement, de l'ensemble des facteurs qui façonnent le phénomène de l'autorité.

La suprématie du premier ministre du Canada sur les institutions fédérales a pour parallèle celle dont bénéficie le premier ministre de chacune des provinces sur les institutions de sa province.

LES PARTICULARITÉS DE L'AGENCEMENT DES INSTITUTIONS POLITIQUES AU CANADA : LE FÉDÉRALISME

Cependant, le premier ministre du Canada exerce des fonctions beaucoup plus prestigieuses que celles d'un premier ministre provincial. Sa renommée s'étend à l'ensemble du Canada, et au-delà, alors que celle d'un premier ministre provincial ne déborde guère les frontières de sa province. En langue anglaise, d'ailleurs, pour bien marquer ces contrastes, on appelle simplement *premier,* le premier ministre d'une province alors qu'on parle du *prime minister* quand on réfère au premier ministre du Canada. De même, en langue anglaise, le mot *Parliament* est réservé aux institutions législatives fédérales.

Le Parlement fédéral du Canada et le gouvernement qui en est issu fonctionnent selon le modèle britannique, tout comme les organes décisionnels provinciaux du Québec. Cependant, contrairement aux institutions provinciales, le Parlement fédéral est formé de deux corps législatifs, l'un, la Chambre des communes, étant une assemblée élue, l'autre, le Sénat, étant composé de personnes choisies selon les vœux du premier ministre du Canada. La Chambre des communes, qui compte aujourd'hui 301 députés, et le Sénat, qui compte 105 membres, rassemblent davantage de parlementaires que la totalité des assemblées des sept provinces les moins peuplées du Canada. Par sa taille, par le volume des affaires qui y sont traitées, par la gamme des sujets qu'il aborde et par bien d'autres aspects de ses activités, le Parlement fédéral du Canada est une institution incomparablement plus importante que la plus importante des institutions législatives provinciales de la fédération canadienne.

Par ailleurs, à la différence des institutions des provinces, les institutions fédérales du Canada sont celles d'un État souverain et, à ce titre, elles ont à considérer des questions de politique internationale.

C'est le Canada, plutôt que les provinces canadiennes, qui est reconnu comme État souverain, au sens donné à ces mots par les membres de l'Organisation des Nations unies. Certes, les autorités fédérales du Canada ont accepté que les autorités provinciales, celles du Québec en particulier, puissent entretenir des relations officielles avec les autorités de certains pays membres de l'Organisation des Nations unies, mais il faut que ces relations se situent dans le prolongement des compétences législatives provinciales. De plus, au sens du droit constitutionnel canadien, les institutions législatives des provinces canadiennes sont souveraines dans les domaines de leur juridiction et dans les limites de leurs territoires respectifs, mais c'est le gouvernement fédéral du Canada qui fait partie des organisations internationales formées par des États souverains.

Les institutions fédérales du Canada détiennent une autorité considérable sur des sujets d'une très grande importance, incluant la réglementation du trafic et du commerce, la monnaie, les banques, les taux d'intérêt, les forces armées, le droit criminel, les pénitenciers, les postes, les poids et mesures et, à la limite, toutes les matières ne tombant pas dans les catégories de sujets assignés aux institutions législatives des provinces par la Constitution du Canada, c'est-à-dire par la Loi constitutionnelle de 1867 et les autres lois constitutionnelles.

Selon de nombreuses personnes, les institutions fédérales du Canada occupent et doivent occuper une situation dominante, qui leur permet d'imposer une sorte de tutelle aux institutions des provinces. Ces personnes conçoivent le Canada comme un pays unitaire décentralisé et non pas comme une authentique fédération, même si elles en parlent parfois comme d'une fédération et qualifient les relations entre les autorités d'Ottawa et celles des provinces de «relations fédérales-provinciales». Ces personnes disent du gouvernement fédéral du Canada qu'il est le gouvernement national et de ses politiques qu'elles sont des politiques nationales, comme si le Canada était formé d'une seule et unique nation, comme le sont, en général, les pays unitaires. Ces personnes parlent de niveaux ou de paliers de gouvernement pour désigner les ordres de gouvernement existant au Canada ; elles emploient le vocabulaire qui sied aux pays unitaires dans lesquels il y a effectivement des paliers, échelons ou niveaux ; elles semblent ignorer que, dans une fédération, il y a deux ordres de gouvernement et non pas deux paliers. Ces personnes vont dire du gouvernement d'Ottawa qu'il est un gouvernement central, plutôt que de le désigner de la façon appropriée pour parler du gouvernement fédéral d'une fédération : dans leur conception du Canada, le pays a un gouvernement central, qui aurait délégué certaines de ses attributions aux gouvernements provinciaux, selon un procédé auquel on donne le nom de décentralisation. Certaines de ces personnes disent que le Canada est décentralisé, trop décentralisé, plus décentralisé que d'autres pays ; d'autres disent que le Canada n'est pas assez décentralisé, mais toutes semblent ignorer qu'une fédération est, par définition, un agencement qui n'est pas fondé sur un principe de décentralisation, mais bien sur le principe de la souveraineté partagée. Plus encore, dans une fédération, l'ordre de gouvernement constitué par les États-fédérés ne doit pas être subordonné : dès lors que les gouvernements «régionaux» deviennent subordonnés, le fédéralisme fait place à un État unitaire...

Une part des conflits qui perdurent au Canada vient des perceptions contradictoires que l'on peut avoir du fédéralisme : pour plusieurs personnes, on vient de le voir, le fédéralisme n'est qu'une forme poussée de décentralisation, alors que pour d'autres, le fédéralisme correspond à un type d'agencement institutionnel dans lequel la souveraineté est partagée entre des institutions fédérales, qui exercent leurs juridictions sur l'ensemble de la fédération, et des institutions fédérées qui exercent leurs propres juridictions sur des portions de territoire qu'on appelle provinces au Canada. (Ce qu'on appelle une province au Canada est appelé État dans la plupart des autres fédérations du monde. On parle d'États ou *States* aux États-Unis, en Inde ou en Australie, États ou *Estados* au Mexique, États ou *Länder* en Autriche ou en République fédérale d'Allemagne).

Selon le point de vue qui devrait prévaloir en toute logique, une fédération se distingue nécessairement à la fois d'un régime unitaire et d'une confédération.

Dans un *régime ou pays unitaire*, les institutions relèvent toutes de la même autorité centrale : celle-ci délègue quelques pouvoirs à des instances autonomes qu'elle crée et sur lesquelles elle exerce sa tutelle (et on appelle décentralisation le procédé par lequel l'autorité centrale délègue une part de son autorité à des institutions, que l'on dit décentralisées).

Dans une *confédération*, les États membres sont seuls dépositaires de la souveraineté, bien qu'ils aient délégué certaines de leurs juridictions à des institutions communes, des institutions confédérales.

Dans une fédération, les États membres sont souverains sur leur territoire dans les limites des compétences que leur attribue la Constitution et l'État fédéral est souverain dans les limites de ses propres compétences.

Un critère relativement simple permet de départager les types d'arrangements institutionnels possibles. Ce critère, c'est celui de la subordination des institutions les unes aux autres. Dans un régime ou pays unitaire, les institutions décentralisées sont subordonnées. Dans une confédération, ce sont les institutions confédérales qui sont subordonnées. Dans une fédération, il n'y a pas de subordination. Autrement dit, dans une fédération, les institutions des États fédérés ne doivent pas être subordonnées à celles de l'État fédéral et ces dernières ne doivent pas être subordonnées à celles des États fédérés, communément appelés États membres.

De ce point de vue strictement juridique, le Canada a été longtemps une quasi-fédération, car les institutions provinciales y étaient incontestablement subordonnées aux autorités fédérales. Mais, avec le passage du temps, la subordination d'antan s'est atténuée, de sorte que, aujourd'hui, le Canada ressemble beaucoup aux autres fédérations. Même si on dit parfois qu'il en est une, le Canada n'a jamais été une confédération.

Contrairement à d'autres fédérations, les États-Unis, la Suisse et la République fédérale d'Allemagne, notamment, la fédération canadienne présente encore aujourd'hui quelques traits des régimes unitaires. Ainsi, le Parlement fédéral du Canada n'est pas constitué comme ceux des fédérations qu'on pourrait considérer comme des modèles. Par ailleurs, contrairement à ceux de ces autres fédérations, le Parlement fédéral du Canada peut exercer sa juridiction sur tout sujet qui n'a pas été expressément attribué aux institutions des États membres (les provinces) et il peut même l'exercer sur des sujets qui relèvent d'elles. Enfin, contrairement à ceux des autres fédérations, le Parlement fédéral du Canada a été, jusqu'en 1982, seul habilité à statuer au sujet du tribunal suprême de la fédération (la Cour suprême du Canada).

Ces traits particuliers du fédéralisme canadien, et quelques autres encore, sont étudiés dans les chapitres 9 et 10.

D'autres traits du fédéralisme canadien, qui rappellent ceux d'un régime ou État unitaire, sont mentionnés dans ces mêmes chapitres. En vertu de la Loi constitutionnelle de 1867 (reproduite en annexe à ce livre), le gouvernement du Canada nomme les représentants de la Couronne dans les diverses provinces (les lieutenants-gouverneurs) et ceux-ci doivent lui transmettre des lois adoptées dans les législatures provinciales. La Loi constitutionnelle de 1867 autorise même le désaveu, par le gouvernement fédéral du Canada, d'une loi provinciale qu'il désapprouverait. Même s'il n'a pas utilisé son pouvoir de désaveu depuis fort longtemps, le gouvernement fédéral du Canada peut toujours le faire.

Cependant, même si la Loi constitutionnelle de 1867 lui permet de le faire, le gouvernement fédéral du Canada ne pourrait guère agir si la majorité des membres de la Chambre des communes s'y opposait. Les lois, aussi bien que les conventions, coutumes, usages et traditions, limitent en effet les possibilités d'action du pouvoir exécutif fédéral. Toutefois, à l'intérieur des limites que lui impose l'héritage du passé, le gouvernement fédéral du Canada détient une marge de manœuvre considérable dans les relations qu'il entretient avec les gouvernements des provinces.

Bien avant le Parlement fédéral, c'est le gouvernement fédéral qui prend l'initiative des mesures à proposer dans le domaine des «relations fédérales-provinciales» (également appelées «relations intergouvernementales»). C'est lui, par exemple, qui doit déterminer les barèmes des subventions accordées aux gouvernements provinciaux, même si la décision est prise au terme de longues négociations. Or, les subventions du gouvernement fédéral constituent une part importante des ressources budgétaires de la majorité des gouvernements provinciaux. Par ailleurs, de nombreuses lois fédérales imposent diverses contraintes aux autorités provinciales ; l'initiative de ces mesures et leur mise en œuvre relèvent du gouvernement fédéral. Enfin, autre point important, aucune modification d'envergure à la Loi constitutionnelle de 1867 et à la Loi constitutionnelle de 1982 ne peut prendre effet sans l'approbation du Parlement fédéral. En pratique, finalement, le gouvernement fédéral occupe vraiment une position dominante dans l'agencement institutionnel du Canada, même si la subordination des institutions provinciales n'est plus ce qu'elle était.

Cela dit, le gouvernement fédéral (à distinguer de l'ensemble des parlementaires) a une grande importance à titre de « pouvoir exécutif » au sein des institutions. Cette importance ne lui vient pas seulement de son rôle dans le domaine des « relations fédérales-provinciales » et de son rôle à titre de gouvernement d'un État souverain membre de l'Organisation des Nations unies et de nombreuses autres organisations internationales. Elle lui vient également d'un ensemble de règles et de conventions qui lui donnent, comme elles les donnent au gouvernement de chaque province, le droit d'initiative des projets de loi qu'il lui plaît de soumettre à l'attention des parlementaires et le monopole sur les projets relatifs aux finances publiques. Elle lui vient enfin de ce qu'il préside à la mise en œuvre de toutes les lois adoptées par le Parlement fédéral et de toutes les décisions adoptées en vertu des prérogatives historiques de la Couronne qui n'ont pas encore été remplacées par des lois.

Au sein du gouvernement fédéral, comme au sein de chacun des gouvernements provinciaux, le poste de premier ministre se distingue des autres. On dit du premier ministre, à Ottawa comme dans l'une ou l'autre des capitales provinciales, qu'il exerce une réelle domination sur les institutions. Cette suprématie du premier ministre est expliquée de diverses façons, comme le montre le chapitre 9, mais elle est tempérée par les importantes pressions qui pèsent sur tout gouvernement. Un premier ministre est contraint par le manque de temps et par bien d'autres choses encore de sorte qu'il doit s'appuyer sur les avis qui lui parviennent. Finalement, dans la prise des décisions politiques, à Ottawa, à Québec et ailleurs, les jeux d'influence ont un poids considérable.

PREMIÈRE PARTIE

Les fondements de la vie politique

Puisqu'elle concerne les relations que les êtres humains ont entre eux et les relations qu'ils ont avec leur environnement, la vie politique trouve nécessairement ses fondements dans les populations humaines. Ces fondements doivent être recherchés du côté des désirs, besoins ou volontés des gens, puisque l'enjeu général de la vie politique, c'est le pouvoir, c'est-à-dire la capacité d'imposer une volonté plutôt qu'une autre, la capacité d'obtenir un résultat plutôt qu'un autre, autrement dit les décisions qui font autorité.

À l'évidence, ces désirs, besoins ou volontés sont innombrables, parce que chacun des membres d'une population donnée peut en exprimer en quantité. Toutefois, puisque l'action en commun peut accroître la satisfaction des personnes qui l'entreprennent, chaque être humain cherche à se joindre aux coalitions qui, de son point de vue, pourraient lui apporter le plus.

La logique de l'action collective, cette logique qui amène à s'unir en vue d'une action commune pour défendre un intérêt commun, c'est la logique même de la vie politique.

L'histoire des êtres humains montre bien cette logique de l'action collective qui a mené, partout, à l'établissement d'imposantes hiérarchies, des hiérarchies que la plupart des gens, par leur apprentissage de la vie en société, ont appris à accepter et, souvent, à vénérer.

Ces hiérarchies, qui sont devenues extrêmement complexes, perdurent pour toutes sortes de raisons, et non pas uniquement parce que la plupart des gens les acceptent et, sans en être nécessairement conscients, les maintiennent. Elles procurent aux populations un sentiment général de stabilité et de sécurité, qui satisfait quelques-uns des besoins primaires de tout être humain, de sorte que les personnes qui les contestent rêvent généralement de les remplacer plutôt que de les abolir. Elles sont bâties sur des subdivisions extrêmement nombreuses, qui se superposent et s'enchevêtrent, et qui leur donnent à la fois souplesse et solidité. Ces innombrables subdivisions se soutiennent les unes les autres, chacune offrant quelque chose à d'autres, contre compensation. Finalement, les populations connaîtraient de véritables catastrophes si elles brisaient d'un coup les mailles de l'immense réseau que constituent ces innombrables subdivisions, organisations, éléments d'organisations et groupements de toutes sortes.

Dans cet immense réseau se distinguent les organisations qu'on qualifie de politiques et dont le cœur est constitué par ce que plusieurs politologues appellent des *organes politiques* ou, souvent, *organes décisionnels*. On désigne communément ces organes par l'expression *institutions politiques*, qui englobe beaucoup de choses, ou par la formule *pouvoirs publics*, ou encore par les mots autorités, *autorités politiques*, autorités publiques, autorités fédérales, autorités provinciales, autorités municipales, quand ce n'est pas par les mots États, gouvernement, administration publique et ainsi de suite.

Considérés ensemble, ces organes décisionnels fixent les obligations et les interdictions imposées aux relations que les êtres humains entretiennent entre eux et avec leur environnement, et par là même déterminent les frontières des libertés individuelles. Les organes décisionnels fixent également les objectifs et les moyens d'actions collectives de toutes sortes. Et pour imposer le respect des obligations et interdictions qu'ils ont édictées, pour réaliser les actions collectives qu'ils projettent, ces organes s'appuient sur les hiérarchies dont ils sont la tête et dont certains éléments sont munis d'instruments de coercition, notamment des armes.

À l'échelle de la planète et des six milliards d'êtres humains qui la peuplent, l'agencement de ces organes politiques donne l'image de multiples quadrillages territoriaux superposés. Parmi ces quadrillages, il en est un qui se démarque : celui des pays souverains. À ce quadrillage territorial dessiné par les frontières des pays souverains se superposent bien d'autres quadrillages, entre autres, ceux que constituent les ensembles formés par deux ou plusieurs pays en fonction d'alliances de toutes sortes. Par ailleurs, le quadrillage formé par les pays souverains se superpose aux quadrillages que dessinent leurs diverses subdivisions territoriales.

En portant le regard sur un seul des espaces délimités par les quadrillages multiples que dessine l'agencement des organes politiques existant dans le monde, on risque de se détourner des quadrillages qui lui sont superposés et, aussi, de ceux sur lesquels il se superpose. Il s'ensuit que l'examen du seul organe politique qui semble faire la loi sur cet espace ne peut rendre compte que d'une partie de l'ensemble des obligations et interdictions imposées à la population de cette partie du monde.

Pour avoir une vue d'ensemble de la vie politique au Québec, il faut donc tenir compte, à tout le moins, du quadrillage qui recouvre le Québec, c'est-à-dire celui de la fédération canadienne, de même qu'il faut tenir compte des municipalités.

Il faut aussi, pour avoir une vue d'ensemble de la vie politique, examiner ses principaux fondements, qui se trouvent dans les visions que les gens peuvent avoir d'eux-mêmes et de leur environnement et dans les désirs ou visées qui les motivent.

Parmi ces visions et ces visées, il en est qui s'accordent entre elles et d'autres qui s'opposent. Celles qui s'accordent constituent le ciment qui lie les habitants du pays, qui assure la continuité de ses institutions et qui permet d'accepter les oppositions. Ces oppositions sont au cœur de la vie politique, alors que les visions et visées communes permettent à la vie politique de se dérouler sans violence. Parce qu'ils partagent certaines valeurs communes, une certaine vision de leur pays et de sa place dans le monde, une certaine conception des objectifs à poursuivre, les habitants du pays tentent de concilier les divergences qu'ils ont par ailleurs ; quand ils ont beaucoup en commun, ils s'entendent pour rechercher des solutions de compromis aux différends qui peuvent les diviser.

Malgré l'hétérogénéité de leurs cultures, malgré tout ce qui les sépare, les habitants du Canada ont beaucoup en commun. Ils éprouvent, dans l'ensemble, un grand attachement au territoire qui est le leur, le désir de vivre en paix, dans la prospérité, au nord du pays le plus riche du monde, les États-Unis, voisin avec lequel ils entretiennent des relations amicales et commerciales très étroites. Francophones ou anglophones, catholiques ou protestants, d'origine européenne ou autre, ces habitants du Canada ont, ensemble, le sentiment d'appartenir à une terre jeune, aux ressources immenses, aux vastes espaces ; leur conception de la politique repose sur les principes de la primauté du droit, du respect des droits et libertés des personnes, de la démocratie représentative et du règlement pacifique des conflits. Par ailleurs, la plupart des Canadiens croient que l'économie de marché fondée sur la propriété privée et la libre entreprise peut procurer un bien-être plus grand et plus général que tout autre système économique et rejettent, pour cette raison et pour d'autres raisons aussi, le collectivisme préconisé par certains leaders dans d'autres pays. (Le collectivisme implique l'abolition de la propriété privée des moyens de production par voie d'expropriation, de nationalisation ou de collectivisation.) D'accord sur des questions aussi importantes que celles qui concernent l'économie de marché ou la démocratie représentative, les habitants du Canada se retrouvent aussi unis sur quantité d'autres sujets.

Unis pour défendre les valeurs que sont la paix, l'économie de marché, la démocratie représentative et leurs bonnes relations avec leurs voisins américains, unis pour viser la plus grande prospérité possible et un grand nombre d'autres objectifs communs, les Canadiens sont cependant divisés dès lors qu'il s'agit d'identifier les moyens d'atteindre leurs objectifs communs ou de protéger leurs valeurs communes.

Divisés au sujet des moyens à prendre pour atteindre des objectifs ou protéger des valeurs qui les unissent, les habitants du Canada ont aussi, bien sûr, beaucoup de mal à s'entendre quand il est question d'objectifs ou de valeurs qui les divisent.

Ce sont d'ailleurs les divisions qui attirent davantage l'attention quand on examine la vie politique d'un pays. Ce sont les divisions qui sont à la base de la vie politique du Canada et du Québec que les trois chapitres suivants vont examiner.

Dans le *chapitre 1* seront présentées les divisions sociales les plus importantes, du point de vue du déroulement de la vie politique, celles qui se rapportent aux communautés culturelles. Les communautés culturelles se distinguent les unes des autres en raison de caractéristiques acquises par leurs membres dès la tendre enfance : la langue maternelle, la religion, les traditions, qui varient en fonction des origines ethniques. Les enfants acquièrent dans leur famille la conviction de faire partie d'un ensemble différent des autres ; ils apprennent très tôt dans la vie à distinguer ceux qui leur ressemblent et les autres. La langue apprise au foyer, l'accent, les intonations particulières, le vocabulaire, toutes ces choses marquent d'importantes différences entre les gens. À ces différences liées à la langue maternelle s'ajoutent celles qui correspondent aux croyances religieuses et aux traditions. Finalement, chaque être humain, au sortir de l'enfance, appartient à une communauté donnée, par sa langue, ses croyances, sa façon de voir le monde, ses manières de faire et, enfin, ses options politiques.

Les grandes options politiques d'une communauté culturelle peuvent mener la plupart de ses membres à s'unir contre d'autres communautés qui veulent les contrecarrer. Le sentiment d'appartenir à sa communauté d'origine, l'affection ressentie pour les membres de cette communauté, la solidarité ressentie à son égard, tout cela mène une personne à faire front commun avec ses frères et sœurs, ses cousins et cousines, ses parents lointains, l'ensemble du groupe social qui partage les mêmes valeurs, la même langue, la même religion. Les conflits entre communautés distinctes sont très préoccupants.

Au Canada, les affrontements entre communautés distinctes ont rarement mené à la violence, mais cela s'est quand même produit à quelques reprises. Puisqu'il y a eu l'insurrection de 1837 et 1838 dans le Bas-Canada et dans le Haut-Canada, les émeutes de 1849, les soulèvements des Métis en 1869 et 1870, puis en 1885, la révolte des antimilitaristes à Québec en avril 1918, la crise de la conscription de 1942-1944, la crise d'octobre en 1970, la crise d'Oka en 1990 et bien d'autres conflits violents dans l'histoire paisible du Canada, il y a lieu de consacrer un chapitre distinct aux clivages entre communautés.

Après l'examen, dans le premier chapitre, des grands clivages culturels qui divisent la population du Canada, le _chapitre 2_ proposera l'examen des conflits entre catégories que distinguent l'âge, le sexe, la profession, le type d'emploi, le type d'habitat ou autres caractéristiques.

Enfin, dans le _chapitre 3_ seront abordées les attitudes à l'égard du changement dans le déroulement de la vie politique. Pour simplifier, la question sera présentée du point de vue des revendications suscitées par le désir de changement et par les résistances opposées au changement. Comme les attitudes inspirées par les sentiments d'appartenance à telle communauté culturelle et à telle catégorie de personnes, les attitudes à l'égard du changement semblent servir de fondement à bien des revendications politiques et à quantité de débats qui marquent le déroulement de la vie politique.

1

La diversité culturelle

Compativement à celle de certains pays de cinq à trente millions d'habitants, la population du Québec ou, plus largement, celle du Canada paraît fort hétérogène. On peut en effet y distinguer de multiples éléments, qui se particularisent en raison des traditions correspondant à diverses origines ethniques, en raison des langues maternelles et langues d'usage, en raison des croyances religieuses et en raison de nombreux autres traits (notamment la couleur de la peau, qui, pour certaines personnes, sert de prétexte à distinction). Le Québec ou, plus largement, le Canada y constitue un ensemble hétérogène ; les communautés y sont morcelées et, tout en se touchant les unes les autres, elles forment, sur le territoire, une véritable mosaïque.

Compte tenu des revendications autonomistes ou sécessionnistes qui proviennent de certaines communautés au Canada, compte tenu des débats politiques passionnés que suscitent de très nombreuses autres revendications exprimées par les porte-parole des diverses communautés qui valorisent leurs traits distinctifs, il paraît clair que les distinctions qui ont le plus d'importance, du point de vue de la vie politique au Québec et aussi ailleurs au Canada, sont celles qui concernent les traditions correspondant aux origines ethniques des gens, les langues maternelles, les langues d'usage et les convictions religieuses. Ce sont ces distinctions qu'examinent les pages suivantes.

LA DIVERSITÉ DES ORIGINES

Selon que la plupart de leurs premiers ancêtres canadiens sont arrivés au Canada récemment, ou au XIXe siècle, ou encore au XVIIIe siècle, selon qu'ils sont nés ailleurs ou qu'ils descendent des populations aborigènes, les habitants du Canada sont finalement classés en cinq grands groupes*.

Ces grandes distinctions sont valorisées dans le vocabulaire usuel. Dans la pratique, la plupart des gens font en effet la distinction entre les *immigrants*, nés ailleurs (en anglais, on dit *foreign-born Canadians*), les *nouveaux Canadiens*, dont les parents étaient des immigrants (les Canadiens que le vocabulaire usuel désigne par le mot qui identifie la nationalité de leurs parents, *Italians*, *Germans*, etc.), les *Canadiens français*, les membres des *premières nations* et, enfin, les *true Canadians*. C'est ce dernier groupe qui est le plus considérable. Les membres de ce groupe n'ont pas à subir le type d'ostracisme qui se perçoit quand on dit de quelqu'un qu'il est un *French Canadian*, ou un *foreign-born Canadian*, ou encore un Grec, un Italien ou un Jamaï-cain. Exprimées dans les conversations, les distinctions entre divers types de citoyenneté agacent bien des gens, qui aimeraient qu'on cesse, au Canada, de ne considérer comme de *vrais Canadiens* que ceux qu'on désigne par le seul mot «Canadien» (ou *Canadian*). Depuis des décen-nies, plusieurs chefs de partis politiques s'insurgent contre la pratique qui consiste à désigner certains citoyens du Canada par des formules qui comportent un autre mot que «Canadien».

À force de se faire traiter autrement que comme des Canadiens à part entière, certains ont opté pour des désignations de leur choix. Les descendants des premiers occupants du pays ont souhaité qu'on cesse de les appeler Indiens ou Amérindiens ou autre chose encore, et ils ont revendiqué le privilège de se désigner du nom de leur peuple (Cri, Inuit, Haïda, et ainsi de suite) ou de se désigner, collectivement, comme membres des premières nations. Mais, en choisissant de se

---

*   Le nombre de personnes dans chaque catégorie, en 1999, est calculé d'après une extra-polation dérivée des compilations issues du recensement de 1991. Le recensement de 1996 n'a pas fait état des distinctions examinées ici, distinctions observées lors du recensement de 1991.

nommer eux-mêmes, les Québécois et les membres des premières nations ont contribué au renforcement des distinctions qui les particularisaient déjà.

Les distinctions exprimées dans le vocabulaire traduisent la propension des gens à traiter ceux qui leur ressemblent d'une façon différente de celle dont ils traitent les *autres*. Comme on l'a vu il y a un instant, certaines personnes condamnent ces distinctions et tentent de les faire disparaître, alors que d'autres, au contraire, les valorisent. Il est difficile de savoir pourquoi les Québécois ou les membres des premières nations se sont mis à valoriser ce qui leur valait d'être traités différemment : leurs motifs sont probablement nombreux… comme le sont sûrement aussi ceux des immigrants et enfants d'immigrants qui, pour devenir citoyens à part entière de leur pays d'adoption, tentent de se fondre dans le modèle social dominant au Canada.

Mais quel que soit leur désir d'éviter les distinctions, les Canadiens nés à l'étranger, les enfants d'immigrants, les francophones, bref, de nombreux Canadiens se différencient en raison de leurs origines ou en raison de leur héritage ancestral. Pays d'immigration, le Canada (ou le Québec) ne peut échapper, pour le moment, aux conséquences de son mode de peuplement. Se considérant, à bon droit, citoyens au même titre que les autres, les Canadiens nés dans d'autres pays voient probablement leur nouveau pays d'une façon qui contraste avec la vision qu'en ont ceux qui y sont nés. Par ailleurs, les Canadiens d'origine française et de confession catholique, héritiers de coutumes et d'usages qui leur sont propres, voient le Canada de façon bien différente de celle qui est la plus répandue dans les communautés formées de descendants d'immigrants de confession protestante. Les visions des uns et des autres ont toutes les chances d'être distinctes de celles que peuvent avoir les descendants d'immigrants venus d'Europe centrale entre la fin du XIXe siècle et le début de la Grande Guerre de 1914, et de celles que semblent avoir les descendants des premiers occupants du territoire, membres des premières nations. Et, à ces distinctions très larges entre les cinq grands groupes, il convient d'en ajouter plusieurs autres, puisque les origines des nouveaux Canadiens sont multiples, comme le sont d'ailleurs celles des Canadiens dont les parents ou les grands-parents étaient des immigrants, et puisque les gens d'une même origine ethnique peuvent se diviser en communautés distinctes en raison de différences fondées sur les croyances religieuses ou les traditions particulières.

On vient de le voir, de nombreuses personnes aimeraient faire disparaître, au Canada ou, du moins, dans la plupart des provinces du Canada, les distinctions d'origines, de langues, de religions, de cultures. Désirant faire de la population du Canada une nation homogène, plusieurs mènent, depuis longtemps, un combat politique qui paraît sans fin. En effet, leur désir se heurte à la volonté farouche d'autres personnes qui, elles, veulent protéger leur héritage culturel, préfèrent le voisinage de personnes qui ont les mêmes traditions, la même langue et la même religion, tentent de transmettre à leur descendance leur propre patrimoine et réclament des politiques conformes à leurs propres souhaits.

La plupart des personnes qui tiennent à leur héritage ne veulent assurément pas se voir traitées comme des citoyens de deuxième classe ou parquées dans des ghettos ou des réserves ; pourtant, elles contrecarrent les visées des membres du groupe dominant qui rêvent d'une grande nation homogène. Parmi ceux-ci, certains en arrivent à déconsidérer les communautés qui vénèrent leurs propres traditions, leur langue et leurs croyances : dans leurs textes, certains membres du groupe dominant, au Canada, ont même traité de rétrogrades les membres de communautés qui tiennent à leur héritage, et de tribus, ces communautés elles-mêmes. Inversement, dans ces communautés, il s'est trouvé des gens pour dire que le rêve d'une grande nation homogène dont tous les membres parlent la même langue rappelle l'un des slogans du parti dirigé par Adolf Hitler, chef du gouvernement en Allemagne de 1933 à 1945 : *Ein Volk ! Ein Reich ! Ein Führer !* En définitive, les débats politiques qui opposent les uns et les autres prennent parfois un ton qui n'est pas choisi pour faire plaisir aux interlocuteurs.

Ce débat est devenu fort animé depuis qu'il implique d'autres communautés que celles d'origine française, d'une part, et d'origine britannique, d'autre part. Avec l'arrivée du chemin de fer dans la région des Prairies, au cours de la seconde moitié du xixᵉ siècle, il a aussi impliqué les Métis, puis d'autres communautés. Au fur et à mesure que l'immigration en provenance de l'Europe centrale s'amplifiait, ce débat s'est élargi. Aujourd'hui, il est devenu général, et les personnes qui rêvent encore d'une grande nation homogène, au Canada, font face à de multiples adversaires.

Jusqu'ici, chacune des communautés qui ont pu être fortes jadis a perdu de son importance. Ainsi, jusqu'au milieu du XIXe siècle, les personnes d'origine française étaient majoritaires dans la partie du Canada couverte, aujourd'hui, par l'Ontario et le Québec. On sait aussi que les personnes d'origine britannique l'ont été par la suite et jusqu'au milieu du XXe siècle. On sait enfin que la proportion de la population constituée de personnes dont les origines ne sont ni françaises ni britanniques a augmenté considérablement, passant de 10 % environ, au recensement de 1901, à 20 %, en 1941, puis à 30 %, en 1971, pour dépasser finalement 40 % en 1991 (45 % en 1999, selon une extrapolation fondée sur les données du recensement de 1991).

On pourrait débattre longtemps de la validité des données sur lesquelles calculer la proportion que constituent, dans la population du Canada, les personnes dont les ancêtres ne sont ni français ni britanniques ou celles qui sont d'origine britannique ou française. Les données recueillies n'ont jamais été que des approximations, non seulement du fait des réponses fantaisistes qui peuvent être faites mais aussi pour bien d'autres raisons, y compris les réponses proposées lors des recensements. Ainsi, le recensement des descendants des premiers occupants du pays, notamment les Cris et autres habitants du Nord, a toujours été difficile. Par ailleurs, bien des Canadiens anglophones doivent avoir peine à identifier les origines de leurs multiples ancêtres, quand leurs parents et grands-parents, nés au Canada, étaient eux-mêmes originaires de divers pays. Il est possible que de nombreuses personnes identifient leurs origines d'après leur patronyme (nom de famille). Enfin, comme en toutes choses, les erreurs sont possibles.

Néanmoins, en dépit de leurs limites, les statistiques permettent d'avoir une bien meilleure perception des réalités que celle qui découle des impressions. Et, à cet égard, elles sont très instructives, car elles donnent la mesure d'évolutions qui, souvent, n'ont pas été perçues.

La descendance des premiers occupants du territoire

Lors du recensement de 1991, 1 002 200 personnes ont dit avoir, parmi leurs ancêtres, des aïeux qui habitaient le territoire avant l'arrivée des premiers Européens. Leur nombre avait crû de 41 % en cinq ans : il était de 711 000 en 1986.

Même si elles ont étonné, les données du recensement de 1991 relatives aux descendants des premiers occupants du territoire ont finalement paru réalistes, car il y a certainement, sur le territoire du Canada, des centaines de milliers de personnes qui n'ont jamais cru bon d'afficher le fait qu'elles avaient, parmi leurs ancêtres, des membres des *premières nations*.

L'expression *premières nations* est utilisée, au Canada, pour désigner les groupes de personnes dont les ancêtres habitaient le territoire du Canada actuel avant l'arrivée des Européens, il y a quatre cents ans.

Puisqu'il y a eu, tout au long de l'histoire, de nombreux mariages entre, d'une part, des Européens ou descendants d'Européens et, d'autre part, des membres des premières nations, il est possible que, sans le savoir, des millions de Canadiens aient, parmi leurs aïeux, des ancêtres des premières nations.

D'ailleurs, puisque l'on qualifie d'*autochtones* les personnes originaires, par voie ancestrale, du pays qu'elles habitent, des millions de Canadiens, et notamment la plupart des Québécois francophones, méritent le titre d'autochtones. En effet, certains de leurs ancêtres, il y a dix, douze, quinze générations, vivaient déjà dans le pays qu'on appelle aujourd'hui le Canada et beaucoup d'entre eux, en raison de l'enchevêtrement complexe de leurs ascendances, avaient, parmi leurs propres parents, des descendants des premiers occupants. De toute façon, des millions de Canadiens, et en particulier la plupart des francophones, ne comptent, parmi leurs arrière-grands-parents, que des personnes nées au Canada.

On a cependant pris l'habitude, au Canada, d'employer le mot *autochtone* pour désigner les seules personnes qui se rattachent aux groupes dont les origines remontent aux premiers occupants du territoire, aux *premières nations*. Parmi les 1 002 000 personnes qui, au Canada, lors du recensement de 1991, ont déclaré avoir des origines qui remontent à des temps immémoriaux, 212 000 ont dit être des *Métis*. Cependant, parmi ces 1 002 000 personnes, seulement 470 000 ont déclaré n'avoir qu'une seule origine ethnique; parmi celles-ci, 30 000 ont dit être des *Inuit*.

Sur le territoire du Québec, d'après des données administratives, il y avait, en 1991, 64 000 autochtones ayant un statut dit officiel ou conventionné. Parmi eux, ont été dénombrés 12 000 *Mohawks*, 12 000 *Montagnais*, 11 000 *Cris*, 7 000 *Inuit*, 6 800 *Algonquins*, 4 000 *Attikameks*, 3 900 *Micmacs*, 2 600 *Hurons-Wendat*, 1 600 *Abénaquis* (ou Abénakis) et un certain nombre de *Malécites* et de *Naskapis*. Le français est davantage utilisé par les Hurons, les Abénaquis, les Montagnais et les Algonquins, par exemple, que par les Mohawks, les Cris et les Inuit.

Les *premières nations* se distinguent les unes des autres de différentes façons, notamment par les traditions, qui sont fort diverses. Selon les données publiées en 1992 par le ministère fédéral des Affaires indiennes et du Nord, les populations qui constituent les premières nations seraient divisées en quelque 600 bandes, réparties dans 2 300 lieux de vie (la plupart du temps, ces lieux sont appelés des *réserves*, des territoires qui sont censés protéger les personnes qui les habitent de l'envahissement de personnes d'origine européenne). Par le nombre de ses membres, la bande la plus considérable est celle des Six Nations : elle compte environ 15 000 personnes. Par le nombre de bandes qui s'y rattachent, la plus importante des premières nations est celle des Cris.

Parmi les descendants des premiers habitants du Canada, nombreux sont ceux qui estiment que l'héritage qu'ils ont reçu est bien moindre que celui qu'ils auraient reçu si leurs ancêtres n'avaient pas été traités injustement. Le ressentiment engendré par les discriminations dont ils ont été victimes, directement ou indirectement, oriente leur vision du monde, laquelle, de toute façon, est marquée par leurs traditions et par la perception des distinctions qui les particularisent. Cette vision du monde est assurément à la base de multiples revendications politiques.

Les débats que suscitent les revendications exprimées par les chefs des premières nations et par les porte-parole de certaines communautés de Métis semblent avoir pris, depuis une vingtaine d'années, une importance considérable.

Il arrive parfois que ces débats attirent davantage l'attention que ceux que suscitent les revendications de certains leaders du Canada français ou du Québec français, lesquelles n'ont jamais cessé depuis la conquête de la Nouvelle-France par les armées britanniques en 1759 et 1760. Pourtant, les revendications exprimées par les chefs des premières nations sont, dans l'ensemble, du même ordre que celles qui s'élèvent du Canada français, du Québec français, des groupes sociaux formés par la descendance des anciens Canadiens, des habitants de la Nouvelle-France qui étaient d'origine française

La descendance des anciens Canadiens, les habitants de la Nouvelle-France d'origine française

Sans jamais discontinuer, les leaders du peuple constitué par les descendants des Français de la Nouvelle-France ont cherché à sauvegarder et, idéalement, à étendre le territoire marqué par leur foi, leur langue et leurs traditions.

À côté des descendants des Français de la Nouvelle-France, la plupart des descendants des Français de l'Acadie qui avaient réussi à échapper à l'exil, qui leur avait été imposé en 1755 par les militaires britanniques, ont également réussi à conserver leur langue, leur foi et leurs traditions. Les ancêtres des Acadiens d'aujourd'hui ont cependant beaucoup souffert, car ce qu'on a appelé le Grand Dérangement de 1755 a été extraordinairement pénible. La déportation des Acadiens, en 1755, a marqué la mémoire des francophones d'Amérique pendant deux siècles, jusqu'à ce que les atrocités des guerres mondiales impriment dans les esprits une ombre épaisse qui a masqué les atrocités du passé. Les Acadiens, descendants de Français qui vivaient en Acadie en 1755, ont été déportés vers d'autres contrées, de force, et leurs biens ont été distribués aux colons britanniques, qui ont pris leur place. Parmi les Acadiens qui ont été déportés, beaucoup se sont retrouvés en Louisiane ou même en France. De nombreux descendants des Acadiens de 1755 vivent aujourd'hui en Louisiane, qui avait été l'une des destinations des bateaux chargés des déportés, ou dans quelques villages de France (notamment Belle-Isle, en Bretagne). Mais ce sont les Acadiens du Canada que l'on connaît le mieux. La plupart des quelque 300 000 Acadiens qui vivent au Canada aujourd'hui sont les descendants de quelques dizaines de familles seulement, qui ont réussi à s'implanter en 1755 et peu après dans la région de la baie des Chaleurs, où il n'y avait pas encore de Britanniques à l'époque, et qui, par la suite, ont regagné les terres de leurs aïeux.

Aujourd'hui, 240 ans après la fin du régime français au Canada, *les personnes qui paraissent n'avoir que des ancêtres français représentent environ 23 % de la population* du Canada. Par ailleurs, quelque

6 % des Canadiens semblent avoir à la fois une origine française et une autre origine. En somme, environ 28 % des Canadiens auraient au moins un ancêtre français. Toutefois, parmi ces personnes (dont le nombre était voisin de 7 650 000 en 1991), il y en a un million environ qui ont appris l'anglais au berceau (l'anglais est la langue maternelle de la plupart des personnes dont les origines sont à la fois française et britannique).

On a qualifié de *messianique* l'ambition de certains des chefs canadiens-français de la fin du XVIIIe siècle, du XIXe siècle et du début du XXe siècle d'étendre les frontières de l'aire culturelle occupée par les descendants des anciens Canadiens, c'est-à-dire les descendants des 10 000 Français qui, entre 1608 et 1760, avaient pris racine en Nouvelle-France. Ce messianisme prolongeait celui qui avait animé leurs ancêtres, à l'époque de la Nouvelle-France.

Le défi qu'ont tenté de relever les leaders du peuple formé par les anciens Canadiens était colossal puisque, d'une part, ils ont été longtemps écartés du gouvernement de leur propre pays et que, d'autre part, la politique d'immigration adoptée par les autorités britanniques a attiré au Canada, pendant de nombreuses décennies, des centaines de milliers de personnes qui, sauf de rares exceptions, ne parlaient que l'anglais, avaient une tout autre culture que celle des anciens Canadiens et, au début, étaient presque tous protestants. Des centaines de milliers de personnes qui chérissaient des projets complètement opposés à ceux des descendants catholiques des anciens Canadiens !

Au cours des deux cents années qui ont suivi la conquête de la Nouvelle-France par les armées britanniques, la politique de peuplement pratiquée par les autorités impériales, puis par les autorités canadiennes, a visé à faire du Canada, un pays de langue anglaise. Il a été dit que l'immigration devait ainsi prolonger, par d'autres moyens, la conquête qui, en 1759 et 1760, avait été réalisée au moyen des armes et de la violence.

Il a été dit aussi que le nombre élevé des enfants dans la plupart des familles avait assuré la survivance du peuple constitué par les descendants des Français de la Nouvelle-France, qui s'appelaient eux-mêmes Canadiens à l'époque où arrivaient les premiers Anglais, peu après 1760. Ce que certains ont appelé *la revanche des berceaux* a été assurément l'un des facteurs qui ont permis cette survivance. Mais celle-ci n'aurait pu être assurée si les descendants des Français n'avaient pas été si nombreux sur les territoires qu'ils occupaient en 1760 avec leurs alliés, les Abénaquis, les Hurons et les Algonquins. Cette survivance n'aurait pu être assurée si ces descendants des Français n'avaient pas été fortement attachés à leurs racines, à leur langue, à leur religion, à leurs coutumes.

Entre 1760 et 1960, alors que la quasi-totalité des immigrants étaient anglophones ou le devenaient, le nombre de francophones, au Canada, a été multiplié par 80. De 70 000 qu'il était en 1760, ce nombre est passé à 5 400 000 environ vers 1960. Pendant la même période de deux siècles, la population mondiale ne faisait que tripler. La population d'Europe ne faisait que quadrupler, et celle des Européens et de leurs descendants installés en Amérique et ailleurs était multipliée par huit seulement.

La descendance totale des 70 000 Français qui vivaient en Nouvelle-France en 1760 dépasse probablement, aujourd'hui, quinze millions de personnes, puisque, au cours du XIXe siècle et au début du XXe siècle, des centaines de milliers de Canadiens français sont allés s'établir aux États-Unis, où ils ont eu des enfants, qui, à leur tour, ont fondé des familles. Vers 1960, on estimait à 13 000 000 le nombre d'Américains qui comptaient au moins un Canadien français parmi leurs quatre grands-parents. La langue anglaise est devenue la langue maternelle de la plupart des Américains qui ont des origines canadiennes-françaises, mais il n'en demeure pas moins que, pour mesurer la descendance totale des 10 000 Français qui se sont installés en Nouvelle-France entre 1608 et 1760, il faudrait prendre en compte ceux de leurs descendants qui se trouvent aux États-Unis, et non seulement ceux du Canada.

S'il a été longtemps phénoménal, le rythme de croissance du peuple constitué par les descendants des Français de Nouvelle-France, au Canada, est devenu, depuis quelques années, presque comparable à celui des populations européennes. En Europe, chaque année, le nombre de décès est voisin du nombre de naissances ; dans certains pays, le nombre de décès peut même être supérieur au nombre de naissances. En République fédérale d'Allemagne, pour prendre l'exemple de l'année 1991, il y a eu 900 800 décès et 828 300 naissances. Certes, au Québec, on enregistre encore davantage de naissances que de décès, mais la tendance mène présentement à une situation similaire à celle qu'on observe en Europe.

Au Québec, la province où vivent plus de 80 % des francophones du Canada, on n'enregistre plus que 12, 13, 14 ou 15 naissances pour 1 000 habitants chaque année, alors que l'on en enregistrait 28, 29, 30 et même davantage jadis, avant 1960. Et on y enregistre maintenant 6 ou 7 décès pour 1 000 habitants chaque année, l'augmentation de la proportion des personnes très âgées, dans la population totale, pouvant mener bientôt ce nombre à 8 ou même légèrement plus (il est supérieur à 11 pour 1 000 en République fédérale d'Allemagne). *Le rythme d'accroissement naturel de la population du Québec a déjà été supérieur à 2 % par an. Il n'atteint même pas 1 % par an aujourd'hui,* de sorte qu'il ne compense plus l'impact négatif des flux migratoires canadiens quant au poids démographique du Québec au Canada. De fait, les flux migratoires des années récentes ont eu pour effet de réduire la proportion de la population canadienne constituée par la population du Québec, qui n'était plus que de 24 % en 1999, alors qu'elle était de 29 % en 1951.

Les immigrants venus de l'étranger qui s'installent au Québec ne représentent jamais qu'une petite proportion de l'ensemble des immigrants qui arrivent chaque année au Canada.

De plus, parmi les immigrants qui arrivent au Québec, il y en a plusieurs qui n'y restent pas. Compte tenu des migrations inter-provinciales et des migrations internationales, la différence entre le nombre de départs et le nombre d'arrivées est parfois négative. Elle l'a été chaque année, sans interruption, de 1975 à 1984 inclusivement.

Finalement, la diminution de la proportion de la population canadienne constituée par les descendants des anciens Canadiens ou de celle que constitue la population du Québec inquiète de nombreux Québécois. La perception que les gens ont des rythmes de croissance de leur groupe de référence alimente quelques-uns des débats politiques les plus passionnés.

Les Canadiens d'origine britannique

Jadis, ces débats étaient d'autant plus passionnés que les ambitions des leaders du Canada français contrecarraient celles des élites formées de Britanniques et de descendants de Britanniques. L'ambition de ces élites était, à la fin du XVIIIe siècle, au XIXe siècle et encore tardivement au XXe siècle, tout aussi messianique que celle des leaders du Canada français. L'ambition hautement affirmée par les élites d'origine britannique était de faire de l'ancienne Nouvelle-France et des autres territoires conquis par les Britanniques en Amérique du Nord les éléments les plus prometteurs du vaste ensemble appelé, à l'époque, Empire britannique. Pendant longtemps, surtout entre 1840 et 1896, la politique d'immigration et les pratiques de peuplement ont servi cette ambition.

Après 1760, l'immigration, dans l'ancienne Nouvelle-France, de personnes originaires des îles Britanniques a profondément modifié la situation initiale. Entre 1760 et 1775, près de 30 000 de ces personnes ont débarqué dans les ports de Halifax, Saint John, Québec et même Montréal. Plus tard, entre 1776 et 1790, quelque 41 000 autres personnes, qualifiées de *loyalistes*, ont immigré en Nouvelle-Écosse ou au Canada après avoir séjourné dans le territoire qui était devenu celui des États-Unis d'Amérique. Puis, venant d'Irlande, 25 000 autres personnes se sont installées dans les colonies de l'Amérique du Nord britannique. Par la suite, les guerres européennes et la misère amenèrent dans ces colonies de nouveaux contingents de Britanniques. Aux quelque 500 000 qui arrivèrent entre 1800 et 1840 s'ajoutèrent ensuite, entre 1846 et 1867, quelque 750 000 autres. En 1867, au moment où était adopté l'Acte de l'Amérique du Nord britannique par le Parlement du Royaume-Uni, dans l'ensemble formé par l'Ontario, le Québec, le Nouveau-Brunswick et la Nouvelle-Écosse, il y avait environ 2 300 000 personnes dont la langue maternelle ou la langue d'usage était l'anglais et un peu moins de 1 200 000 francophones.

Au cours des trente années qui ont suivi l'union de 1867, l'aire culturelle des Canadiens d'origine britannique s'est enrichie de l'arrivée de près d'un million d'immigrants venus des îles Britanniques. Toutefois, à l'époque, la proportion des anglophones, dans l'ensemble du Canada, n'a guère augmenté, en raison, d'une part, des familles nombreuses du Canada français et, d'autre part, du déplacement, vers les États-Unis, d'une partie de la population du Canada.

À la fin du XIXe siècle, la décision a été prise de faciliter l'arrivée d'immigrants venus du continent européen, la France exceptée. Cette décision, on vient de le suggérer, découlait en partie d'une constatation que l'on faisait à l'époque : davantage de gens quittaient le Canada pour aller aux États-Unis qu'il y en avait qui arrivaient des îles Britanniques pour s'installer au Canada, autrement dit, à l'époque, les flux migratoires internationaux, au Canada, étaient négatifs. Entre 1861 et 1901, 1 540 000 personnes étaient arrivées au Canada, en provenance surtout des îles Britanniques, mais, pendant la même période, 2 020 000 personnes avaient quitté le Canada.

La nouvelle immigration, au début du XXe siècle, a considérablement accru la population canadienne. Alors que seulement 250 000 personnes avaient immigré au Canada entre 1891 et 1901, 1 550 000 y immigrèrent entre 1901 et 1911. Comme le montre le tableau 1.1, grâce à l'immigration et à la natalité, en trente ans, de 1901 à 1931, la population canadienne a doublé. La population a doublé, mais le nombre des Canadiens d'origine britannique n'a crû que de 50 % environ.

Pendant les années de marasme qui ont suivi le krach de la Bourse de New York, en 1929, le Canada s'est fermé à l'immigration : les rares personnes admises au pays n'ont accru sa population que de 1 %, environ, entre 1931 et 1940. Néanmoins, au cours de cette décennie de misère, grâce aux naissances, encore beaucoup plus nombreuses que les décès, la population a pu croître de 10 %, mais le nombre des Canadiens d'origine britannique n'a guère augmenté. Par la suite, même s'il a fluctué selon les circonstances, le nombre annuel d'arrivées a rarement été inférieur à 80 000 et il a été à quelques reprises supérieur à 200 000. La plupart des nouveaux arrivants n'étaient pas d'origine britannique.

En raison de l'immigration de personnes d'origines autres que britannique, au cours du XXe siècle, *seulement 21 % des Canadiens recensés en 1991 ont déclaré n'avoir que des ancêtres originaires des îles Britanniques* (comme le montre le tableau 1.2) tandis que, lors du recensement de 1901, 57 % des personnes recensées étaient d'origine britannique. Bien des gens ont conservé le souvenir de la proportion de la population que constituaient les descendants des Britanniques il y a 100 ans, sans réaliser que cette proportion a constamment diminué tout au long du XXe siècle.

TABLEAU 1.1.

Composantes de la croissance démographique[1] du Canada, 1851 à 1996

Période	Croissance démographique totale (milliers)	Naissances (milliers)	Décès (milliers)	Accroissement naturel (milliers)	Rapport de l'accroissement naturel à la croissance totale %	Immigration[2] (milliers)	Émigration[3] (milliers)	Migration nette (milliers)	Rapport de la migration nette à la croissance totale %	Population au recensement de la fin de la période (milliers)
1851-1861	793	1 281	670	611	77,0	352	170	182	23,0	3 230
1861-1871	459	1 370	760	610	132,9	260	411	-151	-32,9	3 689
1871-1881	636	1 480	790	690	108,5	350	404	-54	-8,5	4 325
1881-1891	508	1 524	870	654	128,7	680	826	-146	-28,7	4 833
1891-1901	538	1 548	880	668	124,2	250	380	-130	-24,2	5 371
1901-1911	1 836	1 925	900	1 025	55,8	1 550	739	811	44,2	7 207
1911-1921	1 581	2 340	1 070	1 270	80,3	1 400	1 089	311	19,7	8 788
1921-1931	1 589	2 415	1 055	1 360	85,6	1 200	971	229	14,4	10 377
1931-1941	1 130	2 294	1 072	1 222	108,1	149	241	-92	-8,1	11 507
1941-1951[4]	2 141	3 186	1 214	1 972	92,1	548	379	169	7,9	13 648
1951-1956	2 072	2 106	633	1 473	71,1	783	184	599	28,9	16 081
1956-1961	2 157	2 362	687	1 675	77,7	760	278	482	22,3	18 238
1961-1966	1 777	2 249	731	1 518	85,4	539	280	259	14,6	20 015
1966-1971[5]	1 553	1 856	766	1 090	70,2	890	427	463	29,8	21 568
1971-1976[6]	1 492	1 755	824	931	62,4	1 053	492	561	37,6	23 518
1976-1981	1 382	1 820	843	977	70,7	771	366	405	29,3	24 900
1981-1986	1 304	1 872	885	987	75,7	677	360	317	24,3	26 204
1986-1991	1 907	1 933	946	987	51,8	1 199	279	920	48,2	28 111
1991-1996	1 848	1 935	1 027	908	49,1	1 170	230	940	50,9	29 959

1. Comprend Terre-Neuve à partir de 1951.
2. À partir du 1er juillet 1971, les données sur l'immigration incluent les immigrants reçus, les Canadiens de retour ainsi que le changement net survenu dans le nombre de résidents non permanents.
3. Les chiffres de l'émigration sont estimés au moyen de la méthode des résidus.
4. Les données sur les éléments de croissance pour 1941-1951 ont été établies en excluant celles de Terre-Neuve.
5. Le chiffre indiqué pour le 1er juin 1971 représente le dénombrement censitaire non ajusté en fonction du sous-dénombrement net. Le nombre d'habitants au 1er juillet 1971 ajusté en fonction du sous-dénombrement net est de 22 026 000.
6. À partir de 1971, la date de référence est le 1er juillet plutôt que le 1er juin, et les estimations démographiques sont fondées sur le dénombrement censitaire ajusté en fonction du sous-dénombrement net.

Source : Statistique Canada, Division de la démographie. Tableau tiré de l'*Annuaire du Canada 1999*, page 89.

T<small>ABLEAU</small> 1.2

Origines ancestrales déclarées lors du recensement de 1991 au Canada (en milliers)

uniquement françaises	6 147
uniquement britanniques	5 611
uniquement allemandes	912
uniquement italiennes	750
uniquement chinoises	587
uniquement ukrainiennes	407
uniquement hollandaises	358
uniquement polonaises	273
uniquement portugaises	247
uniquement scandinaves	174
uniquement grecques	151
uniquement hongroises	101
autres origines uniques	3 482
multiples ou inconnues	7 908

Source : Statistique Canada, recensement de 1991.

Jadis, parmi les personnes dont les ancêtres étaient britanniques, il était d'usage de faire des distinctions selon qu'elles étaient originaires d'Écosse, d'Irlande, d'Angleterre ou du Pays de Galles.

Cependant, qu'elles aient eu des ancêtres d'Écosse ou d'Irlande plutôt que d'Angleterre, les personnes qui se disaient d'origine britannique se distinguaient nettement des descendants des Français et des autres occupants antérieurs du Canada, d'une part, et, d'autre part, des nouveaux Canadiens.

Les nouveaux Canadiens et les immigrants

On a pris l'habitude, au Canada, d'utiliser l'expression « *nouveaux Canadiens* » (l'adjectif étant *néo-canadien*) pour désigner les *immigrants* (foreign-born Canadiens) *et descendants d'immigrants dont les origines ancestrales sont autres que française ou britannique.* Or, ces nouveaux Canadiens comptent *aujourd'hui*, toutes origines confondues, pour environ 45 % de l'ensemble des habitants du Canada.

Il semble que, parmi les Canadiens dont les ancêtres ne sont ni français ni britanniques, les personnes d'origine allemande soient les plus nombreuses. C'est là, du moins, ce que suggèrent les données du tableau 1.2.

Les Canadiens d'origine autre que française ou britannique vivent surtout dans les grandes villes du Canada et, sinon, en Ontario et dans les quatre provinces de l'Ouest. En 1991, 808 000 d'entre eux (11 %) résidaient au Québec, dans la région métropolitaine de Montréal (723 000), surtout. La région de Montréal regroupait, en 1991, 45 % de la population du Québec et 90 % des personnes qui, au Québec, déclaraient avoir une origine étrangère unique autre que française ou britannique. Plus précisément, la ville de Montréal (excluant les banlieues) qui, avec 1 100 000 habitants environ, ne regroupe même pas 15 % de la population du Québec, était le lieu de résidence, en 1991, de 75 % des 141 000 personnes qui, lors du recensement, avaient déclaré avoir immigré au Québec entre 1986 et 1991.

Les immigrants d'une même origine ont tendance à se regrouper. Ils l'ont fait jadis et, à l'époque, ont constitué des secteurs de peuplement de personnes d'une même origine.

Il en va de même aujourd'hui. Dans la région montréalaise, pour prendre cet exemple, il y a des quartiers habités presque exclusivement par des descendants francophones des anciens Canadiens (les personnes de langue maternelle française comptant pour 82 % de la population du Québec en 1991), des quartiers peuplés surtout par des Canadiens d'origine italienne (il y en avait 174 000 au Québec lors du recensement de 1991), l'un de ces quartiers méritant le titre de Petite Italie ; il y a des quartiers identifiés aux personnes d'origine juive (il y en avait 77 000 au Québec, selon le recensement de 1991) ou aux personnes d'origine arabe (62 000), grecque (49 000) ou portugaise (37 000), ou encore chinoise (36 000), allemande (31 000), polonaise (23 000) ou haïtienne (21 000).

De nombreuses raisons expliquent la propension au regroupement que manifestent les immigrants d'une même origine. La mise en commun des ressources, par les personnes d'une même origine, facilite assurément l'installation des immigrants dans leur nouveau pays. Le réconfort prodigué par des proches aide à surmonter les difficultés, nombreuses, des nouveaux arrivants.

Cependant le voisinage de personnes de même origine favorise aussi l'*endogamie* (obligation, imposée par les règles du milieu ou par les circonstances, pour un membre d'un groupe social d'épouser une personne du même groupe). En se mariant entre elles, en se fréquentant régulièrement, les personnes qui partagent la même langue, la même religion, les mêmes coutumes, les mêmes souvenirs arrivent à conserver l'héritage qui est le leur, la vision du monde qui les particularise. Certaines adhèrent même à des groupes constitués en vue de perpétuer la mémoire des origines.

Les membres de ces regroupements ont presque toujours dû donner à leur action une dimension politique. Ils ont demandé des soutiens financiers et matériels aux détenteurs des postes d'autorité et ils leur ont offert d'appuyer leur parti politique ou leur ont proposé d'autres formes de compensation. Ils leur ont demandé d'interdire, par la loi, toute discrimination fondée sur l'origine ethnique ou sur les croyances religieuses. Ils ont demandé la possibilité de renforcer leurs communautés par l'immigration en provenance de leurs pays d'origine. Ils ont reçu de l'aide des autorités locales (ou provinciales) et ils ont finalement obtenu des autorités fédérales du Canada une politique de multiculturalisme, des révisions successives de la politique d'immigration, une déclaration des droits, puis la Charte canadienne des droits et libertés (adoptée en 1982) et quantité d'autres mesures.

Toutes ces mesures ont fait l'objet de débats qui ont animé le déroulement de la vie politique. Ainsi, les décisions des autorités fédérales qui visaient à satisfaire les demandes qui leur arrivaient de regroupements dits ethniques n'ont pas plu à tout le monde. Les projets de décision, à l'époque, ont été contestés et, aujourd'hui encore, il arrive que des personnes critiquent la politique de multiculturalisme, la politique d'immigration et diverses autres mesures qui contribuent à donner de la population canadienne l'image d'une immense mosaïque.

LA VARIÉTÉ DES LANGUES APPRISES ET PARLÉES

Même si, au Canada, de nombreuses personnes ont su garder la langue que parlaient leurs ancêtres, l'anglais est devenu la langue maternelle de deux tiers des habitants du pays, et la langue d'usage d'environ 80 % d'entre eux.

Bien des gens, au Québec, s'étonnent de la proportion de la population constituée par les personnes qui ont adopté l'anglais au détriment de leur langue maternelle. On s'étonne, par exemple, de ce que la majorité des membres des premières nations semblent avoir oublié la langue de leurs ancêtres. On s'étonne aussi de la facilité avec laquelle certains immigrants apprennent l'anglais en arrivant au Canada. On s'étonne, enfin, de voir encore certains immigrants qui s'installent au Québec refuser de parler le français.

Selon les données du recensement de 1991, parmi les 203 000 personnes qui, résidant au Québec et immigrées au Canada avant 1971, avaient une langue maternelle autre que le français et l'anglais, 10 000 seulement parlaient français à la maison alors que 86 000 parlaient l'anglais, les autres (107 000 environ) ayant continué d'utiliser leur langue maternelle au foyer. En définitive, au Québec, l'assimilation des immigrants d'origine autre que britannique au groupe social formé par les Britanniques et descendants de Britanniques a longtemps été la norme.

Parmi les immigrants qui se sont installés au Québec entre 1986 et 1991 et qui résidaient encore au Québec en 1991, 21 % parlaient le français à la maison, alors que 14 % seulement étaient de langue maternelle française, et 12 % seulement parlaient l'anglais à la maison, alors que 8 % étaient de langue maternelle anglaise (66 % parlaient, à la maison, une langue autre que le français et l'anglais).

Au Canada, on appelle *assimilation* le processus par lequel une personne cesse de parler sa langue maternelle et adopte une autre langue et on appelle *intégration* le processus par lequel une personne arrive à s'inclure dans un groupe grâce à l'adoption de la langue et des manières de ce groupe, sans avoir pour autant à renier son héritage. Par rapport au terme « *insertion* », qui signifie une implantation sans adoption de la langue du groupe d'accueil, ces deux termes, « assimilation » et « intégration », pourraient avoir le même sens, mais, dans un contexte social où la couleur de la peau fournit à certaines personnes un prétexte à discrimination, ils permettent de distinguer deux types d'incorporation des nouveaux venus dans les groupes sociaux auxquels ils veulent se rattacher. L'intégration est censée se faire sans l'abandon des particularités, coutumes ou valeurs de la personne qui arrive, alors que l'assimilation impose à la personne qui la subit ou la recherche une sorte d'abdication, de reniement.

L'*assimilation* à un groupe social se fait toujours au prix d'une sorte de conversion. L'*abandon de la langue maternelle* devient le signe de l'assimilation. Le processus d'assimilation mène, dans certains cas, certaines personnes à abjurer la religion de leur enfance, voire à mépriser ouvertement le groupe social dont elles faisaient partie originellement. Certains en viennent à traduire leur patronyme. Éloquent phénomène, qui en dit long sur les fondements de la vie politique...

Le groupe social dominant arrive généralement à intégrer et, souvent, à assimiler les personnes qui, venues de l'extérieur en petit nombre, s'installent, de façon dispersée, dans son territoire.

Toutefois, parmi les personnes dont les origines sont autres que britanniques, il y a en a plusieurs qui, tout en ayant appris l'anglais, ont conservé une partie de leur patrimoine culturel. Et, parmi ces personnes, il y en a beaucoup qui parlent encore la langue de leurs ancêtres. C'est d'abord le cas des personnes d'origine française, bilingues, qui résident dans des localités où les anglophones sont nombreux. C'est aussi le cas de quelque quatre millions de personnes qui, au Canada, parlent une langue autre que l'anglais, le français ou une langue ancestrale des premières nations.

Les langues ancestrales des premières nations

Pourtant les langues ancestrales des premières nations paraissaient, pour la plupart, en voie d'extinction, vers 1990. Selon les estimations établies par des fonctionnaires du ministère fédéral des Affaires indiennes et du Nord à la suite du recensement de 1991, il y aurait eu, à l'époque, moins de 150 000 personnes adultes capables de parler (et non seulement comprendre approximativement) l'une ou l'autre de ces langues ancestrales. La langue des Cris était la plus connue et elle était parlée par plus de 94 000 personnes. L'inuktitut, deuxième langue en importance selon le nombre de personnes qui la connaissaient, était parlé par quelque 16 000 personnes seulement. Certaines des langues ancestrales n'étaient plus connues que par quelques personnes : environ 150 personnes utilisaient encore la langue des Haïda, près de l'océan Pacifique, en Colombie-Britannique ; celle des Tlingit, également en Colombie-Britannique, était parlée par une centaine de personnes... Par rapport à l'ensemble des personnes qui se déclarent d'origine autochtone, la proportion de celles qui parlaient l'une ou l'autre des langues ancestrales était bien petite (15 %). Cependant, par rapport aux personnes de 15 ans et plus qui résidaient dans des villages peuplés d'autochtones, la proportion était voisine de 36 %.

À la différence de bien d'autres descendants des premiers occupants du territoire, les Cris et les Inuit ont bénéficié de la protection que leur donnaient leurs lieux de vie, qui étaient situés au nord des régions davantage convoitées par les Européens et les descendants d'Européens. C'est sans doute leur isolement relatif qui a valu à plusieurs d'entre eux de conserver la langue de leurs ancêtres, alors que la plupart des membres des premières nations du sud du Canada ne savent plus parler que l'anglais.

La langue anglaise est devenue, au cours du XXe siècle, la langue d'usage ou même la langue maternelle de la plupart des membres des premières nations, exception faite de quelques nations établies dans la partie méridionale du Québec et de certaines communautés de Métis de la région des Prairies, dont les membres parlent le français ou, alternativement, le français et l'anglais.

La langue anglaise et la langue française

L'anglais est la langue maternelle de 61 % des Canadiens, selon les données du recensement de 1991.

De plus, selon ces mêmes données issues du recensement de 1991, parmi les personnes qui résident au Canada, *83 % savent parler l'anglais*.

Le français est la langue maternelle de 23 % de la population du Canada, aujourd'hui (soit, selon le recensement de 1991, 6 642 000 personnes), alors que 16 785 000 personnes étaient de langue maternelle anglaise, et 3 869 000 d'une langue maternelle autre.

En 1951, le français était la langue maternelle de 29 % des habitants du Canada. En quarante ans, la proportion de la population canadienne constituée par les personnes de langue maternelle française a donc beaucoup diminué.

Au Canada, en 1991, alors que 6 147 000 personnes ont dit être d'origine française uniquement, 4 110 000 personnes seulement ont dit savoir *le français et non pas l'anglais.*

La lutte menée par les leaders du peuple formé par les descendants des Français de la Nouvelle-France pour conserver leur langue a été épique. Pendant quelques années, après 1840, alors que les Canadiens français étaient majoritaires dans la population du pays, la langue française a été interdite dans les institutions parlementaires du Canada-Uni. Après 1867, la langue française a été autorisée dans les institutions parlementaires du Québec, mais bannie dans celles des autres provinces. Ce n'est qu'après plus de cent ans de revendications, que les personnes d'origine française, descendantes d'un peuple conquis par les armes, ont réussi à obtenir que les autorités fédérales du Canada, en 1968, fassent de la langue française une langue officielle du pays au même titre que la langue anglaise et adoptent une politique dite de bilinguisme.

Le bilinguisme

Cette politique de bilinguisme aurait connu un certain succès, puisque, en 1991, 16 % des gens (4 398 000 personnes), au Canada, étaient bilingues, au sens de la loi sur les langues officielles, contre seulement 12 % en 1961. En revanche, la proportion de la population totale constituée par les personnes qui ne parlent que le français n'était plus que de 15 % alors qu'elle était de 19 % en 1961. En 1961, la proportion de la population totale constituée par les personnes qui pouvaient parler le français était de 31 % ; en 1991, 23 ans après l'adoption de la politique dite de bilinguisme, elle était toujours de 31 % !

La mesure du taux de bilinguisme est délicate, puisque les jeunes enfants n'ont qu'une langue, appelée langue maternelle. Il serait sans doute opportun, pour une analyse poussée du bilinguisme, de faire état du nombre de bilingues dans chaque groupe d'âge. Néanmoins, cela n'est pas nécessaire ici, puisque la présentation du phénomène du bilinguisme au sens de la politique sur les langues officielles, tel qu'il est pratiqué au Canada, vise à montrer que *le bilinguisme est surtout le fait des francophones de l'ensemble du Canada et des populations immigrantes installées au Québec.*

Près de 40 % des personnes d'origine française, au Canada, se disent bilingues. Seulement 10 %, environ, des autres Canadiens connaissent le français.

Au Québec, en 1991, parmi les immigrants, près de 30 % parlaient le français, plutôt que l'anglais, et près de 50 % connaissaient et le français et l'anglais.

Les langues dites étrangères

L'usage d'une autre langue que le français ou l'anglais est très répandu dans les grandes villes du Canada et dans un certain nombre de localités isolées. De fait, lors du recensement de 1991, *3 869 000 personnes ont déclaré avoir une langue maternelle autre que le français ou l'anglais.* Ces personnes constituaient un peu plus de 14 % de la population canadienne. Mais le nombre de ces personnes est bien inférieur à celui des Canadiens nés à l'extérieur du Canada (4 335 000, en 1991) et au nombre de personnes qui connaissent une autre langue que le français ou l'anglais. En 1991, lors du recensement, un peu plus de 700 000 Canadiens ont dit parler l'italien, et 557 000 ont dit parler l'une des *langues chinoises.* Par ailleurs, 685 000 Canadiens ont dit parler *l'allemand,* et 402 000, l'*espagnol.* Sachant qu'il n'y a guère eu d'immigration en provenance d'Italie ou d'Allemagne au cours des récentes décennies, on doit conclure que les personnes qui parlent l'italien ou l'allemand, comme celles qui parlent une langue chinoise, ou même l'espagnol, ne sont pas toutes nées à l'extérieur du Canada.

Environ 70 % des personnes accueillies entre 1981 et 1991 sont arrivées de pays dont la langue principale n'est ni le français ni l'anglais. Cependant, parmi les personnes nées dans des pays dont la langue principale n'est ni le français ni l'anglais, il y en a beaucoup qui connaissent l'une ou l'autre de ces deux langues. Les immigrants qui connaissent le français préfèrent, dit-on, s'installer au Québec, alors que la plupart de ceux qui connaissent l'anglais préfèrent s'installer ailleurs.

L'adoption de la langue anglaise
par les personnes d'origine française

La population de langue française est de plus en plus concentrée dans le centre du Canada, au Québec et dans les territoires qui l'avoisinent. Une très forte proportion des Canadiens d'origine française qui vivent loin du Québec déclarent, aujourd'hui, ne pas connaître le français.

Comme les immigrants, les francophones qui résident loin du Québec subissent constamment des pressions qui pourraient les amener à s'assimiler au groupe social dominant. Ces pressions sont d'autant plus fortes que certaines communautés culturelles de francophones comptent peu de membres. Or, en 1991, dans huit des dix provinces canadiennes, la proportion de la population provinciale constituée par les personnes de langue maternelle française était inférieure à 5 % (2 % en Colombie-Britannique).

S'il est vrai que le nombre et la concentration territoriale sont nécessaires à la survie d'une communauté culturelle, il est permis de considérer que les communautés formées par les francophones sont toutes menacées d'assimilation au groupe social qui les entoure, c'est-à-dire le groupe social formé par les Canadiens de langue anglaise. Elles le sont toutes, mais à des degrés divers. Celles du Nouveau-Brunswick (243 000 personnes en 1991, soit 33 % de la population de cette province) sont sans doute moins menacées que celles de l'Ontario (505 000 personnes, mais 5 % de la population de l'Ontario au recensement de 1991).

Le désir de protéger leur langue et leurs valeurs communes explique sans doute pourquoi certains francophones du Québec aimeraient forcer tous les jeunes de la province à suivre leurs études en français. La loi québécoise, de toute façon, n'autorise les études en anglais, dans les écoles publiques, qu'aux enfants dont les parents sont anglophones ou dont les frères ou sœurs le sont (conformément à l'article 23 de la Charte des droits et libertés du Canada de 1982).

La stratégie de protection de la langue française au Québec a suscité d'importants débats et elle en suscite toujours. Ces débats montrent comment les distinctions fondées sur la langue maternelle ou la langue d'usage peuvent agir sur le déroulement de la vie politique.

LA VARIÉTÉ DES CONVICTIONS RELIGIEUSES

On a souvent dit que la langue française, tout au long du XIXe siècle et au cours de la première moitié du XXe siècle, avait été protégée grâce à l'action des religieux catholiques. Les descendants des Français de la Nouvelle-France étaient en effet presque tous des catholiques, alors que la plupart des nouveaux arrivants étaient des protestants. D'ailleurs, les luttes entre les francophones et les anglophones ont souvent pris l'allure de conflits entre catholiques et protestants. Les activités du *mouvement orangiste*, la pendaison de *Louis Riel*, l'histoire des *écoles françaises et catholiques* au début du XXe siècle en Ontario, au Manitoba, au Nouveau-Brunswick, en Saskatchewan, en Alberta et ailleurs, et de nombreux autres épisodes de la vie politique du passé pourraient le rappeler.

De nombreux accommodements ont dû être imposés par les autorités afin de résoudre les problèmes posés par les options irréconciliables des catholiques et des protestants. En 1774, déjà, moins de quinze ans après la conquête de la Nouvelle-France par les armées britanniques, le Parlement de la Grande-Bretagne a trouvé nécessaire de permettre, par ce qu'on a appelé l'*Acte de Québec,* le libre exercice de la religion catholique dans la colonie peuplée par les Canadiens de langue française et l'accès des catholiques aux charges publiques.

Aujourd'hui, les convictions religieuses divisent la population du Canada en des catégories presque aussi nombreuses que les catégories de langues ou d'origines ethniques.

Cependant, parmi les nombreuses appartenances religieuses dont peuvent se réclamer les Canadiens, il y en a une dizaine qui se démarquent par le nombre de personnes qu'elles regroupent. Selon les données du recensement de 1991, il y aurait lieu, en effet, de distinguer les appartenances suivantes, classées selon le nombre de personnes qui s'y rattachent :

Église catholique romaine	45,2 % de la population,
Église unie (United Church)	11,5
Église anglicane	8,1
Église baptiste	2,5
Église presbytérienne	2,4

Église luthérienne	2,4
Église pentecôtiste	1,7
Église orthodoxe orientale	1,5
Religion juive	1,2
Autres appartenances religieuses	11,2

Les neuf appartenances religieuses majeures répertoriées au Canada, identifiées nommément dans l'énumération précédente, sont toutes rattachées au courant judéo-chrétien. Huit appartiennent au christianisme et l'autre réunit les divers courants du judaïsme, lequel regroupe à peine plus de 300 000 personnes (guère plus de 1 % de la population du Canada).

L'Église catholique romaine est, de loin, la plus forte au Canada, quant au nombre de fidèles. Avec ses quelque douze millions de membres, elle est quatre fois plus présente, au Canada, que l'Église unie : plus de la moitié des Canadiens qui avouent avoir une appartenance religieuse se disent catholiques. C'est le cas de presque tous les descendants des Français, des Italiens, des Portugais et des Espagnols. Au Québec, 86 % des gens se déclarent catholiques, contre seulement 20 % en Colombie-Britannique.

L'Église unie constitue le deuxième regroupement religieux du Canada par le nombre d'adhérents. Créée par les méthodistes, les congrégationalistes et un certain nombre de presbytériens, qui se sont unis entre 1911 et 1931, elle compte aujourd'hui environ trois millions d'adeptes. Au Manitoba et en Saskatchewan, où l'Église unie est bien implantée, environ 20 % des gens disent en faire partie. Au Québec, moins de 1 % de la population se réclame de l'Église unie. Lors du recensement de 1991, environ 11 % des Canadiens se sont réclamés de l'Église unie.

Ensemble, *les diverses confessions protestantes (c'est-à-dire chrétiennes autres que catholique) regroupent encore 36 %* des Canadiens, alors qu'elles revendiquaient l'adhésion de plus de 55 % de la population entre 1871 (quatre années après la création de la fédération canadienne) et 1921 (peu après la guerre mondiale de 1914-1918).

Parmi les confessions protestantes, en plus des six qui ont été énumérées ci-dessus (anglicane, baptiste, etc.), les plus importantes, par le nombre de fidèles, sont l'Église adventiste, l'Église des disciples du Christ et l'Armée du Salut. Mais aucune de ces trois dernières confessions ne compterait plus de 200 000 membres.

Selon les données du recensement de 1991, aucune des religions dites orientales ne regroupait un nombre très important de fidèles. Moins de 3 % des Canadiens, en 1991, ont dit appartenir à l'une ou l'autre des nombreuses religions qui ne se rattachent pas au courant judéo-chrétien, notamment _l'Islam_ (la religion des musulmans), _l'hindouisme_ et _le bouddhisme._ Dans les très grandes agglomérations canadiennes, ces confessions non chrétiennes paraissent cependant florissantes.

Parmi les petites associations de croyants, il en est une qui a réussi à s'ériger en parti politique (le Parti de la Loi naturelle), et a même présenté des candidats aux élections fédérales de 1993 et de 1997 et à certaines élections législatives provinciales, peu après 1993. Le Parti de la Loi naturelle a présenté 35 candidats aux élections législatives du Québec de 1998.

Les données relatives aux appartenances religieuses recueillies lors des recensements sont différentes de celles dont font état les compilations produites par les églises elles-mêmes, ou par les sectes ou autres formes de regroupements de personnes qui se disent croyantes. Les données des recensements, depuis 1971, reposent en effet sur les déclarations des personnes rejointes. Ces données, de plus, ne distinguent pas les fidèles qui participent aux cérémonies religieuses de ceux qui disent appartenir à une confession sans pour autant avoir une pratique religieuse. Les données, toutefois, distinguent les croyants de ceux qui disent ne pas avoir d'appartenance religieuse. De nombreuses personnes, aujourd'hui, affirment ne pas avoir d'appartenance religieuse, alors qu'elles sont peut-être comptées parmi les fidèles d'une confession ou d'une autre.

Le nombre de personnes qui, au Canada, disent ne pas avoir d'appartenance religieuse augmente rapidement. Alors que moins de 60 000 l'avaient fait lors du recensement de 1951 (pour prendre ce point de repère), plus de trois millions de personnes, en 1991, ont affirmé ne pas avoir d'appartenance religieuse. Ces personnes comptent pour 13 % de la population totale. Elles sont relativement nombreuses en Colombie-Britannique (31 % de la population de cette province).

Les sceptiques, agnostiques, athées et autres personnes qui disent ne pas avoir de religion ont sans doute autant de façons différentes de voir le monde que peuvent en avoir les fidèles des religions qui ont les assises les plus larges. La variété des convictions antireligieuses s'ajoute donc à celle des nombreuses croyances religieuses.

Tout comme les convictions religieuses, les convictions antireligieuses ont une importance indéniable du point de vue du déroulement de la vie politique. Ses propres convictions colorent et orientent nécessairement la vision que chaque personne peut avoir de son environnement, de sa place et de son rôle dans cet environnement.

Les luttes menées au cours du XIXe et du XXe siècles, au Canada et au Québec, en raison des diverses convictions religieuses qui s'affrontaient, ont assurément été plus vives que celles dont on peut être témoin aujourd'hui. Mais les luttes religieuses d'aujourd'hui montrent aussi bien que celles du passé l'importance que peut prendre le facteur religieux dans la vie politique.

Plusieurs dispositions des Lois constitutionnelles du Canada rappellent l'importance des croyances religieuses dans ce pays. La Loi constitutionnelle de 1867 protège les droits des écoles confessionnelles qui avaient été conférés avant 1867. La Loi constitutionnelle de 1982 établit la liberté de religion et proscrit, dans les lois, la discrimination fondée sur la religion.

L'importance du facteur religieux en politique est encore très grande, comme le montrent les revendications contemporaines relatives aux écoles confessionnelles ou aux principes moraux que le droit devrait soutenir. D'importants débats sont suscités par la volonté des personnes qui veulent que les écoles confessionnelles soient financées par les fonds publics, que le dogme, la morale et la liturgie de telle ou telle religion soient au programme d'enseignement des écoles publiques, que les écoles privées, peu importe leur mode de financement, soient libres de toute contrainte extérieure. D'importants débats sont suscités, de même, par les religieux qui veulent que la loi leur permette d'infliger des peines à celles de leurs ouailles qui auraient transgressé les règles dont ils se font les défenseurs. D'autres débats sont soulevés par les croyants qui veulent imposer à tous leurs principes moraux, notamment en matière de contraception, d'avortement, d'adultère, de bigamie, de polygamie, de divorce, de relations et de pratiques sexuelles, d'euthanasie, de transfusion sanguine, de médication chimique et autres.

La logique de la foi mène à une volonté d'hégémonie : les vrais croyants (*true believers*), convaincus d'avoir la vérité, n'ont de cesse qu'ils ne convainquent les incrédules ou les infidèles. Il s'ensuit que les conflits peuvent être passionnés. Ils le sont davantage quand les oppositions mettent face à face des communautés de langues et de religions différentes.

La distribution territoriale des aires de pratique religieuse, selon les appartenances, laisse voir, également, que les valeurs religieuses ont été associées et restent associées au culte des origines et des héritages culturels. En effet, comme on l'a compris déjà, les concentrations régionales des catholiques, des anglicans et des autres protestants recoupent les concentrations régionales des populations formées de personnes dont les origines sont françaises, anglaises, irlandaises, écossaises, galloises, allemandes, ukrainiennes, etc. Ainsi, alors que seulement 8 % des habitants du Canada se disent anglicans, à Terre-Neuve, c'est 26 % de la population qui est anglicane. De même, alors qu'il y a peu de musulmans au Canada, il y a tout de même près de 4 % des gens en Ontario qui s'identifient à l'islam. Concentrée dans la région de Toronto, la communauté islamique ontarienne s'est regroupée autour de quelques pôles, de façon à soutenir sa propre cohésion, suivant en cela une pratique commune à la plupart des populations que distinguent les croyances, les origines, les langues ou, à la limite, d'autres caractéristiques.

Enfin, presque partout, il apparaît possible de départager des zones à l'intérieur desquelles sont concentrées des populations qui se distinguent des autres par des particularités variées, religieuses notamment. Ces zones peuvent parfois se superposer les unes aux autres.

Il y a ainsi, dans la plupart des villes du Canada, des communautés distinctes, qui se côtoient sans se mélanger, chacune ayant ses lieux de culte, ses écoles, ses restaurants, ses commerces, ses affaires. Dans un même périmètre, combien de villes, voire de villages, ont vu construire, ici, la chapelle de l'Église unie, là, celle des luthériens, plus loin, celle des anglicans et, là-bas, celle d'une autre communauté! Au début du xxᵉ siècle, à Montréal, chacune de ces multiples communautés tenait à avoir son clocher : on disait que Montréal était la « ville aux cent clochers». Parmi ces clochers, certains avaient été érigés par les Canadiens français catholiques, d'autres, par les immigrants italiens, également catholiques, d'autres encore, par les descendants d'Irlandais, eux aussi catholiques, et quantité d'autres, par les protestants de diverses confessions et de diverses origines. Aujourd'hui s'ajoutent à ces signes de ralliement les synagogues, les temples, les mosquées...

LA VARIÉTÉ DES AIRES CULTURELLES

D'ailleurs, l'une des ambitions politiques des leaders religieux affirmées le plus vigoureusement concerne l'appropriation d'aires d'influence de plus en plus étendues. Quand elles sont soutenues par les leaders des communautés correspondantes, les volontés d'expansion des églises peuvent avoir un certain succès.

La diversité du territoire accentue les distinctions culturelles des gens qui les habitent. L'isolement relatif des agglomérations les unes par rapport aux autres a mené à la valorisation des appartenances locales, régionales et provinciales. Aux types d'habitat, qui sont multiples, correspondent des différences dans la perception que les gens ont de leur environnement, l'environnement de chaque lieu de vie présentant diverses particularités (ressources, climat, etc.). Finalement, l'hétérogénéité des territoires, qui s'ajoute à celle des origines, des religions et des langues, ne peut qu'entraîner une très grande diversité dans la vision que l'on a des désirs, besoins ou volontés à satisfaire.

La plupart des habitants du Canada sont tiraillés par des appartenances multiples, parfois contradictoires, qui ne sont jamais celles de tout le monde. Les personnes, très nombreuses, qui s'identifient fortement au Canada, au symbole de ralliement que représente le Canada à leur yeux, comprennent que près d'elles vivent des gens qui ne partagent pas du tout leur vision.

Les grands symboles de ralliement que pourraient être le mot même de Canada, sa représentation sur une carte, son Parlement fédéral, son drapeau et bien d'autres choses ne signifient, pour certains habitants du territoire, rien d'autre que les deux siècles de luttes que leurs ancêtres ont menées pour conserver leur héritage, lequel est toujours menacé.

Même s'ils se sentent solidaires d'un idéal indéfinissable qu'ils appellent Canada, la plupart des habitants d'une province donnée réalisent que les intérêts de la majorité, dans leur province, entrent en conflit, sur bien des points, avec ceux de telle autre province. S'identifiant à leur province de résidence, la plupart sont prêts à faire front pour la défense et la promotion des intérêts propres à leur province.

Considérant le poids de l'Ontario dans l'ensemble canadien, nombreux sont les habitants de l'est ou de l'ouest du Canada qui se demandent si la majorité, au Canada, peut être autre chose que la majorité de la population de l'Ontario. En 1991, lors du recensement, avec 9 917 000 habitants, l'Ontario regroupait 37 % de la population du Canada. Avec 6 847 000 habitants, le Québec en avait le quart. Les citoyens des huit autres provinces peuvent appréhender les décisions de la Chambre des communes du Canada, puisque leurs représentants n'y ont pas la majorité. Les sentiments que plusieurs éprouvent peuvent les mener à privilégier les solidarités régionales et à préconiser des révisions aux institutions fédérales qui pourraient leur donner la majorité, aux dépens des habitants du centre du pays. Bref, les attitudes à l'égard de la vie politique, considérée de façon globale, peuvent être fortement influencées par la vision que les gens ont des rapports entre les diverses provinces et des intérêts de chacune, compte tenu de la diversité physique du territoire et de l'hétérogénéité culturelle de sa population.

Le Canada français est lui-même divisé en plusieurs aires culturelles. À l'une d'elles s'identifient les francophones qui se disent acadiens, au Nouveau-Brunswick, en Nouvelle-Écosse et à l'Île-du-Prince-Édouard. À une autre s'identifient les francophones de l'Ontario. Aux autres s'identifient les autres Canadiens français, le Québec français constituant une aire culturelle distincte.

Certes, le Québec français, comme le reste du Canada, est fortement influencé par ce qui se passe ailleurs dans le monde, aux États-Unis particulièrement. Au Québec, les produits de consommation, et notamment les films, la musique, les émissions de radio et de télévision, les livres et les périodiques, ressemblent de plus en plus à ce qui se vend, à ce qui est en vogue ailleurs en Amérique du Nord. Du point de vue du mode de vie, les différences entre le Québec français et le reste du Canada semblent s'atténuer. Et pourtant, les comportements électoraux n'ont jamais été aussi tranchés qu'au cours des années récentes, en 1993, 1994, 1995, 1997 et 1998. Dans l'ensemble, les électeurs d'une aire culturelle votent d'une façon, ceux d'une autre aire, votent d'une autre façon...

En dépit des contrastes dans les comportements électoraux, il est difficile de savoir vraiment quelles perceptions les personnes d'une même origine, qui pratiquent une même religion et parlent une même langue, peuvent avoir de la présence, tout près d'eux, de ces aires culturelles dont les valeurs sont apparemment fort différentes des leurs. Que pense-t-on, vraiment, des francophones? Que pense-t-on, vraiment, des membres des premières nations? Quelles sont les attitudes des Canadiens de langue anglaise et de religion chrétienne à l'égard de chacune des autres catégories de personnes qui se distinguent en raison de leur langue, de leur origine, de leurs croyances?

Les rares enquêtes réalisées par des sociologues ou des politologues pour connaître la façon dont les uns et les autres voient leurs compatriotes laissent penser qu'il y a encore beaucoup de préjugés au Canada. Certaines personnes éprouvent de la sympathie pour tous leurs compatriotes, quelles que soient leurs origines, d'autres font des distinctions qui mènent à privilégier certaines catégories sociales, quelques-unes, enfin, nourrissent une solide antipathie à l'égard de certains groupes qu'elles considèrent hostiles.

Les attitudes révélées par certains sondages laissent penser que les préjugés négatifs l'emportent souvent sur les sentiments de sympathie que les gens peuvent éprouver à l'égard des uns et des autres, selon leurs origines. Les francophones du Canada, les juifs, les musulmans, les hindous, les Métis, les membres des premières nations, les Canadiens dont les ancêtres venaient de Chine ou d'Haïti, ou encore, autres exemples, du Japon, de l'Allemagne ou de la Jamaïque, et bien d'autres membres de catégories minoritaires, ont eu, au cours de l'histoire récente, à se plaindre des attitudes manifestées à leur égard par des Canadiens qui se voyaient eux-mêmes majoritaires.

Quoi qu'il en soit, la diversité des aires culturelles, la proximité des unes par rapport aux autres, les points de contact et d'échange, mais aussi les points de friction, tout cela façonne le déroulement de la vie politique. On trouve indiscutablement l'un des éléments de la vie politique au Canada dans les perceptions relatives aux langues, aux religions, aux origines, autrement dit, aux aires culturelles.

LECTURES RECOMMANDÉES

ADAM, Dyane (sous la direction de), *Femmes francophones et pluralisme en milieu minoritaire* (Actes du colloque du Réseau des chercheures féministes de l'Ontario français, mars 1995), Ottawa, Presses de l'Université d'Ottawa, 1996, 134 pages (communications éloquentes de sociologues comme Christiane Bernier ou de politologues comme Sylvie d'Augerot-Arend).

BAKVIS, Herman, et Laura G. MACPHERSON, Quebec Block Voting and the Canadian Electoral System, *Canadian Journal of Political Science - Revue canadienne de science politique*, 28 (4), décembre 1995, pages 659-692.

BALTHAZARD, Louis, Guy LAFOREST, et Vincent LEMIEUX, *Le Québec et la restructuration du Canada : 1980-1992 : enjeux et perspectives*, Québec, Septentrion, 1991, 312 pages.

BAUER, Julien, *Les minorités au Québec*, Montréal, Boréal, 1994, 126 pages.

BERNARD, Roger, *Le Canada français : entre mythe et utopie*, Ottawa, Nordir, 1998, 238 pages.

CAIRNS, Alan, et Cynthia WILLIAMS (sous la direction de), *Les dimensions politiques du sexe, de l'ethnie et de la langue au Canada*, Ottawa, Commission royale sur l'Union économique et les perspectives de développement du Canada, 1986, 281 pages (étude 34).

BRUNET, Jean, Danielle JUTEAU, Enoch PADOLSKY, Anthony RASPORICH, et Antoine SIROIS (sous la direction de), *Migration and the Transformation of Cultures*, Toronto, Multicultural History Society of Ontario, 1992, 278 pages.

CLIFT, Dominique, et Sheila McLEOD ARNOPOULOS, *Le fait anglais au Québec*, Montréal, Libre Expression, 1979, 277 pages.

COTNAM, Jacques, Yves FRENETTE, et Agnès WHITFIELD (sous la direction de), *La francophonie ontarienne : bilan et perspectives de recherche*, Ottawa, Nordir, 1993, 361 pages.

DUPUIS, Renée, *La Question indienne au Canada*, Montréal, Boréal, 1991, 123 pages.

JOHNSTON, Richard, The Reproduction of the Religious Cleavage in Canadian Elections, *Canadian Journal of Political Science - Revue canadienne de science politique* 18 (1), mars 1985, pages 99-114.

LANGLOIS, Simon, Une révolution sociale et culturelle, dans Roch COTÉ (sous la direction de), *Québec 2000*, Montréal, Fides, 1999, pages 125-199.

LAPONCE, Jean A., *Langue et territoire*, Québec, Presses de l'Université Laval, 1984, 265 pages.

LEGAULT, Josée, *L'invention d'une minorité : les Anglo-Québécois*, Montréal, Boréal, 1992, 282 pages.

MARTEL, Marcel, *Le deuil d'un pays imaginé. Rêves, luttes, et déroute du Canada français : les rapports entre le Québec et la francophonie canadienne (1867-1975)*, Ottawa, Presses de l'Université d'Ottawa, 1997, 203 pages.

MEGYERY, Kathy (sous la direction de), *Minorités visibles, communautés ethnoculturelles et politique canadienne. La question de l'accessibilité*, Ottawa, Commission royale sur la réforme électorale et le financement des partis (Montréal, Wilson et Lafleur), 1991, 308 pages (volume 7).

VINCENT, Pierre, *L'immigration. Phénomène souhaitable et inévitable*, Montréal, Québec-Amérique, 1994, 267 pages.

WESTLEY, Margaret W., *Grandeur et déclin. L'élite anglo-protestante de Montréal, 1900-1950*, Montréal, Libre Expression, 1990, 334 pages.

2

La diversité catégorielle

En plus de leur soumettre des revendications qui traduisent la vision du monde qu'ils partagent avec les autres membres de la communauté culturelle à laquelle ils appartiennent, quantité de gens adressent aux autorités toutes sortes d'autres demandes qui, elles, traduisent les intérêts et points de vue des catégories sociales auxquelles ils s'identifient. Certaines de ces catégories se situent au sommet des hiérarchies invisibles qui structurent les populations, et leurs membres tentent de les y maintenir, alors que ceux des autres catégories essaient d'y accéder.

Qu'ils le veuillent ou non, les gens sont classés en catégories : âge, sexe, statut civil, emploi, profession, etc. Certaines personnes s'identifient à ces catégories tout autant, et parfois davantage, qu'aux communautés dont elles partagent la langue, la religion et les traditions.

Membre de telle ou telle catégorie, une personne sera incitée à voir le monde du point de vue de cette catégorie, tout comme elle est incitée à le voir du point de vue de la *communauté culturelle* à laquelle elle appartient. Ainsi, dans une communauté donnée, même s'ils semblent prêts à suivre leurs aînés quand il s'agit de défendre leur langue ou leur religion, les jeunes sauront se démarquer quand les goûts ou espoirs de leur génération seront en cause. Et, parmi les jeunes, les avis de nombreux garçons se distingueront de ceux de la plupart des filles dès lors que les rapports entre les hommes et les femmes seront en jeu. Par ailleurs, sur d'autres sujets, le marché du travail par exemple, les divisions se feront selon les catégories d'emploi ou autres catégories du même ordre. Finalement, aux distinctions les plus évidentes, qui sont fondées sur l'âge et le sexe, se superposent toutes les autres, celles qui correspondent aux divers attributs qui différencient les membres de chacune des communautés.

Sur bien des sujets, des personnes qui appartiennent à des communautés culturelles différentes peuvent se découvrir des points communs en raison de leur appartenance à une même génération ou à un même type d'emploi, ou encore à une même confrérie artistique ou sportive.

Quelles que soient ses attitudes et les actions qu'elle envisage à l'égard des diverses catégories dont elle fait partie, une personne ne peut toutefois passer d'une génération à une autre, puisqu'on ne peut guère camoufler son âge ou nier les expériences qu'on a eues dans son enfance ou sa jeunesse et qui distinguent la cohorte dont on fait partie de celles qui l'ont précédée ou suivie. Et les catégories dans lesquelles on se retrouve constituent des contraintes avec lesquelles il faut composer.

Les attitudes suscitées par l'appartenance à telle ou telle catégorie entretiennent un flot ininterrompu de besoins et de désirs, dont beaucoup, finalement, seront exprimés dans la vie politique. Les catégories dont chaque être humain fait partie conditionnent, dans une large mesure, ses perceptions de l'environnement, de sa place dans cet environnement, de ses rapports avec lui. L'acceptation ou le refus des différences entre catégories (qu'il s'agisse de catégories d'âge, de sexe, de statut civil ou de n'importe quel autre type), l'acceptation ou le refus de sa propre catégorie, la solidarité ou la concurrence avec les autres membres de sa catégorie et de très nombreuses autres attitudes modèlent une grande part de l'action politique.

Parfois, en raison de son appartenance à des catégories diverses, une même personne peut se sentir déchirée par des options contradictoires. Par exemple, parce qu'il valorise sa langue maternelle, un commerçant peut souhaiter une politique d'unilinguisme, alors que ses intérêts en affaires l'amènent à préconiser une politique de bilinguisme.

Autre exemple : on peut vouloir une politique de libre-échange parce que, à titre de consommateur, on désire payer moins cher les produits les plus diversifiés et, simultanément, à titre de patriote, on peut vouloir une politique protectionniste qui pourrait sauvegarder le genre de pays qu'on a connu et que l'on sait menacé par une politique de libre-échange.

Quand les intérêts des diverses catégories dont une personne fait partie paraissent contradictoires, une hiérarchie s'établit en fonction des circonstances ou de la force des sentiments d'appartenance éprouvés à l'égard des diverses catégories concernées, ou encore en fonction d'autres considérations. Dans certains cas, les intérêts de la communauté culturelle à laquelle une personne appartient vont l'emporter sur ceux des catégories plus restreintes dont elle fait partie : on le voit au Québec quand des gens d'affaires francophones soutiennent le Parti québécois alors que le monde des affaires le combat. Mais l'inverse se produit souvent et, encore ici, l'exemple des gens d'affaires est éloquent : en effet, les intérêts qui unissent les gens d'affaires transcendent souvent les distinctions d'appartenance religieuse ou d'origine ethnique qui pourraient les diviser ; s'ils sont menacés par les revendications provenant du monde du travail, ces intérêts, qui sont des intérêts de classe, relèguent même au second plan les considérations de concurrence entre entreprises.

Ainsi, à l'occasion du référendum d'octobre 1995, la majorité des gens d'affaires francophones se sont retrouvés du même côté que les gens d'affaires anglophones contre la plupart des organisations de salariés francophones. Autrement dit, dans ce cas comme dans de nombreux autres, certains intérêts catégoriels se sont substitués à ceux de la communauté culturelle d'appartenance : en octobre 1995, en s'opposant aux options préférées des francophones, les gens d'affaires francophones proposaient leur propre définition de l'intérêt de la collectivité de langue française, définition qui traduisait leur propre intérêt catégoriel.

Par ailleurs, en raison de ses multiples appartenances catégorielles, une même personne peut donner l'impression d'adapter ses comportements politiques aux circonstances. Un chef d'entreprise, par exemple, peut réclamer des autorités de sa province des mesures protectionnistes en faveur de ses affaires et, simultanément, donner son appui aux organisations patronales qui combattent les mesures protectionnistes adoptées par les autorités provinciales. La même personne peut exiger des administrations publiques de sa région une politique de préférence régionale et, peu après, appuyer les organisations qui s'opposent à une telle politique. L'analyse révèle que les comportements politiques sont rarement inspirés par un schéma unique.

Selon les circonstances et les sujets, une même personne peut appuyer des revendications politiques fort diverses. Ainsi, une personne, propriétaire d'une entreprise, peut intervenir auprès des autorités pour assurer la défense ou la promotion des intérêts de son entreprise, contre ceux d'autres entreprises du même secteur ; elle peut aussi s'unir à d'autres chefs d'entreprises du même secteur pour défendre les intérêts de ce secteur du monde des affaires, contre d'autres secteurs ; elle peut enfin apporter son soutien aux organisations patronales qui sollicitent la bienveillance des autorités à l'égard des gens d'affaires, contre les organisations qui regroupent des salariés subalternes. Mais, dans la mesure où ses intérêts d'affaires sont sauvegardés, cette même personne peut également appuyer, auprès des autorités, le clergé qui propage ses convictions religieuses, les associations qui préconisent l'usage systématique de sa langue maternelle, les groupes qui perpétuent les traditions qu'elle vénère, les fédérations regroupant les équipes qui pratiquent les sports qu'elle préfère, et ainsi de suite. En définitive, une même personne peut exprimer ou appuyer de très nombreuses revendications politiques différentes.

En fait, comme le montre le déroulement de la vie politique, les revendications qui expriment les intérêts des gens varient en fonction des très nombreuses catégories de référence auxquelles il est possible de s'identifier, elles varient en fonction des perceptions que l'on peut avoir de la hiérarchie de ses propres intérêts, elles varient en fonction des perceptions que l'on a des menaces ou des opportunités qui concernent ces divers intérêts, elles varient en fonction des circonstances et elles varient en fonction des très nombreux sujets auxquels il est possible de s'intéresser.

Pour embrasser toute la variété des revendications politiques il faut donc prendre en compte non seulement la diversité des aires culturelles qui caractérise un territoire, mais aussi la diversité interne de la population de chacune de ces aires culturelles et la multitude des changements qui se produisent sans cesse dans la vie.

Dans le déroulement de la vie politique, les distinctions internes de chaque population, fût-elle aussi réduite que celle d'un quartier ou d'un village, apparaissent fort importantes, puisqu'elles alimentent un flot continu de revendications contradictoires, les uns défendant les intérêts de leur catégorie contre ceux des autres.

LES GÉNÉRATIONS ET LES GROUPES D'ÂGE

De toutes les catégories dont on peut faire état, après celles que distinguent les diverses communautés culturelles, celles qui semblent avoir le plus d'importance dans le déroulement de la vie politique correspondent aux diverses générations et aux divers groupes d'âge. Les membres d'une *génération*, celle du baby-boom de l'après-guerre par exemple, en 1995, faisaient partie du groupe des 50 à 54 ans. *Une même génération passe, avec les ans, d'un groupe d'âge à un autre* : elle marque le déroulement de la vie politique par son action, qui est inspirée par son histoire particulière et, aussi, par son vieillissement progressif. On y a fait référence dans le chapitre précédent, comme on le fera encore dans d'autres chapitres.

Il y a plusieurs façons de montrer l'importance politique des catégories définies par l'année de la naissance et par l'âge. On peut parler de conflits de générations, de querelles entre les anciens et les modernes, d'oppositions entre les mouvements de jeunesse et les représentants de l'ordre établi, d'affrontements entre la nouveauté et la tradition, de rapports difficiles entre les jeunes et les anciens, de la hiérarchie liée au droit d'aînesse (qui donne la priorité aux plus âgés)...

Chaque génération voit le monde à sa façon. Les jeunes de maintenant n'ont pas vécu les événements qu'ont connus leurs aînés, leur apprentissage de la vie s'est fait dans des circonstances qui leur sont propres, leur arrivée dans la vie politique se fait avec une perception du monde et une vision de l'avenir qui sont parfois fort différentes de celles qu'ont eues et conservées leurs parents, fort différentes de celles qu'ont valorisées et que valorisent encore leurs grands-parents. Pour la plupart, les jeunes qui votent aujourd'hui pour la première fois ont déjà passé des milliers d'heures devant l'écran d'un ordinateur, appareil qui n'existait même pas à l'époque où leurs parents arrivaient à l'âge adulte. Leurs parents, au moment de voter pour la première fois, avaient pour leur part déjà passé des milliers d'heures devant un téléviseur, équipement que leurs propres parents n'avaient eux-mêmes connu qu'après avoir atteint leur majorité. Le monde change et il change rapidement : les générations passent et, sur bien des points, elles ne se ressemblent pas.

L'importance politique d'une génération ou d'une catégorie d'âge semble varier dans le temps en fonction de la proportion de population qu'elle constitue. Quand cette proportion s'accroît, son influence paraît augmenter.

Au Québec, vers 1970, les jeunes de 15 à 24 ans sont venus bien près de constituer le quart de la population. Lors du recensement de 1971, ces jeunes comptaient pour 20 % de la population totale, alors qu'ils n'en représentaient que 14 % lors du recensement de 1961. En 1976, ces jeunes constituaient précisément 20,3 % de la population du Québec. Selon une compilation particulière des données de 1976, environ 21 % des francophones du Québec, à l'époque, auraient eu entre 15 et 24 ans. Au même moment, en Ontario, les mêmes générations (appelées également cohortes) comptaient pour 18,8 % de la population de cette province. Après 1980, la proportion de ces jeunes dans la population a commencé à décroître doucement. En 1991, selon les données du recensement, les personnes âgées de 15 à 24 ans, au Québec, ne constituaient plus que 13 % de la population.

Chaque fois que les jeunes de 15 à 24 ans y ont constitué une proportion croissante de la population totale, le Canada français a amplifié le ton de ses revendications face au reste du Canada. Ce fut le cas au début du XIXe siècle, et les revendications ont finalement mené à la formation du Parti patriote, dirigé par Louis-Joseph Papineau, et à l'insurrection de 1837, qui fut matée dans le sang par les militaires et miliciens britanniques et leurs alliés. Ce fut ensuite le cas à la fin du XIXe siècle, et les revendications de cette époque ont mené à la formation du Parti national, dirigé par Honoré Mercier, et à la victoire de ce parti aux élections législatives du Québec en octobre 1886. Ce fut le cas, encore, au début du XXe siècle, et les forces qu'on appelait nationalistes se sont unies pour former un nouveau parti, l'Union nationale, dirigé par Maurice Duplessis, qui est devenu premier ministre du Québec en août 1936. Ce fut enfin le cas lors de la dernière période caractérisée par la montée des jeunes, celle qui va, en gros, de 1966 à 1980 : les revendications se sont à nouveau amplifiées, les forces que l'on qualifie de nationalistes se sont unies pour former un nouveau parti, le Parti québécois, dirigé par René Lévesque, qui, en 1976, est devenu premier ministre du Québec.

On peut trouver bien des explications aux quatre grandes poussées de revendications du Canada français qui se sont produites au cours du XIXᵉ et du XXᵉ siècles. Celle qui a mené à l'insurrection de 1837 avait été précédée de plusieurs vagues d'immigration en provenance des îles Britanniques, qui avaient considérablement réduit la proportion d'anciens Canadiens dans la population totale, et elle se produisait alors que le Conseil exécutif du Bas-Canada semblait insensible aux revendications de la majorité canadienne-française. La poussée de revendications animée par Honoré Mercier, vers 1886, s'est produite dans le contexte d'une longue période d'émigration de nombreux Canadiens français vers les États-Unis, et elle était portée par le ressentiment qu'avait suscité la pendaison du chef des Métis des Prairies, Louis Riel, en 1885. Quant au mouvement dont Maurice Duplessis a pris la tête en 1935, il était né au début de la crise économique qui a suivi le krach de la Bourse de New York en 1929 et il s'inscrivait lui aussi dans le contexte d'un déclin de la proportion de la population du Canada constituée par les Canadiens français. Enfin, le mouvement souverainiste, qui a donné naissance au Parti québécois en 1968, suivait un vague d'immigration encore plus importante que celles qui l'avaient précédée. Ce mouvement, en outre, s'inscrivait dans le vaste processus des indépendances acquises par les peuples colonisés d'Afrique et d'Asie, processus qu'on a appelé, à l'époque, la décolonisation.

À la différence des poussées de revendication précédentes, le mouvement qui a donné naissance au Parti québécois perdure. En effet, contrairement aux mouvements analogues du passé, il a été entretenu par les générations qui ont suivi celles qui l'ont lancé. Alors que le Parti patriote, le Parti national et l'Union nationale ont été les partis des seules générations qui les ont fondés, le Parti québécois aura été le parti de plusieurs générations, comme semble l'être également le Bloc québécois, créé en 1990 et dirigé, de 1990 à 1996, par Lucien Bouchard.

L'expérience des générations qui ont porté le mouvement souverainiste au Québec au cours des trois ou quatre dernières décennies du XXᵉ siècle, comme celle de chacune des générations antérieures, illustre à l'envi l'impact que peuvent avoir les générations sur le déroulement de la vie politique, surtout quand elles sont nées en période de fort excédent des naissances par rapport aux décès.

Au Québec, chez les francophones, le clivage entre les générations est énorme. Il apparaît, en particulier, lors des scrutins. Il est apparu lors du référendum constitutionnel d'octobre 1992, puis lors des élections fédérales d'octobre 1993 et de juin 1997, de même que lors des élections législatives du Québec en septembre 1994 et novembre 1998 ou lors du référendum du 30 octobre 1995. Lors du référendum d'octobre 1995, comme lors des scrutins précédents, quelque 70 % des Québécois francophones âgés de moins de cinquante ans qui ont voté ont donné leur appui aux souverainistes, ces membres des partis politiques qui veulent faire du Québec un État souverain, associé, si possible, au reste du Canada, dans le cadre d'une union économique et politique. Inversement, 70 % des francophones nés avant 1930 se sont opposés aux souverainistes. Un tel décalage entre les options politiques des personnes âgées et celles des plus jeunes illustre la signification politique des différences entre générations.

Par ailleurs, les jeunes nés dans ces périodes de fort accroissement démographique ont aussi un autre impact important sur le déroulement de la vie politique : les ajustements que leur nombre impose aux sociétés obligent les autorités à intervenir. Ainsi, en plus d'avoir porté le mouvement souverainiste contemporain au Québec, les cohortes (ou générations) de l'après-guerre ont contribué au gonflement de la demande de biens de consommation courante, d'équipements domestiques, de logements et de services de toutes sortes. Ces générations ont bousculé les établissements hospitaliers et les établissements d'éducation primaire, surtout ceux du secteur public, puis les écoles secondaires et les universités et, enfin, le marché du travail rémunéré. Les autorités ont dû faire face aux revendications, extrêmement nombreuses, que tous ces bouleversements généraient.

Cependant, arrivés à l'âge de la contestation, les jeunes de l'aprèsguerre ont eu beaucoup de mal à faire accepter leurs propres revendications. Les jeunes, en effet, ont d'autant plus de mal à faire valoir leurs valeurs que les détenteurs des postes d'autorité sont plus âgés. Et au Canada, vers 1960, les détenteurs des postes d'autorité étaient plutôt âgés.

Vers 1960, à Ottawa, parmi les ministres et les sous-ministres, il y avait beaucoup de sexagénaires. Il se produisait alors, à Ottawa, ce qui était déjà arrivé à quelques reprises au cours de l'histoire. Une équipe, formée de personnes d'une même génération, avait réussi à se maintenir dans les postes d'autorité pendant de longues années. Dans ces circonstances, au fur et à mesure qu'avaient vieilli les personnes en poste, l'écart qui les séparait de la moitié la plus jeune de l'électorat s'était accru.

Entre 1878 et 1896, déjà, le Canada avait été dirigé par des personnes très âgées. Pendant cette période, en effet, ce sont des sexagénaires et des septuagénaires qui ont été à la tête du Parti conservateur, majoritaire à la Chambre des communes du Canada. John Alexander Macdonald, né à Glasgow en Écosse en 1815, est mort en 1891, après avoir été premier ministre du Canada de 1867 à 1873 et de 1878 à 1891. Le premier de ses successeurs, John Joseph Caldwell Abbott, a démissionné en novembre 1892, le suivant, John Sparrow David Thompson, est décédé en décembre 1894, le troisième, Mackenzie Bowell, a démissionné en avril 1896 et le quatrième, Charles Tupper, a été remplacé par le chef libéral, Wilfrid Laurier, peu après les élections fédérales de juin 1896. Wilfrid Laurier avait alors 55 ans. Avec lui, une nouvelle génération accédait aux postes d'autorité, à Ottawa ; elle y est restée quinze ans, de sorte que, de 1901 à 1911, le poste de chef du gouvernement et plusieurs autres postes d'autorité, à Ottawa, ont été occupés par des sexagénaires, comme cela avait été le cas de 1878 à 1896.

Le poste de premier ministre, à Ottawa, a également été détenu par des sexagénaires de 1935 à 1968. Le premier ministre William Lyon Mackenzie King a été chef du gouvernement canadien de 1921 à 1930, sauf quelques mois en 1926, et il l'a été à nouveau de 1935 à 1948. Né en 1874, ce chef libéral a maintenu sa génération dans les postes d'autorité pendant plus de vingt-cinq ans. Son successeur immédiat, Louis Stephen Saint-Laurent, était âgé de 66 ans, quand il est devenu premier ministre en 1948, et de 75 ans, quand il a cessé de l'être en 1957. Le premier ministre John Diefenbaker, chef du Parti progressiste-conservateur, est devenu chef du gouvernement en 1957, à l'âge de 63 ans, et il l'est resté jusqu'à l'âge de 68 ans. Il a été remplacé en 1963 par Lester Bowles Pearson, un libéral, qui était né en 1897. Ce dernier a démissionné en 1968, à l'âge de 71 ans.

Depuis 1968, aucun premier ministre, à Ottawa, n'a voulu ou pu rester à la tête du gouvernement après son soixante-cinquième anniversaire. Pierre Elliott Trudeau, premier ministre à 49 ans, a choisi de démissionner avant son soixante-cinquième anniversaire, en 1984. Brian Mulroney, né en 1939, a été premier ministre de 1984 à 1993. Jean Chrétien avait 59 ans lorsqu'il est devenu premier ministre en 1993.

Comme le montrent les expériences des premiers ministres Pierre Elliott Trudeau et Brian Mulroney et celles de quelques premiers ministres provinciaux, les postes d'autorité ne sont pas réservés aux seules personnes qui ont atteint un âge vénérable. Robert Bourassa est devenu premier ministre du Québec en 1970, à l'âge de 37 ans. Frank J. McKenna avait 39 ans quand il est devenu premier ministre du Nouveau-Brunswick, en 1987. C'est à l'âge de 42 ans que Robert Keith Rae est devenu, en septembre 1990, premier ministre de l'Ontario. Maurice Le Noblet Duplessis avait 46 ans, en 1936, à son accession à la tête du gouvernement du Québec. On le voit, il arrive, de temps à autre, que des quadragénaires accèdent au poste de premier ministre.

Même s'ils ne sont pas réservés aux personnes qui arrivent à l'âge de la retraite, les principaux postes d'autorité des pays à démocratie représentative sont presque toujours occupés par des leaders qui ont une longue expérience de la vie politique. En cette matière, le Canada ne fait pas exception: il y a une hiérarchie de l'âge, dont le sommet est occupé par les quinquagénaires et les sexagénaires. En 1995, l'âge moyen des premiers ministres des provinces canadiennes était de 55 ans. Le doyen de ces premiers ministres était le chef du Parti québécois, Jacques Parizeau, né en 1930, quatorze ans avant son prédécesseur, Daniel Johnson, premier ministre du Québec pendant neuf mois en 1994. Ayant atteint l'âge de 65 ans, le premier ministre Jacques Parizeau a annoncé son départ. Le premier ministre René Lévesque, pour sa part, venait d'avoir 63 ans quand, en 1985, il a cédé son poste de chef de gouvernement à Pierre-Marc Johnson, âgé de 38 ans à l'époque. Chef du gouvernement pendant moins de trois mois, Pierre-Marc Johnson a été remplacé par Robert Bourassa, né en 1933. Quand il a pris sa retraite, en 1994, Robert Bourassa avait 61 ans.

Quel que soit leur âge, les détenteurs des postes d'autorité disent prêter l'oreille aux jeunes comme aux personnes de leur propre génération. Ainsi, en 1994, le chef du Parti québécois a promis de ne pas obliger les universités à hausser les frais de scolarité en 1995. Cette année-là, les porte-parole du Parti libéral du Canada ont affirmé que le gouvernement dont ils faisaient partie ne réduirait pas les barèmes des pensions de vieillesse.

Les revendications politiques formulées par les personnes qui disent représenter une génération ou un groupe d'âge en particulier peuvent couvrir une gamme étendue de sujets. Les porte-parole de la jeunesse, par exemple, peuvent réclamer de nouvelles politiques d'embauche ou de soutien du revenu, de nouveaux programmes d'aide aux études et quantité d'autres mesures destinées aux jeunes. Les personnes âgées, de leur côté, peuvent réclamer, elles aussi, l'adoption de décisions politiques conçues en fonction de leurs besoins spécifiques.

De toute façon, en plus d'être d'une génération, chaque être humain passe, comme les autres membres de la même génération, par les divers moments de la vie. Les revendications politiques des jeunes ne sont pas celles des personnes âgées, d'abord parce que leur entrée dans l'histoire s'est fait beaucoup plus tard, ensuite parce que les besoins matériels et les moyens financiers de la jeunesse ne sont pas ceux de la vieillesse, et enfin parce que la façon de voir la vie varie avec l'âge. Dès lors qu'ils réclament des politiques adaptées à leur groupe d'âge, les gens affrontent les personnes des autres groupes d'âge, ne serait-ce qu'en raison de la rareté des ressources. Et les membres de la génération qui correspond à «l'intérieur du sandwich» (les personnes âgées de 35 à 65 ans appartiennent à la «génération-sandwich», dans le jargon des démographes) ont toujours l'impression d'être pressurés.

Les adultes d'aujourd'hui, jeunes d'autrefois, le savent: les rêves, les espoirs et les enthousiames des débuts font place aux souvenirs, aux désillusions et aux rigidités. À la période des assauts succède la longue phase de défense des acquis. Les revendications politiques des gens suivent la courbe de leur existence: en vieillissant, la plupart des personnes en arrivent à craindre le changement, et ainsi à soutenir les partis politiques qui maintiennent les choses telles qu'elles sont et à combattre ceux qui préconisent des transformations ou modifications aux institutions ou aux politiques ou qui, à la limite, proposent simplement des adaptations à l'évolution de la planète.

En somme, quand on prend en compte les différences qui distinguent les groupes d'âge et les générations, on doit conclure que l'âge est l'un des déterminants importants du déroulement de la vie politique.

LES HOMMES ET LES FEMMES

Les différences entre les hommes et les femmes ont, elles aussi, une incidence significative sur le déroulement de la vie politique. D'ailleurs, depuis plus d'un siècle, la vie politique a été marquée par la quête de l'égalité juridique, politique, économique et sociale entre les hommes et les femmes.

Jadis, en raison des perceptions que les gens avaient d'un «ordre naturel» des choses, les femmes étaient considérées de façon telle qu'elles étaient tenues à l'écart de la vie politique. Certes, de tout temps, il y a eu des femmes qui ont transgressé la règle générale et qui ont réussi à se faire une place dans la vie politique. Il y a même eu des époques au cours desquelles des femmes ont pu jouer des rôles politiques importants. Toutefois, au milieu du XIXe siècle, au Canada, la règle générale reléguait les femmes au foyer, ne leur permettait que certaines activités sociales, notamment au sein de communautés religieuses, et leur interdisait de voter, d'être membres des assemblées législatives, d'être avocates, juges, médecins, et ainsi de suite. À cette époque, la femme mariée ne pouvait conclure aucun contrat ni s'engager, sans l'autorisation de son mari, dans des transactions financières ou commerciales. Il y avait une différence quasi insondable entre le statut juridique et politique des femmes et celui des hommes.

Jadis, l'autorité paternelle et l'autorité maritale constituaient deux principes de droit, fondés sur la coutume et, croyait-on, justifiés par la loi divine. Dans la tradition chrétienne, vénérée à la fois par les catholiques et les protestants, la femme était la servante du seigneur, elle devait obéissance à son mari. L'histoire de la chrétienté était une histoire d'hommes, papes, évêques, prélats, théologiens, missionnaires, pasteurs, prédicateurs, confesseurs, prêtres et curés. Les fonctions supérieures de la hiérarchie religieuse étaient réservées aux hommes. Les protestants, toutefois, acceptaient de voir une femme à la tête de l'Église d'Angleterre si, en vertu du principe de transmission héréditaire de la Couronne, au Royaume-Uni, une reine devait occuper le trône, et ils admettaient le mariage des ministres du culte ; les catholiques, au contraire, tenaient au célibat des personnes qui se consacraient à la vie religieuse et ils ne pouvaient concevoir qu'une femme puisse accéder à la papauté. Davantage chez les catholiques que chez les protestants, le contexte de l'époque, au milieu du XIXe siècle, concourait au maintien des femmes dans le statut qui était le leur depuis des temps immémoriaux.

Les conceptions traditionnelles du rôle et de la place des femmes, de toute façon, semblaient conformes aux lois de la nature. Selon la plupart des gens de cette époque révolue, il était normal, en effet, que les femmes, les mères, puissent porter et élever leurs petits sans avoir à se préoccuper des problèmes de la vie publique. On pensait, en ce temps-là, qu'elles étaient destinées, par leurs caractéristiques, au rôle qui était le leur. La plupart des femmes n'étaient-elles pas, physiquement, beaucoup plus fragiles que la plupart des hommes ? Les travaux qui exigeaient de la force physique ne devaient-ils pas être réservés aux hommes, et les autres, aux femmes ? Les tâches qui demandaient de longues études et des démarches loin du foyer ne devaient-elles pas être accomplies par les hommes, qui n'avaient pas charge d'enfants, alors que les travaux domestiques, qu'il était possible d'accomplir tout en s'occupant d'une famille, devaient relever des femmes ? Les réponses apportées à ces questions et à bien d'autres du même ordre, au XIXe siècle, menaient à conclure que la division traditionnelle du travail entre les hommes et les femmes reflétait le gros bon sens.

Compte tenu des conceptions les plus répandues au XIXe siècle et apparemment acceptées par la plupart des femmes, il fallait bien du courage pour réclamer l'égalité juridique, politique, économique et sociale entre les hommes et les femmes. Et il a fallu des décennies de lutte pour obtenir, par bribes, diverses mesures qui, petit à petit, ont permis aux femmes d'accéder à un nouveau statut.

Même si, aujourd'hui, en droit, il n'y a plus, au Canada, de différences de statut fondées sur le sexe, de très importantes inégalités subsistent toujours entre les hommes et les femmes, en général. La plupart des hommes ont encore dans leur tête cette hiérarchie invisible dont ils occupent le sommet. Cette perception inégalitaire alimente encore une sourde résistance face aux revendications des femmes, qui réclament de nouvelles mesures politiques et juridiques pour atteindre leur propre idéal d'égalité entre les sexes.

Par ailleurs, les femmes elles-mêmes paraissent fort divisées quand il s'agit de militer pour ce qu'on considère être des revendications féministes. En effet, encore aujourd'hui, bien des femmes évoquent avec nostalgie la situation dans laquelle se trouvaient leurs aînées, qui n'avaient pas à assumer à la fois les exigences d'un emploi rémunéré hors du foyer et les exigences des tâches domestiques. De ce point de vue, la situation des femmes d'aujourd'hui, travailleuses salariées, chargées de la garde de leurs enfants, épouses, responsables du ménage, peut paraître moins intéressante à certaines que ne l'était la vie de leurs mères. Enfin, certaines femmes réclament un programme public de compensations financières en faveur des femmes au foyer, qui n'ont pas les revenus des femmes occupant un emploi salarié, et d'autres femmes, qui ont un emploi salarié, réclament de leur côté une compensation financière en faveur des femmes ayant un emploi, parce que celui-ci leur impose une double journée de travail.

S'il y a encore plusieurs jeunes femmes célibataires qui ont hâte de fonder un foyer et de quitter le marché du travail, il y en a sans doute davantage qui, sans revenu, réclament l'adoption d'une politique de plein emploi et, en attendant, une politique plus généreuse d'aide financière aux personnes démunies. D'ailleurs, parmi les femmes qui ont maintenant atteint un âge avancé, il en est beaucoup qui regrettent de ne pas avoir eu d'emploi salarié à l'âge où elles auraient pu en obtenir un. En majorité, les femmes de 65 ans et plus vivent aujourd'hui dans des conditions de relatif dénuement, n'ayant d'autre ressource que la pension distribuée aux personnes âgées. La situation de ces femmes, vieilles, pauvres et, souvent, malades, attire la compassion, et de nombreuses personnes adressent aux autorités requête sur requête en faveur de ces aînées.

En outre, à côté des femmes seules, sans enfant, il y a aujourd'hui de très nombreuses femmes qui se retrouvent isolées, avec des enfants, sans conjoint et sans revenu de travail. La situation de ces femmes est dramatique. Ceux et celles qui s'en émeuvent réclament des autorités des politiques plus généreuses que par le passé, alors que d'autres personnes croient, au contraire, que la sévérité des conditions imposées à celles qu'on appelle mères célibataires en réduira le nombre. La recherche de solutions aux difficultés des mères sans conjoint est à l'origine de bien des revendications.

La moitié de la population que constituent les femmes est divisée en de multiples segments, selon l'âge, le statut civil, la présence d'enfants, la participation au marché du travail, le type d'emploi, etc. À la variété des situations, qui sont toutes propres aux femmes, correspond la variété des revendications politiques.

Il s'ensuit que les revendications exprimées par les porte-parole de groupes de femmes sont très nombreuses et particulièrement diversifiées. Elles touchent des sujets aussi divers que les régimes matrinomiaux, le règlement des différends familiaux, la violence conjugale, le paiement et la fiscalité des pensions alimentaires, la contraception, l'avortement, l'aide à la grossesse, les cliniques d'accouchement, la maïeutique, les soins aux bébés, la santé de la petite enfance, les garderies, les allocations familiales, le soutien aux jeunes ménages, l'assistance aux mères célibataires, les maladies dites féminines (cancer du sein, par exemple), le harcèlement sexuel au travail, la discrimination en emploi, l'hébergement en milieu médicalisé pour les femmes âgées, et ainsi de suite.

Or, ces nombreuses revendications exprimées par des femmes ne sont à peu près jamais évoquées par des hommes. Les recherches effectuées par les sociologues qui s'intéressent à ces questions montrent que les hommes, en général, ne voient pas de problèmes là où certaines femmes, la plupart des femmes, en voient.

Les revendications des femmes trouvent d'autant moins d'écho, dans les organes décisionnels, que les détenteurs des principaux postes d'autorité sont presque tous des hommes. Certes, depuis quelques années, des femmes ont réussi à accéder à la tête de quelques municipalités : aujourd'hui, environ 9 % des municipalités du Québec sont dirigées par des femmes, contre moins de 1 % vers 1980. Il y a également quelques femmes dans les gouvernements : la pratique de nommer une femme au conseil des ministres a été établie vers 1970 ; en 1990, le gouvernement de Robert Bourassa comptait six femmes et vingt-quatre hommes ; le gouvernement formé par le premier ministre Jacques Parizeau, au début de l'automne 1994, comptait six femmes et quinze hommes. Le gouvernement fédéral a été dirigé, pendant quelques mois en 1993, par une femme, Kim Campbell, qui avait succédé à Brian Mulroney à la tête du Parti progressiste-conservateur du Canada. Catherine Sophia Callbeck, élue chef du Parti libéral de l'Île-du-Prince-Édouard, est devenue première ministre de cette province de

130 000 habitants en janvier 1993. Il y a quelques femmes dans les postes d'autorité ; il y en a très peu dans les postes les plus importants. Il n'y en avait aucune avant 1970.

La croissance récente de la proportion de postes d'autorité occupés par des femmes pourrait faire oublier les décennies de luttes menées par celles qu'on appelait les « suffragettes », ces militantes qui, à compter de 1865, en Angleterre, réclamèrent l'abolition de la distinction en vertu de laquelle le droit de vote était réservé aux hommes. Ce n'est que vers 1916 que certaines femmes, au Canada, purent enfin voter, notamment aux élections législatives du Manitoba, puis de la Saskatchewan et de l'Alberta. Elles purent ensuite voter aux élections législatives de la Colombie-Britannique et de l'Ontario et, enfin, à celles des trois provinces de l'Atlantique. Aux élections fédérales de 1917, le droit de vote a été accordé aux femmes qui avaient un mari, un fils, un frère ou un père dans les forces armées. En 1918, toutes les femmes, sauf celles qui étaient parentes de personnes nées dans un pays ennemi, ont reçu le droit de voter aux élections fédérales. Les exclusions imposées en raison de la guerre ont été abolies à la signature des traités de paix, de sorte que, aux élections fédérales de décembre 1921, à quelques exceptions près, toutes les femmes adultes ont eu le droit de vote. Finalement, en 1922, dans chacune des provinces du Canada, sauf au Québec, les femmes avaient eu l'occasion de voter lors des élections législatives provinciales. Au Québec, le droit de vote aux élections législatives fut refusé aux femmes jusqu'en 1940 et il n'a été exercé, pour la première fois dans l'ensemble des circonscriptions, que lors des élections législatives de 1944.

Les femmes du Québec ont fait l'objet d'une discrimination qui s'est prolongée jusqu'en 1940 parce que les élites de l'époque, au Canada français, tenaient à conserver les traditions. Les textes publiés par les adversaires du suffrage féminin, entre 1916 et 1940 au Québec, présentent toute la gamme, très large, des arguments qui permettaient d'affirmer que les femmes ne devaient pas se mêler de politique. Ces arguments étaient cependant contrecarrés par la pratique : même si elles ne pouvaient voter aux élections législatives du Québec, les Québécoises pouvaient voter aux élections fédérales et elles le faisaient, apparemment, dans la même proportion que les autres Canadiennes.

Ces arguments traditionnels, qui servent encore aujourd'hui, sont complétés par un autre argument, fondé sur la comparaison entre les comportements politiques présumés des hommes et ce qu'on croit être les comportements politiques des femmes depuis que ces dernières ont le droit de voter et celui d'être candidates. On croit que les femmes votent moins et, de surcroît, qu'elles appuient davantage les équipes conservatrices. On observe qu'il y a beaucoup plus de candidats que de candidates et que, parmi les élues, plusieurs se désistent après quelque temps. On en conclut que les femmes ne sont vraiment pas intéressées à la vie politique !

Cette conclusion est éminemment contestable, car elle découle d'une généralisation abusive et ne tient aucun compte des inégalités sociales qui, encore aujourd'hui, défavorisent davantage les femmes que les hommes.

Affirmer, sans autre précision, que les femmes votent moins que les hommes, c'est oublier que les femmes sont plus nombreuses que les hommes dans les catégories sociales qui votent le moins, c'est-à-dire les personnes âgées, les sans-emploi, les pauvres, etc. Un examen des registres du scrutin des élections législatives d'avril 1981 au Québec, portant sur quelque 13 000 inscriptions, révèle que le taux de participation des femmes d'un groupe d'âge donné est assez voisin de celui des hommes du même groupe, de sorte que l'âge rend compte d'une part de l'écart entre la participation des hommes et celle des femmes, étant donné qu'il y a beaucoup plus de femmes parmi les personnes âgées. En 1981, les femmes étaient majoritaires chez les quinquagénaires et dans l'ensemble de la population plus âgée. En 1991, au Canada, chez les gens âgés de moins de 55 ans, les hommes étaient plus nombreux que les femmes ; dans les groupes d'âge plus avancé, les femmes étaient plus nombreuses, deux tiers des personnes de 85 ans étaient des femmes. Dès qu'on tient compte de la composition par groupes d'âge de la population, on constate que le taux de participation électorale des femmes se rapproche de celui des hommes. La différence ne serait sans doute pas significative si l'on tenait compte d'autres catégories d'analyse, notamment celles qu'on peut établir sur la base de l'emploi et de la participation à la main-d'œuvre ou sur la base de l'état de santé.

L'analyse des taux de participation électorale peut éclairer l'examen des autres différences entre les comportements politiques des femmes et des hommes. La différence entre le nombre de candidatures féminines et celui des candidatures masculines, la différence entre le taux de succès électoral des femmes et celui des hommes, la différence entre la persévérance des femmes élues et celle des hommes, ces différences et bien d'autres encore découlent, en grande partie, de répartitions distinctes entre catégories sociales. Le taux de participation des femmes à la main-d'œuvre est encore inférieur à celui des hommes, même s'il a crû considérablement au cours des récentes décennies ; la proportion de femmes dans les catégories d'emplois les mieux rémunérés reste faible, même si elle a augmenté depuis quelques années ; la proportion de femmes parmi les propriétaires et chefs d'entreprises est toujours très petite. Les femmes ne sont pas très nombreuses dans les catégories sociales qui fournissent davantage de candidats et d'élus.

Dans les hiérarchies invisibles qui structurent les populations, les échelons supérieurs étaient jadis réservés aux hommes. Ils sont toujours, en majorité, occupés par des hommes, même si les femmes y ont dorénavant accès.

Les personnes qui réclament un changement en faveur des femmes ont des milliers de revendications à formuler, puisque diverses formes d'inégalité défavorisent toujours la plupart des catégories sociales dans lesquelles les femmes ont été confinées tout au long de l'histoire.

En définitive, les innombrables revendications politiques formulées par les femmes, et qui varient selon les milieux et les circonstances, montrent que la question des rapports entre les hommes et les femmes est un autre des multiples fondements de la vie politique.

LES DISTINCTIONS SOCIALES

D'autres fondements de la vie politique peuvent être trouvés dans les catégories sociales qui, dans une même aire culturelle, ne correspondent ni à l'âge ni au sexe. En effet, même si elles sont fort importantes, les divisions selon les sexes, les groupes d'âge et les générations ne représentent qu'une petite part des clivages sociaux, dont l'impact politique est considérable. Cependant, ces divisions par sexe et par âge sont privilégiées par beaucoup de gens parce qu'elles s'imposent d'elles-mêmes à l'attention et parce qu'elles partagent la population en catégories binaires (les hommes et les femmes ; les jeunes et les autres) ou en catégories peu nombreuses (jeunes, jeunes adultes, quadragénaires, quinquagénaires...). Privilégiées, ces divisions par sexe et par âge masquent souvent des divisions plus complexes, peu visibles et, pourtant, fort importantes.

Pour expliquer l'ensemble du déroulement de la vie politique, au Canada seulement, et en faisant abstraction des influences qui s'exercent de l'extérieur, il faudrait prendre en compte des milliers de divisions sociales, en plus de celles qui ont été considérées jusqu'ici. Certaines divisions se rapportent à des ensembles de caractéristiques, d'autres correspondent aux divers segments des activités de production et d'échange, d'autres encore, aux styles de vie, aux milieux de vie et à des éléments de différenciation du même ordre.

Les solidarités catégorielles associées aux distinctions sociales ne sont pas toutes également mobilisatrices. Même si elles se sentent solidaires de l'ensemble des membres de la catégorie dont elles font partie, certaines personnes ne le manifestent pas. Par ailleurs, faute de ressources, les plus militants n'arrivent pas à mobiliser efficacement les membres de certaines catégories démunies, et leurs échecs démoralisent ceux qui, pourtant, manifestent spontanément leur solidarité. Il arrive, enfin, que certaines catégories, dont les gens font partie sans s'en rendre compte, ne servent presque jamais de cadre de ralliement.

En effet, certaines distinctions sociales, qui sont pourtant très importantes, paraissent échapper à la perception de beaucoup de gens. Les personnes de même condition ont en effet tendance à se rapprocher les unes des autres, de sorte que, finalement, les lieux de résidence, qui reflètent les distinctions sociales, ne permettent guère à celles qui y vivent de voir le contraste entre leur catégorie et les autres. Par ailleurs, les lieux de travail d'une même catégorie de main-d'œuvre se situent habituellement dans une zone distincte, de sorte que, même dans leurs activités rémunérées, la plupart des gens ne fréquentent vraiment, au coude à coude, que des personnes de leur propre condition. Il s'ensuit que les gens ont une vision assez floue des inégalités ou des distinctions sociales qui les divisent le plus.

Il n'en demeure pas moins que, parmi les hiérarchies invisibles qui structurent les populations, il en est une que l'on devine plus facilement que les autres et qui apparaît comme la résultante de plusieurs autres. Cette hiérarchie invisible, qui résulte de la conjugaison des multiples hiérarchies qui s'imposent dans les populations, c'est celle des classes sociales. De nombreuses organisations politiques déclarent agir en raison de solidarités de classes, d'autres affirment pouvoir transcender les divisions de classes, quelques-unes font comme si les classes n'existaient que dans l'imagination de ceux qui en parlent...

Les classes sociales

Même s'ils nient l'existence des classes sociales et proclament que tous les êtres humains sont égaux, même s'ils ont une vision assez floue des inégalités ou distinctions qui divisent les sociétés, les gens perçoivent presque intuitivement qu'ils sont d'une classe sociale. Les pauvres et les salariés disent des riches qu'ils sont de *la haute,* de *la classe supérieure.* Les riches vont dire de certaines personnes dont les manières les étonnent qu'elles n'ont pas de classe. Les personnes qui ne sont pas dans les affaires se situent volontiers dans *la classe moyenne* et, parmi celles-ci, celles qui ont un emploi précaire ou un travail manuel se situent volontiers dans *la classe des travailleurs* (en anglais, *working class*). Les pauvres savent qu'ils ne sont pas nés avec une cuiller en argent dans la bouche. On parle de *mésalliances* pour désigner les mariages entre personnes de classes différentes. On qualifie de *parvenue* une personne qui s'est élevée au-dessus de sa condition première sans avoir acquis les manières ou les connaissances qui conviendraient à son nouveau rang. Les héritiers méprisent les *nouveaux riches.* On traite de *snob* (acronyme tiré des mots « *sans noblesse* ») une personne qui, voulant imiter les manières en vogue dans les classes supérieures, traite ses semblables avec mépris ou les évite d'un air hautain. En définitive, la plupart des gens sentent qu'il y a des inégalités de condition dont on hérite en naissant et voient, à tout le moins, que d'autres sont d'une autre classe que la leur.

On qualifie de classes sociales les vastes catégories de personnes qui se distinguent à la fois par l'avoir, le revenu, le statut, la manière de vivre et bien d'autres caractéristiques. Jadis, aux XVIIe et XVIIIe siècles notamment, il était de bon ton de distinguer la noblesse, le clergé, la bourgeoisie et la paysannerie, encore que d'autres distinctions pouvaient paraître acceptables. Au cours des XVIIIe et XIXe siècles, à la suite de l'industrialisation en Europe et en Amérique, la classe ouvrière a pris une expansion considérable et, vers le milieu du XIXe siècle, dans certains pays d'Europe, on a pu dire que les intérêts de la classe ouvrière étaient l'antithèse de ceux de la bourgeoisie, cette dernière regroupant les propriétaires d'entreprises, usines, manufactures, moulins, commerces et autres installations dans lesquelles travaillaient des ouvriers ou employés.

On a beaucoup parlé, à l'époque, de la *lutte des classes*. Des organisations ont été créées dans le but d'unir la classe ouvrière, de la mener à la victoire finale contre la bourgeoisie et d'en arriver à constituer une société parfaitement égalitaire, qui aurait aboli les classes sociales. On a cherché à donner une conscience de classe aux prolétaires, d'après le nom donné dans la Rome antique aux citoyens des classes inférieures. On a beaucoup parlé de la révolte du prolétariat, de la révolution prolétarienne, de l'émancipation des prolétaires (le mot « prolétaire » désignant, dans ce contexte, les personnes qui vendent leur force de travail).

Beaucoup de gens ont adhéré, jadis, au projet d'abolir les distinctions de classes, de mettre en commun les biens disponibles, de gérer collectivement les affaires de la société, de répartir les ressources selon les besoins de chacun... On a même soutenu que l'ordre naturel, à l'origine, était caractérisé par l'absence de propriété privée, de sorte que l'adoption de ce qu'on a appelé le communisme ne serait qu'un retour au « communisme » primitif ! Convaincus de la validité des thèses auxquelles ils adhéraient, les partisans du communisme ont eu un grand impact sur le déroulement de la vie politique, même celle du Canada, ne serait-ce qu'en raison de leurs succès en Russie en 1917, puis dans les territoires voisins, en Europe de l'Est et en Asie, au cours des années suivantes et, plus tard, en Pologne, en Allemagne de l'Est, en Tchécoslovaquie, en Hongrie, en Bulgarie, en Roumanie, en Yougoslavie, en Chine, en Indochine, en Afrique et ailleurs.

Au Canada, jadis, l'action politique de nombreuses personnes a été inspirée par la condamnation du principe de la propriété privée des moyens de production et d'échange et par le désir d'abolir la hiérarchie des classes sociales. L'histoire politique du Canada, depuis la fin du XIXe siècle, a été, comme celle de nombreux autres pays, marquée par la contestation de « l'ordre bourgeois », de « l'ordre capitaliste », contestation menée au nom du communisme, du marxisme, du socialisme ou de la social-démocratie. Encore aujourd'hui, au Canada, on peut trouver des gens qui souhaiteraient vivre dans une société sans classes et qui condamnent les vagues de privatisation qui ont enrichi un tout petit nombre de personnes dans les pays qui avaient naguère collectivisé la quasi-totalité de leurs entreprises.

Au Canada, au cours des ans, de nombreuses actions politiques ont été menées par des forces politiques engagées dans la lutte contre la bourgeoisie, la classe dominante. Parmi les organisations qui ont combattu la classe dominante, il y avait des groupes ou groupuscules qui préconisaient la révolution prolétarienne et la lutte armée, aussi bien que des groupements qui condamnaient toute forme d'affrontement et qui entendaient plutôt associer les classes les unes aux autres. Ces organisations se disaient toutes progressistes, par opposition aux forces conservatrices, favorables au maintien de l'ordre établi.

Ces forces progressistes ont obtenu d'importants succès, même si elles n'ont pas réussi à ébranler les assises de la classe sociale dominante que sont la liberté d'entreprise et, surtout, la propriété privée des moyens de production et d'échange. L'obtention du droit de vote par les locataires, à la fin du XIXe siècle, l'obtention du droit de former des syndicats d'employés et de négocier des conventions collectives de travail, l'adoption des politiques d'alphabétisation, la mise en œuvre des programmes d'assurances collectives financées par des cotisations obligatoires, quantité de mesures de ce genre ont été décidées par les autorités après des années de revendications formulées par les forces progressistes.

Ces succès des forces progressistes peuvent être vus comme des concessions accordées par la classe dominante. On lit parfois, dans les textes écrits par des gens qui se disent eux-mêmes marxistes, que ces concessions étaient considérées par les membres de la classe dominante comme le prix qu'ils devaient payer pour conserver leur suprématie sur la majorité. Qu'ils soient vus ainsi ou autrement, les succès obtenus par les forces progressistes montrent l'importance des classes sociales dans le déroulement de la vie politique.

Cette importance des classes sociales, dans la vie politique, n'est pourtant pas du tout évidente aujourd'hui. Aucun parlementaire ne parle de la lutte des classes. Lors d'élections, les partis politiques qui se réclament de la lutte des classes ne présentent que quelques candidats, dans quelques rares circonscriptions. Il y a longtemps que les organisations de travailleurs ne publient plus de textes condamnant la bourgeoisie et réclamant la collectivisation des entreprises privées.

Les électeurs ne votent pas en fonction des intérêts de la classe sociale à laquelle leurs revenus semblent les rattacher : bien des pauvres soutiennent, par leur vote ou leur abstention, les partis les plus conservateurs. D'ailleurs, les échecs électoraux répétés des partis progressistes montrent que, parmi les gens qu'ils défendent, beaucoup choisissent de ne pas les appuyer. De plus, pour plaire au plus grand nombre, les élus des partis progressistes (Nouveau Parti démocratique, Parti québécois, Bloc québécois) ne parlent vraiment des classes sociales que pour dire leur souhait de réaliser un jour la solidarité entre les classes. Les élus des autres partis, dans leurs discours, ne font à peu près jamais mention des classes sociales, même pas pour souhaiter une éventuelle collaboration entre les classes. Ainsi, dans le plan d'action présenté à l'électorat par le Parti libéral du Canada en 1993 (document qualifié de livre rouge, à l'époque), il n'est jamais fait mention des classes sociales, même si l'on y parle de justice sociale, de solidarité, d'égalité des sexes, de la protection des enfants, de la prise en charge des personnes âgées, de la lutte contre la pauvreté, d'alphabétisation et de nombreux autres sujets chers aux progressistes. De son côté, le manifeste électoral du Parti progressiste-conservateur du Canada, publié en septembre 1993 et intitulé *Un gouvernement au service de la population*, était presque entièrement consacré à la présentation des initiatives proposées pour freiner l'augmentation des dépenses publiques. Tous ces exemples peuvent laisser penser que les classes sociales ne seraient pas des catégories significatives pour la vie politique.

Le discours politique au Québec, au Canada et aux États-Unis, ne fait pratiquement pas référence aux classes sociales. Il donne à penser que les gens qui ont immigré en Amérique auraient échappé aux hiérarchies de leurs pays d'origine et que l'Amérique serait une société où la notion de lutte de classes ne peut pas mobiliser grand monde.

Il est vraisemblable, en effet, que beaucoup d'immigrants ont voulu faire du Nouveau Monde une terre d'égalité.

Pourtant, au Canada, au XVIIe, au XVIIIe et au XIXe siècle, une partie de la population a semblé vouloir reproduire les hiérarchies dont on avait encore l'habitude en Europe. À l'époque de la Nouvelle-France, dans la France du XVIIIe siècle, celle de l'Ancien Régime, avant la Révolution, on distinguait la noblesse, le clergé et le reste de la population (appelé le «tiers état»), et la noblesse était elle-même structurée en échelons, du roi jusqu'aux petits seigneurs. On se souvient que la Nouvelle-France a eu ses comtes (le comte Louis de Buade de Frontenac et de Palluau, par exemple), ses marquis (par exemple, Philippe de Rigaud, marquis de Vaudreuil, et son fils Pierre de Rigaud de Cavagnal, marquis de Vaudreuil) et ses petits seigneurs. On sait qu'une division semblable à celle de la France de l'Ancien Régime, et que les Canadiens du XVIIIe siècle ont connue, existait dans les îles Britanniques, la distinction traditionnelle ayant d'ailleurs mené à la séparation entre les nobles (appelés *lords* et représentés à la *Chambre des lords*) et les gens du commun (représentés à la Chambre des communes, appelée, en anglais, *House of Commons*). On sait que les riches et les puissants du XIXe siècle, au Canada, copiaient les hiérarchies britanniques, auprès des gouverneurs recrutés dans l'aristocratie du Royaume-Uni et des familles de la petite noblesse anglaise venues chercher fortune au Canada. On sait cela, on sait qu'il y a des inégalités en Amérique du Nord et on emploie constamment, sans s'en rendre compte, un vocabulaire qui montre qu'on n'ignore pas les différences de classes, mais on n'entend guère parler de lutte des classes en Amérique du Nord.

En apparence, en Amérique du Nord, on peut avoir l'impression que l'affirmation juridique de l'égalité politique a eu raison des barrières entre les classes sociales. On peut citer le cas de personnes qui, nées pauvres, sont devenues riches.

Dans le Québec ou le Canada d'aujourd'hui, comme aux États-Unis, on ne trouve pas les barrières qui séparaient les classes de l'Ancien Régime, en Europe. À plus forte raison, on n'y trouve pas de *castes* (groupes sociaux formés de personnes qui doivent se marier entre elles et ne peuvent exercer que certaines activités déterminées) ou de classes comme celles qu'a connues l'Inde (la classe des prêtres et enseignants, appelés «brahmanes», la classe des rois et des guerriers, la classe des marchands et des agriculteurs et, enfin, la classe des artisans et des serviteurs).

Même s'il n'y a pas de castes ou de classes, au sens que l'on donnait à ces termes en Inde ou dans la France de l'Ancien Régime, il y a, en Amérique du Nord, au Canada et au Québec, des inégalités sociales très importantes. Au Québec, le monde des salariés (les familles des salariés en emploi et des anciens salariés, en chômage ou à la retraite) comprend près de 80 % de la population. Mais, tout en constituant 80 % de la population, ces gens ne perçoivent probablement pas, ensemble, la moitié des revenus personnels et possèdent sans doute moins de 10 % des actifs mobiliers et immobiliers du pays. Au Québec, la moitié de ces gens ne sont pas propriétaires de leur logement. La pauvreté, définie en fonction d'une proportion des dépenses de consommation courantes des gens, frappe près de 20 % de la population.

Si elles reconnaissent volontiers que les inégalités de condition sont considérables, plusieurs personnes, au Québec, semblent associer spontanément conditions sociales et responsabilité individuelle. Elles attribuent à chacun le mérite de son statut social, à chaque famille la responsabilité de ses conditions d'existence, sans voir les inégalités héréditaires qui avantagent les enfants de certaines familles. Pourtant, les enfants des propriétaires héritent, en règle générale, d'une part de la fortune de leurs parents, d'une santé qui a été davantage protégée que celle des enfants des pauvres, d'une fréquentation des établissements scolaires plus longue et plus assidue que celle dont ont pu profiter les démunis, d'un réseau de relations étendu, de la conviction que leur situation leur vient de leur mérite personnel et de celui de leurs parents.

Les gens qui prennent en compte l'inégalité héritée du passé réclament des autorités des mesures correctives. Ils dénoncent le fait que beaucoup d'enfants des quartiers que l'on dit populaires ont une formation scolaire tronquée, des handicaps variés et, parfois, le sentiment que leur situation est une fatalité qu'il faut accepter avec résignation. Ce sont ces gens que l'on retrouve dans les organisations progressistes qui parlent de classes sociales.

Même s'ils ne sont pas légion, les gens qui s'attaquent aux grandes inégalités sociales arrivent parfois à mobiliser d'importants appuis. Dans le déroulement de la vie politique, cependant, leur action demeure sporadique et relativement isolée. Pourtant, dans chaque aire culturelle que l'on peut distinguer, dans chaque grande agglomération, des milliers de personnes souhaitent, d'une part, l'abolition de ce qu'elles appellent les privilèges de la minorité et, d'autre part, la protection de leurs propres acquis.

Finalement, à la réflexion, la hiérarchie invisible des classes sociales inspire réellement de nombreuses actions politiques. Les oppositions politiques entre le patronat et les syndicats de travailleurs l'illustrent clairement, même si la hiérarchie des classes, en Amérique, est masquée par le paravent de l'égalité juridique et même si les gens ne sont pas conscients d'agir par solidarité de classe.

De toute façon, quand on entreprend de se représenter la société comme une hiérarchie de classes sociales, on a l'impression de simplifier à l'excès une réalité extrêmement complexe. En effet, la complexification des sociétés mènerait à distinguer, à l'intérieur de chacune des classes sociales, de multiples subdivisions. Ainsi, dans la bourgeoisie, il faudrait distinguer la catégorie formée par les détenteurs de capitaux importants qui se trouvent à la tête d'entreprises employant des milliers de personnes, puis la catégorie formée par les propriétaires d'entreprises de moindre importance et, enfin, une catégorie qu'on pourrait appeler la petite bourgeoisie, regroupant les propriétaires de petites entreprises et les gens qui, comme on dit, travaillent à leur compte. Il faudrait en outre établir des distinctions pour tenir compte des secteurs d'activité. Et, dans chaque branche, distinguer selon les échelons, distinguer les employés des ouvriers, le personnel de direction et les contremaîtres, leurs subalternes, et ainsi de suite.

À la limite, les subdivisions qu'il faudrait établir pour distinguer les classes et les fractions de classe se rapprocheraient de la segmentation des activités de production et d'échange du pays.

La segmentation des activités de production et d'échange

Au Québec et au Canada, les revendications qui proviennent des porte-parole des divers segments du marché occupent une part très importante de l'information politique en provenance de la population. Tous les jours, ou presque, les médias font écho aux déclarations des porte-parole de telle ou telle organisation du monde du travail ou des milieux patronaux qui réclament des modifications aux politiques en vigueur. La segmentation des activités est aujourd'hui tellement poussée que c'est par milliers qu'on pourrait compter les revendications qui émanent du «monde des affaires» ou du «monde du travail» (deux expressions à la mode qui rappellent les vocables d'autrefois, «bourgeoisie» et «prolétariat»).

La segmentation des activités correspond à la division du travail que reflètent les multiples organisations que sont les entreprises, les administrations, les associations et autres groupements engagés dans la production et l'échange de biens et de services dans la société et que reflètent également les multiples niveaux hiérarchiques au sein de chacune de ces organisations. À chaque niveau, dans chaque organisation, une solidarité s'établit entre un certain nombre de personnes, qui se retrouvent ensemble presque chaque jour pour accomplir des tâches qui se ressemblent. Même si elles se concurrencent, ces personnes réalisent qu'elles ont des intérêts communs. La logique les mène à unir leurs efforts pour chercher à améliorer leur sort, à s'unir à d'autres personnes qui ont les mêmes caractéristiques qu'elles. À la fin, cette logique mène à l'action politique.

Il y a une grande diversité dans les intérêts des très nombreux sous-groupes que l'on pourrait identifier dans l'immense treillis d'organisations engendré par la segmentation des activités. Les entreprises privées non seulement sont en concurrence les unes avec les autres, mais ont aussi un commun intérêt face aux administrations publiques, qui sont financées surtout par des prélèvements obligatoires sur la production du secteur privé. Cet intérêt commun face aux administrations publiques entraîne à la fois la résistance à l'impôt (les prélèvements obligatoires en faveur des administrations publiques) et la résistance à la réglementation des activités du secteur privé imposée par les administrations publiques. Mais alors qu'elles semblent unies dans leur opposition aux administrations publiques, les organisations du secteur privé sont divisées dès lors qu'il s'agit d'identifier les cibles à privilégier : chaque organisation identifie des cibles que veulent éviter d'autres organisations. Les intérêts des uns ne sont pas ceux des autres, en effet !

Dans le secteur privé, des distinctions majeures divisent les organisations en de très nombreuses catégories. À la nomenclature par secteurs d'activités (secteur primaire, qui correspond aux activités d'extraction des ressources naturelles, secteur secondaire, qui correspond aux activités de transformation des ressources naturelles en produits de consommation, et secteur tertiaire, qui englobe les autres activités, notamment celles qui concernent la distribution des biens), se superpose la distinction entre très grandes, moyennes et petites entreprises. À cette nomenclature et à cette distinction, il faudrait ajouter les répartitions suggérées par la nationalité des propriétaires principaux, par le type de marché (marché local, régional, provincial, continental ou mondial), par le sens des échanges (exportation, importation, transit) et bien d'autres classifications. De toute façon, dans chaque secteur d'activités, il faudrait distinguer les sous-secteurs (par exemple, dans le secteur primaire, l'agriculture, l'élevage, les forêts, les pêcheries, les mines, l'énergie, etc.) et, dans chaque sous-secteur, les branches (par exemple, en matière d'élevage, les volailles, les porcs, les bovins, les ovins et le reste). La diversité des activités et des segments entre lesquels il est possible de les diviser est vraiment très grande.

Les revendications politiques provenant de très nombreuses organisations, qui reflètent la segmentation des activités, donnent l'impression d'une clameur permanente.

La hiérarchie des emplois, des diplômes et des revenus

Dans cette clameur permanente, les cris de certains sont cependant inaudibles, le plus souvent, étouffés qu'ils sont par les revendications stridentes de ceux qui ont les moyens de se faire entendre. On entend davantage les personnes qui occupent les postes de direction et qui, de ce fait, bénéficient de revenus élevés. On entend davantage les personnes qui ont appris à s'exprimer et qui ont acquis des connaissances peu communes grâce à une longue fréquentation des institutions d'enseignement.

Les personnes d'un même niveau hiérarchique, dans les entreprises et les administrations, ont tendance à considérer qu'elles ont des intérêts communs. Parmi elles, plusieurs mèneront une action politique en faveur de la catégorie dont elles sont membres.

De la même façon, les détenteurs de diplômes d'enseignement collégial et universitaire auront le sentiment de faire partie d'une grande famille : des solidarités se nouent entre personnes d'une même promotion, d'un même programme ou d'une même spécialisation, d'une même institution. Aux diverses catégories de diplômes correspondent des statuts, et les personnes qui les détiennent aiment s'identifier d'après ces statuts (technicien de laboratoire, électricien, avocat, médecin, etc.). Et, dans chaque catégorie, il se trouvera quelqu'un qui, un jour ou l'autre, entreprendra des démarches auprès des autorités afin de protéger les intérêts des gens de cette catégorie ; d'autres l'appuieront dans ses démarches ; les solidarités catégorielles, une fois de plus, auront été à l'origine d'actions politiques.

LES PRÉDILECTIONS

Tout comme pour les détenteurs d'un même type de diplôme, il y aura des rassembleurs parmi les gens qui ont un même goût, une même prédilection pour un art, un sport, un loisir, une occupation sans but lucratif. Suivant en cela la logique de l'action collective, les personnes qui s'adonnent à une activité particulière, en dehors du travail, auront tendance à rechercher la compagnie d'autres personnes ayant le même penchant, pour mettre en commun leurs savoirs et leurs ressources et, ainsi, accroître les satisfactions qu'elles retirent de leur loisir. Dans bien des cas, les intérêts communs des personnes qui partagent les mêmes passions vont mener vers l'action politique : on va réclamer des privilèges, des moyens, une reconnaissance officielle, un statut particulier et ainsi de suite.

L'observation de la vie politique permet de voir l'importance que peuvent prendre les revendications qui proviennent de personnes engagées dans des activités de loisir, de bénévolat et de philanthropie. La recherche de solutions aux problèmes de santé, aux problèmes sociaux ou aux multiples difficultés de la vie mobilise bien des gens et mène, comme le reste, à l'action politique.

Finalement, ayant pris en compte la très grande diversité des solidarités catégorielles, on peut comprendre un facteur important du déroulement de la vie politique : il n'y a jamais assez de ressources pour satisfaire les très nombreuses demandes adressées aux autorités. Chaque catégorie de personnes est en concurrence avec les autres pour des ressources que les autorités ont bien du mal à rassembler ou à répartir, puisque chacun souhaite recevoir sans donner.

Au bout du compte, le déroulement de la vie politique fait penser à une incessante et colossale négociation entre des milliers d'intervenants, animés par le même désir d'accroître leur propre bien-être. Ces multiples intervenants s'insèrent dans des hiérarchies invisibles, qui se révèlent dans les décisions politiques que prennent les autorités. Ces décisions des autorités sont rarement conformes aux vœux des personnes qui les ont réclamées, car la logique de l'action collective, qui motive chacun de ces intervenants, mène à des compromis, à des trêves ou à des règlements imposés, qui ne durent jamais qu'un temps.

Les décisions des autorités changent forcément quelque chose à l'ordre établi. Les changements qu'elles entraînent s'ajoutent aux autres changements, qui se produisent continuellement, et les gens réagissent à ces changements en fonction de leurs intérêts, de leur vision du monde, etc.

Car le changement est un autre des fondements de la vie politique.

LECTURES RECOMMANDÉES

BASHEVKIN, Sylvia B., *Toeing the Lines. Women and Party Politics in English Canada, Second Edition*, Toronto, Oxford University Press, 1993, 182 pages.

BRODIE, Marion Janine, *Women and Politics in Canada*, Toronto, McGraw-Hill Ryerson, 1985, 145 pages.

BRODIE, Marion Janine, et Jane JENSON, *Crisis, Challenge and Change: Party and Class in Canada*, Toronto, Methuen, 1988, 341 pages (première édition: 1980).

CRÈTE, Jean, et Pierre FAVRE (sous la direction de), *Générations et politique*, Sainte-Foy, Presses de l'Université Laval/Paris, Economica, 1989, 370 pages.

FRIZZELL, Alan, et Jon H. PAMMETT (sous la direction de), *Social Inequality in Canada*, Ottawa, Carleton University Press, 1996, 183 pages.

GINGRAS, François-Pierre (sous la direction de), *Gender and Politics in Contemporary Canada*, Toronto, Oxford University Press, 1995, 273 pages.

GUAY, Jean-Herman, *Avant, pendant et après le boom: Portrait de la culture politique de trois générations de Québécois*, Sherbrooke, Éditions Les Fous du roi, 1997, 157 pages.

KEALEY, Linda, et Joan SANGSTER (sous la direction de), *Beyond the Vote: Canadian Women and Politics*, Toronto, University of Toronto Press, 1989, 349 pages.

LATOUCHE, Daniel, Jeunesse et nationalisme au Québec. Une idéologie peut-elle mourir?, *Revue française de science politique*, 35 (2), avril 1985, pages 236-261.

MAILLÉ, Chantal, *Les Québécoises à la conquête du pouvoir politique: enquête sur l'émergence d'une élite politique féminine au Québec*, Montréal, Éditions St-Martin, 1990, 194 pages.

MARTIN, Pierre, Générations politiques, rationalité économique et appui à la souveraineté du Québec, *Canadian Journal of Political Science – Revue canadienne de science politique*, 27 (2), juin 1994, pages 345-359.

MEGYERY, Kathy (sous la direction de), *Les femmes et la politique canadienne. Pour une représentation équitable*, Ottawa, Commission royale sur la réforme électorale et le financement des partis (Montréal, Wilson et Lafleur), 1991, 200 pages (volume 6).

PINARD, Maurice, Working Class Politics: An Interpretation of the Quebec Case, *Canadian Review of Sociology and Anthropology – Revue canadienne de sociologie et d'anthropologie*, 7 (2), juin 1970, pages 87-109.

TARDY, Evelyne, et autres, *La politique: un monde d'homme? Une étude sur les mairesses au Québec*, Montréal, Hurtubise HMH, 1982, 111 pages

TREMBLAY, Manon, et Réjean PELLETIER, *Que font-elles en politique?* Sainte-Foy, Presses de l'Université Laval, 1995, 284 pages.

TREMBLAY, Manon, *Des femmes au Parlement: une stratégie féministe?*, Montréal, Éditions du Remue-ménage, 1999, 314 pages.

3

La variété des attitudes à l'égard du changement

Les changements interpellent nécessairement chacun des habitants d'un territoire, puisqu'ils influencent le cours de son existence. Certains de ces changements, qui ont un impact sur tout le monde, suscitent d'ailleurs des réactions collectives qui paraissent déterminantes dans la vie politique.

Les changements qui ont le plus grand impact sur le déroulement de la vie politique sont ceux qui affectent les conditions d'existence, les niveaux de vie et, accessoirement, le rythme de croissance des groupes sociaux. Cela se comprend, puisque, dans une large mesure, le sort de chaque être humain est lié à celui du groupe social dont il fait partie.

De toute façon, la plupart des êtres humains cherchent à hausser leur niveau de vie et à se protéger contre l'adversité, bref, aspirent au bonheur. Cependant, pour atteindre leur objectif, il leur faut lutter les uns contre les autres, en raison de la rareté des ressources et de l'espace. La lutte est âpre, car ceux qui ont moins s'estiment lésés, et ceux qui ont davantage croient en leur mérite et veulent encore plus. Les ressources qui assurent les niveaux de vie élevés sont vivement convoitées, comme le sont les régions qui paraissent plus prospères, mieux situées par rapport aux marchés ou aux approvisionnements, plus attrayantes.

Les gens réagissent rapidement à l'information qui leur annonce la possibilité d'améliorer leurs conditions de vie s'ils adoptent telle innovation ou telle nouveauté, ou vont à tel endroit. Ils réagissent aussi très vite aux rumeurs de dangers imminents. Les gens réagissent aux événements, aux modifications incessantes de leur environnement ; ils réagissent à la conjoncture, aux évolutions qui pourraient se traduire par l'amélioration ou la dégradation plus ou moins considérable de leur niveau de vie, par la transformation plus ou moins marquée de leur mode de vie, par la croissance ou le déclin, plus ou moins rapide, des catégories auxquelles ils s'identifient.

Dès lors que les réactions à la conjoncture prennent un caractère collectif, les autorités en sont saisies. Les gens attendent en effet des autorités qu'elles interviennent. Les revendications qu'on leur adresse expriment ces attentes et les précisent.

C'est ainsi que, parmi les changements qui se produisent dans le cours des choses, il en est qui influencent davantage le déroulement de la vie politique. C'est assurément le cas des modifications de *conjoncture* qui affectent le niveau de vie de l'ensemble des gens ou celui de catégories nombreuses. C'est aussi le cas de modifications au *poids relatif* de chacune des catégories de référence ou à sa *structure d'âge*. Toutes ces modifications suscitent, chez un grand nombre de personnes, des appréhensions ou des espoirs, qui s'expriment dans le déroulement de la vie politique.

LA CONJONCTURE

L'ensemble des éléments qui conditionnent le cours de la vie paraît extrêmement complexe, enchevêtré. Ainsi, les facteurs associés à la croissance ou au déclin d'une organisation ou population particulière sont souvent *tellement liés les uns aux autres* que l'on n'arrive pas à en retracer la logique. En effet, on peut expliquer de bien des façons la prospérité d'une région et le déclin d'une autre, on peut trouver toutes sortes de causes à l'expansion de telle banlieue et à la stagnation de telle autre. En définitive, la recherche des facteurs à la source des particularités de telle ou telle population mène à de nombreuses hypothèses.

Il n'en demeure pas moins que les gens réagissent à la conjoncture en fonction de leurs perceptions de différences à maintenir ou à bannir, à renforcer ou à atténuer, de changements à freiner ou à accélérer. Ainsi, par suite de la découverte de nouveaux gisements de pétrole, de nouvelles mines, de nouvelles ressources, des milliers de personnes vont choisir de déménager, alors que d'autres vont manifester de l'indifférence ou préférer un autre type d'ajustement. D'importants mouvements de population et d'innombrables autres adaptations résultent immanquablement de la découverte de nouveaux produits, de nouvelles ressources, de nouveaux moyens de transport ou de l'ouverture de nouveaux territoires ou de nouvelles voies de communication. Le développement de nouveaux marchés ou de nouveaux produits permet l'expansion ; inversement, la saturation d'un marché et son rétrécissement, les erreurs de prévision et quantité d'autres événements peuvent être suivis d'importants ralentissements dans le rythme de croissance d'une population ou de certaines de ses composantes.

Il arrive que des continents entiers subissent simultanément les effets d'une même conjoncture. Ainsi, au cours de la décennie qui a suivi le krach de la Bourse de New York en 1929, il y a eu une baisse de la natalité en Amérique du Nord et en Europe et, au même moment, une réduction des effectifs dans la plupart des entreprises et organisations qui avaient été en croissance jusque-là, réduction qui a précipité des millions de personnes dans la misère.

Depuis la Deuxième Guerre mondiale, les autorités ont été la cible de revendications nouvelles, inspirées par la crainte de nouveaux conflits armés et de nouvelles pénuries, comme celle qui avait suivi l'inflation boursière ayant mené au krach de 1929.

Les populations comprennent qu'il n'est pas possible d'échapper aux effets des changements qui se produisent dans le monde. Elles voient leur situation varier sans arrêt en raison d'innovations et d'initiatives de toutes sortes, en raison des perturbations de toutes natures qui ne cessent d'influer sur le cours des choses. Chaque catégorie de personnes subit les conséquences de la conjoncture et, pour en tirer bénéfice ou en réduire les coûts, ses porte-parole réclament l'intervention des autorités.

La plupart des gens attendent des autorités qu'elles s'occupent de l'adaptation aux changements qui se produisent dans l'environnement dès que ceux-ci affectent la régularité des choses et, à plus forte raison, les modes et les niveaux de vie. Déjà, on demande aux autorités d'intervenir quand surviennent des intempéries, des accidents ou des catastrophes (glissements de terrain, tremblements de terre, inondations, incendies, conflagrations, etc.). Déjà, on leur demande de trouver les moyens d'amplifier les effets positifs de conjonctures favorables et d'atténuer les conséquences négatives de conjonctures défavorables. À la limite, on pourrait réclamer leur intervention pour gérer la plupart des ajustements nécessités par les innombrables péripéties de la vie en société et par les modifications qui, de l'extérieur des frontières, affectent les conditions d'existence du pays.

Les exemples de revendications suscitées par le changement ou par la soif de changement pourraient couvrir des pages entières. On demande aux autorités de modifier leurs orientations, leurs objectifs, leurs politiques, leurs programmes, leurs projets et leurs réglementations. Ainsi, dans le seul domaine de la production et de l'échange de biens et de services offerts sur le marché, les revendications peuvent toucher d'innombrables sujets : elles peuvent concerner la stratégie économique, la monnaie, le taux de change, les taux d'intérêt, les prix, les impôts, les emprunts, la politique bancaire, la politique industrielle ou n'importe quelle des politiques sectorielles. Chacune de ces nombreuses politiques en regroupe d'autres : la politique des transports aériens doit être distinguée de celles des transports ferroviaires, des transports routiers et des transports maritimes... Dans tous les cas, il faut aussi distinguer les divers programmes et clientèles, et ainsi de suite. En définitive, il peut avoir une infinité de revendications.

L'histoire du Canada, depuis l'arrivée des premiers Européens dans ce qu'ils ont appelé le Nouveau Monde, montre à l'envi l'importance que peuvent prendre les revendications des gens à l'égard du changement. On a demandé, et on demande encore, davantage qu'une adaptation au changement ; on a réclamé, et on réclame encore, du changement ; on demande aux autorités d'être des agents de changement. C'est par milliers qu'on peut compter les revendications suscitées par le changement, inspirées par la soif de changement, et les revendications qui expriment, à l'inverse, la crainte du changement.

LA CROISSANCE OU LE DÉCLIN
DES CATÉGORIES D'APPARTENANCE

Parmi les innombrables requêtes soumises aux autorités, certaines prennent une importance particulière du fait qu'elles concernent la survie même des catégories de personnes qui les expriment. Il est en effet des changements (incapacité de renouvellement des générations, flux migratoires négatifs, difficultés additionnelles, etc.) qui effraient. La crainte du déclin du Canada français mobilise bien des gens. La disparition annoncée de certaines des langues ancestrales des premières nations inquiète... En bref, la décroissance de la catégorie dont elle fait partie préoccupe plus d'une personne!

La crainte du déclin pousse beaucoup de gens à réclamer des autorités une stratégie de croissance perpétuelle, de développement ininterrompu. Or, cette stratégie exige un effort constant d'innovation, une pratique systématique d'adoption des innovations venues d'ailleurs, une recherche inlassable du plein emploi des ressources humaines et matérielles disponibles, une quête incessante de nouvelles relations d'échanges avec le monde extérieur et une grande détermination.

La croissance peut venir, on le sait, d'une augmentation du taux de survie associé au maintien de pratiques natalistes, mais cette croissance ne peut durer si elle n'est pas accompagnée d'une augmentation, au moins proportionnelle, des approvisionnements. On le sait aussi, l'augmentation du taux de survie peut découler de causes multiples, par exemple l'accès à des ressources nouvelles, une augmentation de la productivité du travail, l'adoption de nouvelles mesures d'hygiène ou, éventuellement, tout cela à la fois ou autre chose encore. La croissance d'une population, en définitive, est fonction d'une multitude de facteurs, y compris les décisions des autorités et les conceptions morales à la mode (par exemple, une vague de rigorisme religieux). De tels facteurs expliquent, en partie, la croissance de la population du Canada jusqu'au milieu du XXe siècle. En effet, celle-ci a été, dans une large mesure, assurée grâce à l'accroissement naturel de la population, lequel a été facilité par l'accès à des ressources abondantes, l'adoption d'innovations, le goût des familles nombreuses et l'incitation morale d'inspiration religieuse.

Or, dans l'est du Canada, à la croissance du passé a succédé une période de ralentissement du rythme d'accroissement de la population.

Certes, comme le montrent les données du tableau 1.1 (page 42 dans le chapitre 1), la population du Canada augmente encore, année après année, mais elle n'a plus le rythme de croissance d'autrefois et, de plus, l'augmentation se produit ailleurs que dans l'Est. Il convient de le rappeler, entre les recensements de 1921 et 1931, il y a eu 2 420 000 naissances et 1 060 000 décès au Canada, entre ceux de 1931 et 1941, 2 294 000 naissances et 1 072 000 décès et, au cours de la décennie suivante, 3 212 000 naissances et 1 220 000 décès. Du recensement de 1951 à celui de 1961, 4 468 000 naissances ont été enregistrées. Il s'est produit, à la fin de la Deuxième Guerre mondiale, une explosion démographique, surnommée en anglais *baby boom*, qui s'est poursuivie jusqu'en 1960 environ. Mais, depuis 1961 (pour prendre l'année repère d'un recensement décennal), le nombre annuel des naissances par 1 000 habitants (c'est-à-dire le taux de natalité) a considérablement diminué. Et, dans certaines régions de l'Est, depuis quelques années, la population décroît.

Jadis, en plus des effets de l'accroissement naturel des populations, le Canada a aussi subi ceux des flux migratoires, ainsi qu'on l'a vu dans le chapitre premier. Et, comme on l'a vu à ce moment-là, les autorités ont été la cible de revendications en provenance des porte-parole des diverses communautés culturelles que l'évolution préoccupait. Aujourd'hui, à toutes ces revendications, qui sont encore formulées, se superposent celles qu'inspire la constatation que, pour ses habitants de l'Est, le Canada n'est plus la zone de prospérité qu'il a été naguère.

La crainte du déclin explique une part des innombrables revendications dont les autorités sont la cible.

LE CHANGEMENT DANS LE POIDS RELATIF DE CHAQUE PROVINCE, RÉGION OU AGGLOMÉRATION PAR RAPPORT AUX AUTRES

Les effectifs de chacune des grandes catégories de personnes que l'on peut distinguer acquièrent ou conservent un poids plus ou moins important par rapport aux autres, selon que leur croissance est plus ou moins rapide que celles des autres. C'est ainsi, comme on l'a vu dans le chapitre premier, que le poids relatif du Canada français a diminué, que celui de chacune des diverses aires culturelles du Canada a été modifié et, enfin, que la population du Canada a beaucoup changé. Les changements qui se sont produits ont suscité de très nombreuses revendications, de multiples conflits.

Les provinces

Le poids relatif de chacune des provinces, par rapport aux autres, continue à changer. Celles qui ont le plus perdu, à cet égard, sont toutes situées à l'est : le Nouveau-Brunswick, la Nouvelle-Écosse et l'Île-du-Prince-Édouard. Peu après 1867, on y trouvait environ un cinquième de la population du Canada ; aujourd'hui ces trois provinces n'en regroupent plus que 6 %.

C'est l'Ouest qui a connu, entre 1867 et 1921 en gros, l'expansion la plus considérable par rapport à l'ensemble du Canada. Vers 1867, l'Ouest n'était encore habité que par quelques Européens et descendants d'Européens, par des Métis, descendants de Canadiens français et de membres des premières nations, et par quelques centaines de petites communautés rattachées, les unes et les autres, aux grandes nations qui avaient occupé ces territoires depuis des temps immémoriaux. La croissance de la population de la région des Prairies, résultant de l'arrivée d'un nombre de plus en plus grand d'immigrants chaque année, a entraîné la création de trois provinces, le Manitoba en 1870, la Saskatchewan et l'Alberta en 1905 (la Colombie-Britannique, au-delà des Rocheuses, ayant acquis le statut de province en 1871). En 1921, à la fin de la Grande Guerre de 1914-1918, alors que les trois provinces de l'Est (Terre-Neuve n'étant pas encore une province du Canada) n'en avaient plus que 11 %, les quatre provinces de l'Ouest regroupaient déjà 28 % de la population du Canada.

Les quatre provinces de l'Ouest comptent dorénavant pour 29 % de la population totale. Deux d'entre elles ont connu une forte croissance : en Colombie-Britannique vivaient 6 % des Canadiens en 1921, et 12 % en 1991 ; l'Alberta comptait pour 7 % de la population canadienne en 1921, et 9 % en 1991. En 1921, 9 % des Canadiens habitaient en Saskatchewan ; 4 % seulement y habitaient en 1991. Le Manitoba regroupait 7 % des Canadiens en 1921, et 4 % en 1991.

Il y a eu, au Canada, au cours des années, dans l'Est et dans l'Ouest surtout, d'importants changements dans la répartition de la population entre les provinces.

Au XXe siècle, deux provinces seulement ont connu une croissance moyenne presque analogue à celle de l'ensemble du Canada : le Québec et l'Ontario. Et pourtant, depuis 1921, le poids relatif de l'Ontario a légèrement augmenté, et celui du Québec, légèrement diminué. Au tout début de l'expansion de la fédération canadienne, l'Ontario et le Québec avaient beaucoup perdu, puisque, en 1867, l'Ontario regroupait 45 % de la population des quatre provinces de l'époque, et le Québec, 35 %. En 1921, l'Ontario ne regroupait plus que 33 % des habitants de la fédération ; elle en regroupe maintenant 37 %. Au Québec, en 1921, vivaient encore 27 % des Canadiens, contre 25 % en 1991.

La répartition de la population entre les provinces a des conséquences considérables sur la vie politique au Canada. Certains porte-parole des provinces les moins populeuses estiment souffrir de la faiblesse du poids relatif, dans l'ensemble canadien, des populations qu'ils tentent de représenter. À l'inverse, constituant plus de 37 % de la population du pays, les gens de l'Ontario voient mal pourquoi ils devraient céder devant ceux des sept plus petites provinces, où ne vivent que 25 % ou 26 % des Canadiens. Par ailleurs, en vertu de la Loi constitutionnelle de 1982, les assemblées législatives de quatre provinces peuvent empêcher les autres d'adopter une modification de leur choix à certains éléments de l'arrangement institutionnel fédéral du Canada : ces quatre provinces pourraient être celles de l'Est, où vivent environ 8 % des Canadiens et elles auraient un pouvoir qui a toujours été refusé à l'Assemblée nationale du Québec, province où vivent près de 25 % des habitants du Canada (24 % en 1999).

Les tensions entre provinces sont d'autant plus vives qu'elles procèdent, souvent, des différences profondes qui distinguent les populations. La division de la région des Prairies en trois provinces distinctes, le statut de province que conserve l'Île-du-Prince-Édouard malgré sa population restreinte (88 000 habitants en 1931, 112 000 en 1971, 130 000 en 1991), l'échec des divers projets d'unification des provinces de l'Atlantique, les querelles qui opposent souvent des provinces voisines, l'animosité manifestée depuis toujours à l'égard du Québec, tout cela reflète l'hétérogénéité de la population du Canada.

Ces tensions entre provinces sont aggravées par les variations, dans le temps, de l'importance relative de la population de chaque province dans l'ensemble canadien. Le cas du Québec est exemplaire à cet égard. Alors qu'il était, en 1867, la province de 35 % des Canadiens (33 % en 1871 après l'admission du Manitoba et de la Colombie-Britannique dans la fédération), le Québec ne regroupe plus que 24 % de la population canadienne en 1999. Le poids du Québec, même quand il paraissait plus important qu'aujourd'hui, n'a pas permis à ses porte-parole francophones d'empêcher le gouvernement fédéral de prendre de nombreuses décisions contraires aux intérêts de la majorité des habitants de cette province. La part décroissante du Québec dans la population canadienne suscite beaucoup d'inquiétudes, lesquelles sont exprimées presque quotidiennement dans le déroulement de la vie politique.

Les populations des provinces (autres que le Québec) dont le poids relatif diminuait ont généralement réussi à maintenir la représentation qu'elles avaient à la Chambre des communes du Canada. De fait, la plupart des provinces, sauf le Québec, ont été surreprésentées, parce que la formule de répartition des sièges a toujours protégé les populations en faible croissance, sauf celle du Québec.

En 1992, les porte-parole du gouvernement québécois ont demandé à ceux des autres provinces de garantir au Québec 25 % des sièges de la Chambre des communes, même si la proportion de la population du Québec, dans l'ensemble du Canada, devait être, un jour, inférieure à 25 %. Lors du référendum d'octobre 1992, portant sur cette question et quelques autres sujets, la majorité des électeurs de l'ouest du Canada ont fait savoir qu'ils s'opposaient au projet d'accorder au Québec une proportion de sièges à la Chambre des communes supérieure à sa part de la population du pays.

Les débats de 1992, comme ceux du passé, illustrent l'importance accordée au poids relatif de chaque province.

Certaines personnes pensent qu'il faudrait structurer les institutions fédérales du Canada en fonction de ces cinq grands ensembles, au terme d'une sorte de fusion des quatre provinces de l'Est en une seule région, et au terme d'une union entre les trois provinces des Prairies. Cette suggestion a probablement inspiré la proposition de donner, à chacune de ces régions, un droit de veto sur les projets de modification des dispositions constitutionnelles établissant les principaux éléments de l'arrangement institutionnel fédéral. L'idée montre l'abîme qui sépare les conceptions que l'on peut avoir des intérêts des diverses provinces et des adaptations au changement.

Les régions administratives

Le poids relatif de chacune des diverses régions administratives du Québec, de l'Ontario, ou d'une autre province, a beaucoup changé, au cours des années.

Au Québec, où les identités régionales sont encore plus fortes qu'en Ontario, les revendications qui expriment des préoccupations propres à chaque région sont formulées sans arrêt. Les Gaspésiens réclament des autorités de Québec des accommodements qu'ils estiment indispensables, les Beaucerons font de même, les citoyens du Royaume du Saguenay veulent consolider les assises de l'économie de leur région, et ainsi de suite. En conséquence, les variations dans le poids relatif de chaque région, au Québec, paraissent avoir des répercussions politiques importantes.

De nombreuses revendications expriment la volonté d'assurer à chaque région une autonomie qui la protège des conséquences négatives découlant de son déclin, par rapport à l'ensemble. Une bonne part de l'activité politique, au Québec, reflète le souci général d'assurer le développement harmonieux de toutes les régions. C'est dans ce but qu'ont été créés des organismes de concertation régionale (communautés urbaines, municipalités régionales de comté et conseils régionaux).

Le poids de chaque région, au Québec, est en grande partie influencé par la croissance des pôles urbains. De ce point de vue, l'évolution québécoise ressemble à celle qui a transformé le Canada au cours des 100 ou 120 dernières années.

La population du Canada, comme celle du Québec, s'est en effet urbanisée, à la suite de multiples changements dans les modes de production, dans les façons de voir et dans les choix politiques effectués par les autorités, ceux, notamment, qu'on associe à la stratégie d'industrialisation adoptée vers le milieu du XIXe siècle et à la politique d'expansion mise en œuvre peu avant 1900. Les changements qui se sont produits ont suscité d'innombrables conflits.

Les populations urbaines et les populations rurales

Une bonne part de ces conflits ont opposé les gens des villes à ceux des campagnes quand se sont installées, dans les villes, des manufactures et des usines et, accessoirement, les entreprises commerciales et les institutions financières qui s'y rattachaient. Au moment où était créé le Canada, en 1867, le gros des affaires provenait encore de l'agriculture, de l'élevage, des pêcheries, de l'exploitation des forêts et du commerce des fourrures. Certes, à l'époque, l'industrialisation progressait déjà, en raison surtout de la construction navale générée par l'industrie des pêches et par le cabotage le long des côtes et jusqu'aux Grands Lacs, de l'expansion du réseau des chemins de fer, de la multiplication des scieries et de l'opération de minoteries. Un peu plus tard, à la fin du XIXe siècle et au début du XXe, le pays a connu un véritable boom industriel, induit en partie par la mécanisation de l'agriculture, l'exploitation des mines et le développement de la production industrielle des tissus, des vêtements et des divers autres produits de consommation et d'équipement, dont le nombre et la diversité n'ont ensuite cessé de croître.

C'est peu après l'union des colonies britanniques d'Amérique du Nord, en 1867, qu'a commencé vraiment le mouvement d'urbanisation au Canada. En 1871, au Québec, par exemple, moins de 20 % de la population se trouvait dans des agglomérations (villages, cités et villes) ; c'est dire que 80 % des habitants du Québec vivaient alors dans les régions rurales, *en dehors des villages*. Quarante ans plus tard, en 1911, près de 50 % des gens, au Québec, vivaient dans des agglomérations. L'habitat rural dispersé n'était le lot, dorénavant, que de 51 % des habitants du Québec. Aujourd'hui, 80 % des habitants du Québec résident dans des agglomérations.

Au Québec, la région de Montréal a pris une importance considérable. Montréal était une ville de moins de 100 000 habitants au lendemain de l'union des colonies britanniques d'Amérique du Nord en 1867 (Québec regroupait environ 60 000 personnes, Trois-Rivières, 6 000 ; Hull, 5 500 ; Sorel, 5 000). Grâce au commerce des céréales (du blé surtout), du bois et des fourrures, grâce aux chemins de fer et aux canaux, Montréal était devenue la métropole du Canada. Avec le développement vers les Prairies et la politique d'industrialisation, Montréal a pris une expansion remarquable. Vers 1930, la population de Montréal et de ses banlieues a atteint, puis dépassé, la barre du million.

Les manufactures, les usines, les entreprises commerciales, les institutions financières et quantité d'autres organisations, qui se développaient en milieu urbain, attiraient les immigrants et aussi les jeunes originaires des régions rurales. Vers 1940, les deux tiers de la production industrielle du Québec provenaient de la région de Montréal, qui regroupait dorénavant le tiers, environ, de la population du Québec. L'inégalité économique entre la population montréalaise et les populations rurales était devenue très visible.

Les conflits entre les populations rurales et les populations urbaines ont été très vifs. Ils l'ont été davantage quand a commencé ce que l'on a appelé l'*exode rural*. Ils l'ont été encore plus à la suite de l'augmentation, en ville, de la population de ceux qu'on appelait les *déracinés*, des gens des campagnes venus grossir les *faubourgs*, où les attiraient les perspectives d'emplois et où ils trouvaient la concurrence des immigrants.

Certains conflits opposent même diverses catégories de citadins les unes aux autres. Ainsi, les élus des banlieues fleuries ou des quartiers les mieux lotis affrontent toujours les porte-parole des zones les plus densément peuplées et des zones déshéritées.

Les différences dans les intérêts et les points de vue se sont reflétées jadis et se reflètent toujours non seulement dans l'opposition entre parlementaires, mais aussi dans les votes lors des scrutins et dans bien d'autres circonstances. L'électorat de Montréal a presque toujours penché pour celui des deux grands partis qui ne plaisait pas à la majorité des électeurs d'ailleurs.

Par ailleurs, pendant longtemps, l'électorat des grandes villes, en pleine expansion, a été incapable de faire modifier la distribution des sièges dans les assemblées législatives, car celle-ci avantageait les parlementaires des régions rurales, dont la population ne croissait pas au rythme rapide de l'urbanisation. En 1960, avec plus du tiers de la population du Québec, la région de Montréal ne comptait que 16 des 95 circonscriptions électorales provinciales. En 1976, elle n'avait à pourvoir que 34 des 110 sièges que comptait alors l'Assemblée nationale du Québec. Aujourd'hui encore, la région de Montréal n'a pas la part de la représentation parlementaire qui lui reviendrait en fonction de sa population. Certains s'en plaignent et réclament de nouvelles révisions aux règles de répartition des sièges ; d'autres estiment qu'il faut compenser la faiblesse économique des populations des régions en leur accordant quelques sièges de plus que ce que leur donnerait la règle de la proportionnalité.

Les populations que protègent les institutions du passé ont ainsi une meilleure possibilité de défendre leurs intérêts. L'influence de certaines populations paraît plus faible quand les institutions ne sont pas formées selon le principe de la proportionnalité ou quand l'organisation des institutions favorise la satisfaction des intérêts particuliers aux dépens d'une solidarité plus générale.

Les grandes villes en expansion ont vécu et vivent encore les difficultés associées à la rareté de l'espace et à l'encombrement qui en découle, aux frictions nées des flux migratoires, aux coûts des services publics, à l'incapacité de bien des gens de survivre par eux-mêmes dans leur environnement et à mille autres particularités de la vie urbaine, dont n'ont pas à se soucier les gens des campagnes ou des petites villes. Les campagnes, en revanche, sont aux prises avec l'abandon des terres agricoles, des pâturages et des forêts ; elles font face au déclin et à l'exode. À la croissance, puis à la stabilité d'autrefois ont succédé les drames de l'urbanisation !

Contrairement aux gens des campagnes, les citadins sont à peu près complètement assujettis à l'économie de marché. Pour la plupart, ils peuvent difficilement recourir au troc, puisqu'ils n'ont rien d'autre à offrir que leur force de travail, alors que les ruraux peuvent toujours, s'ils le veulent, cultiver un jardin, élever quelques volailles, chasser, pêcher, se procurer du bois de chauffage sans avoir à l'acheter, autrement dit, satisfaire une partie de leurs besoins matériels sans recourir à l'argent.

Les conséquences de la dépendance des gens des villes à l'égard de l'argent ont forcé l'intervention des autorités, qui ont imposé des normes minimales en matière de rémunération du travail, d'hygiène (égouts, enlèvement des ordures, aqueducs, mesures destinées à prévenir les épidémies), de logement, de sécurité (éclairage des lieux publics, aménagement des voies de circulation, services de police, services de lutte contre les incendies), etc. Toutes ces interventions des autorités ont été décidées au terme de longs débats, suscités par des revendications de toutes sortes. Ces interventions sont aujourd'hui l'objet de critiques incessantes et de nouvelles revendications.

Les problèmes soulevés par la concentration urbaine ont été et restent différents de ceux qui se posent, le plus souvent, dans les régions rurales. En effet, quand l'habitat est très dispersé, et les maisons, isolées, éloignées les unes des autres, on se préoccupe moins d'égouts collectifs (à chacun sa fosse septique), d'aqueduc (à chacun son puits ou sa source), de services collectifs de gestion des déchets... Ce qui préoccupe davantage les gens de ces régions, qui ne constituent plus que 20 % de la population (mais qui occupent une large portion du territoire habitable), c'est ce qui se rapporte aux activités qui sont les leurs (exploitation des forêts, élevage, agriculture, pêches, et le reste) et à leurs problèmes particuliers (approvisionnements, marchés, distances, etc.).

Les très grandes agglomérations

Les différences liées au type d'habitat s'accroissent d'année en année, en raison de la concentration d'une part toujours plus grande de la population dans quelques très grandes agglomérations.

Aujourd'hui, plus de la moitié de la population est concentrée dans les quinze plus importantes agglomérations urbaines du Canada. Elles regroupaient, en 1991, plus de 15 008 000 personnes, soit 55 % de la population canadienne. Sept de ces grandes agglomérations se trouvaient en Ontario (Toronto, Ottawa, Hamilton, London, Saint-Catherines, Kitchener, Windsor). La plus petite de ces grandes villes ontariennes, Windsor, comptait tout de même, avec ses banlieues, 262 000 habitants.

Le rythme de croissance de la population de la région métropolitaine de Toronto lui a permis de dépasser la barre des quatre millions d'habitants en 1993. Sa population avait déjà crû de 13 % en cinq ans, passant de 3 432 000 personnes en 1986 à 3 893 000 en 1991.

La grande agglomération dont la population a augmenté le plus rapidement, au cours des récentes années, est située à proximité de l'océan Pacifique, à la porte de la zone d'expansion économique la plus prometteuse de la planète ; cette agglomération, celle de Vancouver, comptait 1 380 000 habitants en 1986 et 1 602 000 en 1991, et elle en compte maintenant plus de 2 000 000.

Les problèmes posés dans les grandes agglomérations sont très différents de ceux qui inquiètent les habitants des villages et des petites villes ou, à plus forte raison, de ceux qui préoccupent les gens des campagnes. En effet, les populations des grandes agglomérations sont aujourd'hui confrontées à des défis particuliers, ceux que posent, par exemple, les bandes qui rançonnent les quartiers moins protégés, ou la concentration, dans les quartiers centraux, de personnes sans revenus, ou encore les multiples pollutions dont les effets sont cumulatifs. Compte tenu des frontières institutionnelles qui protègent les populations les plus riches, les citoyens qui aimeraient relever ces défis sont partout incapables d'accroître les ressources publiques à la mesure des besoins collectifs à satisfaire.

Les plus grandes agglomérations connaissent ainsi des difficultés qui deviennent de plus en plus graves, des difficultés que ne connaissent pas encore les autres localités et dont bien des gens ne prennent pas conscience. Il s'ensuit que, d'année en année, s'amplifient les revendications exprimées par les gens des grandes agglomérations.

Faisant écho à certaines de ces revendications, et dans l'espoir de mobiliser des énergies nouvelles, les pouvoirs publics ont réussi à inspirer des regroupements (par exemple, celui des municipalités de l'île Jésus, dans la région de Montréal, au sein d'une même ville, Laval) et à créer ce qu'on appelle des communautés urbaines, dotées d'organes de concertation et de ressources particulières. Mais les divisions, qui opposent des intérêts concurrents et qui reposent sur les arrangements institutionnels du passé, sont des obstacles formidables. Le déroulement de la vie politique est forcément marqué par la difficulté d'accorder les institutions et le poids relatif de chacune des catégories entre lesquelles se partagent les populations des grandes agglomérations.

Tant que les modes de représentation politique ne seront pas fondés sur le principe de la proportionnalité, les difficultés posées par les institutions du passé continueront à alimenter une bonne part des débats politiques. On trouve, là encore, un autre sujet de revendications.

Le recours au mode de représentation proportionnelle, pour combler les postes d'autorité, ne mettra pas fin aux débats politiques :

cependant, il en modifierait probablement les résultats. D'ailleurs, le débat animé par les personnes qui souhaitent introduire davantage de proportionnalité dans les mécanismes électoraux traduit leurs intérêts : ces personnes estiment, sans doute, que la représentation proportionnelle leur permettrait d'évincer les détenteurs actuels des postes d'autorité et de leur substituer leurs propres représentants, lesquels, présumément, seraient plus sensibles à leurs préoccupations.

À ce compte-là, la représentation des diverses générations, dans les organes politiques, ne pourra jamais paraître satisfaisante puisque la pyramide des âges n'y sera jamais reproduite.

LES CHANGEMENTS DANS LA STRUCTURE PAR ÂGES DES POPULATIONS

La pyramide des âges pose un dilemme aux autorités, alors que sa modification crée mille difficultés.

La modification de la pyramide des âges (structure par âges de la population), qui a résulté du baby-boom de l'après-guerre, a été impressionnante et a eu des conséquences considérables. Venant après une période de faible croissance, le baby-boom a d'abord entraîné l'encombrement des établissements scolaires et la construction de nouvelles écoles, puis a mené à un engorgement du marché du travail et, enfin, à l'accumulation des frustrations. Celles-ci, à leur tour, ont mené à rechercher des solutions nouvelles aux problèmes politiques de l'époque et ont même servi à justifier quelques explosions de violence, surtout entre 1967 et 1971 (grèves étudiantes, par exemple).

Les manifestations dans lesquelles se retrouvaient les jeunes, chaque année et plusieurs fois par année, entre 1966 et 1980, au Québec, n'avaient pas eu d'équivalent au cours des deux décennies précédentes et elles n'en ont pas eu depuis. Les crises étudiantes des années 1968-1970 aux États-Unis, les émeutes dans les grandes villes américaines au même moment, les événements de mai 1968 en France, tout cela traduisait, d'une certaine façon, les insatisfactions d'une jeunesse qui représentait, dans certains cas, près du quart de la population.

Une part de l'inflation de la période qui va, en gros, de 1970 à 1990, peut être expliquée par l'arrivée à l'âge de la maturité des cohortes du baby-boom de l'après-guerre.

Parallèlement, le marasme qui a caractérisé les années subséquentes s'est produit alors que les cohortes numériquement importantes qui les avaient précédées laissaient la place aux générations proportionnellement moins considérables formées par les personnes nées après 1960.

En vérité, dans bien des pays, l'examen des particularités de la structure d'âge devrait révéler plusieurs des fondements des péripéties de la vie politique. Les équipements qui existent dans une société sont conçus par et pour les gens qui y vivent : quand survient une croissance inhabituelle de la population, ces équipements ne suffisent plus, et des crises sociales et politiques se produisent ; quand, après une période de croissance, le taux d'accroissement diminue, beaucoup d'équipements deviennent inutiles (il y a trop de cliniques, trop d'écoles, et ainsi de suite) et, à nouveau, les sociétés sont en crise.

Aujourd'hui, au Québec et ailleurs en Amérique du Nord ou en Europe, alors que les taux d'accroissement de la population diminuent, de nombreuses personnes réclament l'intervention des autorités, dont elles attendent des solutions. On trouve là aussi quelques-uns des fondements de la vie politique.

En définitive, après les problèmes liés à la forte croissance de jadis, le ralentissement du rythme d'accroissement naturel de la population, aujourd'hui, a de nombreuses conséquences, qui inquiètent les gens, pour diverses raisons. Par exemple, la diminution de la proportion de jeunes et l'augmentation de la proportion de personnes âgées peuvent avoir un impact considérable sur les équilibres internes de la population.

Aujourd'hui, au Québec (comme ailleurs au Canada), l'âge médian, qui partage la population en deux moitiés, tend à s'élever rapidement. En 1966, la moitié des Québécois avaient 24 ans ou moins ; en 1981, 30 ans ; en 1986, 32 ans ; en 1991, 35 ans ; en 1996, 38 ans...

Puisqu'ils ne sont pas engagés dans la production des biens et des services, les jeunes de moins de 15 ans (ou 16 ans ou encore 18 ans) et les personnes âgées de 65 ans (ou un peu plus ou un peu moins) dépendent, pour leur subsistance, de la population en âge de travailler. On dit du nombre des jeunes (de 14 ans et moins) et des aînés (de 65 ans et plus) par rapport à celui de la population d'âge actif (15-64 ans) qu'il mesure un *rapport de dépendance*, rapport statistique qui repose sur la convention selon laquelle une personne devrait s'abstenir de travailler contre rémunération avant tel âge et cesser de le faire après tel âge.

Le rapport de dépendance était très élevé, jadis, au Québec, parce que les jeunes constituaient une proportion élevée de la population totale, le nombre des naissances, chaque année, étant à l'époque beaucoup plus élevé que celui des décès. Ce rapport de dépendance était de 0,70 en 1961. Au cours des années qui ont suivi, en raison de la diminution de l'écart entre le nombre de naissances et celui des décès, le rapport de dépendance, au Québec, a rapidement diminué. Il était à peu près de 0,45 en 1981. Il était encore de 0,45 en 1991. Mais, avec le vieillissement général de la population, il va bientôt croître à nouveau. Et il croîtra même très rapidement, pendant un certain temps, si, en raison d'un changement éventuel dans les comportements, le nombre de naissances, par rapport à la population totale, augmentait de façon significative (c'est une conséquence à attendre d'une augmentation du nombre des naissances, puisque, pendant un certain temps, il y aurait une rapide croissance du nombre d'enfants, lesquels dépendent de leurs parents).

Beaucoup de gens s'inquiètent des conséquences de la diminution de la proportion de jeunes dans la population. Les jeunes, en effet, introduiraient une dynamique de changement dans la société, une dynamique d'adaptation rapide aux bouleversements qui se produisent sans cesse dans le monde. On craint, à tort ou à raison, ce qu'on appelle le conservatisme qui caractériserait les populations vieillissantes. On craint aussi les charges financières imposées à la société par les personnes âgées, dès lors qu'augmente leur proportion dans la population.

L'idée que 15 % des Canadiens pourraient être âgés de 65 ans et plus vers 2010 préoccupe énormément : d'abord, les adultes d'âge mûr se demandent si les régimes publics de pensions existeront encore quand l'heure de leur propre retraite aura sonné ; ensuite, les jeunes adultes appréhendent les augmentations d'impôts que pourrait exiger le financement public des pensions, vers 2010 et par la suite.

On s'inquiète aussi de l'augmentation des budgets consacrés au financement public des soins de santé, quand on sait que le coût annuel moyen des médicaments et des séjours en milieu hospitalier croît avec l'âge, après 60 ans. Si la proportion de personnes âgées par rapport à la population augmente et si l'espérance de vie augmente également, la hausse du coût des soins de santé, par habitant, sera considérable, pour peu que la qualité et la quantité de ces soins soient maintenues, et cela, quel que soit leur mode de financement, public ou privé.

Toutes ces inquiétudes, suscitées par les modifications qui se produisent dans ce qu'on appelle la structure d'âge de la population, entraînent la mobilisation politique des gens en faveur de mesures diverses destinées à conjurer les menaces. Elles représentent, comme les sentiments inspirés par les identités culturelles, quelques-uns des fondements de la vie politique.

Il y avait jadis, dans la population du Québec, une proportion de jeunes plus élevée que dans les populations des autres provinces canadiennes, et proportionnellement moins de personnes âgées qu'ailleurs au Canada. En 1961, par exemple, 35 % des habitants du Québec avaient moins de 15 ans, contre 32 % en Ontario. La même année, 6 % des Québécois avaient 65 ans et plus, contre 8 % en Ontario et 10 % en Colombie-Britannique. Chez les francophones du Québec, il y avait près de 40 % de jeunes de 15 ans et moins et seulement 4 % de personnes âgées de 65 ans et plus.

Les particularités de la structure d'âge de la population d'origine française du Québec, telle qu'elle se présentait il y a quelques années, expliquent, en partie, les débats politiques relatifs aux programmes du gouvernement fédéral du Canada. Elles expliquent, par exemple, les démarches du gouvernement du Québec en faveur d'un financement des programmes fédéraux destinés aux jeunes sur la base du nombre de jeunes plutôt que sur la base de la population entière. Inversement, ces mêmes particularités expliquent partiellement l'opposition des gouvernements des autres provinces au projet de créer, à Ottawa, à la fin de la Deuxième Guerre mondiale, un programme d'allocations familiales : on disait de ces allocations, dont près des deux cinquièmes iraient à des familles de Canadiens français, qu'elles visaient à renforcer l'appui électoral obtenu de ces familles par la majorité parlementaire de la Chambre des communes.

Les particularités de la structure d'âge de la population du Canada français expliquent aussi, en partie, l'opposition au projet du gouvernement fédéral de verser des pensions aux personnes de 65 ans et plus : avec environ 29 % de la population totale du Canada, à l'époque où ce projet était envisagé, le Canada français aurait reçu moins de 20 % des chèques fédéraux de pension de vieillesse, parce que, parmi les personnes âgées du pays, moins de 20 % étaient de langue française. Cet exemple et les autres jeux politiques que l'on vient d'évoquer montrent jusqu'où peuvent mener les attitudes inspirées par l'observation de la structure d'âge des populations.

Sa structure d'âge a aussi un impact sur la capacité d'une population d'améliorer ses conditions matérielles d'existence. Quand le rapport de dépendance observé dans une population diminue ou, pour prendre un autre indicateur, quand la population en âge de travailler représente une proportion croissante de la population totale, on enregistre normalement une augmentation des possibilités d'épargnes et d'investissements productifs, qui accroissent la productivité du travail.

Par ailleurs, quand, dans une province, le rapport de dépendance est élevé, alors qu'il est faible dans la province voisine, de nombreuses personnes de la province défavorisée qui sont en âge de travailler sont incitées, par l'appât du gain, à émigrer vers la province favorisée. Si elles le font, elles vont accroître la proportion de la population active, par rapport à la population totale, dans la province d'accueil, et contribuer à diminuer l'importance relative de la population active de leur province d'origine.

Le Québec ou, plus précisément, le Canada français, avec une structure démographique très jeune, a ainsi paru, pendant des décennies, moins favorisé que certaines des populations dont l'âge médian était plus élevé que le sien. Les difficultés auxquelles a été confrontée la population francophone pendant longtemps et la perception d'une plus grande prospérité ailleurs expliquent, en partie, l'émigration, à la fin du XIXe siècle et au début du XXe siècle, de centaines de milliers de Canadiens français, qui ont préféré la misère de l'exil à la misère de la vie chez eux. En 1901, pour prendre en exemple une date charnière, les personnes en âge de travailler ne constituaient que 56 % de la population du Québec. Dans la population formée par les Canadiens français, la proportion était de beaucoup inférieure à 56 %. Ailleurs au Canada, les personnes en âge de travailler représentaient 63 % de la population. À l'époque, des milliers de Canadiens français prenaient le chemin des États-Unis ou de l'Ouest. Ceux qui partaient étaient jeunes, en âge de travailler (jeunes célibataires, jeunes couples ou jeunes familles surtout). Ceux qui les voyaient partir les pleuraient et pleuraient aussi sur eux-mêmes.

L'émigration de personnes en âge de travailler affaiblit les régions qui sont déjà les plus faibles. C'est pourquoi, depuis 1867, les populations des régions les moins prospères ont réclamé des compensations de la part des populations qui profitaient le plus des flux migratoires. Les provinces de l'est du Canada ont ainsi été les alliées de la province de Québec dans les démarches entreprises pour obtenir, des autorités fédérales du Canada, des mesures compensatoires, des programmes de péréquation fiscale, des politiques de développement des régions les moins prospères et quantité d'autres décisions en faveur des populations les plus pauvres.

En effet, en raison des flux migratoires qui l'ont longtemps affaiblie et en raison de sa structure démographique particulière, la population francophone du Québec a été, pendant des décennies, moins capable que d'autres populations du Canada de générer les surplus économiques nécessaires à l'amélioration rapide des conditions d'existence. Moins capable que d'autres, pour ces raisons, de s'instruire, d'épargner et de s'enrichir, la population francophone était en outre défavorisée par les pratiques des entreprises, qui étaient dominées par des anglophones, par les politiques économiques du gouvernement fédéral du Canada, qui étaient conçues sans la contribution des francophones, etc.

Il est certain que la vie politique au Québec a reflété, jadis, les perceptions que les gens ont pu avoir de leur situation, à l'époque où l'on parlait beaucoup du *retard économique des Canadiens français* et de la *saignée* subie par le peuple canadien-français (en parlant de l'émigration vers les États-Unis ou de l'exode rural).

Encore récemment, les différences dans la structure d'âge des populations des diverses provinces pouvaient expliquer une partie des écarts observés dans les niveaux de vie et, partant, dans d'autres domaines. Pour prendre un exemple précis, en mai 1971, au moment du recensement, sur une population de 6 030 000 personnes au Québec, il y avait 2 182 000 personnes au travail ; autrement dit, les gens qui avaient un emploi rémunéré représentaient 36 % de la population totale du Québec. Au même moment, en Ontario, 42 % des gens avaient un emploi. Même si tous les travailleurs du Québec avaient touché le même revenu que tous les travailleurs de l'Ontario, le revenu moyen par habitant en Ontario aurait été de 17 % supérieur à celui du Québec (pourcentage que l'on obtient en divisant 6 par 36, considérant la différence entre 36 et 42). En définitive, la structure d'âge d'une population influence beaucoup de choses.

La structure d'âge de leurs populations permet peut-être d'expliquer, en partie, la vigueur des revendications qui émanent, depuis peu, des premières nations, au Canada. Ces premières nations, en particulier celles du nord du Québec et de l'ouest du Canada, viennent en effet de connaître une importante croissance. La structure d'âge de leurs populations s'est modifiée profondément depuis quelques décennies. Selon les données du recensement de 1991, les jeunes de 15 à 24 ans y représentaient près de 20 % des effectifs, tout comme les adultes âgés de 25 à 34 ans. Une population aussi jeune, confrontée à des difficultés particulières, témoin d'inégalités diverses dont elle souffre, inspirée par une longue histoire de spoliations au profit de personnes d'autres origines, n'est-elle pas dans une situation qui ressemble beaucoup à celle qui a mené à la mobilisation des jeunes francophones du Québec à l'époque où le Parti québécois a été créé?

Quelle que soit la structure d'âge des populations dont ils font partie, les jeunes des premières nations trouvent bien des motifs pour justifier leurs revendications. Ce qui compte, à leurs yeux, c'est la perception qu'ils ont de leur situation et non pas toutes sortes d'hypothèses suggérées par les statistiques officielles. Et pourtant, cette structure paraît avoir des effets décisifs sur les situations que vivent les gens, les membres des premières nations comme les francophones du Québec, peu importe la thèse préférée par les autorités. Mais c'est la thèse à la mode qui sert de référence. Là encore, on trouve quelques-uns des fondements de la vie politique.

Les êtres humains réagissent au changement, à la conjoncture, à la prise en compte de modifications dans le poids relatif ou la structure de la population dont ils font partie (qu'il s'agisse d'une province, d'un quartier ou de n'importe quelle catégorie à laquelle ils se sentent attachés).

Dans un ensemble social complexe tel que l'ensemble canadien, il y a constamment des milliers d'adaptations au changement, qui doivent être orchestrées par les autorités ou qu'on aimerait voir orchestrées par elles. Bien des revendications trouvent leur fondement dans l'incessante série de changements qui se produisent dans l'environnement des gens.

LECTURES RECOMMANDÉES

BERNARD, André, *Problèmes politiques: Canada et Québec*, Sainte-Foy, Presses de l'Université du Québec, 1993, 178 pages.

BERNIER, Gérald, et Daniel SALÉE, *Entre l'ordre et la liberté. Colonialisme, pouvoir et transition vers le capitalisme dans le Québec du XIXᵉ siècle*, Montréal, Boréal, 1995, 286 pages (traduction de *The Shaping of Quebec Politics and Society*).

CLARKE, Harold D., Jane JENSON, Lawrence LeDUC, et Jon H. PAMMETT, *Absent Mandate: Canadian Electoral Politics in an Era of Restructuring* (titre de la troisième édition), Toronto, Gage, 1996, 196 pages (deux autres ouvrages des mêmes auteurs ont paru sous le titre *Absent Mandate*, à la suite des élections fédérales de 1984 et de 1988 ; l'édition de 1991 est intitulée *Absent Mandate. Interpreting Change in Canadian Elections*).

FOOT, David K., en collaboration avec Daniel STOFFMAN, *Entre le Boom et l'Écho 2000. Comment mettre à profit la réalité démographique à l'aube du prochain millénaire*, Montréal, Boréal, 1999, 388 pages.

GIBSON, Gordon, *Trente millions de mousquetaires: un Canada pour tous les Canadiens*, Vancouver, Fraser Institute, 1996, 280 pages (point de vue d'un commentateur qui préconise un changement profond dans les politiques du gouvernement fédéral du Canada).

JOHNSTON, Richard, Political Generations and Electoral Change in Canada, *British Journal of Political Science*, 22 (1), juillet 1992, pages 93-115.

LEVINE, Marc V., *La reconquête de Montréal*, Montréal, VLB éditeur, 1997, 404 pages.

NORRIE, Kenneth (sous la direction de), *Les disparités et les adaptations interrégionales*, Ottawa, Commission royale sur l'Union économique et les perspectives de développement du Canada, 1986, 257 pages (étude 64).

REZSOHAZY, Rudolf, *Pour comprendre l'action et le changement politique*, Louvain-la-Neuve (Belgique), Duculot, 1996, 423 pages (même s'il ne traite pas du Canada ou du Québec, ce livre peut servir de guide pour l'étude de l'action politique et des changements ou blocages qui peuvent en résulter).

RICARD, François, *La génération lyrique. Essai sur la vie et l'œuvre des premiers-nés du baby-boom*, Montréal, Boréal, 1992, 282 pages.

RIDDELL, W. Craig (sous la direction de), *S'adapter au changement: l'adaptation du marché du travail du Canada*, Ottawa, Commission royale sur l'Union économique et les perspectives de développement du Canada, 1986, 251 pages (étude 18).

DEUXIÈME PARTIE

Les agents médiateurs de la vie politique

Comme on l'a vu tout au long des trois chapitres précédents, les bases des distinctions sociales sont fort nombreuses. Certaines se trouvent dans les conditions d'existence, qui sont elles-mêmes fonction des revenus, des avoirs, des connaissances, des obligations familiales, des goûts, etc. D'autres se trouvent dans les systèmes de classement qui découlent de la division sociale du travail, de la hiérarchie des savoirs, des formes d'organisations. D'autres, enfin, examinées dans le chapitre 1, divisent les populations en diverses communautés culturelles. En définitive, les membres de chaque population se différencient les uns des autres par une multitude de caractéristiques.

Les distinctions sociales semblent être à l'origine d'une grande variété d'attitudes, lesquelles expliquent en partie la diversité des opinions et, à la fin, inspirent bien des actions politiques. Si l'on en juge d'après les apparences, la plupart des êtres humains veulent que les autorités défendent les intérêts qu'ils croient partager avec les autres membres de chacune des catégories auxquelles ils s'identifient. Dans l'ensemble, selon leur propre discours, les riches estiment mériter leur sort et cherchent à l'améliorer grâce à la bienveillance des autorités, alors que les pauvres se plaignent de la situation qui leur est faite et, dans l'espoir d'en sortir, réclament l'aide des mêmes autorités. On voit régulièrement des propriétaires de logements, qui s'opposent à des locataires, solliciter l'intervention des autorités ; on voit aussi des locataires demander l'appui des autorités. On a l'impression que les personnels de direction, tout comme leurs subalternes, souhaitent l'appui des autorités pour obtenir des privilèges fiscaux, des normes particulières en matière d'horaires, d'embauche, de congédiement, de rétribution, et ainsi de suite. Bref, à l'évidence, les solidarités catégorielles alimentent un flux incessant de revendications qui, très souvent, sont exprimées en termes politiques.

Ces revendications sont le plus souvent exprimées par des porteparole d'organisations (et parfois par des groupes qui ne sont pas des organisations). Ces groupes, ces organisations, et en particulier les corps intermédiaires et les partis politiques, sont les agents médiateurs de la vie politique.

Du point de vue du déroulement de la vie politique, les agents de médiation que sont les groupes de pression et les partis politiques jouent des rôles de première importance. Ils contribuent à l'expression des désirs, demandes et besoins dont la satisfaction pourrait être obtenue des autorités ; ils participent à la recherche des dénominateurs communs qui permettent de relier les aspirations des uns à celles des autres, dans l'espoir d'en arriver à des compromis, des échanges, des compensations, bref, des solutions aux dilemmes créés par la diversité ; ils font la promotion des projets ou propositions qui traduisent ces solutions et poursuivent, à leur façon, la quête de l'idéal social que chaque personne définit à sa manière, certes, mais dans le prolongement de la socialisation qu'elle a subie. Les organisations que sont les groupes de pression et les partis politiques sont, au Québec et au Canada, comme dans plusieurs autres pays, des courriers de transmission qui, aujourd'hui, paraissent indispensables.

4

Les groupes de pression et les lobbies

La plupart des gens se retrouvent, un jour ou l'autre, membres de ce qu'on appelle, en politique, des *corps intermédiaires*, c'est-à-dire des *organisations* qui se situent entre les groupes primaires, d'une part, et, d'autre part, les organes du secteur public et les partis politiques. Dans le vocabulaire de la politique, l'expression *« les corps intermédiaires »* désigne les organisations qui ne font pas partie des administrations publiques ou des organismes qu'on appelle «pouvoirs publics» et qui ne sont pas des partis politiques. L'expression «groupes d'intérêt», plus englobante, désigne l'ensemble formé par les regroupements de toute nature, organisés ou non, à l'exclusion des partis politiques et des organismes rattachés aux pouvoirs publics.

Les partis politiques se distinguent des corps intermédiaires par leur objectif premier, qui est la conquête des postes d'autorité. Les corps intermédiaires ont pour objectif la défense et la promotion des intérêts de leurs membres et divers autres objectifs plus généraux ou plus spécifiques, mais ils ne visent pas la conquête des postes d'autorité. Certains corps intermédiaires cherchent toutefois à influencer les décisions des détenteurs des postes d'autorité et peuvent même apporter leur soutien à des partis politiques (et on les qualifie alors de groupes de pression ou de lobbies). Il arrive parfois que des corps intermédiaires s'engagent au sein de mouvements qui s'opposent au changement ou, au contraire, qui préconisent des modifications aux institutions ou des réorientations politiques majeures, mais, distinction essentielle, ils ne cherchent pas à mettre leurs dirigeants dans les postes d'autorité (s'ils le faisaient, ils se transformeraient en partis politiques, ce qui arrive d'ailleurs, parfois).

Contrairement aux corps intermédiaires, les administrations publiques participent à l'exercice de l'autorité.

Les corps intermédiaires, comme leur nom l'indique, font le lien entre, d'une part, diverses catégories de personnes et, d'autre part, les partis politiques, les autorités et les administrations publiques : le mot *intermédiaire* rappelle leur place et leur rôle, du point de vue de la vie politique.

En tant qu'organisations, les corps intermédiaires se distinguent des simples regroupements sans lendemain, des foules, des attroupements, des files d'attente, des auditoires, des publics, des clientèles et des autres types de rassemblement éphémère de personnes, même si celles-ci ont des buts communs. Ainsi, les passagers d'un autobus ont pour but commun de se rendre à destination, mais ils ne forment pas une organisation. De même, les spectateurs, dans un théâtre, ont un même objectif, suivre le déroulement de la pièce, mais ils ne forment pas une organisation.

Des amis qui se réunissent chaque samedi pour jouer aux cartes forment un groupe et non pas une organisation, mais ils pourraient en former une s'ils se choisissaient un coordonnateur, prévoyaient des cotisations pour défrayer les coûts de leurs rencontres, ouvraient un compte dans une banque... Une organisation, on le voit, naît de la volonté des personnes qui la créent : elle procède d'une entente entre ses membres, afin de maintenir, au moins pendant un temps, les liens qui les unissent ; elle requiert la mise en commun de ressources pour réaliser des activités déterminées.

Il y a de nombreuses formes d'organisations (que les sociologues appellent « groupes secondaires » ou *secondary groups*). Certaines réunissent moins d'une dizaine de personnes (un club, une petite entreprise, par exemple), alors que d'autres peuvent en réunir des milliers (le collège des médecins, une grande entreprise, par exemple). Certaines organisations n'ont même pas de compte de banque à leur nom (cas de toutes petites associations de bénévoles et, surtout, cas des organisations dont les activités sont illicites, par exemple des réseaux de trafiquants de stupéfiants, groupes terroristes, sociétés secrètes, etc.). Même si elles n'ont pas de compte de banque et ne sont pas inscrites aux registres des administrations publiques, ces organisations aux allures discrètes peuvent avoir une importance politique considérable.

Entre 1963 et 1970, le Front de libération du Québec a eu plus d'impact sur le déroulement de la vie politique au Canada que bien des organisations dûment inscrites aux répertoires des services fiscaux et des services chargés d'appliquer les lois qui imposent aux entreprises et autres organisations de s'enregistrer.

L'impact d'une organisation sur le déroulement de la vie politique dépend de bien des facteurs. Il dépend de ses caractéristiques, de l'importance de ses ressources et de ses effectifs, et aussi de ses orientations, de l'intensité de son implication, de ses objectifs, des moyens qu'elle met en œuvre, etc.

Toute organisation a un impact sur le déroulement de la vie politique, un impact qui peut paraître majeur ou insignifiant, selon les circonstances. Ainsi, parce qu'elles opèrent dans le respect des lois, les organisations légales contribuent à consolider les institutions politiques. À l'inverse, les organisations clandestines ou illicites sapent les fondements de la légitimité, du seul fait qu'elles se situent en marge de la légalité ou, pire, en infraction permanente. Ne pas tenir compte des organisations de l'ombre, dans l'étude de la vie politique, ce serait ne regarder que ce qui est déjà en vue.

Il est cependant rationnel, quand on a peu de temps, de faire porter son attention sur les organisations dont l'action politique s'impose aux regards. Toutefois, en ne voyant que les plus visibles, on risque d'oublier les milliers de petites organisations qui, sans bruit, œuvrent en faveur ou à l'encontre du changement politique. Parmi les nombreuses organisations qu'on pourrait répertorier, la plupart se contentent d'actions discrètes.

Les organisations qui pratiquent l'immobilisme ne sont jamais vraiment inactives, car elles offrent toujours à leurs membres la possibilité de parler de politique, d'évaluer leur situation par rapport à leur environnement politique, qui change inéluctablement. En participant à la vie de leur organisation, les gens font l'apprentissage de l'action collective ; ils acquièrent les compétences qui leur permettront, si besoin est, de s'engager dans des démarches politiques ; ils se pénètrent petit à petit des valeurs de leur groupe, développent leur sentiment d'appartenance à l'égard de l'organisation, leur solidarité avec les autres membres de l'organisation, apprennent à se voir encore davantage différents des autres. Même sans faire de démarches pour influencer les décisions des autorités, les organisations remplissent une fonction de médiation politique : elles contribuent à la cristallisation des convictions qui, un jour ou l'autre, mèneront à l'action politique.

En comparaison des organisations activement engagées dans le combat politique, les organisations qui pratiquent l'immobilisme ressemblent à des forces de réserve. Elles pourraient être mobilisées, si le besoin s'en faisait sentir. Elles pourraient encore, au besoin, s'allier à d'autres organisations pour faire pression auprès des autorités ou entreprendre elles-mêmes des démarches auprès de celle-ci. Elles se transformeraient alors en *groupes de pression*.

L'expression « groupe de pression » désigne un groupe (qu'il s'agisse ou non d'une organisation) qui tente d'influencer les décisions des autorités en utilisant des moyens rappelant l'action qu'on nomme « pression » (en anglais : *pressure group)*. On dit, d'ailleurs, des groupes qui cherchent à contrecarrer un projet de décision, à faire annuler une décision ou à en faire adopter une nouvelle, qu'ils font des pressions sur les détenteurs des postes d'autorité.

Même si la plupart des groupes de pression sont des organisations, la formule « groupes de pression » englobe davantage que les organisations. En effet, un groupe existe dès qu'un certain nombre de personnes se sont réunies dans un but particulier. De même, plusieurs organisations peuvent déléguer des personnes à un comité de coordination qui est un groupe mais non une nouvelle organisation.

Quand on parle d'un groupe de pression, on entend que le groupe se mobilise pour des motifs d'action collective auprès des autorités. Ce groupe peut être aussi restreint et éphémère qu'un regroupement de voisins dans un quartier, qui réclame une intervention du conseil municipal, mais il n'en est pas moins un groupe.

On emploie souvent l'expression « groupes d'intérêt » pour parler des groupes de pression, bien que la plupart des groupes d'intérêt ne fassent aucune pression auprès des autorités. Un *groupe d'intérêt*, c'est tout groupe (y compris une organisation) formé par des gens qui ont un intérêt en commun. S'il fait pression auprès des autorités, le groupe d'intérêt devient groupe de pression, tout en restant un groupe d'intérêt.

Il en va de même d'un corps intermédiaire, qui est nécessairement un groupe d'intérêt : à titre d'organisation, un corps intermédiaire mérite l'appellation de *groupe de pression* s'il tente d'influencer les décisions des autorités. Rappelons que la plupart des organisations sont constituées non pas pour intervenir auprès des pouvoirs publics, mais bien pour réaliser des objectifs restreints, qu'on peut atteindre sans modifier les lois en vigueur. Les entreprises, par exemple, n'ont pas pour objectif l'intervention auprès des autorités, mais il arrive que leurs dirigeants entreprennent des démarches auprès des autorités pour obtenir des décisions qui facilitent leurs affaires. De même, de nombreuses associations sont créées pour le bénéfice des membres qui en font partie sans avoir pour objectif une quelconque intervention auprès des autorités, mais elles peuvent, si besoin est, envisager un tel objectif, et devenir un *groupe de pression*.

Certaines organisations n'entreprennent jamais de démarches auprès des autorités, soit parce qu'elles sont éphémères, soit parce qu'elles sont trop petites, ou encore parce que leurs activités ne sont pas menacées par d'éventuelles décisions politiques. Ainsi, de nombreuses entreprises peuvent passer des années sans que leurs porte-parole ne jugent utile d'intervenir auprès de parlementaires ou de fonctionnaires ; par contre, d'autres ne cessent d'intervenir, parce que leur succès dépend de changements aux réglementations gouvernementales (par exemple, en matière de pollution) ou de l'octroi de subsides (même indirects, comme dans le cas de dégrèvements fiscaux particuliers) ou encore d'autres formes de soutien. Ces dernières méritent d'être appelées « groupes de pression », encore que l'on préfère alors parler de *lobbies.*

En effet, pour faire image, on appelle « lobbies » les organisations qui font beaucoup de démarches auprès des autorités. Le mot anglais *lobby,* qui désigne le vaste espace qui sert d'entrée aux édifices publics, en est venu à signifier « groupe de pression » parce que les démarcheurs représentant les groupes de pression avaient l'habitude, jadis, d'attendre le personnage politique qu'ils voulaient influencer dans le lobby du Congrès américain (ou de la Chambre des communes du Royaume-Uni) ou dans celui de son hôtel. On a d'abord qualifié ces démarcheurs de *lobby walkers, lobby agents* ou *lobby members*, puis, finalement, on les a appelés *lobbyists* et on a donné le nom de lobby à une organisation de *lobbyistes*. Un lobby est nécessairement tout à la fois un groupe de pression, un corps intermédiaire et un groupe d'intérêt (comme le montre le schéma ci-dessous).

F<small>IGURE</small> 4.1

Les groupes d'intérêt

Les quatre ensembles désignent les expressions « groupes d'intérêt »,
« corps intermédiaires », « groupes de pression » et « lobbies ».
Les lobbies font partie des groupes de pression, lesquels font partie des groupes
d'intérêt. Les lobbies font également partie des corps intermédiaires,
lesquels font partie des groupes d'intérêt. Plusieurs corps intermédiaires
font partie des groupes de pression.

LES GROUPES D'INTÉRÊT

Ensemble constitué par les *regroupements de toute nature* (groupes non organisés et organisations), à l'exclusion des partis politiques et des organismes du secteur public, que ces regroupements fassent *ou non* des pressions sur les membres des partis politiques ou des organismes du secteur public pour influencer les décisions des autorités.

LES CORPS INTERMÉDIAIRES

Ensemble constitué par les *organisations*, à l'exclusion des partis politiques et des organismes du secteur public, que ces organisations fassent *ou non* des pressions sur les membres des partis politiques et des organismes du secteur public pour influencer les décisions des autorités.

LES GROUPES DE PRESSION

Ensemble constitué par les *groupes d'intérêt* qui tentent d'influencer les décisions des autorités en faisant des démarches de toutes sortes (pressions), visant directement ou indirectement les partis politiques et les organismes du secteur public.

LES LOBBIES

Ensemble constitué par les *organisations* qui font pression sur les détenteurs des postes d'autorité pour influencer leurs décisions.

Même si elles ne veulent pas toutes dire la même chose (si elles avaient le même sens, elles seraient synonymes), les expressions «groupes d'intérêt», «groupes de pressions», «lobbies» et «corps intermédiaires» désignent toutes l'ensemble constitué par les regroupements de personnes dont l'objectif principal n'est ni la conquête des postes d'autorité ni l'exercice de l'autorité. Ces regroupements ont tous un rapport quelconque avec l'autorité, ne serait-ce qu'en raison de leur position à l'égard des lois. Tous méritent l'appellation «groupes d'intérêt».

On verra que, comme les partis, tous ces regroupements sont vraiment des agents médiateurs de la vie politique, puisqu'ils contribuent à faire le lien entre leurs membres et les autorités.

On verra aussi que, en s'alliant les uns aux autres, certains de ces regroupements en arrivent parfois à constituer ce qu'on appelle, en politique, des «mouvements». Les mouvements ont pour particularité de faire la promotion d'objectifs qui peuvent être perçus comme ceux d'un très grand nombre de personnes et qui concernent généralement les institutions et leur politique d'ensemble. Le mouvement souverainiste, au Québec, est exemplaire, à cet égard.

L'ACTION POLITIQUE AU SEIN DES GROUPES

L'observation de la vie politique révèle que les groupes qui ont une certaine permanence (à distinguer des groupements éphémères) offrent à leurs membres un cadre qui facilite et, même, encourage l'action politique. Ces groupes rassemblent des personnes qui se ressemblent (comme dit le proverbe, «qui se ressemble s'assemble»). Ils contribuent à la socialisation politique de leurs membres, leur enseignent l'art de l'action collective et orientent leurs comportements politiques. Même quand ils n'entreprennent aucune démarche particulière auprès des autorités, ces groupes et organisations font le lien entre leurs membres et le monde politique.

L'adhésion à un groupe peut ne pas avoir été voulue, mais, voulue ou non, elle n'est maintenue que par choix. Chacun peut quitter sa famille (qu'il n'a pas choisie, et dont il sera toujours originaire). Chacun peut fuir un voisinage qui ne lui plaît pas ou une organisation qui ne lui convient plus. Certes, dans bien des cas, les coûts de la brisure sont élevés, et il arrive que, pour des motifs matériels, des gens restent membres de groupes qui ne les satisfont pas psychologiquement.

Les motifs qui expliquent le renouvellement de l'adhésion à un groupe

Peu importe la raison pour laquelle on est membre d'un groupe, la décision d'y rester découle d'un calcul, que celui-ci repose sur une évaluation des coûts et bénéfices matériels de la participation au groupe ou sur la prise en compte de considérations affectives ou de convictions particulières.

La participation aux organisations du monde du travail est souvent fondée sur l'analyse des bénéfices matériels qui compensent les désagréments des tâches à accomplir. Il en va de même de la participation à certaines associations et coopératives qui exigent beaucoup de leurs membres (cotisations, temps) en échange des avantages qui leur sont accordés.

Cependant la motivation utilitaire, qui repose sur la comparaison des coûts et des bénéfices matériels, est rarement une raison suffisante pour adhérer ou maintenir son adhésion à un groupe. De nombreuses autres motivations peuvent s'y greffer et, parfois, l'emporter.

On peut en effet trouver du plaisir à sa participation à un groupe ou à une organisation. Les membres d'équipes qui pratiquent un sport, à titre amateur, peuvent encourir des coûts importants, sans bénéfice monétaire : le plaisir qu'ils éprouvent dans les jeux d'équipe compense largement les montants déboursés et le temps investi. Il en va de même de la participation à la plupart des associations bénévoles.

Les satisfactions psychologiques (plaisir trouvé dans l'action, dans la fréquentation de personnes qui ont les mêmes intérêts) relèvent de l'affectivité, tout comme d'autres satisfactions, que l'on pourrait qualifier d'idéologiques. De nombreuses personnes, en effet, vont participer à des organisations (les organismes charitables, par exemple) par conviction humanitaire, par sens du devoir.

Ces motivations idéologiques expliquent la plupart des participations à des associations dont les buts paraissent altruistes. Sans de telles motivations, il n'y aurait pas d'œuvres charitables, d'organisations pacifistes, de groupes féministes, de groupes de défense de l'environnement, de mouvements de défense de la langue française, de coalitions anti-avortement.

Ces motivations idéologiques étonnent les gens qui valorisent presque exclusivement les satisfactions matérielles ou affectives, lesquelles motivent généralement les membres des organisations à but lucratif (les entreprises, en particulier). Elles existent, pourtant, et, dans certaines occasions, prennent le pas sur les autres motivations. Du point de vue de la vie politique, elles sont très importantes, puisqu'elles mènent très vite aux interventions auprès des autorités, à qui l'on demande d'imposer de nouvelles interdictions ou de nouvelles obligations (en matière de protection de l'environnement ou en matière de circulation automobile, par exemple), à qui l'on demande de reconnaître de nouveaux droits ou de nouvelles libertés (en matière de langue, entre autres), à qui l'on demande des crédits (en faveur de la recherche de remèdes ou en faveur des démunis)... Les motivations idéologiques ont un grand poids dans le déroulement de la vie politique.

Ces motivations idéologiques ne mobilisent cependant qu'une partie de la population. Bien des gens, en effet, trouvent démesuré le coût d'une participation aux organisations qui poursuivent des buts altruistes. Il en est même qui reçoivent les bénéfices tirés de l'action de ces organisations sans songer à faire leur part (en France, on les appelle «resquilleurs»; en anglais, *free riders*).

Mais quels que soient les motifs de leur adhésion et de leur décision de la maintenir, les gens trouvent dans les groupes dont ils font partie des membres qui leur ressemblent, qui ont les mêmes intérêts. Dans ces organisations, ils adoptent petit à petit les valeurs qui y dominent, développant ainsi leur sentiment d'appartenance au groupe et leur solidarité avec les autres membres; ils y apprennent à valoriser encore davantage ce qui les distingue. Certaines personnes en arrivent à s'identifier aux groupes auxquels elles ont adhéré et quelques-unes leur consacrent une grande part de leur temps.

Le développement des solidarités
entre les membres d'un même groupe

C'est au sein de groupes que les gens acquièrent les manières de penser et d'agir qui deviennent finalement les leurs. C'est d'abord au sein de leur famille que les enfants apprennent, avec la langue maternelle et les croyances de leurs parents, les rudiments de la politique. On leur inculque le respect de l'autorité, le sentiment d'appartenir à une communauté culturelle, dont ils adoptent les us et coutumes et le sens de leur identité, préférant ceux qui leur ressemblent et s'éloignant des autres. Les enfants savent reconnaître les catégories auxquelles ils se rattachent (ils se savent canadiens ou québécois, ou encore à la fois canadiens et québécois, francophones, anglophones, bilingues ou polyglottes, montréalais ou gaspésiens, riches, pauvres ou membres de la classe moyenne). Ils finissent par associer les mots «politique» et «gouvernement» et par faire le lien entre ces mots et d'autres, comme «police» et «élections». On appelle «socialisation» le processus par lequel un groupe (ou, plus largement, une collectivité) inculque à ses membres les manières de penser, de sentir et d'agir qui sont les siennes.

Les groupes font la *socialisation politique* de leurs membres au fur et à mesure qu'ils les accueillent. Ils leur enseignent une *culture politique*, c'est-à-dire une façon de se percevoir et de percevoir les autres, une façon de percevoir les rapports entre le groupe et les autres groupes, en particulier les autorités, les institutions politiques et les partis politiques. Ils leur proposent une façon de se comporter dans le cours de la vie politique (ce qui doit se faire, ce qui peut se faire, ce qui ne doit pas se faire). Les groupes sont des *agents de la socialisation politique*, avant d'être des agents de la médiation politique.

La socialisation politique d'une personne se poursuit tout au long de son existence, dans le cadre des multiples groupes dont elle peut faire partie à un moment ou l'autre. Elle se fait d'abord dans la famille, dans les bandes de jeunes du voisinage, dans les groupes qui se rattachent aux mouvements religieux, dans les écoles, et ainsi de suite.

Peu à peu, au fur et à mesure qu'elle avance en âge, une personne renforce ses sentiments d'appartenance à un certain nombre de groupes, parmi lesquels l'organisation dont elle tire ses revenus (si elle a des revenus), l'organisation qui regroupe les gens de sa catégorie d'emploi (si elle travaille dans un champ où son intérêt lui dicte d'adhérer à une telle organisation) et quelques autres regroupements qui lui plaisent (groupes du monde des loisirs, du monde des affaires, etc.). Elle confirme son adhésion à certains groupes, cesse de faire partie de certains autres et, finalement, fait son nid.

Rares sont les personnes qui ne se retrouvent pas, à l'âge adulte, membres de plusieurs organisations (entreprises ou organismes du monde du travail, associations, etc.).

Et rares sont celles qui n'éprouvent pas une certaine solidarité avec les membres des groupes ou organisations dont elles continuent de faire partie et, au-delà, avec les catégories de personnes qui se retrouvent dans ces groupes et organisations.

Rares, enfin, sont les personnes qui, au sein des groupes et organisations dont elles font ou ont fait partie, n'ont pas adopté les visions du monde qui y dominaient, ayant appris à se voir différentes des autres, ayant appris que certains de leurs intérêts coïncidaient avec ceux des groupes auxquels elles appartenaient.

Finalement, les groupes ont une grande importance dans le déroulement de la vie politique en raison de l'influence que leurs membres exercent les uns sur les autres. À force de parler de politique, à force d'évaluer l'environnement politique du groupe en fonction des intérêts communs de ses membres, on en arrive à développer une vision politique du monde qui est particulière et qu'on essaie ensuite de faire partager aux recrues.

L'apprentissage de l'action politique au sein des groupes

L'adhésion d'une personne à un groupe ou à une organisation, on l'a vu, n'est renouvelée que par choix. Une personne qui n'aime pas son emploi ou le style de gestion de l'organisation où elle travaille peut toujours tenter sa chance ailleurs, à moins que son calcul des avantages et des coûts d'une option de changement l'amène à conserver sa place, malgré ses inconvénients. Dans un tel cas, il est possible que cette personne adopte, dans son établissement, une attitude qui renforce son insatisfaction et, paradoxalement, précipite son congédiement ; il est possible, aussi, qu'elle décide de faire contre mauvaise fortune bon cœur et prenne les moyens de mieux réussir son insertion, ou intégration. À vrai dire, on ne reste membre d'un groupe ou d'une organisation que si on le veut : sinon, on en sort ou on en est expulsé. // À cet égard, ce qui s'applique aux organisations du monde du travail s'applique, à plus forte raison, aux groupes et aux organisations sans but lucratif. //

Dans un groupe ou une organisation, les gens font un apprentissage politique. Devenus anciens, ils ont une supériorité sur les recrues. Davantage imprégnés des valeurs dominantes de leur groupe ou organisation, ils ont la possibilité d'y assumer des fonctions qui exigent une bonne connaissance des membres et de leurs points de vue. S'ils en ont le goût et s'ils s'en sentent capables, ils peuvent briguer l'un ou l'autre des postes de direction qui se libèrent de temps en temps. Ainsi, s'ils le désirent et s'ils en ont les capacités, ils peuvent aussi faire l'apprentissage de la concurrence électorale. //

Même dans les petits groupes qui fonctionnent selon la formule du consensus et selon le principe de l'égalité, il faut désigner une personne pour arbitrer les palabres et signer les chèques (qu'on procède par tirage au sort ou par ordre alphabétique). Immanquablement, certaines personnes se démarquent, par leur doigté, leur habileté, leur présence d'esprit... Les groupes et les organisations, quelle que soit leur taille, génèrent ainsi des leaders, des porte-parole, des rassembleurs, des secrétaires, etc.

Finalement, au sein des groupes et des organisations (y compris les entreprises et les organismes du secteur public) peuvent se révéler des vocations politiques et des vocations de gestionnaires. C'est là, dans les organisations, que la plupart des gens apprennent vraiment l'art de la politique. //

L'évaluation des situations du point de vue du groupe de référence

Les membres d'un groupe consacrent une partie de leurs conversations à l'évaluation de leur environnement. Les membres d'une entreprise parlent de leurs concurrents, de leurs fournisseurs, de leurs clients, de leurs partenaires, de la conjoncture et, aussi, des lois, des impôts, de l'état des routes ou de divers autres sujets qui relèvent des autorités. Ils ne peuvent guère ne pas parler de politique, ne pas évaluer la politique du point de vue de leurs intérêts. Et ce qui est vrai des conversations qu'ont entre eux les membres d'une entreprise l'est aussi des échanges qui animent la vie de la plupart des groupes.

Dans l'évaluation qu'ils font de leur environnement politique et de la conjoncture, les membres d'un groupe prennent en compte les avantages dont ils bénéficient et les inconvénients dont ils souffrent, par rapport aux autres groupes. Ils essaient de voir, dans le cours des choses, si leur catégorie de référence est en croissance ou en déclin. Ils tentent de se prémunir contre les dangers qui les menacent et souhaitent profiter des occasions qu'ils entrevoient. Ils échappent difficilement à la tentation de réclamer l'appui des autorités pour mieux profiter des perspectives favorables, pour accroître leurs avantages, pour atténuer les inconvénients de leur situation et écarter les périls qu'ils peuvent craindre.

Qu'il ait la forme d'une organisation du monde du travail ou celle d'une association sans but lucratif, tout groupe se trouve en concurrence avec d'autres, dans ses rapports avec les autorités. Le groupe qui domine son propre secteur veut maintenir et accroître son ascendant, les autres veulent modifier ce qu'ils appellent une situation d'inégalité. Certaines entreprises qui désirent ouvrir un nouveau marché vont réclamer des décisions politiques qui facilitent leurs affaires, alors que d'autres entreprises, moins innovatrices, vont demander l'aide des autorités pour subsister. De leur côté, certaines associations qui réunissent des amis de la nature ou de la faune ou encore des espaces inhabités (les écologistes) vont faire pression auprès des autorités pour confiner les zones d'occupation des sols, allant ainsi à l'encontre des visées et des intérêts immédiats de nombreuses entreprises et de leurs membres. Les *antagonismes* qui découlent des différences entre les situations, les intérêts, les convictions et les points de vue amènent le recours à la politique, c'est-à-dire l'utilisation de l'autorité pour maintenir ou modifier l'ordre des choses.

Pour la personne qui ne voit que ces *antagonismes*, la politique peut ainsi apparaître comme le champ de l'affrontement entre les forces du changement et les forces de l'ordre, le champ de bataille où s'opposent des groupes aux visées concurrentes.

Bien qu'elle ne soit pas que cela, la politique est aussi cela, de sorte que l'action des groupes d'intérêt ou des corps intermédiaires paraît très significative, puisqu'elle cristallise la perception que leurs membres peuvent avoir de leur situation.

La mobilisation politique effectuée par les groupes

Puisque toute action politique requiert des ressources, il faut, avant d'agir, évaluer les bénéfices attendus de l'action. Même s'ils ont beaucoup parlé de politique, même s'ils souffrent de certaines décisions des autorités, les membres d'un groupe donné peuvent opter pour des actions peu coûteuses (par exemple, se ranger du côté d'un parti d'opposition lors des élections), parce qu'ils savent l'inutilité des autres démarches qu'ils auraient peut-être les moyens d'engager (par exemple, envoyer des représentants du groupe au bureau du personnage politique qu'ils aimeraient influencer). Ils peuvent aussi envisager des actions communes, de concert avec d'autres groupes qui partagent les mêmes intérêts.

C'est parce qu'ils sentent l'utilité d'unir leurs efforts pour avoir davantage d'impact que certains petits groupes forment des alliances, coalitions, fédérations, regroupements et autres types d'associations, suivant le précepte usuel selon lequel l'union fait la force. C'est ainsi que de très nombreuses associations ont été créées et que, parmi les nombreuses demandes adressées aux autorités, beaucoup proviennent de personnes qui disent représenter des groupes nombreux ou se disent mandatées par de tels groupes.

Même des chefs d'entreprises privées et des personnes qui participent au monde du travail pour leur propre compte ont vu la nécessité de constituer des organisations pour mieux défendre leurs intérêts, des intérêts qui, souvent, dominent en raison du nombre de personnes concernées et de l'importance de leurs activités. D'ailleurs, en mesure d'accéder aux autorités pour leur propre compte, de nombreux patrons et professionnels peuvent ainsi utiliser leurs associations pour servir leurs intérêts. En définitive, tout en ayant les moyens d'influencer les autorités sans avoir à s'unir à d'autres, la plupart des gens d'affaires préfèrent s'unir au sein d'associations.

En raison de cette propension à soutenir des regroupements d'intérêts auxquels les gens peuvent s'identifier, il s'est constitué, au

Canada, comme dans d'autres pays où les autorités reconnaissent la liberté d'association, un réseau extrêmement complexe d'organisations qui tentent de mobiliser les ressources disponibles pour influencer les décisions politiques.

Ainsi que peut le confirmer l'observation, ce réseau complexe de groupes et d'organisations reproduit, dans l'ensemble, la diversité culturelle et la diversité catégorielle dont les chapitres 1 et 2 de ce livre ont déjà traité.

LA VARIÉTÉ DES GROUPES

On peut rendre compte de la variété des groupes en considérant les nombreux critères qui permettraient de les classer par catégories. On pourrait dresser des nomenclatures fondées sur la nature des intérêts défendus par les uns et les autres, sur leurs objectifs politiques, sur le type d'intervention politique privilégié, sur l'intensité des pressions exercées sur les autorités, sur l'importance des ressources engagées dans l'action politique, sur les territoires concernés, sur les autorités visées et sur bien d'autres choses. Un exercice de classification en de multiples catégories permettrait assurément de conclure que les groupes sont fort différents les uns des autres.

La diversité des groupes selon leurs ressources et spécialités

L'examen de cette diversité mène rapidement à constater qu'il y a davantage de petits groupes non recensés qu'il y a d'organisations dûment répertoriées dans le *Répertoire des associations du Canada* ou dans divers registres des administrations publiques (qui sont les plus exhaustifs que l'on puisse trouver). Les listes de lobbies et de lobbyistes publiées aux États-Unis, et qui comptaient, en 1995, près de 20 000 mentions, ne donnent, selon les spécialistes, qu'un aperçu de l'ensemble des organisations engagées dans l'action politique. Il est probable que les quelque 3 500 lobbyistes et lobbies inscrits (en 1995) au registre qui relève des autorités fédérales du Canada ne représentent qu'une partie du vaste ensemble constitué, au Canada, par ce qu'on appelle les groupes de pression.

Sachant que de très nombreuses entreprises privées et firmes de travailleurs indépendants (groupes de professionnels, d'artisans, d'agriculteurs, etc.) sont engagées dans l'action politique, ne serait-ce qu'auprès des autorités municipales des localités où se trouvent leurs établissements, il faudrait ajouter aux répertoires des lobbies des milliers d'inscriptions. C'est en effet par dizaines de milliers que se comptent les groupes de pression, au Canada. Ainsi, aux lobbies ou groupes de pression recensés dans des publications (répertoires spécialisés, registres tenus par des fonctionnaires ou même annuaires du téléphone), il faudrait ajouter tous ceux qui ne le sont pas.

Aux groupes de pression, il faudrait aussi ajouter les innombrables regroupements qui ont une action politique restreinte ou sporadique.

Dans cet ensemble considérable, un certain nombre d'organisations se démarquent par leur visibilité, qui leur vient de la place que leur accordent les médias et aussi de la vigueur et de la teneur de leurs interventions dans la vie politique.

Il est possible, probable même, que les organisations les plus visibles ne soient pas celles qui ont le plus d'influence. On peut même penser que les groupes qui font beaucoup parler d'eux en raison des manifestations spectaculaires qu'ils ont orchestrées ont une notoriété bien plus grande que leur influence. En vérité, les groupes les plus influents n'ont pas à recourir aux actions d'éclat; leur influence dépend d'ailleurs, en partie, de leur discrétion, laquelle leur évite d'attirer la contestation. On le verra dans le chapitre 8, les jeux d'influence sont davantage des jeux de coulisses que des jeux de scène.

La prolifération des groupes d'intérêt

Le nombre des groupements qui interviennent publiquement dans le déroulement de la vie politique est en constante augmentation depuis plusieurs décennies. Cette augmentation semble liée à l'accroissement des activités des administrations publiques, à la diversité croissante des communautés culturelles, à la scolarisation plus poussée des adultes, à la fragmentation accélérée des intérêts. Par ailleurs, la multiplication des produits de consommation et des activités de service entraîne la création de nouvelles entreprises et de nouvelles associations. En définitive, la complexification du secteur public, la réglementation de plus en plus poussée des comportements, le souci des gens les plus scolarisés de se particulariser par réaction à l'uniformisation engendrée par la production de masse, tout cela contribue à ce qu'on appelle la *prolifération des groupes d'intérêt.*

La segmentation territoriale

Parmi les groupes qui interviennent souvent dans le déroulement de la vie politique, la plupart s'adressent, avant tout, aux autorités municipales. Cela tient à la nature des questions qui relèvent des autorités locales (plans d'occupation des sols, appelés communément règlements de zonage, enlèvement des ordures, égouts, éclairage des rues, services de protection contre les incendies, police, sécurité des immeubles, permis de construire, aménagement et entretien des voies de circulation, etc.). La plupart des groupes qui interviennent auprès des autorités d'une municipalité sont des groupes de citoyens de cette localité et des entreprises qui y font des affaires. Or, comme il y a quelque 4 500 autorités municipales au Canada (dont près de 1 340 au Québec et environ 580 en Ontario), il doit forcément y avoir un grand nombre de groupes qui opèrent dans le cadre des juridictions municipales.

Il y a également beaucoup de groupes qui interviennent d'abord auprès des autorités provinciales. C'est le cas, surtout, des entreprises et des associations dont les champs d'activité relèvent des juridictions des assemblées législatives provinciales (éducation, services hospitaliers et exploitation des ressources naturelles, notamment).

Les autorités fédérales, pour leur part, sont la cible des grandes entreprises, des banques, des sociétés de transport et de communications, des compagnies qui importent ou exportent des marchandises et de nombreuses autres firmes dont les affaires s'étendent à plus d'une province, qui sont incorporées en vertu de la loi fédérale ou qui opèrent dans l'un ou l'autre des domaines qui relèvent de l'autorité du Parlement fédéral.

Les autorités fédérales subissent aussi les pressions exercées par de nombreuses associations et regroupements qui se présentent comme « canadiens » ou, souvent, comme « nationaux ». Les associations qui interviennent auprès des autorités fédérales peuvent aussi faire des démarches auprès des autorités de certaines provinces. Plusieurs d'entre elles sont en effet des fédérations d'associations provinciales, lesquelles, à leur tour, peuvent regrouper des associations locales. Plusieurs associations du monde des affaires (les chambres de commerce, notamment) sont structurées d'une façon qui s'apparente à celle des institutions politiques du Canada.

S'il y a des associations pancanadiennes qui ont une structure s'apparentant à celle des institutions politiques du Canada, il y en a aussi plusieurs qui ne regroupent pas d'associations provinciales ou locales. On peut dire de ces associations canadiennes qu'elles n'ont qu'un seul étage, l'étage supérieur, comme le font remarquer les humoristes.

Les associations, il faut le rappeler, ne représentent qu'une petite partie des organisations qui interviennent dans le déroulement de la vie politique. Les entreprises sont, de loin, les organisations les plus nombreuses dans la catégorie d'organisations ou de groupes désignée par l'expression «groupes de pression» (ou lobbies). Cependant, les associations font partie des groupes de pression les plus visibles, car elles interviennent plus régulièrement au grand jour.

En plus de venir de leurs interventions publiques, la visibilité des associations vient aussi de l'envergure des questions qu'elles abordent. Alors que les pressions exercées par une entreprise concernent surtout ses propres affaires (modification ou maintien d'une réglementation, d'un impôt, d'un programme de soutien, dérogation à une réglementation, obtention d'une aide exceptionnelle, etc.), les démarches des associations se rapportent à des sujets qui intéressent plusieurs entreprises à la fois ou qui intéressent des catégories regroupant de nombreuses personnes. Alors que les dirigeants d'entreprises ont rarement le goût ou le besoin d'appuyer leurs interventions auprès des autorités par des déclarations publiques, les «vedettes» des associations ont souvent le souci de faire savoir à leurs membres qu'elles interviennent vraiment auprès des autorités et, pour cette raison, elles privilégient les déclarations publiques, les conférences de presse, les mémoires et diverses autres formes d'action qui attirent l'attention des médias. Finalement, on voit beaucoup les associations pancanadiennes et les associations provinciales, et, parfois aussi, des associations d'envergure territoriale plus restreinte (les médias font peu de place aux pressions exercées par les entreprises et à celles qui visent les autorités municipales).

L'examen des démarches effectuées auprès des autorités fédérales par les associations pancanadiennes montre que ces dernières n'hésitent pas à demander au gouvernement d'Ottawa d'intervenir dans des domaines qui relèvent des autorités provinciales (main-d'œuvre, santé, aide sociale, éducation, affaires culturelles, etc.). Une bonne part des «incursions» du gouvernement fédéral dans des domaines qui relèvent des autorités provinciales pourrait sans doute être expliquée par les pressions exercées par des groupes pancanadiens, même si ceux-ci ne représentent vraiment qu'une petite partie de la population.

Si l'on peut expliquer certaines actions du gouvernement fédéral par les pressions exercées par des groupes pancanadiens, on pourrait expliquer, de la même façon, de nombreuses actions des gouvernements provinciaux par les pressions qu'exercent sur eux des groupes dont les assises territoriales sont celles de l'une ou l'autre des provinces.

En dépit des volontés unificatrices des états-majors des associations pancanadiennes, des divergences d'intérêts amènent de nombreux groupes à diriger leurs pressions vers les autorités provinciales. Il y a en effet une telle diversité, au Canada, que les intérêts régionaux l'emportent souvent sur les intérêts pancanadiens. Un bon exemple de cela est fourni par les organisations qui représentent les agriculteurs, ceux de la Colombie-Britannique ayant une vision des choses qui diffère de celle que privilégient les agriculteurs des Prairies, laquelle se distingue de celle des agriculteurs de l'Ontario ou du Québec, et ainsi de suite. Pour protéger des intérêts minoritaires, dans une association canadienne, l'une ou l'autre des sections provinciales peut en effet engager des démarches particulières auprès des autorités de sa province.

La segmentation selon la langue

Au Québec, de nombreuses associations se sont constituées par opposition aux associations pancanadiennes. Plusieurs associations parallèles, ayant le français comme langue d'usage, ont été créées par des francophones bilingues après qu'ils eurent constaté que la quasi-totalité des membres anglophones des associations pancanadiennes ne comprenaient pas le français et manifestaient leur agacement quand des francophones s'exprimaient en français en leur présence.

Il y a donc, au Canada, plusieurs associations parallèles, distinctes par la langue. Plusieurs organismes «canadiens», qui ont adopté le français comme langue de travail et qui recrutent le gros de leurs effectifs au Québec, œuvrent dans des domaines où des associations «canadiennes» opèrent déjà, mais avec l'anglais comme langue de travail et une représentation francophone dérisoire au sein de leurs effectifs. C'est le cas dans les domaines des sciences, de la culture, des arts, de l'éducation, de la religion (et de la philanthropie) et de la langue, et plus rarement dans certains secteurs du monde des affaires ou du travail. Parmi les associations francophones les plus connues, de ce point de vue, on peut signaler l'Association canadienne-française pour l'avancement des sciences et les sociétés affiliées (une quinzaine d'organismes), la Confédération des syndicats nationaux et ses syndicats affiliés (1 150 environ), l'Union des producteurs agricoles, la Centrale de l'enseignement du Québec, le Conseil du patronat du Québec, la Chambre de commerce de la province de Québec (autonome par rapport à la Chambre de commerce du Canada), l'Association des médecins de langue française du Canada, l'Association canadienne-française des aveugles.

De tels dédoublements linguistiques se produisent même au niveau régional. Ainsi, par exemple, les enseignants anglophones du Québec sont groupés séparément des enseignants francophones; de même, la Chambre de commerce de Montréal s'est longtemps distinguée du Montreal Board of Trade, anglophone.

Dans de nombreuses associations où il n'y a pas eu de «dédoublement linguistique», on trouve toutefois que la section «Québec» (association, société, «chapitre», etc.) jouit d'une autonomie plus large que les sections des autres provinces.

La *tendance au dédoublement linguistique* semble bien établie et elle s'explique. Il semble que, au-delà de conflits d'intérêts entre francophones et anglophones (critères d'allocation des ressources fondées sur la population, par exemple) et des conflits de valeurs (conceptions contradictoires quant aux interventions de l'État, notamment), on trouve chez les francophones un désir de «reconnaissance» et une volonté d'affirmation qui mènent à créer et à maintenir une séparation structurelle (deux organisations au lieu d'une).

La sous-représentation des francophones dans les groupes canadiens

Le dédoublement linguistique est un moyen de parer aux difficultés associées à la sous-représentation des francophones dans les groupes canadiens. Les francophones comptent pour environ 24 % de la population canadienne, cependant ils ne constituent généralement que 10 % des effectifs des associations pancanadiennes. Pour atténuer cet effet de sous-représentation, la plupart des associations pancanadiennes ont adopté des quotas provinciaux de représentation dans leurs organismes électifs (conseil d'administration de l'association, par exemple) ; ainsi, on accorde généralement un siège pour un représentant des membres de chaque province (10 sièges) et on élit trois, cinq ou sept délégués «de l'ensemble». Ce mécanisme assure souvent les francophones de trois porte-parole dans un conseil composé de quinze ou dix-sept personnes. Alors que, jadis, de nombreuses associations pancanadiennes ne comptaient aucun francophone dans leur conseil d'administration, rares sont celles, aujourd'hui, qui n'ont pas pris les moyens d'inclure quelques francophones dans les postes de direction.

La sous-représentation des francophones dans les associations pancanadiennes peut s'expliquer de trois façons principales. La première tient à la scolarisation et à la propension à participer aux associations : en ces domaines, les francophones se classent derrière les anglophones... Des relevés effectués en 1968 ont montré que, pour un même niveau de scolarisation, les anglophones affichaient un taux de participation (à une organisation) largement supérieur à celui des francophones : il est probable que la situation contemporaine reste semblable à celle de 1968.

Par ailleurs, si l'on tient compte du fait que la scolarisation moyenne des francophones est inférieure à celle des anglophones, on doit pouvoir expliquer, là encore, une part de la sous-représentation des francophones dans les associations pancanadiennes.

La sous-représentation francophone dans les effectifs des groupes de pression canadiens peut être expliquée, en deuxième lieu, par la sous-représentation francophone dans le monde des affaires et dans certaines professions (génie, sciences exactes). On trouve là l'explication principale de l'effacement des francophones au sein de la plupart des associations d'affaires du Canada.

La sous-représentation des francophones dans les groupes canadiens s'explique enfin par le dédoublement linguistique dont on a parlé précédemment.

La sous-représentation des francophones dans les groupes pancanadiens, ceux qui font des pressions sur le gouvernement fédéral, défavorise probablement les intérêts particuliers des francophones, chaque fois que ces intérêts diffèrent de ceux des anglophones. Les porte-parole de ces groupes ne peuvent guère refléter les points de vue des francophones quand il y a conflit entre les intérêts des francophones et ceux des anglophones, membres de leur groupe.

Dans leurs interventions auprès du gouvernement d'Ottawa, les gens de l'Ontario ou des provinces de l'Ouest peuvent se donner une association «bilingue», et «pancanadienne», qui masque la sous-représentation des francophones.

Les mécanismes de prise de décisions utilisés dans les organes directeurs des groupes de pression sont fondés sur les principes de la majorité ou d'un «consensus» et, partant, peuvent desservir les francophones, qui sont minoritaires au sein de ces organes. Les réunions des conseils des associations canadiennes se déroulent en anglais. Les propositions soumises aux administrateurs sont souvent préparées par les «permanents», qui eux-mêmes peuvent avoir été influencés par les membres anglophones du conseil. Ces propositions, dont les administrateurs francophones ne prennent généralement connaissance que lors de leur arrivée à Ottawa ou à Toronto (ou toute autre ville où se réunit le conseil), sont normalement adoptées sans grand débat et sans consultation auprès des membres. Quand elle a lieu, une telle consultation peut ne pas avoir été faite au Québec français, où les associations pancanadiennes sont mal implantées.

L'orientation québécoise des groupes du Québec

Par ailleurs, il semble que les francophones du Québec préfèrent adresser leurs revendications au gouvernement du Québec plutôt qu'au gouvernement fédéral d'Ottawa. L'orientation québécoise des groupes de francophones s'explique probablement par l'accueil que leurs porte-parole reçoivent à Québec. Ils y sont reçus par des fonctionnaires francophones qui souhaitent, plus ou moins consciemment, étendre le champ de leurs interventions aux dépens du gouvernement fédéral. De plus, ils représentent leur catégorie pour l'ensemble du Québec, alors qu'à Ottawa ils ne représentent la même catégorie que pour une partie du Canada. De nombreux sujets (éducation, langue, prêts aux petites entreprises, coopératives, agriculture, législation du travail) qui intéressent les groupes francophones au Québec tombent sous la juridiction provinciale.

Il est possible que, dans les provinces anglophones, les groupes qui interviennent auprès des gouvernements provinciaux soient, bien qu'anglophones, tout aussi «provincialistes» que les groupes francophones qui interviennent à Québec: la chose devrait être examinée. Néanmoins, probablement plus qu'aucun autre gouvernement provincial, le gouvernement du Québec subit des pressions en faveur d'une politique autonomiste et d'une politique d'extension des compétences gouvernementales des institutions provinciales.

LES GRANDS REGROUPEMENTS QUI LIMITENT LES EFFETS DES SUBDIVISIONS

Alors que le nombre d'organisations ne cesse d'augmenter au gré de nouvelles subdivisions, certaines personnes forment de larges coalitions de groupes que diverses affinités de classe peuvent rassembler. De telles coalitions ne freinent nullement le phénomène de la prolifération des groupes d'intérêt mais elles contribuent à unir les groupes qui ont certains objectifs en commun.

De telles coalitions ont l'allure de mouvements, car elles visent de grands objectifs collectifs. On parle d'ailleurs du mouvement syndical, du mouvement coopératif, du mouvement féministe, du mouvement écologiste, du mouvement œcuménique, du mouvement souverainiste...

Ces coalitions se présentent souvent comme des «fronts communs», des «coordinations», des «rassemblements»... Les membres de plusieurs organisations distinctes s'entendent alors pour manifester ensemble, revendiquer en commun, adresser des requêtes conjointes aux autorités.

Ces coalitions font habituellement la critique des institutions et des grandes orientations suivies par les autorités. Le mouvement réformiste, qui a mené, en 1987, à la création du Reform Party of Canada, dirigé par Preston Manning, condamne plusieurs politiques du gouvernement fédéral du Canada et réclame une modification du Sénat canadien. Aux États-Unis, le «Equal Rights Movement» a réuni quantité de groupes favorables à l'adoption de dispositions constitutionnelles visant à bannir la discrimination. Le mouvement féministe, au Canada, a prêché l'égalité entre les hommes et les femmes et mobilisé des centaines d'organisations distinctes.

De tels mouvements expriment quelques-unes des divisions profondes qui séparent les populations en catégories opposées. Ils expriment aussi les visions et visées les plus générales de ces diverses catégories, visions et visées que l'on qualifie souvent d'idéologies.

Davantage que les groupes qui agissent isolément des autres, les mouvements influencent les programmes des partis politiques et, parfois, grâce à l'appui reçu de tel mouvement dont il reflète les idées, un parti «nouveau» peut l'emporter sur ses rivaux.

LECTURES RECOMMANDÉES

BOIVIN, Dominique, *Le lobbying ou le pouvoir des groupes de pression*, Montréal, Éditions du Méridien, 1984, 241 pages.

COLEMAN, William D., et Grace SKOGSTAD (sous la direction de), *Policy Communities and Public Policy in Canada : A Structural Approach*, Mississauga (Ontario), Copp Clark Pitman, 1990, 338 pages.

CROOKELL, Harold, *Managing Business Relationships with Government*, Scarborough (Ontario), Prentice-Hall, 1991, 436 pages.

DENIS, Roch, et Serge DENIS, *Les syndicats face au pouvoir : syndicalisme et politique au Québec de 1960 à 1992*, Ottawa, Éditions du Vermillon, 1992, 196 pages.

FOURNIER, Pierre, *Le patronat québécois au pouvoir : 1970-1976*, La Salle (Québec), Hurtubise HMH, 1979, 308 pages (version française de *The Quebec Establishment*).

McQUAIG, Linda, *Le Canada aux enchères : Mulroney à la solde de la haute finance*, Montréal, Le Jour, 1991, 357 pages.

MEYNAUD, Jean, Groupes de pression et politique gouvernementale au Québec, dans André BERNARD (sous la direction de), *Réflexions sur la politique au Québec*, Montréal, Presses de l'Université du Québec, 1970, pages 65-92.

PRESTHUS, Robert, *Elite Accommodation in Canadian Politics*, Cambridge (Royaume-Uni), Cambridge University Press, 1973, 372 pages.

PRESTHUS, Robert, *Elites in the Policy Process*, Cambridge (Royaume-Uni), Cambridge University Press, 1974, 525 pages.

PROSS, A. Paul (sous la direction de), *Pressure Group Behaviour in Canadian Politics*, Toronto, McGraw-Hill Ryerson, 1975, 196 pages.

REA, K.J., et Nelson WISEMAN (sous la direction de), *Government and Enterprise in Canada*, Toronto, Methuen, 1985, 375 pages.

STANBURY, William Thomas, *Business-government Relations in Canada : Grappling with Leviathan*, Scarborough (Ontario), Nelson, 1988, 678 pages.

TARDY, Évelyne, avec la collaboration d'André BERNARD, *Militer au féminin : dans la Fédération des femmes du Québec et dans ses groupes affiliés*, Montréal, Éditions du Remue-ménage, 1995, 191 pages.

TAYLOR, D.Wayne, *Business and Government Relations. Partners in the 1990s*, Toronto, Gage, 1991, 301 pages.

THORBURN, Hugh Garnet (sous la direction de), *Les rapports entre les groupes de pression et les gouvernements dans le système fédéral canadien*, Ottawa, Commission royale sur l'Union économique et les perspectives de développement du Canada, 1985, 167 pages (étude 69).

THWAITES, James D., *Travail et syndicalisme ; Naissance et évolution d'une action sociale*, Sainte-Foy, Presses de l'Université Laval, 1996, 405 pages.

5

Les partis politiques

Comme les groupes, les partis politiques font de la *socialisation politique* et de la *médiation politique*, mais ils le font à leur manière et pour des fins qui sont les leurs. Afin de mettre et de maintenir ses chefs dans les postes d'autorité, chaque parti fait la promotion de sa vision du monde auprès des membres qu'il recrute et, plus largement, auprès de plusieurs autres personnes (il fait donc de la socialisation politique) ; il identifie et exprime certains des besoins ressentis dans son électorat, critique les points de vue qui contrecarrent les siens, traduit sous forme d'engagements (promesses, résolutions ou projets) les revendications et aspirations de ses membres, les fait endosser par ses porte-parole, sollicite des appuis, mobilise des ressources, sélectionne et propose des candidats et candidates lors des élections, s'emploie à informer et à soutenir ses chefs, combat leurs adversaires et accomplit de nombreuses autres tâches qui font de lui un agent de la médiation politique.

L'objectif premier des organisations que sont les partis politiques est fort différent de celui des groupes de pression et lobbies. L'objectif des partis (mettre ou maintenir leurs chefs aux postes d'autorité) distingue ceux-ci des autres organisations, qui ne cherchent pas à mettre leurs chefs au pouvoir (comme on l'a vu précédemment, s'ils le faisaient, ils se transformeraient en partis).

En poursuivant son objectif premier, chaque parti vise d'autres objectifs, lointains, qui apparaissent comme les résultats recherchés par la poursuite de l'objectif immédiat. Autrement dit, c'est pour réaliser un programme, des projets, des engagements et des promesses, qu'un parti veut l'accès et le maintien de ses chefs aux postes d'autorité. Certains partis ont pour dessein de conserver l'ordre établi en dépit des changements qui se produisent dans le monde ; d'autres, au contraire, souhaitent transformer la société en raison de ces changements. Il y a des partis qui refusent les innovations, il y en a d'autres qui préconisent l'adaptation aux innovations, il y en a, enfin, qui disent être des innovateurs. Parmi les partis qui réclament du changement, certains proposent, en fait, un retour au passé, d'autres envisagent d'authentiques nouveautés. Il y a, d'ailleurs, bien des façons de revenir au bon vieux temps et de multiples manières d'imaginer les innovations et les nouveautés. En définitive, les intentions des partis paraissent très variées.

Pour atteindre leur objectif premier, les partis adoptent des façons de faire particulières. Les méthodes privilégiées par les partis sont celles qui permettent le plus aisément à leurs chefs d'accéder aux postes d'autorité et de s'y maintenir. Jadis, à l'époque où il n'y avait pas d'élections, les cliques formées par les gens en place trouvaient mille moyens pour perpétuer leur domination, de sorte que, souvent, les personnes qui voulaient les remplacer avaient recours aux intrigues, assassinats, coups d'État (ou putsch), soulèvements, rébellions, révolutions... Aujourd'hui, dans les démocraties représentatives, l'élection est le mécanisme préféré de sélection des gouvernants : autrement dit, pour accéder au pouvoir ou pour s'y maintenir, il faut obtenir l'appui de la majeure partie des personnes qui participent aux élections. Et, pour obtenir cet appui, les détenteurs des postes d'autorité et leurs adversaires ont recours aux partis politiques. Organisations constituées pour permettre à leurs chefs d'accéder aux postes d'autorité et de s'y maintenir, les partis politiques contemporains doivent séduire ou convaincre.

Les moyens utilisés par les partis politiques pour séduire ou convaincre les électeurs varient selon les circonstances. Ils varient d'abord selon les modalités du choix électoral définies par les lois (tel moyen est licite, tel autre est interdit). Ils varient aussi en fonction des techniques de communication disponibles, des caractéristiques des personnes à convaincre (ce qu'elles sont, ce qu'elles croient être, ce qu'elles veulent être et avoir...), des particularités du territoire, de la conjoncture, etc.

Tant par les moyens qu'ils utilisent que par leurs autres caractéristiques, les partis politiques d'aujourd'hui sont les héritiers de ceux de jadis. Les grands partis contemporains ont été façonnés par l'histoire, comme le montrent les pages suivantes. Le Parti libéral du Canada et les partis libéraux représentés dans les assemblées provinciales tirent leurs origines des partis qui ont été portés par les idées neuves (le libéralisme) du XIXe siècle et ont été les initiateurs des grandes réformes politiques (la responsabilité ministérielle, la liberté et le secret du vote, par exemple). Le Parti progressiste-conservateur du Canada et les partis conservateurs représentés dans les assemblées provinciales s'inscrivent dans la tradition des partis qui, au XIXe siècle, ont préféré gérer la continuité plutôt que de prendre les risques de la nouveauté, et qui ont opté pour l'adaptation au changement (par exemple, en soutenant, avec les fonds publics, les projets des entrepreneurs privés de leur époque) plutôt que pour la promotion du changement.

Même si chacune d'elles peut revendiquer un héritage distinct, les deux grandes catégories partisanes du Canada (libéraux et conservateurs) ont beaucoup en commun. Les filiations qui ont mené aux grands partis d'aujourd'hui sont extrêmement enchevêtrées, de sorte que le patrimoine d'un des deux grands partis ressemble beaucoup à celui de l'autre. Par ailleurs, avec le passage du temps, chacun des partis en est venu à adopter des attitudes qui étaient auparavant celles de son principal concurrent, et chacun a recruté des personnes qui avaient appuyé son rival au cours de campagnes électorales précédentes. De plus, avec l'émergence de petits partis en Ontario et dans les provinces de l'Ouest, les grands partis ont perdu l'appui de plusieurs des électeurs les plus favorables à l'adoption de programmes publics égalitaristes et l'appui de plusieurs des électeurs qui tiennent le plus aux traditions. Les revendications des francophones du Québec ont également marqué l'évolution des grands partis, et la composition sociologique de l'électorat libéral, comme celle de l'électorat conservateur, a changé au rythme des réalignements électoraux qui se sont opérés à l'instigation des francophones. Finalement, aujourd'hui, les deux grandes catégories partisanes du Canada proposent à l'électorat des équipes de candidats et des programmes politiques qui ont, à la fois, beaucoup de points communs et un certain nombre de différences.

Même si elles sont peu nombreuses, ces différences paraissent importantes. En effet, en dépit des ressemblances qu'on peut leur trouver, les deux grands ensembles partisans du Canada se distinguent nettement l'un de l'autre aux yeux des personnes qui s'y activent. Les réseaux de partisans libéraux sont bel et bien opposés aux réseaux conservateurs, bien que les uns et les autres combattent aussi les tiers partis (ou petits partis). La composition sociologique de chacun de ces ensembles diffère clairement de celle de l'autre (l'un compte davantage de francophones, de catholiques, de personnes de tel ou tel âge, et ainsi de suite). Cette composition sociologique varie d'une décennie à l'autre, en raison des changements qui se produisent sans cesse au fil du temps (les alliances avec les groupes et corps intermédiaires se font et se défont, la configuration des forces contraires se modifie, l'environnement se transforme, le monde évolue). La composition sociologique de l'électorat libéral, comme celle de l'électorat conservateur, a subi un véritable bouleversement entre 1984 et 1993. Auparavant, pendant neuf décennies, les changements avaient été graduels : des élections fédérales de 1891 jusqu'à celles de 1984, les anglophones d'origine britannique et de religion protestante étaient surreprésentés dans l'électorat conservateur, alors que les francophones étaient surreprésentés dans l'électorat libéral. Aux élections fédérales de 1984, les francophones ont favorisé, en majorité, le Parti progressiste-conservateur du Canada dirigé à l'époque par Brian Mulroney ; aux élections fédérales de 1993, les francophones se sont en majorité tournés vers un nouveau parti, le Bloc québécois, alors que le Reform Party (Parti réformiste), créé en 1987, attirait près de la moitié des électeurs des provinces de l'Ouest. L'électorat de chacun des grands partis, comme son réseau partisan, le distingue de l'autre.

Legs du passé, les appellations des partis (libéraux, conservateurs) présents dans plusieurs assemblées provinciales ne doivent pas laisser penser que ces partis sont des filiales ou succursales du Parti libéral du Canada et du Parti progressiste-conservateur du Canada. En effet, même si leurs appellations sont voisines, les partis représentés dans les assemblées provinciales sont, aujourd'hui, des organisations distinctes de ceux qui sont représentés à la Chambre des communes et au Sénat du Canada. Mais il y a beaucoup d'affinités entre les organisations dont les appellations sont voisines (ainsi, il y a d'indéniables points communs entre le Parti libéral du Canada et le Parti libéral du Québec).

Au Canada, aujourd'hui, quelles que soient leurs appellations, les partis sont spécialisés en fonction des institutions représentatives dans lesquelles ils sont présents. Les partis qu'on dit fédéraux sont distincts des partis provinciaux, et ces derniers sont distincts des partis municipaux. Chaque province a ses propres partis provinciaux. Chaque grande ville a aussi ses propres partis municipaux, et, pour le moment, aucun de ceux-ci n'est membre d'une organisation qui comprendrait d'autres partis municipaux opérant dans d'autres villes. De même, il n'y a pas de liens organiques entre les partis provinciaux de même appellation opérant dans différentes provinces. Cependant, même s'ils ne sont pas liés les uns aux autres, les partis qui se ressemblent attirent les mêmes catégories de personnes. Certains réseaux partisans peuvent pénétrer à la fois un parti fédéral et un parti provincial ou, autre cas de figure, un parti provincial et un parti municipal. En définitive, les réseaux partisans sont extrêmement complexes, même si les partis sont spécialisés en fonction des diverses institutions représentatives.

Comme le montreront les pages suivantes, les partis, petits ou grands, expriment plusieurs des multiples facettes de la réalité complexe du Canada et, simultanément, contribuent à changer le Canada : chacun tente de faire la *médiation* entre les autorités et les segments de la population qu'il cherche à représenter ; chacun essaie d'influencer l'évolution de la population en agissant sur elle de diverses façons, selon un processus qu'on appelle *socialisation*. Pour ces raisons, comme on tente de le dire dans ce chapitre, les partis politiques sont des agents très importants dans le déroulement de la vie politique.

LES PARTIS CONTEMPORAINS ET L'HÉRITAGE DU PASSÉ

Les partis politiques du XIXe siècle, au Canada, reflétaient les circonstances de l'époque. Au début du XIXe siècle, seuls les propriétaires et locataires ayant une certaine aisance avaient le droit de participer à l'élection des membres de l'assemblée représentative : environ 15 % des gens pouvaient voter ; parmi les personnes âgées de 21 ans et plus, moins de 30 % avaient le droit de voter et, parmi les adultes de sexe masculin, moins de 60 % avaient ce droit. Une circonscription pouvait compter plus de 7 000 habitants et moins de 1 000 électeurs (cas de Saint-Maurice vers 1800, par exemple). Dans chaque circonscription, en raison du nombre peu élevé des électeurs, une petite équipe de «cabaleurs» permettait au candidat de rejoindre la plupart des personnes qu'il fallait convaincre. À cette époque, les candidats ne ressentaient pas le besoin de se doter d'une grosse organisation. Malgré cela, les personnes qui avaient le goût de solliciter ou d'accepter un mandat parlementaire ont vite vu l'intérêt de s'unir à d'autres pour former des équipes.

Les partis du début du XIXe siècle

Dès les premières élections, une distinction s'est imposée. D'un côté se rangeaient les détenteurs des postes d'autorité et les personnes qui les soutenaient; de l'autre, leurs adversaires. Les premiers ont cherché à faire élire des candidats qui leur étaient favorables, et leurs adversaires ont tenté de contrecarrer ces desseins, en s'appuyant sur les insatisfactions ressenties dans la population à l'égard des autorités. Les détenteurs des postes d'autorité et leurs alliés se sont présentés comme les défenseurs de la tradition, de la loi, de l'ordre.

Il n'a pas fallu bien longtemps pour qu'on se mette à parler de partis. Au Bas-Canada, au début du XIXe siècle, on distinguait déjà le parti des Canadiens (appelé bientôt Parti canadien), opposé au Parti du gouverneur, qu'on appelait aussi parti des *tories* (on appelait *tories* les gens en place, en raison de leurs affinités avec les *tories* de Grande-Bretagne, qui faisaient la lutte au parti des *whigs* à la Chambre des communes britannique). Pour leur part, les anglophones parlaient du *French Party* et du *British Party*, pour désigner les députés canadiens de langue française et leurs adversaires. Au Bas-Canada, c'était clair dès les premières élections, il y avait deux partis : celui des Canadiens et celui des Anglais.

Ces partis du début du XIXe siècle, au Bas-Canada, n'avaient pas encore les caractéristiques des partis politiques d'aujourd'hui. Comme l'assemblée élue ne comptait que 50 députés (de 1792 à 1829), ces partis étaient des groupes d'une vingtaine ou d'une trentaine de parlementaires auxquels étaient associées, à l'extérieur de l'assemblée, quelques centaines de personnes influentes. Ces parlementaires ne devaient pas leur élection au parti dont ils étaient membres ; plusieurs d'entre eux étaient tout bonnement des volontaires qui avaient accepté de représenter leurs circonscriptions et qui n'avaient pas eu d'opposants (on les disait élus par acclamation). Puisqu'ils devaient assumer eux-mêmes les frais de leur séjour dans la capitale, sans compensation aucune, les parlementaires qui venaient de villages éloignés ne restaient à Québec que pendant les sessions de l'assemblée, qui ne duraient que quelques semaines ou quelques mois : ils n'avaient pas le temps de tisser les liens qui caractérisent les réseaux partisans d'aujourd'hui. Par ailleurs, en raison de leurs lieux d'origine, qui étaient très variés, les parlementaires d'un même parti pouvaient se sentir fort différents les uns des autres ; chacun d'eux pouvait se considérer, avant tout, comme le représentant de sa circonscription, associé à d'autres parlementaires dans la mesure où il partageait leurs points de vue sur telle ou telle question.

Les parlementaires canadiens de langue maternelle française se retrouvaient ensemble et luttaient ensemble pour défendre le français, le type de droit auquel ils étaient habitués, la religion catholique qui était la leur et, de façon générale, les intérêts qu'ils avaient en commun et qui différaient de ceux que représentaient les parlementaires d'origine britannique (ces derniers, en majorité, étaient alliés au gouverneur et tentaient d'imposer l'anglais, la religion d'Angleterre et les intérêts des conquérants).

À la fin du XVIIIe et au début du XIXe siècles, au Bas-Canada, les motifs de l'opposition entre Canadiens et Anglais étaient fort nombreux. Les Canadiens de langue française, qui représentaient davantage les intérêts des campagnes, voulaient taxer le commerce, qui était aux mains de marchands d'origine britannique, alors que les Anglais voulaient taxer les terres agricoles, occupées surtout par les Canadiens français. Compte tenu de leurs intérêts divergents, les uns et les autres avaient peine à trouver des solutions négociées. Par ailleurs, les Canadiens de langue française s'opposaient à l'octroi de terres à titre gratuit aux personnes qui arrivaient au Canada, dénonçaient la pratique qui permettait aux juges d'être parlementaires, voulaient contrôler la totalité des dépenses publiques, réclamaient un budget annuel détaillé et limitatif... À la limite, ils s'opposaient aux gens en place sur de très nombreuses questions.

Mais, sur les questions qui ne concernaient pas leurs intérêts communs, les parlementaires canadiens de langue française pouvaient se diviser, tout comme les parlementaires d'origine britannique. Aucun parti, au début du XIXe siècle, n'avait la cohésion et la discipline qui s'imposent dans les partis d'aujourd'hui.

Outre le fait qu'ils n'avaient pas encore développé de réseaux partisans, comme en ont les partis d'aujourd'hui, les partis du début du XIXe siècle n'avaient pas, non plus, mis la conquête des postes d'autorité au premier rang de leurs objectifs.

Cependant, même s'ils n'avaient pas encore les caractéristiques des partis actuels, les partis du début du XIXe siècle ont eu une grande importance. Le Parti canadien a contribué à faire accepter le principe de la démocratie représentative (pendant un temps, le parti des Canadiens s'est même présenté comme le parti des démocrates, que le gouverneur James Craig a traité de « *dangereux démocrates* » dans une missive adressée, en 1810, aux autorités britanniques). Le Parti canadien a développé des stratégies pour défendre les intérêts que la majorité des électeurs pouvaient avoir en commun. Le Parti anglais (ou Parti du gouverneur) a lui aussi lutté pour faire prévaloir les intérêts qu'il représentait. Bref, les partis du début du XIXe siècle ont fait, comme ceux d'aujourd'hui, la socialisation de leurs fidèles et sympathisants et la médiation de leurs points de vue.

Ces partis ont utilisé les moyens de leur époque. Ainsi, le Parti canadien a eu son journal, *Le Canadien,* créé par six députés canadiens de langue française et qui a commencé à paraître en novembre 1806. Les élus du Parti canadien ont utilisé les campagnes électorales et les débats parlementaires pour exprimer leurs revendications, puis pour obtenir la satisfaction à leurs requêtes. De son côté, le Parti du gouverneur a eu recours aux journaux publiés en langue anglaise, a utilisé, lui aussi, les campagnes électorales et les débats parlementaires pour tenter d'imposer sa vision des choses et, surtout, s'est servi des pouvoirs du conseil exécutif.

Au cours de la session de l'hiver 1810, s'inspirant des idées démocratiques qui étaient de plus en plus acceptées dans leur milieu, les chefs du Parti canadien ont commencé à réclamer l'adoption d'un principe en vertu duquel l'exécutif devrait être subordonné à la majorité des représentants élus (ce principe, dont on a parlé de plus en plus par la suite, a finalement été appelé principe de la responsabilité ministérielle). À l'époque, les membres du Parti canadien étaient majoritaires dans l'assemblée élue, mais les postes d'autorité leur échappaient : le représentant de la Couronne britannique, le gouverneur, choisissait comme conseillers les personnes qu'il préférait et non pas celles que préférait la majorité au sein de l'assemblée des députés. Par leurs demandes de 1810, les porte-parole du Parti canadien montraient que la conquête du pouvoir exécutif était en train de devenir l'un de leurs objectifs.

Dès lors, l'accès ou le maintien d'une équipe au pouvoir exécutif est devenu un enjeu de la vie politique au Bas-Canada. Le gouverneur, James Craig, décida de tenir de nouvelles élections (les précédentes avaient eu lieu en octobre 1809) et chercha, par divers moyens, à faire élire des personnes qui l'appuieraient (les Canadiens disaient de ces personnes qu'elles formaient *la «clique du château»*, étant donné qu'elles avaient accès au château Saint-Louis où se trouvait le gouverneur, à Québec). Le gouverneur et ses partisans ont cependant été incapables d'obtenir la majorité qu'ils souhaitaient : au terme des élections d'avril 1810, les élus du Parti canadien furent encore une fois majoritaires. Un changement important s'était tout de même produit en 1810 : auparavant, les gens de la clique du château participaient aux élections pour faciliter la marche de leurs affaires, et non pas pour se maintenir en poste, puisque leur maintien aux postes d'autorité ne dépendait pas des élections. (À l'époque, il faut le rappeler, le gouverneur exerçait le pouvoir exécutif sans rendre compte à l'assemblée des représentants élus de la population.) À partir des élections de 1810, le grand objectif du Parti anglais, appelé Parti du gouverneur, a été de garder ses chefs au pouvoir exécutif : pour faire prévaloir les intérêts qu'il représentait, le Parti du gouverneur devait avant tout maintenir ses chefs dans les postes d'autorité.

En s'opposant à l'idée de nommer au conseil exécutif les porte-parole de la majorité parlementaire et en cherchant résolument, à partir de 1810, à faire élire une majorité qui lui serait favorable, le Parti du gouverneur s'est donné l'objectif de tout parti politique, lequel le distingue d'une autre organisation, à savoir : mettre et maintenir ses chefs dans les postes d'autorité.

En s'organisant comme il l'a fait en 1810, le Parti du gouverneur s'est doté de deux autres attributs usuels des partis politiques d'aujourd'hui : une structure hiérarchisée et la pratique de l'achat de soutiens électoraux payés par l'octroi de faveurs accordées par le pouvoir exécutif (ou par la promesse de telles faveurs). Toutefois, contrairement aux grands partis d'aujourd'hui, le Parti du gouverneur n'avait pas l'appui d'un grand nombre d'électeurs : il n'obtenait un important soutien que dans les villes et villages où vivaient des personnes d'origine britannique. Ce n'était pas un parti comme ceux d'aujourd'hui, mais c'était le parti des détenteurs des postes d'autorité.

Dans ces circonstances, le Parti canadien, majoritaire à l'assemblée élue du Bas-Canada, faisait à l'époque ce que fait aujourd'hui un parti d'opposition, mais, contrairement à un parti d'opposition du XXe siècle, il ne pouvait pas porter ses chefs aux postes d'autorité, puisque le principe de la responsabilité ministérielle n'était pas encore reconnu. Cependant, parce que majoritaire, ce parti d'opposition qu'était le Parti canadien pouvait décider de l'issue des débats à l'assemblée élue (par exemple, empêcher l'approbation de nouveaux impôts ou de nouvelles dépenses publiques), ce que ne peut faire un parti d'opposition aujourd'hui (à moins qu'il ne devienne majoritaire, et dans ce cas, il cesse d'être le parti d'opposition, puisque ses chefs accèdent au pouvoir).

Pour acquérir les caractéristiques d'un parti politique véritable, le Parti canadien aurait dû développer son organisation et adopter comme objectif premier l'accès de ses chefs aux postes d'autorité. Mais la guerre avec les États-Unis, en 1812, lui fit mettre de côté, pendant un certain temps, le projet qui aurait fait de lui un véritable parti. Cependant, peu après le retour de la paix, il recommença à envisager ce grand dessein. Finalement, vers 1825, diverses propositions de réforme menèrent la majorité des députés canadiens de langue française du Bas-Canada à envisager résolument la prise du pouvoir et à se doter d'une organisation militante à laquelle ils donnèrent le nom de Parti patriote.

Le Parti patriote

L'organisation que n'avait pas encore le Parti canadien au début du XIXe siècle, le Parti patriote l'a développée peu après sa formation en 1826-1827. L'augmentation du nombre de sièges à l'assemblée élue, en 1829, aurait d'ailleurs rendu cette organisation nécessaire. Le nombre élevé de parlementaires (qui est passé de 50 à 84 en 1829, puis à 90 en 1834) menait nécessairement à une différenciation plus poussée des tâches et des niveaux. De toute façon, les membres de la majorité avaient déjà senti le besoin de renforcer leur organisation pour mieux appuyer leurs revendications : le Parti patriote avait un comité central, des comités de comté et des comités de paroisse ; ces structures organisationnelles s'apparentaient à celles d'un grand parti actuel. Comme un grand parti d'aujourd'hui, le Parti patriote avait une hiérarchie (un chef, Louis-Joseph Papineau, ses lieutenants, puis les autres parlementaires de la majorité, et, dans les circonscriptions, des équipes de patriotes). En définitive, avec son organisation, ses membres, ses électeurs fidèles et son implantation dans la plupart des régions, le Parti patriote avait quelques-uns des attributs usuels des grands partis d'aujourd'hui

Il avait aussi plusieurs autres attributs des partis actuels, notamment des projets. Ceux-ci ont pris diverses formes, la plus connue des historiens étant une série de 92 résolutions, adoptées par l'aile progressiste du parti au printemps de 1834. Ces projets s'apparentaient aux programmes électoraux des partis politiques d'aujourd'hui.

Par ailleurs, les porte-parole du parti bénéficiaient d'une presse partisane relativement importante, comprenant notamment *La Minerve*, journal fondé en 1826 et publié à Montréal sous la direction de Ludger Duvernay, et *Le Canadien*, publié à Québec sous la direction d'Étienne Parent.

Comme les grands partis politiques actuels, le Parti patriote était divisé en ailes ou courants, les modérés côtoyant des progressistes. Le Parti patriote a même connu des déchirements, quelques modérés ayant décidé, en 1831-1832, de faire bande à part. Comme le fait un grand parti d'aujourd'hui quand il attaque les parlementaires qui le quittent, le Parti patriote a combattu ceux qui l'avaient déserté.

Mais, point majeur, les membres du Parti patriote souhaitaient que leurs chefs accèdent aux postes d'autorité, pour pouvoir réaliser les réformes qu'ils préconisaient ; ils voulaient que soit adopté le principe de la responsabilité ministérielle en vertu duquel le gouvernement doit être formé par des personnes qui ont l'appui de la majorité des élus. En cherchant à faire la conquête du pouvoir exécutif, le Parti patriote poursuivait l'objectif qui distingue les partis politiques des autres organisations.

Le Parti patriote, qui a finalement mené le combat jusqu'à l'insurrection (celle de 1837-1838), a été le premier grand parti politique du Canada. À ce titre, le Parti patriote n'a vécu qu'une dizaine d'années : la répression qui a suivi l'insurrection de 1837-1838 a eu raison de lui, ses principaux militants étant morts au combat ou exilés (les douze patriotes qui ont été pendus en 1839 étaient certes des militants, mais ils n'étaient pas au nombre des principaux dirigeants du parti). Au cours de la décennie suivante, revenus d'exil ou sortis de leur retraite, quelques-uns des anciens élus du Parti patriote se sont présentés à nouveau aux électeurs et, élus, ont milité dans de nouvelles organisations.

Les partis du milieu du XIXᵉ siècle

Après le Parti patriote, les Canadiens ont en effet connu de nombreux autres partis. Parmi ceux-ci, il en est deux qui, créés au milieu du XIXᵉ siècle, existent encore, 150 ans plus tard : les *libéraux* d'aujourd'hui peuvent se dire les héritiers des libéraux et des réformistes du milieu du XIXᵉ siècle, alors que les *conservateurs* peuvent se réclamer des partis dirigés par John Alexander Macdonald et George Étienne Cartier aux élections tenues en 1856 et 1857 au Canada-Uni.

S'il est possible de trouver dans les groupes parlementaires du Canada-Uni des années 1848-1857 les principales origines des deux grands partis qui ont animé la vie politique au Canada au cours du XXᵉ siècle, il est difficile de poursuivre plus loin dans le passé la recherche des groupes dont ils seraient les héritiers. En effet, les divisions, alliances, conversions et reconversions ont été très nombreuses dans l'assemblée du Canada-Uni (*United Canadas*), de 1840 à 1867. À cette époque, les députés n'avaient pas encore développé les solidarités partisanes qui caractérisent les partis du XXᵉ siècle.

Entre 1841 et 1848, en l'absence de telles solidarités, le gouverneur aurait pu choisir à sa guise les membres du gouvernement. Il aurait pu le faire parce qu'aucune coalition n'était en mesure de s'opposer à son choix ou de lui imposer un autre. De toute façon, au terme des élections de 1841, sans compter quelques indépendants, on pouvait distinguer cinq groupes différents parmi les 84 députés de l'assemblée élue du Canada-Uni (dont 42 représentaient l'ancien Bas-Canada) : près d'une vingtaine de Canadiens français opposés au gouverneur, une vingtaine de députés de langue anglaise de l'ancien Bas-Canada favorables au gouverneur, deux groupes distincts de réformistes de l'ancien Haut-Canada (divisés à propos de diverses questions) et, enfin, une dizaine de *tories* de l'ancien Haut-Canada, favorables au gouverneur. Ne comprenant aucun Canadien français, le premier gouvernement, en 1841, a été amené à démissionner après la mort accidentelle de Charles Poulett Thomson (Lord Sydenham), premier gouverneur du Canada-Uni, car le nouveau gouverneur, Charles Bagot, souhaitait le soutien d'une majorité parlementaire. Dans cette perspective, en 1842, Bagot a nommé au conseil exécutif Louis-Hippolyte LaFontaine, chef des réformistes canadiens-français, et Robert Baldwin, chef des réformistes de l'ancien Haut-Canada. Mais, en 1843, après la mort de Charles Bagot, le nouveau gouverneur, Charles Metcalfe, a voulu redonner les postes d'autorité à ceux qui les occupaient avant 1842 et a obtenu la démission de LaFontaine et de Baldwin, pour découvrir que, sans eux, il n'était pas possible d'avoir une majorité à l'assemblée. Au terme des élections destinées à régler la crise, en 1844, les amis du gouverneur ont obtenu la majorité des sièges (grâce aux manœuvres déloyales de leurs partisans, selon leurs adversaires malheureux) : il manquait six sièges à l'opposition, qui comptait près de quarante députés (dont une vingtaine de Canadiens français, qui, eux, formaient un véritable parti, comme l'avaient fait auparavant les patriotes).

Finalement, quatre ans plus tard, en 1848, à l'issue de nouvelles élections, la majorité des sièges a été obtenue par les groupes parlementaires qui formaient auparavant l'opposition. Ces groupes comprenaient une dizaine de libéraux et deux douzaines de réformistes de l'ancien Bas-Canada (dirigés par Louis-Hippolyte LaFontaine) et deux douzaines de réformistes de l'ancien Haut-Canada (dirigés par Robert Baldwin). Leurs dirigeants accédèrent au gouvernement. Le principe de la responsabilité ministérielle avait enfin été confirmé.

La coalition qui a accédé au gouvernement en 1848 a profondément modifié l'ordre des choses. Les ministres ont retiré au gouverneur l'initiative des décisions qu'il avait à prendre : dorénavant, le gouverneur devrait suivre les indications données par les ministres ou par les coutumes. La coalition dirigée par LaFontaine et Baldwin a fait de la langue française l'une des deux langues des institutions politiques du Canada-Uni. Elle a confirmé la pratique selon laquelle les lois du Canada-Uni appliquées dans l'ancien Bas-Canada pourraient être différentes de celles qui s'imposaient dans l'ancien Haut-Canada, de façon à satisfaire les exigences des Canadiens français. Elle a fait accorder une compensation aux personnes qui avaient subi des dommages importants à la suite de la répression de l'insurrection de 1837-1838. Elle a réformé la gestion des affaires locales, statué en matière d'institutions municipales et adopté, dans d'autres domaines, des changements que les Canadiens français ou les réformistes réclamaient depuis longtemps.

La coalition des libéraux et des réformistes a aussi apporté d'importantes modifications aux lois électorales, notamment en établissant la formule des listes d'électeurs et en augmentant le nombre de députés (de 84 depuis 1841, ce nombre est passé à 130 aux élections de 1852).

La réforme électorale mise en œuvre aux élections de 1852 augmentait certes le nombre de sièges, mais elle en accordait la moitié à l'ancien Bas-Canada, alors que l'ancien Haut-Canada comptait dorénavant 60 000 habitants de plus que l'ancien Bas-Canada. Les représentants de celui-ci avaient imposé cette répartition parce que, aux élections de 1841, l'ancien Haut-Canada avait eu la moitié des sièges (42 sur 84), avec une population de 450 000 habitants, contre 650 000 pour le Bas-Canada. Par ailleurs, pour corriger le découpage des circonscriptions qui avait été effectué à leur détriment en 1841, les députés canadiens-français avaient obtenu que soient révisées les frontières des circonscriptions : ils ont ainsi fait disparaître les inégalités de représentation dont les leurs avaient été victimes aux élections de 1841, 1844 et 1848.

Mécontents, certains porte-parole de la population d'origine britannique se mirent à contester ce qu'ils appelaient la domination française (*French Domination*). De tels propos, encore rares vers 1852, devaient se multiplier par la suite, même s'ils ne reflétaient pas la réalité ; ils étaient mal fondés, puisque, à l'issue des élections de 1848, les députés canadiens-français ne formaient même pas le tiers de l'assemblée et n'occupaient que le quart des fauteuils au conseil exécutif. Cependant, grâce au gouvernement responsable et à l'appui accordé à la coalition des libéraux et des réformistes de 1848 à 1852, ces députés canadiens-français avaient réussi à faire du français l'une des langues des institutions politiques du Canada-Uni et obtenu satisfaction à la plupart des revendications qu'ils avaient formulées en vain entre 1841 et 1848.

Même s'ils avaient soutenu la coalition des années 1848-1852, les réformistes de l'ancien Haut-Canada se sont sentis mal représentés à la suite des élections de 1852 (et ils se sentirent encore plus fortement désavantagés à la suite des élections subséquentes), en raison de l'augmentation importante de la population des circonscriptions qu'ils représentaient (l'immigration d'origine britannique entraînant en effet une forte croissance dans l'ancien Haut-Canada). Reprochant aux parlementaires de l'ancien Bas-Canada de renoncer aux principes de l'égalité de représentation, certains de ces réformistes se sont mis à défendre avec fougue les grands idéaux démocratiques et ont trouvé pour slogan une formule qui, peu utilisée encore en 1852, est devenue un cri de ralliement lors des élections subséquentes : *Rep by pop* (représentation selon la population). Parmi les plus radicaux, certains ont tenu des propos odieux à l'égard des descendants du peuple conquis...

Après les élections de 1852, la coalition formée par les libéraux et les réformistes a eu peine à survivre aux divisions qui la minaient. Déjà, elle avait été reconstituée à deux reprises, en 1849 et en 1851 (LaFontaine et Baldwin eux-mêmes ayant décidé de quitter la vie politique en 1851). En 1854, deux ans après les élections de 1852, cette coalition de libéraux et de réformistes se disloqua complètement. De nouvelles élections eurent lieu.

Comme certains aiment le rappeler, héritiers des libéraux et des réformistes dirigés par LaFontaine et Baldwin, les libéraux d'aujourd'hui sont également héritiers des réformistes radicaux de l'ancien Haut-Canada, surnommés *Grits* et même *Clear Grits* (par allusion à la fermeté de leurs convictions, qui rappelait celle du grès, *gritstone*, voire celle du grès cérame, *clear grit*). Ces *Grits* se sont éloignés des députés canadiens-français peu après 1850, alors qu'ils s'en étaient brièvement rapprochés avant 1850. Les libéraux d'aujourd'hui sont aussi les héritiers du groupe de libéraux canadiens-français plutôt radicaux, qui se sont eux-mêmes éloignés des députés canadiens-français plus modérés (lesquels sont devenus franchement conservateurs par la suite). Les libéraux canadiens-français radicaux ont été qualifiés de *rouges* dès leurs premières campagnes électorales, au

milieu du XIXe siècle, en raison de leurs idéaux politiques, qui s'apparentaient aux idéaux de ceux qu'on appelait les «rouges», en Europe.
Parmi les parlementaires canadiens-français du Canada-Uni qu'on
traitait de rouges, il y avait d'anciens patriotes (par exemple, l'ancien
chef, Louis-Joseph Papineau, revenu de son exil de sept ans en France).

Mais certains des anciens patriotes (notamment Augustin-Norbert
Morin) ont fait alliance avec les conservateurs, en 1854, pour former
une nouvelle coalition, la coalition libérale-conservatrice, dont peuvent
se réclamer, aujourd'hui, les conservateurs du Canada, en particulier
ceux du Québec, de l'Ontario et des provinces de l'Ouest.

Cette coalition, issue des élections de 1854, avait été formée à
l'instigation de deux jeunes parlementaires, juristes de formation, John
Alexander Macdonald, qui, né en 1815, n'avait que 39 ans, et George-
Étienne Cartier, né en 1814. Pour diriger cette coalition, Macdonald
et Cartier avaient fait appel à deux parlementaires plus âgés, Allan
MacNab, ancien *tory* du Haut-Canada, et Augustin-Norbert Morin,
ancien patriote.

Macdonald et Cartier ont réussi à former la coalition de 1854 en
raison du changement d'attitude de plusieurs parlementaires canadiens-français qui, dorénavant, pensaient protéger leurs intérêts en
s'associant aux parlementaires d'origine britannique qui étaient les
plus réfractaires au changement. Ayant obtenu le respect du principe
de la responsabilité ministérielle, la reconnaissance du français et un
certain nombre d'autres mesures qu'ils avaient réclamées, ces députés
canadiens-français ne voyaient plus l'utilité de l'alliance avec les
réformistes ou les libéraux les plus radicaux, dont les idées sociales
menaçaient leurs intérêts (par exemple, en matière de représentation,
puisque, après avoir été sous-représentés aux élections de 1841, 1844
et 1848, les Canadiens français s'étaient retrouvés enfin équitablement
représentés aux élections de 1852). Les députés canadiens-français qui
se disaient modérés craignaient de nouvelles réformes, réclamées par
les *grits*, qui pouvaient mettre leurs acquis en péril. Ce sont ces quelque
vingt députés canadiens-français qui, inspirés par Cartier, ont fait
alliance avec les conservateurs de l'ancien Bas-Canada et de l'ancien
Haut-Canada pour former la nouvelle coalition, appelée *libérale-
conservatrice*.

En dépit de son nom, cette coalition était vraiment une coalition de conservateurs. Elle a d'abord été dirigée par un ancien *tory*, Allan MacNab, dans l'ancien Haut-Canada, et par Augustin-Norbert Morin, dans l'ancien Bas-Canada. Formée en 1854, cette coalition a dû être reconstituée peu après, cette fois sous la direction du principal de ses deux instigateurs initiaux, John A. Macdonald, un conservateur authentique (selon ses biographes). Macdonald a d'abord été aidé, dans le Bas-Canada, par Augustin-Norbert Morin, qui avait déjà aidé MacNab ; Morin a bientôt été remplacé par Étienne-Pascal Taché, qui a ensuite cédé la place à George-Étienne Cartier, l'instigateur, avec Macdonald, de la coalition de 1854. S'occupant de l'ancien Haut-Canada, Macdonald a entrepris de constituer une organisation capable de lui assurer la victoire aux élections subséquentes : le parti qu'il a dirigé aux élections de 1856 a été appelé Parti libéral-conservateur (*Liberal Conservative Party*). George-Étienne Cartier a fait de même dans l'ancien Bas-Canada, où ses partisans ont été appelés « *bleus* », puisque leurs principaux adversaires étaient, eux, des rouges.

Les bleus de Cartier et les conservateurs de Macdonald ont ainsi bâti les assises des partis conservateurs qui ont dominé la vie politique pendant plusieurs décennies. À l'issue des élections de 1856, 46 *bleus*, y compris des anglophones, ont été élus (dans l'ancien Bas-Canada), une trentaine de *conservateurs* ont également été élus (dans l'ancien Haut-Canada) et, avec eux, une vingtaine de *réformistes modérés* (dans l'ancien Haut-Canada), alliés aux bleus et aux conservateurs. En face de cette coalition (forte d'une centaine de députés à l'issue des élections de 1856), il y avait 19 *rouges* (élus dans l'ancien Bas-Canada) et une dizaine de *Grits*.

Les appellations utilisées en 1856 pour désigner les divers groupes masquaient de *profondes divisions,* qui sont bientôt apparues au grand jour. En raison de ces divisions, souvent liées à des considérations personnelles et à des intérêts locaux, la coalition initiale s'effondra, et l'impossibilité de conserver une majorité parlementaire amena de nouvelles élections, en 1857, et une nouvelle impasse, car, à l'issue de ces élections, les *grits* se retrouvèrent majoritaires dans l'ancien Haut-Canada, alors que les bleus restaient majoritaires dans l'ancien Bas-Canada.

Le parti de John A. Macdonald était un véritable parti, puisqu'il était une organisation qui visait l'accès et le maintien de ses chefs aux postes d'autorité. Mais, à l'issue des élections de 1857, c'était un parti encore peu discipliné, et une bonne part des parlementaires qui en étaient membres se répartissaient entre diverses factions ou tendances. Les structures de ce parti, dans la région où elles existaient (dans l'ancien Haut-Canada), étaient à peine plus développées que celles du Parti patriote des années 1827-1837. Cependant, les partisans qui en étaient membres récoltaient les faveurs du gouvernement, ce qui n'était pas le cas des patriotes.

Pour rester maîtres du pouvoir exécutif, Macdonald, dans l'ancien Haut-Canada, et Cartier, dans l'ancien Bas-Canada, devaient d'abord s'attacher la fidélité des parlementaires membres de leurs partis, qui n'étaient pas majoritaires, et obtenir l'appui de quelques parlementaires qui se rattachaient à d'autres groupes que les leurs.

Dans leurs tentatives de maintenir une majorité parlementaire qui leur fut favorable, les chefs conservateurs n'avaient pas la tâche facile, car les intérêts des Canadiens français étaient fort différents de ceux des députés d'origine britannique. Parmi ces derniers, plusieurs étaient les alliés d'entrepreneurs qui voulaient construire des chemins de fer avec l'aide du gouvernement, alliés de marchands et d'armateurs qui réclamaient du gouvernement de nouveaux aménagements pour favoriser la navigation (canaux, installations portuaires, phares, etc.). La plupart des députés de langue anglaise subissaient les pressions d'électeurs qui exigeaient une redistribution des sièges de l'assemblée du Canada-Uni, afin de mettre fin à ce qui apparaissait comme une surreprésentation parlementaire des Canadiens français. Inversement, la plupart des députés canadiens-français pensaient n'avoir aucun bénéfice à retirer des chemins de fer ou des installations destinées à la navigation ; ils craignaient les conséquences d'une redistribution des sièges, et redoutaient les impôts qu'entraîne inéluctablement toute augmentation des dépenses publiques... En raison de la difficulté de rallier suffisamment de députés de langue anglaise à une majorité dont les bleus étaient le groupe principal, les chefs conservateurs durent reconstituer leur coalition presque chaque année.

De coalition en coalition, ils en vinrent, en 1864, à faire alliance avec le groupe de députés de l'ancien Haut-Canada que l'on appelait communément les *Clear Grits*. Or, à l'époque, sous la direction de George Brown, les *Clear Grits* préconisaient l'union de toutes les colonies de l'Amérique du Nord britannique.

Le projet d'union des colonies de l'Amérique du Nord britannique plaisait à de nombreuses personnes, en 1864, en raison des perspectives d'expansion et de prospérité que pouvait ouvrir une telle union, en raison aussi de la sécurité nouvelle qu'elle permettait d'espérer (séparée, laissée à elle-même, chaque colonie paraissait bien vulnérable face aux États-Unis, où, depuis 1862, la guerre civile faisait rage), en raison enfin de l'apaisement des tensions entre Canadiens français et personnes d'origine britannique qu'elle faciliterait. Cette idée, en outre, plaisait aux entrepreneurs qui caressaient le projet de construire un chemin de fer permettant de lier Halifax, en Nouvelle-Écosse, à un port ouvert sur l'océan Pacifique, en Colombie-Britannique.

L'union des colonies de l'Amérique du Nord britannique a eu diverses conséquences sur les partis politiques. Les partis du Canada-Ouest ont continué à s'affronter, à la fois lors des élections fédérales et lors des élections provinciales, en Ontario. Ceux du Canada-Est l'ont fait aussi, mais au Québec seulement. Les partis qui existaient déjà au *Nouveau-Brunswick* ainsi qu'en *Nouvelle-Écosse* se perpétuèrent après 1867 et, pendant un temps, les mêmes équipes se firent la lutte, tantôt à l'occasion d'élections fédérales, tantôt à l'occasion d'élections provinciales. Mais, après quelques années, au terme de deux ou trois élections fédérales et d'autant d'élections provinciales, des différenciations significatives commencèrent à distinguer clairement les équipes provinciales des équipes fédérales.

Les deux grands partis de la fin du XIXᵉ siècle

Les élections tenues après l'union des colonies de l'Amérique du Nord britannique ont permis au parti de John A. Macdonald et de George-Étienne Cartier d'obtenir enfin la majorité absolue des sièges, cette fois à la Chambre des communes d'Ottawa (et non plus simplement à l'Assemblée élue du Canada-Uni). À la suite de ces élections, tenues du 7 août au 20 septembre 1867, dans des conditions qui devaient faciliter leur victoire, les conservateurs ont pu former le groupe parlementaire le plus important à la Chambre des communes de l'union, à Ottawa (sur un total de 181 membres de la Chambre des communes, Macdonald pouvait compter sur une centaine de députés, dont près de 50 du Québec, des bleus, et environ 50 de l'Ontario, qui portaient encore l'étiquette du Parti libéral-conservateur mais se disaient conservateurs ; de plus, parmi les autres députés, un certain nombre étaient alliés aux conservateurs du Québec et de l'Ontario). Déjà premier ministre du Canada depuis juillet 1867 en raison des arrangements relatifs à l'union, John A. Macdonald a pu compter sur une solide majorité après les élections terminées le 20 septembre 1867.

Néanmoins, une trentaine de députés de la Chambre des communes élus en 1867 ont appuyé tantôt le gouvernement, tantôt l'opposition. Plusieurs de ces députés sans attaches définies avaient d'ailleurs été élus par acclamation (aux élections de 1867, 47 des 181 sièges avaient été attribués sans scrutin). Avec le temps, cependant, la plupart de ces députés sans attaches ont rallié l'opposition. Cette opposition, en 1867, était dominée par des députés qui se disaient eux-mêmes *libéraux* ou *réformistes*.

Ce qui allait devenir le *Parti libéral du Canada* ne constituait encore qu'une alliance fragile de groupes d'opposition à la suite des élections de 1867. Le plus important de ces groupes réunissait des députés *réformistes* de l'Ontario, les *Clear Grits*, qui avaient été alliés des conservateurs de John A. Macdonald en 1864 (leur chef, George Brown, avait quitté la coalition en décembre 1865 et avait été défait aux élections de 1867). Un deuxième groupe rassemblait des *libéraux* du Québec, communément appelés *les rouges*, qui s'étaient opposés à l'union des colonies. Un troisième était formé de quelques-uns des représentants du Nouveau-Brunswick, adversaires des conservateurs, et un quatrième, de la quasi-totalité des députés de la Nouvelle-Écosse. Les députés de la Nouvelle-Écosse, qui avaient dénigré le projet de fédération ou de confédération des colonies, avaient peu de sympathie pour les rouges, qui comme eux s'étaient opposés à la confédération, parce que ces rouges étaient francophones. Ils n'avaient guère de sympathie non plus pour les libéraux ou réformistes de l'Ontario, puisque ceux-ci avaient souhaité l'union des colonies. Tous ces députés n'avaient vraiment en commun que leur opposition au gouvernement.

La nécessité d'unir cette opposition s'est néanmoins imposée et, *aux élections de 1872*, la plupart des candidats de l'opposition se présentèrent à leurs électeurs en se disant membres d'une *coalition libérale*. Même si elle était hétéroclite, la coalition des libéraux de 1872 a mis le gouvernement conservateur en danger. En effet, aux élections de 1872, elle a obtenu près de la moitié des 200 sièges que comptait dorénavant la Chambre des communes. Ses candidats ont reçu l'appui de plus de 150 000 des quelque 318 000 électeurs qui avaient voté.

En novembre 1873, les principaux porte-parole de cette coalition des libéraux ont été appelés à former le gouvernement, suite à la décision de quelques députés conservateurs de refuser leur confiance au premier ministre John A. Macdonald, accusé depuis le 2 avril 1873, par le député libéral de Shefford, d'avoir promis au financier Hugh Allan une charte permettant de construire un chemin de fer pour atteindre l'océan Pacifique, en échange de l'appui accordé à son parti à l'occasion des élections de 1872 (on utilise l'expression «scandale du Pacifique» pour désigner cet épisode de l'histoire du Canada). Le poste de premier ministre fut offert à Alexander Mackenzie, chef des réformistes (son parti, le *Reform Party*, était issu de la formation du même nom qui existait déjà à l'époque du Haut-Canada et il était membre de la coalition des libéraux).

Le 7 janvier 1874, moins de deux mois après avoir formé son gouvernement, Alexander Mackenzie a fait dissoudre la Chambre des communes, et les élections, tenues le 22 janvier, ont considérablement renforcé sa majorité : le caucus des libéraux réunissait 104 députés à la fin de 1873 ; il en rassemblait 138 après les élections de 1874.

Premier ministre, Alexander Mackenzie a été incapable de transformer la coalition des libéraux en un parti aussi bien organisé que celui de John A. Macdonald, bien que le principe d'un parti unifié ait été finalement accepté. Alors que Macdonald avait utilisé les faveurs gouvernementales pour cimenter l'édifice partisan dont il était le chef, Mackenzie avait favorisé des réformes de la loi électorale qui visaient à éliminer le favoritisme et à faciliter la liberté ; il avait même réussi à imposer le secret du vote grâce au procédé du bulletin de vote individuel. En condamnant les pratiques de ses adversaires et en faisant la promotion de l'intégrité, Alexander Mackenzie s'est privé des moyens d'action dont s'étaient servi ses adversaires.

Même si elle avait apporté de nombreux votes aux libéraux aux élections de 1874, la réprobation morale exprimée par plusieurs électeurs à l'égard du favoritisme ne pouvait garantir la victoire aux élections subséquentes.

Les promesses de faveurs, en échange de soutiens aux candidats, avaient fort bien servi le parti de Macdonald entre 1854 et 1874.

Et elles semblent avoir encore servi aux élections de 1878. Lors de ces élections, le parti dirigé par Macdonald a recueilli quelque 140 des 206 sièges que comptait alors la Chambre des communes.

L'expérience montrait qu'un parti se consolidait en renforçant son rôle d'intermédiaire entre ses fidèles et ses chefs. Ce rôle d'intermédiaire a donné au parti de Macdonald l'allure d'une *machine* électorale. Les personnes qui dénonçaient cette machine disaient qu'elle pratiquait ce qu'on appelle, au Canada, le *patronage* (une forme de favoritisme). La pratique du favoritisme partisan, jadis, a fortement contribué à l'édification des partis politiques au Canada.

Le vote secret, institué en 1874 et appliqué aux élections de 1878, a lui aussi contribué au renforcement des partis. En raison de la multiplication des bureaux de scrutin, en raison des contrôles nécessités par l'utilisation de bulletins de vote, en raison, aussi, de l'augmentation du nombre d'électeurs et de la dispersion de l'habitat, les partis ont dû étendre les ramifications de leur organisation, de manière à couvrir la totalité du territoire. Ils ont également dû structurer davantage les réseaux permettant l'échange des informations entre les organisateurs locaux et leurs chefs.

Cette structuration, à la fin du XIXe siècle, était facilitée par l'extension du réseau des voies ferrées, qui permettaient de franchir de grandes distances en très peu de temps, même en hiver, et par la diffusion du télégraphe, moyen de transmettre des messages instantanément, d'un bout à l'autre du territoire desservi par les chemins de fer.

La structuration a aussi renforcé ce qui était devenu le Parti libéral. Aux élections de 1878, c'est sous la bannière de ce parti que se sont présentés les candidats qui, aux élections précédentes, avaient été membres de la coalition des libéraux.

Par la suite, il est devenu de plus en plus difficile à un candidat de se faire élire sans avoir reçu l'investiture d'un des deux grands partis. (Pour prendre l'exemple de 1882, il y a eu 210 élus parmi les 387 candidats libéraux et conservateurs ; il n'y a eu qu'un seul élu parmi les 24 autres candidats.) Les élus ont été de plus en plus tributaires des partis dont ils étaient membres.

D'ailleurs, il y a eu de moins en moins de députés élus par acclamation, en raison de la stratégie des partis de présenter des candidats dans la quasi-totalité des circonscriptions. En 1874, 55 des 206 députés ont été élus par acclamation (dont 39 libéraux). En 1878, il n'y en a eu que 11. Par la suite, il n'y a qu'en 1882 et en 1917, que le nombre d'élections par acclamation a été supérieur à 10. Depuis les élections fédérales de 1921, il n'y a presque plus jamais eu d'élections par acclamation (il y a eu un candidat élu par acclamation aux élections de 1930, deux aux élections de 1953, un à celles de 1957). Depuis les élections provinciales de 1931 au Québec, la pratique a mené les grands partis à présenter des candidats dans toutes les circonscriptions, sans exception.

Jusqu'alors moins bien organisé que le Parti conservateur, le Parti libéral a engagé un important effort de structuration après 1887. Devenu chef du Parti libéral à l'âge de 46 ans, en 1887, Wilfrid Laurier, un ancien «rouge», a entrepris de transformer cette force politique d'opposition en un parti de gouvernement et il a réussi à ravir la majorité des sièges aux conservateurs aux élections de 1896. En 1896, les libéraux ont en effet obtenu 118 sièges et les conservateurs, 88, mais, ensemble, les candidats conservateurs ont reçu plus de voix (414 838) que l'ensemble des candidats libéraux (405 185).

La victoire des libéraux, en 1896, pourrait être expliquée de maintes façons. Des spécialistes l'ont expliquée par l'évolution des choix électoraux par suite de la pendaison de Louis Riel en 1885, par suite, également, du décès du chef conservateur, le premier ministre John Alexander Macdonald, après les élections de 1891. D'autres y ont vu la conséquence de la crise qui a secoué le Parti conservateur: en effet, quatre chefs se sont succédés à la tête du gouvernement, John Joseph Caldwell Abbott en 1891-1892, John Sparrow David Thompson en 1892-1894, Mackenzie Bowell en 1894-1896, Charles Tupper en 1896. On a aussi dit que la victoire des libéraux était la suite logique de l'affaire des écoles catholiques du Manitoba (le gouvernement fédéral, dirigé par le chef conservateur Charles Tupper, ayant décidé, en 1896, d'évoquer l'article 93 de la Loi constitutionnelle de 1867 [appelée, à l'époque, Acte de l'Amérique du Nord britannique] pour forcer les autorités du Manitoba à revenir sur leur décision, prise en 1890 et vivement contestée par les catholiques, de mettre fin au système d'écoles publiques confessionnelles institué lors de la création du Manitoba en 1870).

Assurément expliquée par l'évolution des comportements électoraux, la victoire des libéraux en 1896 a certainement été facilitée
par la force de leur organisation (ils avaient même réuni un grand
congrès en 1893). En 1896, le Parti libéral paraissait avoir atteint sa
maturité.

Aux derniers jours du XIXe siècle, les libéraux et les conservateurs
étaient implantés solidement dans tout le territoire. Les libéraux
(connus initialement en Ontario comme *réformistes*, *Grits* et *Clear Grits*)
avaient obtenu la majorité aux élections provinciales de l'Ontario
depuis 1867 (ils devaient la perdre en 1905). Ils avaient obtenu la
majorité aux élections provinciales du Québec en 1897 et l'avaient
conservée depuis. Ils avaient formé le gouvernement provincial du
Manitoba de 1888 à 1899. Ils avaient été longtemps majoritaires (sauf
entre 1886 et 1892) dans la petite assemblée législative du Nouveau-
Brunswick (41 sièges seulement jusqu'en 1895) et ils le restèrent
jusqu'en 1908. Ils exerçaient le pouvoir exécutif en Nouvelle-Écosse
et à l'Île-du-Prince-Édouard. Ils formèrent le gouvernement en Alberta
et en Saskatchewan quand ces deux territoires devinrent des provinces
en 1905 (chacune des assemblées de ces deux provinces comptait
25 sièges seulement, en 1905). Et ils formaient l'opposition dans la
petite assemblée législative de la Colombie-Britannique (qui comptait
seulement 40 membres). Là où les libéraux étaient majoritaires, les
conservateurs formaient l'opposition officielle.

En cinq ans, entre 1886 et 1891, au Québec, les libéraux avaient
réussi à remplacer les conservateurs comme parti préféré des Canadiens français (les conservateurs n'avaient obtenu que 33 des 65 sièges
du Québec à la Chambre des communes aux élections fédérales de
1887 ; ils en obtinrent seulement 28 à celles de 1891).

LES DEUX GRANDS PARTIS (PARTIS CANADIENS) DU XXe SIÈCLE

L'appui reçu des Canadiens français a beaucoup aidé les libéraux fédé-
raux au cours du XXe siècle : ils ont formé le gouvernement fédéral du
Canada pendant quelque 66 des 88 années écoulées entre 1896 et 1984 !
Comme le montre le tableau 5.1, lors des élections fédérales de la

première décennie du XXe siècle, les candidats libéraux, dirigés par Wilfrid Laurier, ont obtenu plus de la moitié des voix (51 % en 1900, 52 % en 1904, 50 % en 1908) dans l'ensemble du Canada, et environ trois votes sur cinq chez les électeurs canadiens-français. Aux élections de 1900, les candidats libéraux obtinrent la majorité des voix dans chacune des provinces, sauf en Ontario et en Colombie-Britannique (où ils eurent néanmoins la majorité des sièges). Aux élections fédérales de 1908, ils obtinrent la majorité des voix dans six provinces sur neuf, l'Ontario, le Manitoba et la Colombie-Britannique préférant les conservateurs.

Aux élections de 1911, 1917, 1921, 1925, 1926 et 1930, les libéraux ont perdu leurs anciennes majorités dans chaque province, sauf au Québec, mais ils ont pu former le gouvernement de 1921 à 1930, sauf au cours de quelques mois en 1926. Les conservateurs ont formé le gouvernement de 1911 à 1921, et leurs chefs (Robert Laird Borden puis, en 1920, Arthur Meighen) ont été premiers ministres. Les conservateurs ont aussi formé le gouvernement, brièvement, en 1926, leur chef de ce temps-là, Arthur Meighen, ayant occupé le poste de premier ministre. Ils l'ont formé encore entre 1930 et 1935, sous la direction de leur nouveau chef, Robert Bedford Bennett. Entre 1911 et 1935, les libéraux n'ont formé le gouvernement que pendant neuf ans.

Tout au long du quart de siècle écoulé entre 1911 et 1935, les conservateurs ont réussi à conserver la majorité des sièges de l'Ontario à la Chambre des communes (72 sièges sur 86 en 1911, 59 sur 82 en 1930), ce qui leur a permis de former le gouvernement au terme de quatre des six scrutins tenus au cours de cette période. Les votes que beaucoup d'électeurs de l'Ontario ont donnés aux conservateurs ont été expliqués de maintes façons, mais il semble que, parmi ces votes, beaucoup étaient motivés par la volonté de faire du Canada un pays britannique.

En 1911, les conservateurs ont joué la carte du protectionnisme. Un projet de traité de réciprocité commerciale proposé au gouvernement de Wilfrid Laurier par le président des États-Unis, William Howard Taft, avait soulevé une hostilité considérable en Ontario, et finalement, même si selon les libéraux ce projet était très avantageux pour le Canada, les conservateurs avaient fait campagne en le condamnant (hors Québec, leur slogan, en 1911, avait été: «*No Truck nor Trade with the Yankees*»).

TABLEAU 5.1

Répartition des sièges et des votes entre les partis politiques à l'issue des élections fédérales tenues entre 1896 et 1997

Année des élections	Nombre de sièges	Libéraux		Conservateurs		Autres	
		sièges	votes %	sièges	votes %	sièges	votes %
1896	213	118	45	88	46	7	9
1900	213	132	51	80	47	1	3
1904	214	138	52	75	46	1	2
1908	221	135	50	85	47	1	3
1911	221	87	48	133	51	1	3
1917	235	[83]	[40]	[150]	[56]	2	4
1921	235	116	41	50	30	69	29
1925	245	102	40	114	46	29	14
1926	245	128	46	91	45	26	9
1930	245	89	45	137	49	19	6
1935	245	172	45	39	30	34	25
1940	245	189	53	(37)	(31)	19	16
1945	245	125	41	(66)	(27)	54	32
1949	262	191	49	(41)	(30)	30	21
1953	265	170	49	(51)	(31)	44	20
1957	265	103	40	(113)	(39)	49	21
1958	265	48	34	(209)	(54)	8	12
1962	265	98	37	(116)	(37)	51	26
1963	265	128	42	(95)	(33)	42	25
1965	265	131	40	(98)	(32)	36	28
1968	264	154	46	(72)	(31)	38	23
1972	264	109	39	(107)	(35)	48	26
1974	264	141	43	(94)	(35)	29	22
1979	282	114	40	(136)	(36)	32	24
1980	282	147	44	(103)	(33)	32	23
1984	282	40	28	(211)	(50)	31	22
1988	295	83	32	(169)	(43)	43	25
1993	295	177	41	(2)	(16)	116	43
1997	301	155	37	20	19	126	44

Les crochets [ ] signifient que la division entre libéraux et conservateurs différait, en 1917, de celle des années antérieures ou subséquentes. Les parenthèses ( ) servent à montrer que les conservateurs se sont dits, en 1940, « nationaux » et, aux élections subséquentes, « progressistes-conservateurs ». Certains élus ont présenté, lors des élections du passé, des affiliations partisanes qui ont été modifiées par la suite. Ainsi, en 1926, 117 élus se présentaient comme « libéraux », neuf se disaient « libéraux progressistes », un autre se disait « libéral indépendant » et un dernier, « libéral travailliste » (*Liberal Labour*). Il s'ensuit que, pour les élections de 1926 comme pour quelques autres, la compilation proposée ici (comme toute compilation analogue) repose sur un choix qui n'est pas nécessairement l'unique interprétation possible.

Aux élections suivantes, en 1917, les conservateurs ont bénéficié du patriotisme probritannique de nombreux électeurs. Ce patriotisme était exacerbé par les conditions dramatiques de la Première Guerre mondiale. Portés par cette vague patriotique, les conservateurs ont réussi à faire élire la plupart de leurs candidats sauf au Québec. Les conservateurs n'ont fait élire que trois candidats au Québec, où de nombreux Canadiens français avaient été irrités par l'arrogance de plusieurs officiers anglophones et de quelques leaders conservateurs d'origine britannique, arrogance qui s'était manifestée de maintes façons, entre 1914 et 1917.

Aux élections de 1935, la crise économique ayant profondément modifié les attitudes électorales, les libéraux se sont retrouvés majoritaires partout, sauf en Alberta et en Colombie-Britannique. Grâce à la règle de l'alternance, qui avait encore joué, ils ont pu former à nouveau le gouvernement. Ils sont d'ailleurs restés au pouvoir jusqu'en 1957. Leur chef, William Lyon Mackenzie King (qui avait pris la succession de Wilfrid Laurier), a été premier ministre de 1935 à 1948 (il l'avait été, précédemment, de 1921 à 1926 et de 1926 à 1930). Il fut remplacé par Louis Stephen Saint-Laurent, qui resta chef du parti jusqu'en 1957.

Entre 1935 et 1957, pendant leurs 22 années dans l'opposition, les conservateurs ont opéré une profonde reconversion. En 1938, Bennett a été remplacé par Robert J. Manion, dont on espérait qu'il puisse faire la reconquête de l'électorat canadien-français, puisqu'il était un ancien libéral devenu conservateur, catholique, bilingue et marié à une Canadienne française. L'espoir des stratèges conservateurs fut déçu : aux élections de 1940, alors que le Canada en guerre connaissait une prospérité sans précédent, dans chaque province les candidats libéraux obtinrent davantage de voix que les conservateurs (mais les libéraux n'eurent la majorité des sièges que dans sept provinces sur neuf). Manion dut céder sa place à Arthur Meighen, qui la céda à son tour à John Bracken, lequel avait été premier ministre du Manitoba, pendant vingt ans, à titre de chef des progressistes, qui avaient obtenu 28 des 55 sièges de l'assemblée provinciale manitobaine en 1922 (sous l'appellation de Fermiers unis du Manitoba, à l'époque, appellation changée pour celle des progressistes peu après). L'arrivée de John Bracken à la tête du Parti conservateur amena l'adoption de l'appellation sous laquelle le parti est connu depuis : *Parti progressiste-conservateur du Canada* (mais cette appellation n'a pas été adoptée par quelques-uns des partis provinciaux animés par des conservateurs et, pour la plupart des gens, les membres du Parti progressiste-conservateur du Canada sont restés des «conservateurs» et, encore aujourd'hui, leur parti est perçu comme le «Parti conservateur»).

Nouveau chef des conservateurs, devenus officiellement des progressistes-conservateurs, John Bracken était censé attirer les votes des électeurs dont les idées étaient progressistes. Il n'y est pas parvenu. Et, peu après la défaite des conservateurs aux élections fédérales de 1945, Bracken a été remplacé par George Drew, qui était le leader des conservateurs de l'Ontario (où se trouvaient 48 des 67 circonscriptions représentées par des conservateurs à la Chambre des communes).

Le nouveau leader, George Drew n'a pas eu, lui non plus, le succès espéré. N'ayant pu mener son parti à la victoire aux élections de 1949 et de 1953, Drew a été remplacé par un député de la Saskatchewan, John George Diefenbaker. Ce fut alors la surprise: aux élections de 1957, Diefenbaker a aidé à faire grimper à 113 sièges la représentation parlementaire de son parti (celle des libéraux, qui était de 170 au terme des élections de 1953, est passée à 103 seulement au lendemain des élections de 1957).

Premier ministre d'un gouvernement minoritaire en 1957, Diefenbaker a décidé d'affronter l'électorat à nouveau en 1958. Son principal adversaire, aux élections de 1958, fut Lester Bowles Pearson, qui avait pris la tête du Parti libéral. Les progressistes-conservateurs firent élire une majorité de leurs candidats dans chaque province, sauf à Terre-Neuve. Ils se retrouvèrent 209 à la Chambre des communes (face à 48 libéraux et huit autres députés). Mais, malgré leur force, ils ne purent satisfaire tous les électeurs qui leur avaient fait confiance, de sorte que, lors des élections subséquentes, en 1962, ils n'ont obtenu que 116 sièges (sur 265). Diefenbaker est resté premier ministre sans avoir de majorité parlementaire et, finalement, il a cherché à sortir de l'impasse en faisant tenir de nouvelles élections, en 1963: 95 conservateurs seulement ont été élus.

Ayant obtenu 128 sièges sur 265 (aux élections de 1963), les libéraux ont été appelés à former un gouvernement minoritaire.

Ils sont restés au gouvernement à l'issue des élections fédérales subséquentes, tenues en 1965, 1968, 1972, 1974 et 1980 (celles de 1979 les ayant momentanément délogés). Ils ont gardé leur chef, Lester B.

Pearson, jusqu'à ce que celui-ci, âgé, décide de prendre sa retraite. Il a été remplacé, en 1968, par Pierre Elliott Trudeau.

Après les élections de 1979, pendant quelques mois, les progressistes-conservateurs ont formé un gouverment minoritaire, sous la direction de Charles Joseph Clark (qui avait pris la direction du parti après les échecs de Robert Stanfield, ancien premier ministre conservateur de la Nouvelle-Écosse et successeur de Diefenbaker). À cette époque, la majorité, dans l'ouest du Canada, refusait d'appuyer les candidats libéraux : les libéraux n'étaient vraiment bien implantés qu'au Québec. Néanmoins, aux élections fédérales de 1980, grâce à un regain de popularité en Ontario, les libéraux ont repris la majorité. Mais ils l'ont perdue aux élections suivantes.

En effet, aux élections de 1984, avec un nouveau chef, John Napier Turner, les libéraux ont subi la pire défaite de leur histoire : jamais, depuis 1867, ils n'avaient été aussi peu que 40 députés à la Chambre des communes. Leurs adversaires, les progressistes-conservateurs, s'étaient donné un nouveau chef, Martin Brian Mulroney, qui avait réussi à former une alliance informelle entre l'électorat habituel de son parti (concentré dans une partie de l'Ontario et dans les provinces de l'Ouest) et les partisans de la souveraineté du Québec, avec la promesse d'une révision de la Loi constitutionnelle de 1982, promesse conçue de façon à satisfaire les revendications les plus pressantes des souverainistes.

En 1984, pour la première fois dans l'histoire de la Chambre des communes, un parti, le Parti progressiste-conservateur du Canada dirigé par Mulroney, avait réussi à obtenir la majorité des sièges dans chacune des dix provinces. À l'issue des élections, les conservateurs détenaient 211 des 282 sièges de la Chambre des communes. Ils avaient fait élire 58 de leurs 75 candidats au Québec : c'était là leur deuxième majorité au Québec depuis les élections fédérales de 1887 (l'autre ayant été enregistrée en 1958 lors des élections à l'issue desquelles les conservateurs dirigés par Diefenbaker avaient obtenu 209 des 265 sièges que comptait la Chambre des communes à l'époque).

Dix ans plus tard, suite aux élections fédérales de 1993, ce même parti, le Parti progressiste-conservateur du Canada, n'avait plus que deux sièges à la Chambre des communes. L'un de ces deux sièges était celui de Sherbrooke, au Québec, qu'occupait, depuis 1984, Jean

Charest, un homme de 35 ans (né en 1958) qui allait devenir, en décembre 1993, chef des conservateurs, complètement démoralisés par leur défaite d'octobre 1993. La défaite subie par les conservateurs en 1993 était, en effet, sans précédent.

Cette défaite résultait, pour l'essentiel, de la rupture de la relation que Mulroney avait réussi à établir entre l'électorat habituel de son parti et une majorité d'électeurs de langue française du Québec. Cette rupture s'est produite quand est apparue l'impossibilité de satisfaire les aspirations des électeurs de langue française, alors que beaucoup d'électeurs conservateurs de langue anglaise reprochaient aux leaders conservateurs les concessions proposées au gouvernement du Québec. La désaffection à l'égard des leaders conservateurs a été aggravée, à l'extérieur du Québec, par les nombreux reproches que divers groupes ont pu leur adresser, en raison de décisions comme celle d'accorder à une entreprise du Québec (Canadair, filiale de Bombardier) l'entretien des avions de chasse ou celle de commander à un consortium du Québec la construction d'une centaine d'hélicoptères, en raison aussi du fardeau fiscal imposé aux salariés, en raison encore des inégalités croissantes entre les riches et les pauvres, en raison, enfin, des multiples difficultés d'une population mal préparée à voir son niveau de vie stagner.

La défaite de 1993 était prévue depuis longtemps. Et c'est parce qu'elle était prévue que les conservateurs ont obtenu la démission de Mulroney au début de 1993 et choisi Kim Campbell pour le remplacer.

Le départ du bouc émissaire (Mulroney) et l'arrivée d'un nouvel espoir (Campbell) n'ont pas empêché les libéraux, dirigés par Jean Chrétien, de faire élire 176 de leurs candidats, alors que deux petits partis, le Bloc québécois et le Reform Party se retrouvaient avec 54 et 52 sièges, respectivement.

Après la défaite subie en 1993, pour se rassurer, quelques militants conservateurs ont fait remarquer que les leurs détenaient encore plus de la moitié des sièges du Sénat, qu'ils formaient le gouvernement provincial en Alberta et au Manitoba, et occupaient plusieurs sièges dans les assemblées provinciales de la Saskatchewan, de l'Ontario, du Nouveau-Brunswick, de l'Île-du-Prince-Édouard, de la Nouvelle-Écosse et de Terre-Neuve. Par la suite, lors des élections provinciales tenues en 1994 et 1995, les conservateurs ont accru le nombre de leurs sièges dans les assemblées provinciales et ils ont été amenés à former le gouvernement provincial en Ontario (juin 1995). En 1997, ils ont regagné une part du terrain perdu... En juillet 1999, les conservateurs étaient au pouvoir en Ontario, au Nouveau-Brunswick, au Manitoba, en Nouvelle-Écosse, en Alberta et à l'Île-du-Prince-Édouard.

Malgré le nombre des sièges que ses membres occupent à la Chambre des communes, aucun petit parti n'est vraiment bien implanté dans les institutions représentatives du Canada. Un de ces partis, le Bloc québécois, n'a aucune assise en dehors du Québec, pas plus que son allié provincial, le Parti québécois. Par ailleurs, en 1999, douze années après sa fondation (en 1987), le Reform Party n'avait encore aucune représentation dans les assemblées provinciales. Parmi les 52 élus de ce parti à la Chambre des communes à l'issue des élections fédérales de 1993, 46 représentaient des circonscriptions de l'Alberta et de la Colombie-Britannique. Lors des élections fédérales de 1997, aucun des 60 parlementaires du Reform Party n'a été élu dans une province sise à l'est du Manitoba. Enfin, comme le Bloc québécois et le Reform Party, le Nouveau Parti démocratique est relégué au rang des petits partis en raison de son incapacité de rallier une majorité ailleurs que dans certains milieux, bien qu'il ait formé, déjà, le gouvernement de l'Ontario, du Manitoba, de la Saskatchewan et de la Colombie-Britannique, et qu'il ait dominé parmi les élus du Yukon et des Territoires du Nord-Ouest. Relégué au rang des petits partis, le Nouveau Parti démocratique est néanmoins le seul d'entre eux à être implanté dans plus de la moitié des provinces canadiennes.

Au terme des élections fédérales de 1997 (ou même de 1993), aucun des trois petits partis (Reform Party, Bloc québécois et Nouveau Parti démocratique) ne pouvait s'appuyer sur des réseaux partisans aussi importants que ceux du Parti libéral du Canada ou du Parti progressiste-conservateur du Canada.

LES RÉSEAUX PARTISANS ET LES DIVERSES INSTITUTIONS REPRÉSENTATIVES

Lors des premières élections tenues après l'union des colonies de l'Amérique du Nord britannique, en 1867, les mêmes réseaux partisans s'affrontaient à la fois lors des élections fédérales et lors des élections provinciales. Les choses sont beaucoup plus compliquées aujourd'hui : il y a maintenant davantage de réseaux partisans, et ceux-ci se sont grandement différenciés.

À la fin du XIXe siècle, les élections avaient, au Québec et en Ontario, une allure qu'elles n'avaient pas encore dans les autres provinces. En raison du nombre élevé de circonscriptions, au Québec et en Ontario, les partis de ces deux provinces *devaient* se doter d'une organisation beaucoup plus structurée que dans les provinces dont les assemblées comptaient moins de 50 sièges. Il s'ensuit que déjà, dans ces deux provinces davantage qu'ailleurs, il y avait une certaine différenciation entre les équipes qui se faisaient la lutte lors des élections fédérales et celles qui s'affrontaient lors des élections provinciales.

Une vingtaine d'années après l'union des colonies, dans la plupart des provinces, même si les équipes de partisans qui s'affrontaient lors des élections fédérales étaient encore à peu près les mêmes que celles qui s'affrontaient lors des élections provinciales, la direction de la campagne électorale, lors des élections fédérales, incombait au chef du parti, à Ottawa, et à ses lieutenants, alors que les campagnes électorales provinciales se faisaient surtout sous la direction des parlementaires provinciaux. Par ailleurs, en comparaison de ce qui se passait vingt ans plus tôt, moins de candidats défaits aux élections provinciales se présentaient ensuite aux élections fédérales (ou inversement). Enfin, avec les années, les parlementaires fédéraux avaient appris à se distinguer de leurs homologues provinciaux. Bref, il y avait déjà, à la fin du XIXe siècle, un début de différenciation entre les libéraux fédéraux et les libéraux provinciaux, tout comme entre les conservateurs fédéraux et les conservateurs provinciaux, mais le degré de différenciation variait selon les provinces.

Cette différenciation s'est approfondie de plus en plus par la suite, de telle sorte que, aujourd'hui, les partis politiques, au Canada, sont spécialisés en fonction des diverses institutions représentatives. Les partis représentés à la Chambre des communes sont différents et indépendants des partis représentés dans chacune des assemblées provinciales, et ces derniers sont distincts des partis dits « municipaux ».

Ces partis se distinguent d'abord par le fait qu'ils ne sont pas dirigés par les mêmes personnes. Le chef du Parti libéral du Canada ne dirige aucun des partis provinciaux de même appellation. Et ce qui est vrai des libéraux l'est aussi des conservateurs ou des autres.

De ce point de vue, la situation contemporaine du Canada est différente de celle de certains pays européens, dans lesquels plusieurs personnes arrivent à cumuler des mandats de députés, de maires et de membres d'organismes régionaux : dans ces pays européens, les mêmes partis, avec les mêmes chefs, se font la lutte à la fois lors des élections législatives nationales, lors des élections européennes, des élections municipales et d'autres scrutins (élections présidentielles ou référendums, s'il y a lieu).

Dans les pays européens, où il a été fréquent, jadis, le cumul des mandats électifs était justifié par l'argument d'efficacité : la personne qui occupait plusieurs postes de niveaux différents se trouvait en position de force à deux ou trois échelons de la hiérarchie institutionnelle. Au Canada, c'est pour éviter une telle situation que l'on condamne le cumul des mandats. Le cumul des mandats parlementaires a été interdit au Canada dès les premières années du Parlement du Canada (l'article 39 de la Loi constitutionnelle de 1867 stipule qu'un sénateur «ne pourra ni être élu, ni siéger, ni voter comme membre de la Chambre des communes», et une loi de 1874 interdit le cumul d'un mandat parlementaire fédéral et d'un mandat parlementaire provincial), de sorte que les élus ont dû choisir soit la Chambre des communes du Canada, soit l'Assemblée de leur province. Le cumul d'un mandat de député et d'une charge municipale est devenu anachronique (selon les données du *Guide parlementaire canadien*, le dernier député-maire, au Québec, a été Jacques Baril, de 1987 à 1989).

L'interdiction de cumul des mandats (fédéral et provincial) a contribué à séparer les équipes d'une même appellation qui, entre 1867 et 1874, ont fait campagne ensemble lors des élections fédérales et lors des élections provinciales, dans leurs provinces respectives. Petit à petit, les parlementaires provinciaux ont pris leur distance par rapport aux parlementaires fédéraux de leur province. Néanmoins, pendant longtemps, les uns ont aidé les autres lors des campagnes électorales. Cela se fait encore, d'ailleurs.

Cependant, avec le passage du temps, les équipes se sont spécialisées de plus en plus. Les parlementaires fédéraux se sont intéressés de plus en plus exclusivement aux affaires relevant de la compétence législative du Parlement fédéral du Canada, alors que les parlementaires provinciaux de même appellation politique concentraient leur attention sur les questions relevant de la compétence législative des assemblées provinciales. Par ailleurs, petit à petit, les équipes provinciales se sont remplies de personnes qui étaient davantage préoccupées par les problèmes des écoles ou des hôpitaux, par les travaux de voirie, par le commerce des vins et alcools ou par d'autres sujets de nature locale ou régionale ; inversement, les équipes fédérales ont recruté des gens des banques, des dirigeants de grandes entreprises, des avocats œuvrant dans des secteurs d'activité réglementés par les autorités fédérales et d'autres personnes attirées par les questions d'envergure pancanadienne plutôt que par les objets des lois provinciales. En fin de compte, dans chaque province, on a choisi de séparer l'organisation fédérale de l'organisation provinciale, afin de refléter la spécialisation de plus en plus poussée des équipes de parlementaires d'une même appellation, selon qu'ils étaient élus à la Chambre des communes ou à l'Assemblée de la province.

Par ailleurs, des conflits variés ont mené à consolider les séparations établies entre les partis fédéraux et les partis provinciaux. Ainsi, dans plus d'une province des parlementaires fédéraux, désireux de satisfaire les porte-parole de certains corps intermédiaires, sont entrés en conflit avec des parlementaires provinciaux, parce que ces derniers avaient promis satisfaction aux adversaires de ces corps intermédiaires. Les tensions ont contribué à éloigner les équipes de même appellation.

Les parlementaires fédéraux de chaque province ont été astreints, de plus en plus, à respecter les mots d'ordre de leurs chefs, à Ottawa, parce que ces derniers, pour atteindre leur objectif premier (l'accès et le maintien aux postes d'autorité), devaient concevoir des stratégies et des tactiques électorales dont tous leurs collaborateurs devaient s'inspirer. Le désastre attendait le parti dont les porte-parole auraient affirmé une chose à Montréal et son contraire à Toronto. Pour éviter les malentendus et, surtout, les contradictions, les chefs fédéraux ont pris une place de plus en plus grande dans les équipes dont ils faisaient partie. La situation imposée aux candidats, lors des élections fédérales, a finalement paru incompatible avec les revendications régionalistes des parlementaires provinciaux de même appellation. Ayant déjà des organisations séparées, l'une fédérale, l'autre provinciale, les gens de même appellation (les libéraux, par exemple) en sont venus à militer indépendamment les uns des autres.

Dans certaines provinces, l'indépendance de l'organisation provinciale libérale (ou conservatrice) a été poussée très loin, de manière

à canaliser l'insatisfaction des militants provinciaux à l'égard de l'organisation fédérale. C'est ce qui s'est produit au Québec, par exemple,
avec la création de la Fédération libérale du Québec puis, plus tard,
avec la transformation de la Fédération libérale du Québec en ce qui
est devenu le Parti libéral du Québec.

Dans d'autres provinces, des parlementaires fédéraux ont cherché
à subordonner l'organisation provinciale, ce qui a amené de véritables
schismes. En effet, dans quelques cas, cette manœuvre a poussé
certains des militants provinciaux à former un nouveau parti. La formation d'un nouveau parti a pu être accompagnée d'autres démarches, par exemple une alliance avec une autre organisation provinciale.
Dans six des dix provinces du Canada, les rangs des conservateurs, à
un moment ou à un autre, ont été considérablement réduits à la suite
de tels bouleversements.

Au Québec, en 1935, la plupart des conservateurs provinciaux
ont opté pour l'alliance avec un groupe de libéraux provinciaux dissidents, dont le parti s'appelait l'Action libérale nationale. Cette alliance,
qu'on a appelée l'Union nationale, a été transformée en parti politique après les élections provinciales de 1935, et ce parti, dirigé par
Maurice Duplessis, a obtenu la majorité des sièges aux élections suivantes, en août 1936.

Dans chaque province, à un moment ou à un autre, des électeurs et certains militants, insatisfaits à la fois des libéraux et des
conservateurs, ont réussi à créer de nouveaux partis. Certains de ces
partis ont même supplanté l'un ou l'autre des vieux partis, ceux des
libéraux et des conservateurs. Dès la fin de la Première Guerre mondiale, les vieux partis ont commencé à souffrir du succès des nouveaux partis dans plusieurs provinces : les Fermiers unis de l'Ontario
ont obtenu 44 sièges, et leurs alliés travaillistes, une douzaine, dans
l'Assemblée de l'Ontario en 1919 (qui comptait 112 sièges) ; les
Fermiers unis de l'Alberta ont obtenu 38 des 61 sièges de l'Assemblée
de l'Alberta en 1921 ; les Fermiers unis du Manitoba ont obtenu 28
des 55 sièges de l'Assemblée du Manitoba en 1922... L'émergence de
partis provinciaux autres que libéraux et conservateurs, à un moment
ou l'autre, dans les assemblées provinciales de six des dix provinces,
a renforcé la distinction qui est faite, au Canada, entre les partis
fédéraux et les partis provinciaux.

Chacun des principaux partis provinciaux, y compris les partis libéraux et conservateurs, est le défenseur des intérêts de la province où il est implanté. Il y a même eu des partis provinciaux qui se sont faits les défenseurs des intérêts d'une communauté régionale ou culturelle particulière à l'intérieur d'une province (cas du Saskatchewan Party aux élections provinciales de 1999 à l'Assemblée de Regina).

La perspective des partis provinciaux contraste avec celle des partis fédéraux, ces derniers devant agir à la fois dans l'intérêt de chacune des provinces (ou de certaines provinces ou encore d'une seule province) et dans l'intérêt de l'ensemble du Canada, même si certains électeurs comprennent mal comment un parti peut à la fois défendre l'Ouest (ou, autre exemple, le Québec) et l'ensemble du Canada.

La spécialisation qui a mené à distinguer les partis provinciaux des partis fédéraux a mené aussi à l'indépendance des partis municipaux. Ces partis n'existent que dans certaines grandes villes, bien qu'il y ait, dans de petites agglomérations, des équipes à qui la loi donne le statut de parti politique. En 1995, au Québec, il y avait 75 partis municipaux dûment enregistrés (répartis dans 36 municipalités). Les partis qui s'affrontent lors des élections municipales, dans chacune des grandes villes du Canada, sont des organisations indépendantes des partis provinciaux ou fédéraux. Les partis municipaux prennent d'ailleurs des appellations qui les distinguent nettement des partis provinciaux et fédéraux.

LES RÉSEAUX PARTISANS ET LES COMPORTEMENTS ÉLECTORAUX

De nombreuses personnes qui militent pour le compte d'un parti, lors des élections fédérales, peuvent militer aussi, si elles le désirent, dans un parti provincial ou municipal, ayant des affinités avec le parti fédéral qu'elles appuient. De fait, la plupart des gens préfèrent, parmi les partis provinciaux, celui qui ressemble le plus à leur parti fédéral préféré, dans la mesure où les circonstances ne les amènent pas à réviser leurs choix.

C'est ce qu'exprime finalement la ressemblance entre la liste des circonscriptions fédérales et la liste des circonscriptions provinciales représentées par des parlementaires de tendance libérale (ou, inversement, entre celles que représentent leurs adversaires). Cependant, en raison des multiples changements qui se produisent entre deux scrutins, et en raison des circonstances particulières de chaque scrutin (personnalités, enjeux des élections, etc.), il n'y a jamais de correspondance parfaite entre la liste des régions représentées par les parlementaires du Parti libéral du Canada à la Chambre des communes et celle des circonscriptions représentées par des parlementaires du Parti libéral provincial à l'assemblée ; il peut même arriver que le Parti libéral provincial, par exemple, ait la majorité des sièges aux élections provinciales et que, dans la même province, le Parti libéral du Canada ne l'ait pas aux élections fédérales suivantes ; néanmoins, de nombreuses régions seront dans les deux listes.

Et ce qui est vrai pour les partis libéraux l'est aussi pour leurs principaux adversaires. Ainsi, la liste des régions représentées par le Parti québécois, à l'Assemblée nationale, correspond de près à celle des régions ayant élu des membres du Bloc québécois, à la Chambre des communes, aux élections fédérales de 1993 et de 1997, ou ayant voté majoritairement OUI au référendum d'octobre 1995.

Les données des sondages sur les intentions de vote aux élections fédérales et provinciales montrent que, parmi les personnes dont le choix est arrêté dans les deux cas, la plupart appuient les paires constituées de partis qui se ressemblent.

Cette observation empirique contraste avec l'opinion selon laquelle les gens du Québec auraient aimé maintenir l'équilibre entre les contraires, en appuyant le Parti libéral du Canada lors des élections fédérales et leurs adversaires aux élections provinciales.

La théorie du vote équilibré (*balance theory*, en anglais), appliquée au Québec par exemple, repose sur une perception fautive des comportements électoraux, déduite des résultats d'ensemble. Ces derniers peuvent laisser croire que «l'électorat vote d'un bord aux élections fédérales et de l'autre aux élections provinciales». De fait, entre 1944 et 1997, pendant 39 années sur 53 la majorité des parlementaires du Québec à la Chambre des communes a été d'une tendance partisane et la majorité à l'Assemblée provinciale, d'une autre. Les majorités, chez les parlementaires élus, ont été de même tendance pendant 14 années seulement : après les élections fédérales de 1958 (jusqu'aux élections provinciales de 1960), ensuite après les élections fédérales de 1963 (jusqu'aux élections provinciales de 1966), puis entre 1970 et 1976 et, enfin, depuis les élections provinciales de 1994. L'erreur consiste à considérer l'électorat comme «une personne» et à juger du comportement électoral d'après la répartition des sièges entre les partis.

Des analystes ont suggéré que l'électorat de l'Ontario avait, comme celui du Québec, voulu équilibrer les forces puisque, en Ontario, la majorité des membres de l'Assemblée provinciale ont rarement été de la même tendance partisane que la majorité des parlementaires de l'Ontario à la Chambre des communes. Pourtant, ces analystes auraient eu du mal à trouver des personnes qui veulent, par leur vote, maintenir l'équilibre entre les tendances.

L'explication des majorités contradictoires dégagées des élections fédérales et des élections provinciales qui se sont suivies de près, au Québec, en Ontario et dans quelques autres provinces, doit être recherchée dans les différences entre la carte électorale (qui représente les délimitations des circonscriptions) appliquée aux élections à la Chambre des communes et la carte électorale appliquée aux élections provinciales, dans les différences entre les contextes des scrutins, dans les différences entre les taux de participation électorale et dans d'autres différences de cet ordre. De petites variations dans les taux de participation des personnes les plus conservatrices, qui peuvent tenir, par exemple, aux différences entre le parti fédéral et le parti provincial de même tendance, peuvent avoir des conséquences majeures sur la représentation parlementaire des partis, compte tenu du mode de scrutin uninominal majoritaire à un tour en vigueur aux élections fédérales et provinciales du Canada et compte tenu de la présence, aux élections provinciales, d'un parti provincial «autonomiste» comme l'Union nationale ou «souverainiste» comme le Parti québécois.

LES PETITS PARTIS REPRÉSENTÉS À LA CHAMBRE DES COMMUNES

Les petits partis qui ont survécu plus d'une décennie sont ceux qui ont réussi à gagner la majorité des sièges dans l'une ou l'autre des assemblées provinciales, à la faveur de circonstances particulières, et qui sont devenus l'un des grands partis dans cette province. Parmi ces partis (généralement appelés tiers partis), le plus ancien, disparu depuis longtemps, regroupait des candidats qui se disaient *progressistes*. Un deuxième, qui a eu onze élus aux élections fédérales de 1926 (et neuf à celles de 1930), était le parti des *Fermiers unis d'Alberta* (*United Farmers of Alberta*), allié des progressistes. Plusieurs personnes ont été élues en 1935 sous la bannière du *Crédit social* (qui a formé le gouvernement provincial de l'Alberta de 1935 à 1971, et celui de la Colombie-Britannique de 1952 à 1972 et de 1975 à 1991). Un autre petit parti, né en 1932 au début de ce qu'on a appelé la Dépression (crise économique qui a suivi le krach de la Bourse de New York en 1929), a été connu longtemps sous le nom de *Fédération coopérative du Commonwealth* (*Co-operative Commonwealth Federation*) : ce parti a fait élire sept de ses candidats aux élections fédérales de 1935 et il a été représenté à la Chambre des communes, par la suite, tant qu'il a existé (et une formation provinciale du même nom a formé le gouvernement de la Saskatchewan à compter de 1944). Ce dernier parti, restructuré en 1962, est devenu le Nouveau Parti démocratique qui n'a cessé d'être représenté à la Chambre des communes depuis sa fondation. Des partis provinciaux qui se rattachent au Nouveau Parti démocratique (par exemple, le Nouveau Parti démocratique de l'Ontario) ont obtenu, à une ou plusieurs reprises, la majorité des sièges dans l'Assemblée de la Colombie-Britannique, dans celle du Manitoba, dans celle de la Saskatchewan et dans celle de l'Ontario.

Entre les élections fédérales de 1988 et celles de 1993, deux autres petits partis ont accédé à la Chambre des communes : le *Reform Party* et le *Bloc québécois*. Ces deux partis de création récente ont fait élire, faut-il le rappeler, respectivement 54 et 52 candidats aux élections fédérales de 1993. À l'issue des élections fédérales de 1997, le Bloc québécois n'avait plus que 44 sièges mais le Reform Party en avait 60.

Les progressistes

Le mouvement progressiste a balayé l'Ontario, le Manitoba et l'Alberta en quelques années, après 1919. Il est né de la coalition des Fermiers unis de l'Ontario (*United Farmers of Ontario*), qui a obtenu 44 sièges aux élections provinciales de 1919 en Ontario, et d'un groupe appelé *Independent Labour Party* (lequel était un lointain héritier d'un parti connu sous le nom de *Patrons of Industry*, qui avait des assises rurales et avait remporté une quinzaine de sièges aux élections provinciales ontariennes de 1894 et un seul siège à celles de 1898). Les travaillistes, nom donné aux membres du *Labour Party*, avaient obtenu une douzaine des sièges aux élections de l'Ontario en 1919. La coalition progressiste formait le plus important groupe parlementaire à l'Assemblée de l'Ontario en 1919, avec tout juste la moitié des 112 sièges de cette assemblée (les libéraux en avaient 29 et les conservateurs, 25). Et c'est sous le nom de *progressistes* que les candidats de cette coalition se sont présentés aux élections fédérales de 1921.

Parmi les progressistes qui ont été candidats aux élections fédérales de décembre 1921, plusieurs se sont présentés dans les circonscriptions des provinces de l'Ouest. En juillet 1921, les Fermiers unis de l'Alberta (*United Farmers of Alberta*) avaient remporté 38 des 61 sièges de l'Assemblée provinciale (et les travaillistes, membres du *Labour Party*, en avaient obtenu quatre) ; ils furent appelés à former le gouvernement de l'Alberta. En juillet 1922, aux élections provinciales du Manitoba, les Fermiers unis du Manitoba (*United Farmers of Manitoba*) firent élire 28 des leurs, et les travaillistes (*Labour Party*), six. Déjà bien représentés à l'Assemblée du Manitoba depuis les élections provinciales de 1920 (neuf fermiers, neuf travaillistes, neuf conservateurs, sept autres députés de diverses tendances et 21 libéraux), les progressistes furent appelés, en 1922, à former le gouvernement de cette province.

Un peu plus de 60 progressistes ont été élus à la Chambre des communes en 1921 (ces progressistes sont devenus le deuxième groupe parlementaire en importance, puisque les conservateurs n'avaient que 50 sièges, et les libéraux, 116, sur un grand total de 235). Trente-huit de ces progressistes représentaient des circonscriptions de l'Ontario.

Aux élections provinciales de l'Ontario tenues en 1923, les conservateurs ont obtenu 78 des 112 sièges de l'Assemblée législative de Queen's Park (Queen's Park étant le nom du parc où se trouve l'édifice qui abrite l'Assemblée). Seulement 17 députés avaient été élus sous l'étiquette des *United Farmers of Ontario*, et trois l'avaient été sous celle des travaillistes (*Labour Party*). Les conservateurs ont ainsi repris le pouvoir en Ontario.

Le revers essuyé par les progressistes aux élections provinciales de l'Ontario en 1923 a marqué l'histoire de ce mouvement. À l'issue des élections fédérales de 1925, la Chambre des communes ne comptait plus que 24 progressistes. Après les élections fédérales de 1926, il n'y en avait plus que 20. Aux élections fédérales de 1930, avec seulement 12 élus, le mouvement progressiste paraissait moribond. Ceux qui l'animaient encore ont finalement rejoint les rangs d'autres partis.

Le mouvement progressiste a exprimé les revendications des milieux agricoles de l'Ontario et des provinces des Prairies, au moment où la proportion de la population représentée par les ruraux passait sous la barre des 50 %. Les succès remportés en Ontario, au Manitoba et en Alberta n'ont pas été suivis de victoires dans d'autres provinces (les libéraux ont su conserver la majorité des sièges aux élections provinciales de la Saskatchewan). Le mouvement est vite devenu représentatif de la seule protestation d'un segment minoritaire de la population de l'ensemble du Canada : la logique du mode de scrutin uninominal et la rationalité des personnes qui votent pour gagner (ou qui optent pour le moindre de deux maux) ont fait le reste. Au Québec, chez les francophones, les progressistes n'ont eu aucun succès, même au moment de leur ascension, entre 1919 et 1922.

Le Crédit social

S'ils n'ont pas fait confiance aux progressistes, les électeurs francophones ont été nombreux à croire aux possibilités de changement politique que laissait espérer un éventuel succès du mouvement du Crédit social.

Comme le mouvement progressiste, le mouvement du Crédit social est né des difficultés éprouvées par les gens des milieux ruraux, difficultés qui s'étaient considérablement amplifiées après le krach de la Bourse de New York en 1929, en raison de l'effondrement du marché des denrées agricoles.

C'est un instituteur de l'Alberta, William Aberhart, qui a inspiré ce mouvement en exposant, dans des émissions radiophoniques, les théories économiques d'un ingénieur britannique selon lesquelles les gouvernements devaient offrir aux gens un crédit (le crédit social) leur permettant de consommer davantage et, ainsi, de relancer la production.

Les _créditistes_ se sont rapidement organisés et, aux élections provinciales de 1935, en Alberta, ils ont obtenu les votes de tellement de gens que 56 de leurs candidats ont été élus (dans une assemblée de 63 membres). Ils ont formé le gouvernement de l'Alberta pendant 36 ans, jusqu'en 1971. Ils ont également formé le gouvernement de la Colombie-Britannique de 1952 à 1972, puis de 1975 à 1991.

Peu avant 1935, des organisations créditistes furent créées un peu partout et, aux élections fédérales de 1935, 17 candidats de ce nouveau parti furent élus (15 en Alberta et deux en Saskatchewan). Aux élections subséquentes, le nombre des élus créditistes, à la Chambre des communes, fut rarement inférieur à 10 mais jamais supérieur à 20, sauf en 1962, cette fois en raison du succès de ce mouvement au Québec.

Les partis issus du mouvement du Crédit social, connus au Québec sous divers vocables, dont celui d'Union des électeurs (aux élections tenues de 1944 à 1949) et celui de Ralliement créditiste (aux élections provinciales de 1970, notamment), ont été les seuls partis d'origine non québécoise dont les candidats ont pu avoir un certain succès au Québec.

Les premières campagnes électorales des candidats du Crédit social, au Québec, ont été décevantes. Aucun ne fut élu aux élections provinciales de 1944 (12 candidats) ou aux élections fédérales de 1945 au Québec (43 candidats), alors que 13 des 17 candidats présents en Alberta étaient élus membres de la Chambre des communes. Aux élections provinciales de 1948 au Québec, ensemble, les 92 candidats de l'Union des électeurs (le Crédit social) ont obtenu 9 % des voix, mais aucun ne fut élu. L'échec fut complet aux élections fédérales de 1949 (50 candidats au Québec, aucun élu), alors que la députation du parti, à la Chambre des communes, passait de 13 à 10 (il ne restait que 10 élus parmi les 17 candidats du parti en Alberta).

Les animateurs de ce parti ont présenté à nouveau des candidats aux élections fédérales tenues entre 1957 et 1980, avec succès de 1962 à 1979. Dirigés par Réal Caouette, ils furent quatre à se présenter, au Québec, aux élections fédérales de 1957, 15 à celles de 1958, 75 à celles de 1962. Parmi les candidats de 1962, 27 furent élus, alors que seulement deux des candidats du Crédit social réussissaient à se faire élire en Alberta, et deux autres en Colombie-Britannique. Aux élections fédérales de l'année suivante (1963), 20 créditistes furent élus au Québec, deux en Alberta, et deux autres en Colombie-Britannique. Des conflits divisèrent bientôt les créditistes du Québec, tous francophones, et ceux de l'Ouest, anglophones et peu sympathiques aux revendications émanant du Québec : la plupart des créditistes du Québec décidèrent de faire scission et se regroupèrent sous une nouvelle bannière, celle du Ralliement des créditistes. Sous cette bannière, neuf candidats furent élus aux élections fédérales de 1965 et 13 à celles de 1968, alors qu'un seul des candidats du Parti du crédit social était élu (au Québec, de surcroît). Devenus les seuls créditistes de la Chambre des communes, les créditistes québécois revendiquèrent l'appellation qu'ils avaient eue de 1957 à 1965 et, sous cette appellation (Crédit social), firent encore élire 15 candidats aux élections de 1972, 11 à celles de 1974 et six à celles de 1979. Ayant appuyé le gouvernement minoritaire dirigé par le chef du Parti progressiste-conservateur, le premier ministre Charles Joseph Clark (mieux connu par le diminutif Joe), les créditistes contribuèrent à sa défaite en décembre 1979 en s'abstenant sur une motion de non-confiance. Aux élections fédérales subséquentes, le 18 février 1980, aucun candidat créditiste ne fut élu.

Les subtilités tactiques des créditistes à la Chambre des communes en décembre 1979 ont marqué la fin de leur histoire au Québec, car, parmi les électeurs qui leur avaient jusqu'alors été favorables, beaucoup ont conclu qu'il n'y avait rien à attendre d'un parti dont les effectifs étaient si réduits. Ce parti n'avait plus d'assises au Québec, par suite des dissensions qui l'avaient déchiré peu après le décès de Réal Caouette. En 1970, les créditistes provinciaux, réunis au sein d'un parti appelé « Ralliement créditiste », avaient fait élire 12 de leurs candidats à l'Assemblée nationale du Québec. Aux élections provinciales de 1973, se présentant sous une nouvelle bannière, seuls deux créditistes (Fabien Roy et Camil Samson) conservèrent leurs sièges. Fabien Roy et Camil Samson furent réélus aux élections de 1976, l'un et l'autre pour une dernière fois. Le premier l'avait été à titre de membre d'une nouvelle formation, le Parti national populaire, et le second, à titre de « créditiste ». Deux ans et demi après sa réélection de 1976, Fabien Roy a démissionné pour se porter candidat aux élections fédérales du 22 mai 1979 (et il fut élu à la Chambre des communes, pour un mandat qui a été écourté par de nouvelles élections, tenues le 18 février 1980).

Aux élections provinciales de 1981, rassemblés au sein d'une nouvelle formation appelée « Parti crédit social uni », seulement seize créditistes se portèrent candidats et ils n'obtinrent que quelques dizaines de votes. C'en était fini du mouvement du Crédit social au Québec, même si plusieurs personnes ont tenté depuis de le ressusciter.

Le Nouveau Parti démocratique

Le Nouveau Parti démocratique est le seul héritier des petits partis créés avant la Deuxième Guerre mondiale qui subsiste encore aujourd'hui. Ce parti a succédé, en 1962, à la Fédération coopérative du Commonwealth (*Co-operative Commonwealth Federation*). Cette formation, créée en 1932, a formé le gouvernement provincial de la Saskatchewan de 1944 à 1964, puis de 1971 à 1982, et à nouveau après les élections de 1991 ; elle a formé le gouvernement du Manitoba de 1973 à 1977 et de 1981 à 1988 ; elle a formé celui de la Colombie-Britannique de 1972 à 1975 et, une autre fois, après les élections provinciales de 1991 et de 1996 ; elle a, enfin, formé le gouvernement provincial de l'Ontario de 1990 à 1995. Elle a eu des représentants à la Chambre des communes depuis les élections fédérales de 1935, mais elle n'a jamais pu y constituer l'opposition officielle.

Lors de sa création en 1932, la *Co-operative Commonwealth Federation* était un rassemblement de plusieurs députés travaillistes (*Labour Party*) et progressistes de la Chambre des communes et des assemblées provinciales (celles de l'Ontario et des quatre provinces de l'Ouest), auquel étaient associés d'anciens députés des mêmes tendances, des syndicalistes, des journalistes, des religieux, des travailleurs sociaux, des artistes, des écrivains, des enseignants et quelques rares ouvriers et salariés agricoles. Né à Regina, en Saskatchewan, où la crise économique avait semé la ruine, le mouvement était animé par un idéal social apparenté à celui des socialistes et des sociaux-démocrates (travaillistes) européens.

Les militants de ce parti préconisaient d'importants changements de politiques pour atténuer les différences entre les revenus dont disposent les gens. Certains de ces militants ont souhaité faire disparaître les inégalités et, dans ce but, ont proposé la collectivisation des entreprises. D'autres ont suggéré d'étatiser quelques grandes entreprises seulement, les monopoles et les banques par exemple, plutôt que de collectiviser l'ensemble des entreprises. D'autres encore ont soutenu des projets de redistribution des revenus fondés sur ce qu'on appelle aujourd'hui les programmes sociaux et les impôts à taux progressifs. Du point de vue de la classification qu'on en fait, les visées politiques présentes au sein de cette formation allaient du communisme à la social-démocratie, en passant par le socialisme.

Ce sont toutefois les visées les plus modérées, celles des sociaux-démocrates, qui ont toujours dominé au sein de cette formation, en raison, surtout, de l'influence des représentants des syndicats de salariés qui en faisaient partie. Ces options sociales-démocrates ont toutefois été contestées par les groupes minoritaires, au sein du parti, de sorte que la *Co-operative Commonwealth Federation* a toujours donné l'image d'une force divisée.

La réorganisation de ce parti, qui a pris le nom de Nouveau Parti démocratique en 1962, n'a pas réussi à faire disparaître cette image, d'autant moins que les débats suscités par les diverses visées sociales des militants se sont, par la suite, superposés aux débats qui concernaient le partage des compétences législatives entre le Parlement fédéral et les législatures des provinces, et aussi le statut des francophones ou celui des institutions politiques du Québec. Ces débats, entre militants socialistes et sociaux-démocrates, ont suscité beaucoup de méfiance chez les électeurs francophones.

Après les élections fédérales de 1993, même s'il conservait neuf sièges à la Chambre des communes (et 7 % des voix dans l'électorat), le Nouveau Parti démocratique se trouvait en moins bonne position que le Parti progressiste-conservateur du Canada (16 % des voix). À ce moment-là, le Nouveau Parti démocratique n'avait pas de représentation au Sénat et, après la défaite de l'équipe néo-démocrate aux élections provinciales de l'Ontario (juin 1995), il ne pouvait guère compter que sur les partis provinciaux de même tendance encore au pouvoir en Colombie-Britannique et en Saskatchewan. À cette époque (1995), le réseau partisan du Nouveau Parti démocratique avait encore un représentant dans l'Assemblée provinciale du Nouveau-Brunswick, trois dans celle de la Nouvelle-Écosse et un dans celle de Terre-Neuve. Aux élections fédérales de 1997, le Nouveau Parti démocratique a recueilli 11 % des voix et 7 % des sièges, loin derrière le Reform Party.

Les échecs répétés des sociaux-démocrates que sont les militants du Nouveau Parti démocratique ont parfois été expliqués par les conditions socioéconomiques propres à l'Amérique du Nord. En raison de la mobilité géographique et des possibilités d'ascension sociale offertes aux nouvelles générations, auxquelles sont proposés des emplois différents de ceux qu'avaient les générations antérieures, la majorité des gens, en Amérique du Nord, seraient portés à valoriser d'autres clivages sociaux que les clivages économiques. Les identités régionales, l'appartenance à des communautés culturelles distinctes et bien d'autres polarisations auraient eu plus d'importance, même pour les plus pauvres, que les conditions économiques. Finalement, ce seraient des partis régionaux, plutôt qu'un grand mouvement social, qui auraient attiré les électeurs inspirés par la volonté de lutter contre les inégalités de revenu ou les inégalités de statut fondées sur la propriété.

Cette explication de l'échec des sociaux-démocrates, qui s'ajoute à celles qui procèdent de l'analyse de l'attitude des francophones, pourrait être complétée par un rappel de la logique qui, au Canada, mène au bipartisme. Les sociaux-démocrates ont assurément été très défavorisés par le mode de scrutin uninominal appliqué au Canada et par les comportements dont bénéficie le plus grand des partis de rassemblement (ou *catchall parties*, comme on dit aux États-Unis). Les projets des sociaux-démocrates menacent les gens d'affaires, effraient les salariés, dont les revenus constituent l'assiette idéale de l'impôt, et font peur aux personnes qui tiennent aux valeurs traditionnelles. En définitive, ils ne peuvent plaire qu'à une minorité d'électeurs, des électeurs qui, toutefois, peuvent être très nombreux dans certaines régions ou certaines circonscriptions, celles-là, justement, où les candidats sociaux-démocrates se font élire.

Le Reform Party

Les électeurs qui s'opposent aux projets des sociaux-démocrates seraient, dit-on, attirés par des partis comme celui que dirige Preston Manning, fils d'un ancien premier ministre créditiste de l'Alberta. Le parti de Preston Manning, le Reform Party, soutient en effet des thèses selon lesquelles les transferts sociaux, que réclament les sociaux-démocrates, ont des effets pervers sur la société et l'économie. Le Reform Party propose d'appliquer une politique gouvernementale de réduction des dépenses publiques et d'allégement du fardeau fiscal, politique qui, à l'évidence, ne pourrait être réalisée qu'au prix d'une révision importante des programmes sociaux auxquels tiennent les sociaux-démocrates.

Le Reform Party, qui n'a même pas songé à traduire son nom en français avant 1993 (tout comme le Bloc québécois n'a pas traduit son nom en anglais) propose également la révision de certains éléments du système fédéral du Canada. Selon les porte-parole de ce parti, le fédéralisme canadien devrait être davantage modelé sur l'exemple offert par les États-Unis. Ainsi, ces porte-parole ont réclamé une modification du Sénat canadien qui, si elle était effectuée, donnerait à cette institution le style du Sénat fédéral des États-Unis, dans lequel chaque État est représenté par deux sénateurs, lesquels sont élus et très influents. De même, ils souhaitent que le gouvernement fédéral du Canada cesse d'intervenir dans un certain nombre de domaines (par exemple, en matière de politique des langues officielles) et que les gouvernements provinciaux, de leur côté, cessent d'intervenir dans d'autres, de telle sorte que le réaménagement des compétences permette ce qu'ils disent devoir être un nouveau fédéralisme.

Le discours du Reform Party a beaucoup étonné certains francophones du Québec. Ceux-ci ont été surpris d'entendre les porte-parole de ce parti condamner les concessions offertes au Québec et aux francophones dans le projet de modification constitutionnelle connu sous le nom d'Accord du lac Meech, en 1987, puis dans l'entente constitutionnelle de 1992, et beaucoup ont pensé que ces concessions avaient été rejetées en raison de l'influence exercée par le Reform Party (et par certains libéraux). Selon plusieurs francophones, les dirigeants de ce parti sont hostiles au Québec, puisqu'ils veulent que le pourcentage des sièges attribués au Québec (ou à l'Ontario), dans le Sénat canadien soit réduit (à 10 %). Or, le Québec et l'Ontario étaient déjà sous-représentés au Sénat ; avec 24 sénateurs sur 104 en 1992, la part du Québec était inférieure à la proportion de la population du Québec dans l'ensemble canadien.

Les porte-parole du Reform Party ont aussi étonné par leurs prises de position sur des questions comme l'immigration, les langues officielles et les programmes sociaux. Ces prises de position peuvent les desservir dans les segments de l'électorat composés de personnes nées à l'extérieur du Canada ou nées de parents immigrants, comme elles peuvent leur nuire dans les familles qui tiennent au maintien des programmes sociaux et dans les familles canadiennes-françaises du Nouveau-Brunswick et de l'Ontario. En raison de ses positions quant à l'immigration, aux langues officielles et aux programmes sociaux, et en raison sans doute de plusieurs autres facteurs, le Reform Party n'a pas plu, aux élections fédérales de 1993 et de 1997, dans certains milieux, notamment dans les quartiers cosmopolites des grandes villes et dans l'Est du Canada (en particulier chez les francophones). En 1993, il n'a même pas présenté de candidat au Québec

Même s'il déplaît beaucoup dans certains milieux, le Reform Party a été accueilli très favorablement dans d'autres. En effet, ses options doivent plaire à beaucoup de Canadiens de l'Ouest, au Canada, puisque, aux élections fédérales de 1993 et de 1997, près de la moitié d'entre eux ont appuyé ses candidats. Ce parti canalise probablement certaines des revendications des électeurs de l'Ouest du Canada, mais il donne à beaucoup d'autres électeurs l'image d'un parti dont les chefs veulent accéder aux postes d'autorité pour satisfaire un petit segment de la population : cette image, jusqu'ici, lui a nui.

Le Bloc québécois

Le Bloc québécois, dont les 54 députés ont formé l'opposition officielle à la Chambre des communes à l'issue des élections fédérales de 1993, déplaît à beaucoup plus de Canadiens que le Reform Party, car il propose l'accès du Québec au statut d'État souverain. Cette perception s'impose dans la mesure où, aujourd'hui, environ 80 % des électeurs du Canada sont encore hostiles à ce projet. L'idée de la souveraineté du Québec, toutefois, mérite la sympathie de la moitié des électeurs du Québec, comme le suggèrent les résultats du référendum d'octobre 1992 (relatif à l'entente constitutionnelle de Charlottetown, qui proposait la révision de certains éléments du fédéralisme canadien, révision condamnée par les souverainistes), les résultats des élections provinciales du Québec de septembre 1994 et ceux du référendum d'octobre 1995 (lequel portait sur le projet de faire du Québec un État souverain).

Le Bloc québécois a été formé, comme groupe parlementaire, au milieu de l'année 1990, au moment où échouaient les derniers efforts engagés pour obtenir la ratification de l'Accord du lac Meech par les assemblées du Manitoba et de Terre-Neuve. Dirigé par Lucien

Bouchard jusqu'en janvier 1996, ce parti se présente comme le partenaire, à la Chambre des communes, du Parti québécois qui, lui, formait en 1990 l'opposition officielle à l'Assemblée nationale du Québec et qui, à l'issue des élections provinciales de septembre 1994, a pu constituer le gouvernement du Québec.

Les liens entre le Bloc québécois et le Parti québécois ont paru très étroits puisque, selon les données des sondages des années 1991-1995, la quasi-totalité des électeurs qui disaient appuyer l'un appuyaient aussi l'autre. Ces deux partis ont fait campagne ensemble à l'occasion des référendums d'octobre 1992 et d'octobre 1995. Le chef du Bloc québécois, Lucien Bouchard, est devenu premier ministre du Québec, à la fin de janvier 1996, après avoir été accueilli, sans opposition, comme nouveau chef du Parti québécois, après le départ de l'ancien chef, Jacques Parizeau (né le 30 août 1930). Tout comme celui du Parti québécois, le sort du Bloc québécois est lié à l'appui donné au projet de faire du Québec un pays souverain.

De ce point de vue, le Bloc québécois est bien différent d'un autre parti du Québec qui a connu un moment d'espoir à la fin de la Deuxième Guerre mondiale, le Bloc populaire. Ce parti, dont l'appellation était dans la mémoire des fondateurs du Bloc québécois, a exprimé les frustrations de plusieurs Canadiens français du Québec aux élections provinciales de 1944 (quatre élus) et aux élections fédérales de 1945 (deux élus). Le Bloc populaire n'a obtenu que 13 % des voix au Québec, aux élections fédérales de 1945. À la différence du Bloc populaire, le Bloc québécois a recueilli, en 1993, près de la moitié des voix, au Québec, et il en a conservé près de 37,4 % en 1997.

Différent du Bloc populaire, le Bloc québécois l'est également des autres petits partis représentés à la Chambre des communes, car ces derniers entendent bien porter un jour leurs chefs aux postes d'autorité à Ottawa. Le Bloc québécois n'a pas cet objectif, mais ses membres veulent assurément porter leurs chefs au pouvoir à Québec, la capitale du pays qu'ils souhaitent.

LES PARTIS PROVINCIAUX

Dans chaque province, les partis qui se font la lutte sont aujourd'hui formellement distincts des partis fédéraux. Cependant, sauf au Québec, où l'un des partis provinciaux importants est le Parti québécois, ces partis provinciaux ont cependant les mêmes appellations que les partis fédéraux (y compris en Colombie-Britannique, après la déconfiture du Parti du crédit social de cette province en 1991 – l'exception se trouvant maintenant en Saskatchewan).

Même s'ils sont formellement distincts des partis fédéraux de même appellation, les partis provinciaux, dans les provinces moins peuplées, réunissent souvent de nombreux partisans qui militent simultanément dans les partis fédéraux de même tendance. De plus, dans certaines provinces, les équipes qui s'affrontent lors des élections fédérales ressemblent souvent à celles qui s'affrontent lors des élections provinciales. Cela est davantage le cas à l'Île-du-Prince-Édouard, dont l'Assemblée ne compte que 27 sièges et dont le territoire et la population (130 000 habitants environ) ne justifient pas le genre d'organisation partisane qu'imposent le territoire et la population du Québec, par exemple.

Contrairement à ce qui s'est passé dans les provinces de l'Est, il y a eu, dans les six autres provinces du Canada, des partis politiques provinciaux qui ont pris le pouvoir sous des appellations distinctes de celles des partis fédéraux. Le Québec a eu des gouvernements du Parti national (le gouvernement du premier ministre Honoré Mercier formé en janvier 1887), de l'Union nationale (1936-1939, 1944-1960, 1966-1970) et du Parti québécois (1976-1985 et, à nouveau, après les élections de 1994). L'Ontario, comme il a été dit plus tôt, a eu une majorité parlementaire formée de progressistes (fermiers unis et travaillistes) en 1919. Chacune des quatre provinces de l'Ouest a aussi eu au moins un gouvernement formé par un parti provincial dont l'appellation était différente de celle de l'un ou l'autre des partis qui ont formé le gouvernement à Ottawa.

Les partis provinciaux du Québec et ceux des provinces de l'Ouest se démarquent des autres partis provinciaux en raison de la perspective exceptionnellement autonomiste qui a été la leur.

Au Québec

Au Québec, au cours des décennies écoulées depuis 1867, parmi les partis créés pour combattre ce qu'on appelle les vieux partis, seuls ont eu un réel succès le Parti national (qui était un rassemblement réunissant les libéraux et les nationalistes, contre les conservateurs), l'Union nationale (parti issu d'une coalition entre les conservateurs provinciaux, des dissidents libéraux et des nationalistes) et le Parti québécois. Ces trois partis ont en commun, entre autres choses, un même projet de doter les institutions du Québec d'une autonomie législative très étendue. Les deux derniers ont été les adversaires des libéraux, comme le montre le tableau 5.2. C'est le Parti québécois qui a poussé le plus loin son opposition aux libéraux en préconisant, à ses débuts, des options de type social-démocrate et l'accession du Québec au statut d'État souverain, admissible à l'Organisation des Nations unies.

Le premier de ces partis, le Parti national, a vogué sur la vague de protestations suscitées au Québec par la pendaison du chef métis, Louis Riel, en 1885. Le Parti national est le nom que le chef du Parti libéral, Honoré Mercier, a voulu donner à sa formation pour lui attirer les nationalistes et les jeunes francophones du Québec outrés par la pendaison de Louis Riel. C'est sous cette bannière «de circonstance» que l'opposition, animée par Honoré Mercier, a mené la lutte aux élections de 1886, et qu'elle a remporté la majorité des sièges. Le Parti national, dirigé par Honoré Mercier et formé surtout de libéraux, a canalisé pendant un temps les revendications des Canadiens français du Québec et il a été, pendant ce temps, le parti de la jeune génération.

Honoré Mercier a conservé, aux élections de 1890, la majorité des sièges obtenue aux élections provinciales de 1886, mais il a été perdu par l'hostilité que lui ont vouée les Canadiens de langue anglaise (en particulier ceux des milieux d'affaires), par la guerre que lui ont faite les conservateurs, au pouvoir à Ottawa, et, enfin, par un scandale désolant (celui des ristournes versées par les entrepreneurs chargés de construire le chemin de fer provincial de la Baie des Chaleurs, qui traversait le comté où Mercier avait été élu).

Le scandale de la Baie des Chaleurs a servi de prétexte au lieutenant-gouverneur, un conservateur, Auguste-Réal Angers, pour démettre Mercier et nommer, à sa place, comme premier ministre, le chef des conservateurs provinciaux, qui étaient alors minoritaires à l'Assemblée. Les conservateurs fédéraux ont aidé les conservateurs provinciaux dans la campagne électorale qui a suivi (ils ont obtenu 52 des 73 sièges de l'Assemblée provinciale aux élections de 1892).

TABLEAU 5.2

Répartition des sièges et des votes entre les partis politiques à l'issue des élections provinciales tenues au Québec entre 1897 et 1999

Année des élections	Nombre de sièges	Libéraux		Principaux adversaires des libéraux		Autres	
		sièges	votes %	sièges	votes %	sièges	votes %
1897	74	51	54	[23]	[44]	0	2
1900	74	67	—	[7]	—	0	—
1904	74	67	—	[7]	—	0	—
1908	74	57	—	[14]	—	3	—
1912	81	63	54	[16]	[43]	2	3
1916	81	75	—	[6]	—	0	—
1919	81	74	—	[5]	—	2	—
1923	85	64	—	[20]	—	1	—
1927	85	74	—	[9]	—	2	—
1931	90	79	—	[11]	—	0	—
1935	90	47	46	[17]	[19]	26	35
1936	90	14	40	76	57	0	3
1939	86	69	54	14	39	3	7
1944	91	37	39	48	38	6	23
1948	92	8	36	82	51	2	13
1952	92	23	46	68	51	1	2
1956	93	20	44	72	52	1	4
1960	95	51	51	43	47	1	2
1962	95	63	56	31	42	1	2
1966	108	50	47	56	41	2	12
1970	108	72	46	17	20	19	34
1973	110	102	55	(6)	(30)	2	15
1976	110	26	34	(71)	(41)	13	25
1981	122	42	46	(80)	(49)	0	5
1985	122	99	56	(23	(39)	0	5
1989	125	92	50	(29)	(40)	4	10
1994	125	47	44	(77)	(45)	1	11
1998	125	48	44	(76)	(43)	1	13

Jusqu'en 1935 inclusivement, les principaux adversaires des libéraux ont été des conservateurs, identifiés par des données entre crochets [ ]. Ces adversaires ont été affiliés à l'Union nationale, de 1936 à 1970 inclusivement, et, depuis 1973, au Parti québécois (voir les parenthèses). Le nombre élevé d'élections par acclamation, au début du XXᵉ siècle, aux élections provinciales, rend assez aléatoire le calcul du pourcentage des voix : ce dernier n'est pas inscrit là où il pourrait être trompeur.

Sur les ruines du Parti national s'est reconstitué le Parti libéral, lequel, avec l'aide des libéraux fédéraux du Québec, a obtenu, aux élections provinciales de 1897, 53 des 74 sièges que comptait l'Assemblée provinciale à l'époque. Les libéraux ont gardé le pouvoir de 1897 à 1936, l'emportant facilement, jusqu'à 1935, sur leurs adversaires (les conservateurs et, parfois, des candidats de petits partis).

Le deuxième parti d'importance créé au Québec en opposition aux vieux partis a été le fait de jeunes dissidents du Parti libéral provincial : ceux-ci ont créé l'Action libérale nationale et décidé de faire alliance avec les conservateurs provinciaux aux élections provinciales de 1935. Cette alliance a été appelée Union nationale. L'Union nationale, constituée comme coalition d'opposition en 1935 et comme parti politique en 1936, a porté ses chefs au pouvoir exécutif à l'issue de six des neuf élections tenues entre 1936 et 1966 inclusivement, ayant remplacé le Parti conservateur qui, lui, avait dominé lors des élections provinciales du Québec tenues en 1867, 1871, 1875, 1881 et 1892.

Comme le Parti national cinquante ans plus tôt, l'Union nationale a été le canal des revendications des Canadiens français du Québec, au moment de sa création. Comme le Parti national, l'Union nationale a été, à ses débuts, le parti de la jeunesse de l'époque. Cette génération a vieilli, et le parti qu'elle soutenait n'a pas su éveiller l'enthousiasme des générations qui ont suivi, de sorte que, petit à petit, ses effectifs ont diminué. Aux élections provinciales de 1981, ses candidats n'ont obtenu, ensemble, que 3,3 % des voix ; aucun n'a été élu.

Le dernier-né des partis politiques du Québec qui ait obtenu un réel succès aux élections provinciales est le Parti québécois. Comme le Parti national dirigé par Honoré Mercier et comme l'Union nationale dirigée par Maurice Duplessis, le Parti québécois a été le parti de la jeunesse du Québec au moment de sa création. Il a pu se développer rapidement en raison du ralliement de diverses organisations qu'il a su orchestrer (aux élections de 1970, le Parti québécois a obtenu les voix qui, aux élections de 1966, avaient été données au Rassemblement pour l'indépendance nationale et au Ralliement national). Comme le Parti national et l'Union nationale, et comme les partis souverainistes de 1966, le Parti québécois a canalisé les ressentiments de ceux qu'on appelle aujourd'hui les Québécois francophones et qu'on appelait, hier encore, des Canadiens français.

Le fondateur du Parti québécois, René Lévesque, a conclu qu'il n'y avait aucun espoir de prospérité pour le peuple auquel il s'identifiait si le Québec ne devenait pas un pays souverain. Exprimant les convictions de milliers de Québécois, René Lévesque a donné à son parti un grand objectif : la souveraineté du Québec, si possible au sein d'une association économique avec le reste du Canada. Pour réaliser cet objectif, il a tout fait pour gagner l'accès aux postes d'autorité et il y est parvenu en 1976. En effet, créé en 1968, le Parti québécois a obtenu la majorité des sièges de l'Assemblée nationale du Québec lors des élections de 1976 et de 1981. Il a perdu cette majorité aux élections de 1985 mais l'a recouvrée à celles de 1994 : ce parti est devenu l'un des deux grands partis qui dominent l'Assemblée nationale et il a pris la place de l'Union nationale. Alors que les parlementaires du Parti québécois formaient l'opposition, aux élections de 1989, un nouveau parti, le Parti Égalité, a fait élire quatre candidats. Aux élections de 1994, un autre nouveau parti, l'Action démocratique du Québec, a fait élire son chef, Mario Dumont. Comme d'autres partis avant eux, ces deux partis ont dû affronter des embûches formidables. Compte tenu des embûches qui menacent les nouveaux partis, il a d'ailleurs fallu une conjoncture exceptionnelle pour que le Parti québécois arrive à devenir un grand parti.

Le Parti québécois a tenté, par deux fois, d'obtenir l'appui de la majorité des électeurs pour négocier ou réaliser la souveraineté du Québec. Son échec lors de la première tentative (un référendum tenu le 20 mai 1980) a permis aux adversaires des souverainistes d'avancer divers projets destinés à rendre impossible une deuxième tentative (adoption, en 1982, d'une Loi constitutionnelle qui limite la juridiction de l'Assemblée nationale du Québec en matière de langue et d'éducation, révision de la politique canadienne d'immigration, projets d'accords constitutionnels en 1987 et 1992, qui n'ont toutefois pas été confirmés, et ainsi de suite). Les efforts engagés par les adversaires du Parti québécois pour écarter la menace souverainiste n'ont pas empêché la tenue d'un deuxième référendum en octobre 1995. Cette deuxième tentative des souverainistes a mené à un deuxième échec, en dépit de l'appui accordé au projet de souveraineté par quelque 60 % des électeurs québécois d'origine française.

Parti qui, à l'analyse, paraît favoriser davantage des politiques social-démocrates que les partis sociaux-démocrates qui ont formé le gouvernement en Ontario, au Manitoba, en Saskatchewan et en

Colombie-Britannique, le Parti québécois mobilise contre lui l'opposition combinée des gens d'affaires d'origine française, des électeurs de langue française de tendance conservatrice (c'est-à-dire ceux qui ont peur du risque) et de l'ensemble des Canadiens de langue anglaise.

Dans les quatre provinces de l'Ouest

Au Manitoba, le pouvoir a échappé aux libéraux et aux conservateurs de 1922 à 1959 puis de 1969 à 1977 et, enfin, de 1981 à 1988. Pendant ces années, il a été d'abord exercé par le parti appelé *United Farmers of Manitoba*, associé au *Labour Party*, puis par une formation issue de ces deux partis (les progressites) et, enfin, par divers regroupements. Après un intermède joué par les conservateurs (qui ont obtenu 36 sièges sur 57 aux élections provinciales de 1959, 35 en 1962 et 31 en 1966), le Nouveau Parti démocratique est devenu le premier parti de l'Assemblée provinciale en 1969 (avec 28 sièges sur 57) et il a finalement réussi à remporter une majorité absolue des sièges en 1973 (31 sur 57), mais il l'a perdue lors des élections suivantes, en 1977, pour la recouvrer aux élections de 1981, la conserver à celles de 1986 et la perdre à nouveau en 1988.

Au Manitoba, tous les partis de gouvernement ont été farouchement autonomistes. Même les libéraux de la fin du XIXe siècle l'ont été (l'affaire des écoles du Manitoba dont il a été question précédemment en est une démonstration). L'attitude des parlementaires provinciaux du Manitoba à l'égard du Québec, à l'occasion du débat consacré à l'Accord du lac Meech, l'illustre également.

En Saskatchewan, la *Co-operative Commonwealth Federation* a obtenu 47 des 55 sièges de l'Assemblée provinciale aux élections de 1944. Ce parti a formé le gouvernement de la Saskatchewan de 1944 à 1964. Ayant changé de nom à la faveur d'une restructuration importante effectuée en 1962, ce parti, devenu le Nouveau Parti démocratique, a formé le gouvernement de la Saskatchewan à nouveau de 1971 à 1982, et encore une fois à partir de 1991. Ce parti a toujours été très critique à l'égard des politiques du gouvernement d'Ottawa.

En Saskatchewan, les conservateurs n'ont eu aucun représentant à l'Assemblée provinciale de 1934 à 1964. Cependant, en raison des politiques appliquées par le gouvernement fédéral dirigé par le chef du Parti libéral du Canada, le premier ministre Pierre Elliott Trudeau après 1968 et, surtout, après 1974, le Parti conservateur provincial a réussi à faire élire sept de ses candidats aux élections provinciales de 1975, 17 à celles de 1978, et 55 à celles de 1982 : le Parti conservateur a ainsi pu former le gouvernement de la Saskatchewan de 1982 à 1991. Les libéraux, qui avaient formé le gouvernement de la Saskatchewan de 1964 à 1971, n'ont eu aucun élu aux élections provinciales de 1978 et de 1982, et un seul à celles de 1986 et de 1991 (en revanche, aux élections provinciales de 1995, ils ont eu onze élus et aux élections de 1999, ils en ont eu trois). Aux élections de 1999, un nouveau parti, le Parti de la Saskatchewan (Saskatchewan Party) a obtenu 26 sièges, contre 29 obtenus par le Nouveau Parti démocratique. Le sort que subissent les libéraux et les conservateurs provinciaux aux élections provinciales de la Saskatchewan laisse voir l'impact négatif qu'y ont eu, jusqu'à tout récemment, les deux grands partis représentés à la Chambre des communes : les orientations prises à Ottawa ont eu une incidence sur le vote aux élections provinciales.

L'Alberta est une autre province dans laquelle les politiques menées par le gouvernement fédéral influencent l'attitude des électeurs à l'égard des candidats qui se présentent aux élections provinciales. En Alberta, les conservateurs n'ont eu aucun élu à l'Assemblée législative de 1940 à 1952 puis de 1963 à 1967, et les libéraux n'ont pu faire élire aucun de leurs candidats aux élections provinciales de 1944, 1971, 1975, 1979 et 1982.

En Alberta, le gouvernement a été formé par les progressistes (*United Farmers of Alberta* et *Labour Party*) de 1921 à 1935 ; par la suite, de 1935 à 1971, il l'a été par les chefs du Parti du crédit social (*Social Credit*). Depuis 1971, les conservateurs forment le gouvernement provincial de l'Alberta. Le Parti du crédit social a eu ses derniers succès en 1979, avec seulement quatre élus.

Le Nouveau Parti démocratique a eu 16 élus aux élections provinciales de l'Alberta en 1986 et 1989, mais il n'en a eu aucun en 1993. À ces élections de 1993, 32 députés libéraux ont été élus à l'Assemblée provinciale de l'Alberta, et le gouvernement est resté aux mains des conservateurs dirigés par Ralph Klein, qui avait pris la relève de Donald Ross Getty, un autre conservateur, en 1992.

Les élections provinciales de la Colombie-Britannique ont donné des résultats qui peuvent faire penser à ceux qu'ont produits les élections provinciales du Manitoba, de la Saskatchewan et de l'Alberta, puisque, pendant de nombreuses années, cette province a été dirigée soit par le Parti du crédit social soit par le Nouveau Parti démocratique.

Le Parti du crédit social est devenu, aux élections provinciales de 1952, le principal parti de la Colombie-Britannique (avec 19 des 48 sièges de l'Assemblée provinciale) et, lors de nouvelles élections destinées à mettre fin à une situation de gouvernement minoritaire, il a obtenu une majorité absolue des sièges (27 sur 48). Le Parti du crédit social, qui a complètement évincé les conservateurs, est resté majoritaire jusqu'aux élections de 1972, qui ont donné 38 sièges au Nouveau Parti démocratique (dans une assemblée qui en comptait alors 55).

Le Nouveau Parti démocratique de Colombie-Britannique a été défait aux élections suivantes, en 1975, et le Parti du crédit social a, encore une fois, formé le gouvernement, jusqu'à une nouvelle victoire du Nouveau Parti démocratique, aux élections de 1991, victoire rééditée en 1996.

En Colombie-Britannique, comme en Saskatchewan et en Alberta, les libéraux ont connu de cuisantes défaites lors des scrutins provinciaux tenus après les élections fédérales d'octobre 1972. Manifestement, de nombreux électeurs de Colombie-Britannique ont voulu punir les libéraux de leur province pour les politiques du premier ministre libéral, à Ottawa, Pierre Elliott Trudeau. Le libéraux n'ont fait élire qu'un seul de leurs candidats aux élections provinciales de 1975 et n'en ont fait élire aucun par la suite, jusqu'en 1991. En 1991, avec 17 élus, les libéraux ont formé l'opposition officielle (seuls sept créditistes ont été élus) et, en 1996, ils ont failli obtenir la majorité à l'Assemblée.

*
* *

Les partis politiques provinciaux distincts des partis fédéraux expriment les revendications de segments importants de l'électorat du Canada qui ne peuvent trouver d'exutoire dans le Parti libéral du Canada ou dans le Parti progressiste-conservateur du Canada.

Inversement, les chefs de ces grands partis de rassemblement doivent chercher à transcender les clivages qui divisent la population du Canada s'ils veulent rallier une pluralité ou, mieux, une majorité d'électeurs. En conséquence, ils ne peuvent traduire toutes les insatisfactions ressenties par les diverses portions de l'électorat.

C'est là une particularité des grands partis canadiens (qui sera examinée dans le chapitre 7) : ils contribuent à réunir ce que l'hétérogénéité et la diversité séparent. Et ils le font au prix de diverses insatisfactions qui se manifestent dans l'appui donné aux petits partis.

Les grands partis ont réussi, depuis le milieu du XIXe siècle, à faire coexister les populations des deux grands groupes linguistiques, des dizaines de communautés culturelles distinctes, des collectivités régionales fort éloignées les unes des autres. Il n'y a guère que les grands partis qui, au Canada, aient réussi à convaincre tant de gens de surmonter leurs différences pour mettre en commun certaines de leurs ressources pour atteindre des objectifs dont tous tiraient quelques bénéfices.

Pour relever le défi de l'unité dans la diversité (pour citer ici une formule que tous les Canadiens connaissent), les grands partis se sont appuyés sur le mécanisme électoral en vigueur au Canada, qui les a considérablement favorisés (comme le montrent, plus loin, les chapitres 6 et 7).

En fait, dans leur recherche d'une majorité, les grands partis ont contribué à rassembler des populations dont l'hétérogénéité est très importante. Vaste pays qui couvre six fuseaux horaires (du cinquantième au cent-quarantième méridien), le Canada n'a pas la densité de population qui caractérise les pays unitaires. Pourtant l'alternance de deux partis à la tête de ses institutions politiques contraste avec ce qu'on appelle l'instabilité ministérielle des institutions de nombreux pays de dimensions relativement moindres. On peut penser que ces grands partis ont contribué à donner aux Canadiens la capacité de s'adapter à la diversité, la capacité de chercher et de trouver des compromis. On peut penser que la socialisation et la médiation assurées par les partis expliquent la pratique du règlement pacifique des conflits qui a distingué la vie politique au Canada pendant de nombreuses décennies.

Pour cette raison et bien d'autres, les partis, petits et grands, remplissent effectivement une fonction très importante dans la vie politique : en contribuant à faire partager certaines valeurs aux gens (ce qu'on appelle la socialisation) et en faisant le lien entre la population et les autorités (ce qu'on appelle la médiation), ils ont réussi jusqu'ici à résoudre, sans recours à la violence, des conflits fondés sur des différences qui divisaient profondément la population (et qui la divisent encore).

LECTURES RECOMMANDÉES

ARCHER, Keith, et Alan WHITEHORN, Opinion Structure Among New Democratic Party Activists : A Comparison with Liberals and Conservatives, *Canadian Journal of Political Science – Revue canadienne de science politique*, 23 (1), mars 1990, pages 101-113.

AUCOIN, Peter (sous la direction de), *Les partis et la représentation régionale au Canada*, Ottawa, Commission royale sur l'Union économique et les perspectives de développement du Canada, 1986, 191 pages (étude 36).

BAKVIS, Herman (sous la direction de), *Les partis politiques au Canada : représentativité et intégration*, Ottawa, Commission royale sur la réforme électorale et le financement des partis (Montréal, Wilson et Lafleur), 1991, 553 pages (volume 14).

BÉLANGER, Yves, Dorval BRUNELLE, et collaborateurs, *L'ère des libéraux ; le pouvoir fédéral de 1963 à 1984*, Sillery, Presses de l'Université du Québec, 1988, 442 pages.

BELLEY, Serge, Les partis politiques municipaux et les élections municipales de 1986 à Montréal et de 1989 à Québec, *Politique*, 21, 1992, pages 5-35.

CARTY, Roland Kenneth (sous la direction de), *Canadian Party Systems : A Reader*, Peterborough (Ontario), Broadview Press, 1992, 644 pages.

GAGNON, Alain-G., et A. Brian TANGUAY (sous la direction de), *Canadian Parties in Transition*, Scarborough (Ontario), Nelson, 1989, 528 pages.

LAMOUREUX, André, *Le NPD et le Québec ; 1958-1985*, Montréal, Éditions du Parc, 1985, 230 pages.

LEMIEUX, Vincent, *Le Parti libéral du Québec : alliances, rivalités et neutralités*, Sainte-Foy, Presses de l'Université Laval, 1993, 257 pages.

LEMIEUX, Vincent (sous la direction de), *Personnel et partis politiques au Québec*, Montréal, Boréal, 1982, 350 pages.

LEVESQUE, René, *Option Québec* (précédé d'un essai d'André BERNARD, *Option Québec : 1968-1997*), Montréal, Typo, 1997, 352 pages.

MARTIN, Patrick, Allan CREGG, et George PERLIN, *Les prétendants : la course au pouvoir des progressistes-conservateurs*, Montréal, Libre Expression, 1984, 286 pages.

PELLETIER, Réjean (sous la direction de), *Les partis politiques au Québec,* Montréal, Hurtubise HMH, 1976, 299 pages.

PELLETIER, Réjean, *Partis politiques et société québécoise : de Duplessis à Bourassa, 1944-1970,* Montréal, Québec-Amérique, 1989, 395 pages.

PINARD, Maurice, *The Rise of a Third Party – A Study in Crisis Politics,* Englewood Cliffs, Prentice Hall, 1971, 285 pages (une étude du « crédit social »).

QUINN, Herbert F., *The Union Nationale : Quebec Nationalism from Duplessis to Levesque,* Toronto, University of Toronto Press, 1979, 342 pages (première édition : 1963).

TANGUAY, A. Brian, et Alain-G. GAGNON (sous la direction de), *Canadian Political Parties,* Toronto, Nelson, 1996, 578 pages.

THORBURN, Hugh (sous la direction de), *Party Politics in Canada,* Scarborough (Ontario), Prentice-Hall, 1991, 400 pages (l'une des éditions d'un recueil paru initialement en 1963).

WHITAKER, Reginald, *The Government Party : Organizing and Financing the Liberal Party of Canada, 1930-1958,* Toronto, University of Toronto Press, 1977, 507 pages.

WINN, Conrad, et John McMENEMY, *Political Parties in Canada,* Toronto, McGraw-Hill Ryerson, 1976, 291 pages.

TROISIÈME PARTIE

Les mécanismes
et procédés
de la vie politique

Les agents de la médiation politique que sont les partis politiques et les groupes utilisent, pour cette médiation, deux procédés ou mécanismes principaux : les élections et les jeux d'influence.

Les élections constituent assurément le plus valorisé de ces deux mécanismes. Elles offrent aux gens l'occasion par excellence de manifester leurs sentiments à l'égard des institutions, des détenteurs des postes d'autorité, de leurs politiques et de leurs engagements, tout comme à l'égard de leurs adversaires et de leurs projets. Pendant la majeure partie de leur vie, les trois quarts des membres adultes de la société n'ont guère d'autre activité politique importante que leur participation aux campagnes électorales et aux élections. Par ailleurs, pour les citoyens les plus engagés dans l'action politique, les périodes d'élections sont des temps d'intense implication.

L'importance des élections dans la vie politique vient non seulement de leur utilité immédiate (le recrutement de représentants) et des finalités multiples que cela permet de poursuivre, mais elle découle également de leur signification du point de vue des aspirations de la plupart des gens, qui y voient le mécanisme essentiel de ce qu'on appelle la démocratie. Le fait même de voter constitue une profession de foi : en votant, on dit croire au mécanisme électoral, on dit croire que ce mécanisme ou procédé sert effectivement au choix des gouvernants. Voter, c'est légitimer ce qu'on appelle la démocratie puisque celle-ci repose sur le vote, procédé par lequel, dans une société, peut se faire la participation du plus grand nombre à la direction de la communauté.

Dans un pays de plusieurs millions d'habitants, la démocratie, c'est-à-dire l'exercice du pouvoir par le peuple (du grec *dêmos*, peuple, et *kratos*, pouvoir), ne peut s'envisager que par l'intermédiaire de mécanismes plus ou moins complexes. Même dans une île où n'habitent que quelques personnes, aucun choix collectif ne peut se faire sans une évaluation des options et, finalement, sans une forme de conclusion en faveur d'une option, celle que préfèrent soit les plus nombreux, soit les plus forts (les plus forts pouvant, parfois, s'appuyer sur les plus nombreux et, à la limite, tirer leur force de la vénération dont ils bénéficient) : dans cette île, le degré de démocratie, si l'on peut dire, variera selon la proportion de gens qui participent à l'évaluation des options (palabres, consultations, discussions antérieures à la décision), ou à la formulation de la décision, ou à l'une et l'autre de ces deux phases du processus de la prise de décisions. Même dans une île peu peuplée, il n'y a pas de démocratie sans l'intermédiaire d'un mécanisme quelconque (palabres, votes, etc.). Dans des pays comme ceux qui font partie de l'Organisation des Nations unies, la démocratie requiert, *à tout le moins*, un mécanisme par lequel les postes d'autorité sont attribués à des personnes qui ont obtenu et conservent l'appui d'une majorité relative (ou, idéalement, absolue), au terme d'élections libres, égalitaires, pluralistes et fréquentes.

Dans un pays de plusieurs millions d'habitants, tout comme dans une petite communauté, l'élection des gouvernants, par un procédé qui autorise l'expression libre et régulière des opinions, permet au peuple de prendre, indirectement, certaines des grandes décisions qui s'imposent à la collectivité. Un tel pays peut être considéré comme une *démocratie représentative*, puisque la souveraineté du peuple y est exercée par des *représentants élus*. Dans un tel pays, le choix porte, certes, sur les candidats aux postes à combler, mais il prend aussi en compte leurs promesses ou engagements et de nombreuses considérations.

Mécanisme indispensable de la démocratie, l'élection des gouvernants pourrait être un simulacre de démocratie si elle était truquée ; pour instaurer la démocratie, l'élection est indispensable mais elle n'est pas suffisante.

Selon ses théoriciens, une véritable démocratie repose sur l'égalité, la liberté et la justice. À leur avis (avis partagé par l'auteur de ces lignes), le droit de vote doit être accordé à tous les citoyens, et le vote de chaque citoyen doit avoir le même poids que tout autre vote. Pour être libre, le vote doit être effectué sans contrainte et exprimer un choix réel entre des options différentes. Il faut également que le choix des gouvernants traduise la volonté du plus grand nombre.

De plus, pour instaurer la «véritable» démocratie, il ne suffit pas d'imposer aux gouvernants l'obligation de se faire élire (et réélire). Il faut encore que l'élection puisse se conclure, si tel est le vœu des gens, par la démission des anciens titulaires des postes d'autorité et l'accès de personnes nouvelles à ces postes. Il ne suffit pas de tenir des élections, il faut encore que tous les adultes puissent voter, à intervalles relativement courts, que la liberté et l'égalité du vote soient assurées, que la fiabilité des résultats ne fasse aucun doute...

Élément dans un ensemble, le mécanisme électoral, appliqué au choix des gouvernants, au Canada, ne satisfait pas encore tout le monde. À côté des nombreuses personnes qui préfèrent ne pas le modifier, d'autres aimeraient y apporter ce qu'elles appellent des améliorations, par exemple, de nouvelles modalités de répartition des sièges, qui, peut-être, modifieraient le choix des gouvernants.

Ce n'est d'ailleurs que depuis la seconde moitié du XIXe siècle, au Canada, que le mécanisme électoral est appliqué au choix des gouvernants. Antérieurement, les élections servaient à recruter les membres d'une assemblée qui, pour l'essentiel, ne possédait qu'un droit de veto sur les projets de loi ; cette assemblée n'avait pas acquis la possibilité d'imposer ses chefs aux postes d'autorité réunis dans le conseil exécutif. Quand, en 1848, le principe de la responsabilité ministérielle a enfin été appliqué, au Canada, les élections des parlementaires ont vraiment commencé à influencer le choix des gouvernants. Finalement, les élections ont alors pris la signification qu'elles ont aujourd'hui.

En 1848, en effet, les ministres qui avaient été en poste jusqu'alors ont dû démissionner et céder leur place aux dirigeants de la nouvelle majorité parlementaire. Le poste de premier ministre (ou chef du gouvernement) a alors été attribué à la personne qui avait l'appui de la majorité des parlementaires.

Depuis 1848 et, surtout, depuis 1867, les élections permettent vraiment de choisir, parmi des candidats, celui ou ceux à qui sera attribué le gouvernement ; en votant pour un candidat à un poste de député, la plupart des électeurs ont conscience d'appuyer une équipe plutôt qu'une autre et de favoriser un chef au détriment d'un autre, sachant que le chef de l'équipe (ou parti) qui aura l'appui de la majorité des élus sera premier ministre.

Comme l'ont rappelé quelques-unes des pages du chapitre 5, ce sont les partis qui ont permis aux élus de la première moitié du XIXᵉ siècle d'obtenir, après des années de revendications, la démission des détenteurs des postes d'autorité et la possibilité de désigner leurs propres chefs au conseil exécutif (là où se trouvaient, à l'époque, les principaux postes d'autorité).

Entre le mécanisme électoral en vigueur au milieu du XIXᵉ siècle au Canada et celui qui est appliqué aujourd'hui, il y a des différences importantes. Lors des premières élections, à la fin du XIXᵉ siècle, contrairement à ce qui se fait aujourd'hui, il n'y avait pas de multiples bureaux de vote accessibles à tout le monde ; le vote se faisait en assemblée, à main levée quand il n'y avait qu'un candidat, ou, quand il y avait deux ou plusieurs candidats, par des déclarations prononcées à tour de rôle et inscrites dans un registre. Jusqu'au début du XXᵉ siècle, le droit de vote n'était accordé qu'aux sujets britanniques résidant au Canada et ayant certains revenus ou certains types d'activité (les Canadiens français étaient sujets britanniques). Ce n'est qu'après les élections de 1852 qu'ont été instituées les listes d'électeurs et après celles de 1874 qu'a été institué le vote secret, avec bulletin de vote (le bulletin de vote est en usage depuis les élections de 1878). Finalement, de réforme électorale en réforme électorale, le mécanisme appliqué au recrutement des élus est devenu ce qu'il est aujourd'hui.

Ce mécanisme, qui paraît encore bien imparfait aux yeux de plusieurs, permet aujourd'hui ce qui était encore impossible au XVIIIᵉ siècle : la participation de la plupart des habitants du Canada au choix des gouvernants (tout comme dans les autres pays où il y a des élections fréquentes, libres, égalitaires et pluralistes). Au XVIIIᵉ siècle et auparavant, la plupart des adultes se trouvaient exclus des procédés de sélection des dirigeants. Les principaux postes d'autorité étaient occupés par des personnes qui en avaient hérité ou qui y avaient été cooptées (la cooptation est un procédé par lequel les titulaires de certains postes ou titres choisissent eux-mêmes leurs collègues et leurs remplaçants). Jadis, les titulaires des postes d'autorité valorisaient la transmission héréditaire de leurs titres, qu'ils tentaient de justifier en invoquant les hiérarchies de la nature, qui exprimaient, à leur avis, la volonté de Dieu.

Ayant été jusqu'alors présentées comme naturelles et voulues par Dieu, les inégalités entre les êtres humains ont été dénoncées, par quelques théologiens du milieu du XVe siècle, comme étant contraires, justement, aux volontés divines exprimées dans la Bible. Ces exégètes, qui interprétaient des textes qu'on disait dictés par Dieu, ont pu conclure, en effet, que les hommes, créés par Dieu à son image, étaient tous égaux devant Lui. D'autres penseurs, au XVIe puis au XVIIe siècle, en sont arrivés à développer une véritable théorie de l'égalité entre les êtres humains et de la liberté individuelle. La nouvelle façon de voir proposée par ces penseurs s'est imposée, petit à petit. Au nom de l'égalité des êtres humains et de la liberté individuelle, de plus en plus de gens *ont réclamé la fin des privilèges* et finalement, de révolution sanglante en révolution sanglante, les monarchies héréditaires ont été réduites à l'impuissance ou, plus simplement, remplacées par des institutions dont les membres étaient élus par le peuple ou par l'élite du peuple.

Le recours à l'élection pour choisir les gouvernants s'est généralisé parce que l'élection était considérée comme un procédé qui permettait de choisir, pour occuper les postes d'autorité, des personnes expérimentées, prudentes, compétentes, capables... L'histoire de l'humanité montrait, en effet, que les gouvernants désignés par un procédé électoral avaient été, dans l'ensemble, plus attentifs aux doléances que ceux qui avaient hérité de leur charge ou l'avaient obtenue par la cooptation, la ruse, la force, la violence, le meurtre, l'usurpation, bref, des procédés autres que l'élection.

Par ailleurs, l'élection était utilisée dans l'Église catholique romaine, notamment pour le choix du souverain pontife, le droit de vote, dans ce cas, étant exercé lors d'un conclave réservé aux membres de l'organe supérieur de la hiérarchie (le Sacré Collège, formé des cardinaux, qui sont les conseillers du pape, chef de la chrétienté).

De toute façon, l'élection était un procédé très souvent utilisé, même au temps des monocraties et des oligarchies héréditaires. À l'époque des révolutions dirigées contre ces monocraties et oligarchies héréditaires, la plupart des gens avaient l'expérience du procédé électoral pour choisir des délégués ou des représentants.

À l'époque des révolutions (en particulier celle de 1789 en France), certains préconisaient l'élection au suffrage universel, pour le choix des gouvernants, d'autres préféraient n'accorder le droit de vote qu'aux personnes (propriétaires et tenanciers) qui étaient assujetties à la redevance foncière (redevance appelée «cens», depuis l'époque féodale) ou à une contribution équivalente. Cependant, qu'ils aient été favorables au suffrage universel ou au suffrage censitaire, la majorité des gens engagés le plus intensément dans l'action politique, à l'époque des révolutions, préféraient l'élection à d'autres procédés consacrant, eux aussi, l'égalité de tous. L'élection a plu davantage que le tirage au sort ou que la succession (à tour de rôle) par ordre alphabétique des noms. L'élection a également été préférée aux procédés fondés sur l'âge ou l'ancienneté. C'est finalement le suffrage censitaire qui s'est imposé.

Il a fallu bien du temps pour en arriver au suffrage universel. Le suffrage censitaire (autrement dit, l'octroi du droit de vote aux personnes assujetties au cens) a été maintenu jusqu'au début du XXe siècle, au Canada. Certaines catégories de personnes pauvres n'ont obtenu le droit de voter qu'aux élections fédérales de 1921 (et aux élections provinciales de la même époque). Jusqu'aux élections provinciales de 1939, au Québec, certaines personnes ont été privées du droit de vote pour des raisons de fortune ou de revenu. Ayant perdu le droit de vote en 1849 (droit qu'elles exerçaient en tant que «censitaires»), les femmes ne l'ont récupéré que petit à petit (au Canada, quelques femmes l'ont exercé aux élections fédérales de 1917, les autres, si elles remplissaient les conditions exigées des hommes, ont pu le faire à celles de décembre 1921).

L'élection permet un choix qu'interdisent le tirage au sort ou les successions à tour de rôle. Cependant, ce choix ne peut se faire sans qu'un accord préalable en détermine les modalités. Pour procéder à une élection, il faut en effet fixer d'avance les conditions à satisfaire pour qu'une personne puisse voter, les caractéristiques et déclarations exigées des candidats, les règles du scrutin, etc. Quand il s'agit d'élire une seule personne, la victoire peut aller au candidat qui recueille une pluralité de *voix*, appelée majorité relative, c'est-à-dire les *vœux* du plus grand nombre d'électeurs (le mot «vote» vient du latin *votum*, qui signifie «vœu»). Au Canada, dans chaque circonscription est élue la personne qui recueille davantage de voix qu'aucune autre.

Mais l'élection peut aussi se faire à la majorité absolue des *suffrages* (*suffragium* est le mot latin désignant ce qu'on appelle un bulletin de vote aujourd'hui), comme cela est de règle pour le choix des chefs de partis au Canada.

Il arrive même que certains organismes exigent une majorité qualifiée (par exemple, une majorité des deux tiers), qu'on appelle majorité «renforcée», pour le choix de leurs dirigeants : cependant, simplement pour arriver à la majorité absolue, il faut souvent recourir à plusieurs tours de scrutin, à moins que la règle ne limite à deux le nombre de concurrents du premier tour pouvant être candidats au second (cette règle pouvant être appliquée par le truchement de bulletins de vote permettant de classer les candidats).

Quand il s'agit de désigner plusieurs personnes, il est possible de procéder par l'addition d'élections individuelles, ou par l'élection d'une équipe ou de membres de plusieurs équipes, dont le choix dépend des règles retenues. Au Canada, le recrutement des personnes qui occuperont les sièges de la Chambre des communes (ou de l'Assemblée provinciale) est effectué par l'addition d'élections individuelles, même si les candidats sont regroupés par équipes (ou partis). Addition d'élections individuelles, les élections générales méritent le pluriel (mieux vaut dire «les élections de 1998» que «l'élection de 1998 à l'Assemblée nationale du Québec»).

Comme on l'a signalé dans l'introduction, le mode de scrutin uninominal en vigueur au Canada (pour la Chambre des communes ou pour les assemblées provinciales) engendre de grands écarts entre la répartition des votes (entre les partis, par exemple) et la répartition des sièges (autrement dit, des élus). Certaines personnes acceptent ces écarts, pour toutes sortes de raisons, notamment parce qu'ils permettent habituellement à un parti (celui qu'elles préfèrent) d'obtenir une majorité absolue des sièges, même si, ensemble, ses candidats n'ont pas la majorité absolue des voix. D'autres condamnent ces écarts, qui contredisent les principes d'égalité et de justice qui fondent la démocratie.

L'exemple du mode de scrutin laisse voir que les règles appliquées aux élections déterminent bien autre chose que les modalités du procédé électoral : elles influencent les résultats des scrutins et les comporte-ments. Ces règles résultent de choix politiques ; comme la décision de les changer, la décision de ne pas les modifier est un choix politique.

L'ensemble du mécanisme électoral pourrait être un enjeu des élections. Tout au long du XIXe et du XXe siècle, au Canada, divers partis politiques ont fait campagne, à l'occasion des élections, en pro-mettant de modifier la loi électorale si leurs chefs accédaient au pouvoir. Il y a eu de multiples projets et promesses de réformes élec-torales. Et il y a eu des réformes, effectivement. Le chapitre 6 exa-mine ce qui en est résulté et ce qu'implique, pour la médiation politique, le mécanisme électoral en vigueur aujourd'hui.

Mécanisme apparemment privilégié de la médiation politique, les élections n'ont lieu qu'à certains intervalles. La durée moyenne de ces intervalles a été de trois ans et huit mois, dans le cas des élections fédérales (entre 1867 et 1997, il y a eu 35 élections générales à la Chambre des communes, les trente-sixièmes ayant été tenues le 2 juin 1997), et de trois ans et neuf mois, dans le cas des élections provinciales du Québec (entre 1867 et 1998, il y a eu 35 élections géné-rales, les trente-sixièmes ont eu lieu le 30 novembre 1998).

Dès que sont connus les résultats des élections, chacun des diri-geants des partis politiques procède à un examen de la situation qui est dorénavant la sienne et, en fonction de cet examen, modifie les plans d'action qui orientent les multiples activités de son parti. Les activités des grands partis politiques d'aujourd'hui sont beaucoup plus diversifiées que celles des partis d'autrefois, pour de multiples raisons, en particulier à cause de l'importance qu'ont maintenant les commu-nications de masse, à cause des règles électorales, qui sont de plus en plus contraignantes, et de la connaissance des comportements élec-toraux, développée grâce aux instruments d'enquête qu'utilisent les spécialistes des sciences sociales.

Les campagnes électorales visent précisément le recrutement de représentants de l'électorat, mais, en raison de cette finalité, elles permettent de dégager une majorité ou, tout au moins, une pluralité.

Agent de la médiation politique, chaque grand parti cherche à former cette majorité, à la rassembler. Pour y arriver, il tente de tra-duire les attitudes, visions et visées de certaines catégories d'électeurs. C'est en les représentant, qu'il tente de rassembler les personnes. Et c'est dans l'espoir d'en rassembler une majorité, qu'il cherche les dénominateurs communs à des catégories voisines (par exemple, les gens des villes). Chaque parti essaie de rassembler les appuis qui lui permettront d'atteindre son objectif principal, qui est de porter, puis de maintenir, ses chefs dans les postes d'autorité.

Chacun des grands partis poursuit à l'année longue ses activités d'agent médiateur de la vie politique, engagé qu'il est dans une entreprise de rassemblement et de mobilisation d'une majorité. La plupart de ses activités sont liées à la préparation des prochaines élections (l'objectif immédiat des partis étant de faire accéder leurs chefs aux postes d'autorité ou de les y maintenir, s'ils y sont déjà).

Certains petits partis ont indiscutablement les mêmes objectifs que les grands, c'est-à-dire faire accéder leurs chefs aux postes d'autorité. Mais il n'est pas absolument sûr que toutes les équipes inscrites en tant que partis, lors des élections, soient vraiment des partis politiques. Le Parti rhinocéros, une organisation d'humoristes, était une caricature de parti, tout comme le Bloc-Pot en 1998, et chacun le sait. Il en est d'autres : ainsi, au cours de l'année 1994, des électeurs ont fait inscrire un Parti chevreuil au registre des partis politiques provinciaux du Québec (parti qui a vite perdu l'autorisation de participer aux futures campagnes électorales, tout comme l'Étoile d'or social-démocrate et une demi-douzaine d'autres organisations qui avaient obtenu l'autorisation d'engager des dépenses électorales).

Certains petits partis ont parfois davantage l'allure de groupes de pression que de véritables partis. Les intérêts que ces petits partis essaient de concilier ne permettent pas de rassembler davantage qu'une petite minorité d'électeurs ; leurs dirigeants ignorent peut-être qu'ils ne pourront plaire à la majorité et, l'ignorant, peuvent vraiment rêver du pouvoir.

Comme ces petits partis, qui plaisent à un petit nombre d'électeurs et qui tentent de leur donner satisfaction en s'insérant dans les jeux d'influence, les grands partis, qui plaisent à beaucoup d'électeurs, utilisent eux aussi, en plus du mécanisme électoral, des procédés qui sont le propre des jeux d'influence. Il est clair que certaines activités des partis, en tant qu'organisations, s'inscrivent dans les jeux d'influence.

La médiation politique effectuée par les partis a pour cadre principal les élections ; celle qu'effectuent les autres organisations privées a pour cadre principal ce que nous appelons dans ce livre les jeux d'influence. Mais les partis peuvent s'insérer dans les jeux d'influence alors que les groupes, dans une certaine mesure, peuvent s'insérer dans les élections.

À la différence des élections, qui ont lieu à intervalles, les jeux d'influence sont permanents et, en outre, très importants dans le processus d'élaboration de nombreuses décisions politiques. Il est même possible que, du point de vue des décisions que prennent les titulaires des postes d'autorité, ils aient plus d'importance que les élections : il serait cependant difficile de le démontrer puisque, en plus de subir les pressions qui caractérisent les jeux d'influence, les gouvernants subissent aussi, dans la prise de décisions, le poids d'innombrables contraintes. Il serait très difficile, après en avoir évalué la signification, de déterminer si telle ou telle décision résulte davantage des pressions exercées par des groupes privés ou, au contraire, d'un ensemble complexe d'influences, de contraintes, de déterminations... Finalement, on ne peut dire qu'une chose : les jeux d'influence sont très importants, mais ils n'expliquent pas tout.

En raison de leur importance, les jeux d'influence sont de plus en plus réglementés ou encadrés. Ils le sont certes beaucoup moins que les élections, mais ils le sont tout de même. Les lois interdisent les pots-de-vin et, de façon générale, l'achat de faveurs. De plus, pour encadrer les jeux d'influence, les autorités ont souvent recours à des consultations publiques (commissions d'enquête, comités d'étude, commissions permanentes, commissions spéciales, etc.) et à des organismes particuliers (conseils et comités consultatifs, par exemple). Par ailleurs, pour se garder des pressions, les membres des administrations publiques évitent, autant que possible, de se trouver dans des situations de conflit d'intérêts (tous ne le font pas, toutefois). Et les administrations publiques tentent de réunir des informations grâce auxquelles elles peuvent mettre en perspective les données qui leur proviennent des groupes de pression ou lobbies. Ces diverses mesures, et d'autres du même type, opposent finalement divers obstacles à l'action de ceux qu'on appelle parfois des marchands d'influence.

Néanmoins, pour toutes sortes de raisons (notamment les réputations héritées du passé), les jeux d'influence sont perçus comme secrets ou cachés. Ils se déroulent effectivement, la plupart du temps, dans l'ombre, dans les coulisses du grand théâtre de la politique.

6

Le mécanisme électoral

Les élections sont l'occasion d'échanges de toutes sortes entre les membres d'une société et les personnes qui souhaitent en assumer la direction. Stimulés par les partis politiques, les électeurs discutent des sujets qui défraient la chronique politique du moment, débattent des propositions de solutions aux problèmes politiques du jour et font savoir aux dirigeants des partis ce qu'ils attendent d'eux. De leur côté, les partis sollicitent l'appui des électeurs afin de faire accéder leurs dirigeants aux postes d'autorité (ou de les y maintenir, s'ils y sont déjà). En sollicitant cet appui, les membres de chaque parti font connaître leur vision du monde et essaient de faire partager leurs points de vue. Par ailleurs, en échange des appuis qu'ils sollicitent, les dirigeants de chacun des partis proposent de réaliser certains projets et de mettre en œuvre certaines politiques, s'ils accèdent au pouvoir (ou s'y maintiennent). Les partis agissent comme des courtiers, des médiateurs, et les élections sont le procédé par lequel ils négocient et concluent les accords qui, en principe, engagent leurs dirigeants.

Le procédé électoral, qui assure une certaine médiation entre la population et ses gouvernants, impose aux partis de nombreuses contraintes. Celles-ci, déjà importantes à la fin du XIXe siècle, sont aujourd'hui considérables. Elles viennent de décisions qui ont été prises, au cours des ans, par diverses majorités parlementaires. Ces contraintes sont codifiées dans la réglementation électorale.

La première réglementation électorale a dû, d'abord, déterminer la durée des mandats et le nombre de représentants à élire, et ensuite fixer les conditions de la répartition des sièges attribués à ces représentants ; elle a dû, également, identifier les catégories de personnes qui auraient le droit de voter et celles qui auraient le droit d'être candidates ; elle a aussi dû préciser la procédure à suivre pour tenir les scrutins ; elle a enfin dû prévoir la façon de régler les éventuels conflits occasionnés par les scrutins (en raison de manœuvres illicites ou d'erreurs, par exemple).

Malgré l'étendue des règles initiales, il y a eu beaucoup d'improvisation lors des élections de la fin du XVIIIe siècle (en 1792 et en 1796 dans le cas du Bas-Canada).

Pour encadrer de plus en plus étroitement le mécanisme électoral, les élus ont obtenu que soient précisées les procédures à suivre, les obligations et les interdictions à respecter, et les diverses autres dispositions relatives aux scrutins. Dans le Bas-Canada, la réglementation initiale, formulée en 1791, a été modifiée une première fois en 1793 (seulement au sujet des « officiers » d'élection, des manœuvres engagées pour empêcher un électeur de voter, ou de voter selon son intention, et au sujet des tentatives de fraude). Cette réglementation a ensuite été modifiée en 1800 (à propos de divers sujets), puis une douzaine de fois entre 1802 (modification de quelques mots) et 1834 (deux importantes modifications, l'une référant le jugement des élections contestées à un comité, l'autre interdisant aux élus d'occuper une charge administrative au service de la Couronne). Chacune de ces modifications à la réglementation électorale, adoptées par les parlementaires du Bas-Canada, a ajouté aux contraintes initiales.

Pourtant, en 1840, lors de la réunion du Bas-Canada et du Haut-Canada (pour former le Canada-Uni), la réglementation des élections ne paraissait pas encore assez contraignante aux yeux des parlementaires réformistes et libéraux. Elle a donc été complétée, au cours des vingt années suivantes, par de nouvelles dispositions (entre 1841 et 1858, les lois électorales ont été modifiées douze fois).

Après 1867, de nouvelles règles se sont encore ajoutées à celles qui étaient en vigueur l'année de l'union des colonies de l'Amérique du Nord britannique. Les lois électorales en vigueur au Canada-Uni (avant 1867), au Nouveau-Brunswick et en Nouvelle-Écosse ont été appliquées aux élections fédérales de 1867. Par la suite, le Parlement fédéral a édicté ses propres règles (par étapes, pour en arriver, aux élections fédérales de 1921, à un ensemble de dispositions couvrant la totalité du processus électoral appliqué au choix des personnes appelées à siéger à la Chambre des communes). Quant aux assemblées provinciales, elles ont, elles aussi, modifié les lois électorales qui les concernaient.

Finalement, il y a aujourd'hui, au Canada, autant de lois électorales qu'il y a de types d'élections. Les lois électorales appliquées au recrutement des membres de la Chambre des communes se distinguent quelque peu de chacune des lois électorales provinciales, lesquelles se distinguent les unes des autres. Les élections municipales sont elles-mêmes encadrées par des dispositions qui varient selon les catégories de municipalités et selon les provinces. Il en va de même des dispositions qui règlent les autres types d'élections (élections scolaires et sociales, au Québec, par exemple). Toutes ces lois électorales, distinctes les unes des autres, ont néanmoins beaucoup en commun, car, à Ottawa comme dans les capitales provinciales, les majorités parlementaires ont eu tendance à s'inspirer des mêmes points de vue. De toute façon, depuis 1982, les lois électorales fédérales et provinciales doivent respecter les articles 3 et 4 de la Charte canadienne des droits et libertés.

La Charte canadienne des droits et libertés, entrée en vigueur en 1982, établit que tout citoyen canadien a le droit de vote et est éligible aux élections législatives fédérales ou provinciales. Elle fixe aussi à cinq ans la durée maximale du mandat des membres de la Chambre des communes et des assemblées législatives des provinces.

Parce qu'elles donnent le droit de vote à tous les citoyens et imposent des obligations et des interdictions qui limitent les possibilités de fabriquer des majorités artificielles, les règles du procédé électoral amènent les partis politiques d'aujourd'hui à promettre toutes sortes de satisfactions aux électeurs, en échange de leur soutien. Mais les satisfactions promises semblent de plus en plus imprécises. Un exemple : lors des élections fédérales de 1993, le Parti libéral du Canada a produit un document de 108 pages, contenant une quinzaine de formulations généreuses et vagues (appelées «plans d'action») mais fort peu d'engagements précis. Ce document de 1993 était intitulé *Pour la création d'emplois. Pour la relance économique*. Un nouveau plan d'action du même style a paru en 1997 : *Bâtir notre avenir ensemble*.

Parfois, les élections sanctionnent durement les dirigeants d'un parti qui, ayant accédé aux postes d'autorité, n'ont pas donné aux électeurs qui les avaient appuyés les satisfactions promises, tout comme elles sanctionnent durement ceux de leurs concurrents qui n'ont pas su refléter les aspirations du plus grand nombre.

LES PREMIÈRES DISPOSITIONS À PRENDRE EN VUE DES ÉLECTIONS : LA DURÉE DES MANDATS DES PERSONNES À ÉLIRE, LE NOMBRE DE SIÈGES, LEUR RÉPARTITION ENTRE LES RÉGIONS

En vue des premières élections législatives du Bas-Canada, tenues en 1792, les autorités ont dû déterminer, d'abord, la durée des mandats des personnes à élire (quatre ans ou moins), le nombre de sièges que comprendrait l'Assemblée élue (fixé à 50), puis le mode de répartition de ces sièges, selon les régions.

La répartition retenue par les autorités a été modelée sur celle qui était en vigueur à la Chambre des communes, dans la capitale britannique. À l'époque, dans les îles Britanniques, chacun des membres de la Chambre des communes représentait une portion du territoire, certaines villes, plus peuplées que d'autres, ayant droit à deux ou même plusieurs députés. Le gouverneur a finalement décidé de diviser le terroir du Bas-Canada en 21 circonscriptions, les moins peuplées (par exemple, la circonscription de Gaspé) ayant droit à un seul député, les plus peuplées ayant droit à deux, trois, quatre, voire six députés (la ville de Québec a été représentée par six députés, tout comme la ville de Montréal).

Ces circonscriptions ont été appelées *comtés*. C'était l'appellation la plus commune en Angleterre (*counties*, ou, au singulier, *county*, par allusion aux délimitations territoriales des siècles antérieurs, qui relevaient des comtes ou comtesses). La plupart de ces comtés ont reçu des noms de lieux inspirés de la géographie des îles Britanniques

(Bedford, Buckingham, Cornwallis, Devon, Dorchester, Effingham, Hampshire, Hertford, Huntingdon, Kent, Northumberland, Leinster, Surrey, Warwick, York).

Suivant l'exemple britannique, il a aussi été convenu d'attribuer un siège à la personne qui, s'étant portée candidate à ce siège, aurait obtenu le plus de voix des électeurs à représenter. Dans les circonscriptions où il y avait deux sièges ou plus, la personne désireuse de représenter les électeurs choisissait d'être candidate à l'un ou l'autre siège. Dans ces circonscriptions qui avaient droit à deux sièges ou plus, chaque électeur votait pour l'un des candidats au premier siège, puis pour l'un des candidats au deuxième siège, et ainsi de suite.

On a tout de suite constaté que certains députés représentaient des populations beaucoup plus considérables que celles représentées par d'autres députés. Aux élections de 1827, environ 29 000 personnes étaient domiciliées dans le comté de Bedford alors qu'il n'y en avait pas 5 000 dans le comté d'Orléans. Ayant compris que leurs intérêts seraient bien servis si le nombre de sièges était augmenté et si le découpage du territoire en circonscriptions était révisé, les dirigeants du parti majoritaire (appelé depuis 1827 Parti patriote) ont effectué une refonte de la carte électorale, qui est entrée en vigueur aux élections de 1829.

La refonte de 1829 a fait passer de 50 à 84 le nombre de sièges, dans l'Assemblée du Bas-Canada, et de 21 à 40 le nombre de circonscriptions (avec le temps, entre 1792 et 1829, les gens avaient pris l'habitude d'utiliser deux autres mots pour parler des comtés : *districts*, utilisé aux États-Unis, et *ridings*, utilisé en Angleterre). Les circonscriptions comptant moins de 4 000 habitants ont eu à élire un député, les autres, deux, sauf celles de Montréal et Québec (chacune en a eu quatre). Seuls cinq des 40 comtés ont reçu, dans cette refonte, des noms d'inspiration britannique (Dorchester, Drummond, Shefford, Sherbrooke et Stanstead), les appellations antérieures ayant été écartées au bénéfice de noms français et de noms de gouverneurs dont l'attitude avait été bienveillante (par exemple Dorchester, en l'honneur du général Guy Carleton, appelé, lors de son deuxième mandat, Lord Dorchester, gouverneur général du Canada de 1768 à 1778 et de 1786 à 1796, à qui les Canadiens d'origine française croyaient devoir l'Acte de Québec de 1774 et l'Acte constitutionnel de 1791).

En raison de la règle selon laquelle une circonscription comptant 4 000 habitants et plus avait droit à deux députés, le nombre de sièges à l'Assemblée du Bas-Canada a augmenté par la suite. Il était de 90 aux élections de 1837.

Lors de la réunion du Bas-Canada et du Haut-Canada en 1840, les autorités ont décidé de réduire à 84 le nombre total de sièges à l'Assemblée du Canada-Uni. Ce nombre correspondait à la capacité des salles où pouvaient se réunir les députés, que ce soit à Québec (capitale de l'ancien Bas-Canada), à Kingston (qui a été la capitale de 1840 à 1843) ou ailleurs (Montréal a été capitale de 1843 à 1850 ; par la suite, les députés ont siégé alternativement à Québec et à Toronto).

Majoritaires, à l'issue des élections de 1841, les réformistes et les libéraux ont procédé, en 1842, à une révision des frontières des circonscriptions de l'ancien Bas-Canada (une nouvelle délimitation a également été effectuée dans l'ancien Haut-Canada). Le nombre des sièges de l'ancien Bas-Canada a été maintenu à 42 (contrairement aux vœux des Canadiens français qui, à l'époque, étaient fortement sous-représentés), mais le nombre des comtés a été réduit à 36, quatre d'entre eux ayant droit à une représentation renforcée (Saint-Maurice a eu deux sièges, Sherbrooke également ; Montréal en a eu trois, tout comme Québec).

Après la confirmation du principe de la responsabilité ministérielle en 1848, la majorité, formée par les réformistes et les libéraux, a fait passer le nombre de sièges de 42 à 65 dans chacune des deux parties du Canada-Uni. Le territoire de l'ancien Bas-Canada a été redécoupé, cette fois en 60 circonscriptions (Missisquoi ayant deux députés, Montréal, trois, et Québec, trois). La nouvelle délimitation, en vigueur aux élections de 1852, semble avoir été encore plus favorable aux Canadiens français que la précédente. Les Canadiens français, par la suite, ont refusé de modifier la division du territoire de l'ancien Bas-Canada effectuée pour les élections de 1852. Leur refus a été décisif puisque, comme ils l'avaient fait entre 1848 et 1852, ils ont soutenu, en majorité, les gouvernements qui se sont succédé de 1852 à 1867. Ce refus leur a permis de bénéficier d'une surreprésentation de plus en plus avantageuse (et le désir d'y mettre un terme, ressenti dans l'ancien Haut-Canada, fait partie des nombreuses raisons pour lesquelles les députés de cette région ont appuyé le projet d'union des colonies de l'Amérique du Nord britannique).

Les inégalités de représentation induites par la répartition des sièges entre les régions

La surreprésentation d'un parti se fait aux dépens de certaines catégories d'électeurs et des partis qui les représentent.

Pour parler de ces inégalités de représentation, les spécialistes distinguent les électeurs et les partis qui sont *surreprésentés* de ceux qui sont *sous-représentés*. La surreprésentation et la sous-représentation induites par la répartition des sièges selon les régions sont considérées comme des *inégalités structurelles* de représentation, parce qu'elles sont liées à la structure ou, plus précisément, à l'agencement des délimitations des circonscriptions. Ces inégalités structurelles défavorisent les électeurs des circonscriptions les plus peuplées; si celles-ci sont toutes situées dans les villes, les citadins sont alors sous-représentés, et le parti qu'ils préfèrent le sera également, pour peu que les gens des campagnes appuient davantage son principal adversaire. Parce qu'elles ne peuvent être cachées et que leurs conséquences sont évidentes, ces inégalités structurelles sont vivement critiquées par les gens qu'elles défavorisent.

Des exemples de sous-représentation et de surreprésentation ont été proposés précédemment. Les Canadiens français ont été sous-représentés aux élections de 1841, de 1844 et de 1848, et leurs leaders ont mis du temps à oublier cette injustice, qui avait d'ailleurs été accompagnée d'autres injustices et de multiples discriminations commises aux dépens des leurs. Inversement, aux élections tenues entre 1852 et 1867, les Canadiens français ont été de plus en plus fortement surreprésentés, et ce sont les porte-parole des habitants de l'ancien Haut-Canada qui, à leur tour, ont crié à l'injustice.

Au cours des cent années qui ont suivi l'union des colonies d'Amérique du Nord britannique (1867), les inégalités de représentation induites par le découpage du territoire en circonscriptions ont toujours été très importantes (mais elles n'ont pas été aussi grandes que celles qui ont perverti les élections de plusieurs autres pays à la même époque). Ces inégalités de représentation ont surtout défavorisé les populations urbaines, qui étaient en croissance, et les partis implantés dans les villes.

La surreprésentation rurale a été, pendant longtemps, un objet de discorde. Selon certains citadins, elle expliquait les décisions gouvernementales qui ne plaisaient pas aux populations urbaines. Et, puisque cette surreprésentation rurale était importante dans chacune des provinces du Canada (comme elle l'a été dans d'autres pays, notamment aux États-Unis), les partisans en parlaient beaucoup.

Chacun des grands partis (libéraux ou conservateurs, selon les périodes et selon les provinces) a utilisé le levier de la surreprésentation rurale pour obtenir la majorité des sièges à l'assemblée provinciale, mais, parmi ses candidats, il n'y avait jamais beaucoup d'agriculteurs. Une des raisons pour lesquelles ces grands partis n'avaient que quelques agriculteurs parmi leurs candidats pouvait être trouvée dans la logique du mécanisme électoral et des institutions : pour obtenir une majorité parlementaire, un parti doit s'appuyer sur plusieurs catégories d'électeurs et éviter de donner l'impression de ne représenter qu'une seule de ces catégories.

C'est d'ailleurs pour assurer l'élection de vrais ruraux qu'ont été constitués les partis de fermiers (par exemple, les Fermiers unis d'Ontario) qui ont eu un certain succès, entre 1918 et 1925, en Ontario et dans les provinces de l'Ouest.

Les parlementaires des régions peu peuplées et ceux des comtés ruraux ont toujours tenté de justifier la surreprésentation dont ils bénéficiaient. À leur avis, elle permettait de compenser les désavantages que sont l'éloignement, les distances entre les villages, la jeunesse de la population (ou le contraire !), les difficultés économiques auxquelles sont confrontés les gens des campagnes... Cette surreprésentation se justifiait également en raison des traditions, des identités régionales, des différences sociales qui distinguent la population d'un comté de celle d'un autre... Par ailleurs, les députés des comtés les plus vastes et les plus éloignés de la capitale pouvaient affirmer qu'ils passaient beaucoup plus de temps sur les routes que les représentants des comtés urbains, qu'ils avaient considérablement plus de travail que leurs collègues, puisque, intermédiaires entre leurs électeurs et la capitale, ils avaient davantage à faire. Les élus des régions surreprésentées ont toujours eu beaucoup d'arguments pour justifier la surreprésentation dont elles bénéficiaient.

À l'inverse, les parlementaires des régions sous-représentées n'ont jamais cessé de réclamer un nouveau découpage de la carte électorale. Ils stigmatisaient l'injustice en montrant du doigt les cas extrêmes :

ainsi, vers 1960, au Québec, l'une des circonscriptions provinciales (Laval, en banlieue de Montréal) comptait plus de 100 000 électeurs, alors que d'autres n'en comptaient que 10 000 (les 5 000 électeurs des Îles-de-la-Madeleine, à l'époque, avaient un député, en raison d'un texte de loi présenté et adopté le 9 décembre 1895). Ces députés contestaient les arguments présentés par leurs adversaires et soutenaient que les problèmes de leurs circonscriptions (congestion, criminalité, pauvreté, malpropreté...) étaient négligés parce qu'elles étaient sous-représentées.

Au Québec, les seules refontes importantes, celle de 1890, de 1965, de 1972 et de 1979, ont été faites par des partis fortement implantés dans les villes, qui avaient pris le pouvoir à la faveur de circonstances exceptionnelles (le premier cas est celui du gouvernement d'Honoré Mercier, formé peu après la vague d'indignation qui avait suivi, au Québec, la pendaison du chef métis francophone Louis Riel, en 1885 ; le deuxième cas est celui du gouvernement de Jean Lesage, formé après le décès du chef de l'Union nationale, Maurice Duplessis, en septembre 1959, et le décès de son premier successeur, Paul Sauvé, moins de quatre mois plus tard ; les deux autres cas, plus récents, sont évoqués plus loin, dans ce chapitre).

Justifiées par la volonté de corriger des injustices, les refontes de la carte électorale ont été conçues à l'avantage prévisible du parti qui avait la majorité parlementaire au moment où elles ont été faites.

Dans la province de Québec, l'histoire a vu dans l'évolution de la carte électorale, une série de manœuvres partisanes. Effectivement, en augmentant de 65 à 73 le nombre de sièges, en 1890, le gouvernement d'Honoré Mercier comptait servir ses intérêts partisans en même temps que la justice (puisque la refonte réduisait les inégalités numériques entre les circonscriptions). La division du comté de Gaspé pour créer la circonscription des Îles-de-la-Madeleine, en vue des élections de 1897, devait ajouter un siège à la majorité parlementaire qui l'avait proposée !

On appelle *gerrymandering* une refonte ou révision de la carte électorale qui vise à avantager les partisans qui l'ont faite. Le mot *gerrymandering* a été inventé aux États-Unis peu après une refonte de la carte électorale du Massachusetts : le dessin d'une des circonscriptions, sur la carte, rappelait la forme d'une salamandre (*salamander*). Comme le gouverneur qui avait présidé à la réfonte s'appelait Elbridge *Gerry*, les humoristes ont surnommé sa manœuvre *gerrymander*, puis *gerrymandering*.

Ce qu'on a appelé un *gerrymandering* silencieux, c'est l'inaction de tout gouvernement qui ne fait pas disparaître les surreprésentations qui l'avantagent. Négligeant de procéder à une refonte de la carte qui aurait été justifiée au nom de l'égalité, mais qui aurait été contraire à leurs intérêts partisans, les premiers ministres libéraux, entre 1897 et 1936, ont suivi une pratique tout aussi critiquable que le *gerrymandering*. Le chef de l'Union nationale, le premier ministre Maurice Duplessis, a lui aussi négligé de refondre la carte électorale du Québec, en dépit de la sous-représentation de la région de Montréal, où les libéraux étaient bien implantés. C'est pourquoi, comme ses prédécesseurs, Maurice Duplessis a été accusé d'avoir pratiqué un *gerrymandering* silencieux, ou *gerrymandering* à rebours.

Après les élections de 1962, pour éviter le risque d'être accusés d'avoir fait la même chose, les députés libéraux, majoritaires à l'Assemblée de Québec, ont confié à une commission parlementaire, où étaient présents des membres de l'Union nationale, le soin de préparer une refonte de la carte électorale. Les propositions de cette commission ont finalement été adoptées sans l'accord des députés de l'Union nationale. Ces propositions ne touchaient pourtant que le tiers des circonscriptions. Si les résultats des élections de 1962 avaient été enregistrés dans la nouvelle carte électorale, les libéraux auraient récolté onze sièges de plus que les 64 qu'ils avaient obtenus effectivement en 1962. En conséquence, malgré les précautions qu'ils avaient prises, les libéraux ont été accusés d'avoir fait une refonte partisane.

Cette accusation a sans doute influencé le vote de certains électeurs quelques mois plus tard, car les résultats des élections de 1966 ont déçu les libéraux. Dans les 42 circonscriptions touchées ou créées par la refonte de 1965, l'Union nationale a fait élire 15 candidats, alors que les résultats enregistrés en 1962 ne lui en donnaient que deux.

Certaines personnes ont dit que la refonte de 1965 avait été trop timide et que les libéraux auraient dû imposer une révision de toutes les circonscriptions. Jean Lesage lui-même l'a dit, le 5 juin 1966. Mais une révision de toutes les circonscriptions étaient impossible, à l'époque, si les députés de l'Union nationale s'y opposaient.

Ces députés de l'Union nationale, en effet, étaient majoritaires dans les comtés qui, en 1867, avaient été considérés comme des circonscriptions à protéger d'éventuelles manœuvres partisanes en raison de la présence, sur leur territoire, d'un grand nombre de personnes d'origine britannique. Un article de la Loi constitutionnelle de 1867 (l'article 80) avait établi que les frontières de ces circonscriptions ne pouvaient être modifiées sans le consentement d'une majorité des députés qui les représentaient. Au nombre de douze, en 1867, ces *comtés protégés* avaient été scindés, par la suite, et leurs délimitations initiales avaient été modifiées à plusieurs reprises, chaque fois avec le consentement de la majorité des députés qui les représentaient.

Finalement, après les élections de 1970, ayant la majorité dans ces comtés protégés, les libéraux ont abrogé l'article 80 de la Loi constitutionnelle de 1867 (qui s'appelait encore, à l'époque, Acte de l'Amérique du Nord britannique).

En juillet 1971, un projet de loi du gouvernement a proposé la création d'une commission permanente chargée de suggérer, après chaque élection, des modifications aux délimitations des districts électoraux afin d'assurer que le nombre d'électeurs dans une circonscription soit le plus possible voisin du nombre moyen d'électeurs par circonscription. Cette commission a proposé une refonte qui fut adoptée en dépit des objections des députés de l'Union nationale et du Ralliement créditiste. La refonte était majeure et extraordinairement favorable aux libéraux.

Après les élections de 1973, conformément à son mandat, la commission permanente a préparé un nouveau projet de révision de la carte électorale, lequel suscita lui aussi de nombreuses réactions négatives. Un projet subséquent n'a mené nulle part, car de nouvelles élections eurent lieu plus tôt que prévu (il s'agit des élections du 15 novembre 1976, à l'issue desquelles le Parti québécois a obtenu, après recomptages, 71 sièges). Après ces élections de 1976, la commission a présenté un autre projet (son cinquième en six ans) ; comme les précédents, ce projet a déplu à plusieurs députés.

L'adoption, en 1979, au Québec, d'un mode de délimitation égalitaire des circonscriptions

Le nouveau gouvernement (celui du premier ministre René Lévesque) fit adopter (en 1979) une modification importante au statut et au mandat de la commission créée en 1971.

Grâce à l'autorité accordée à la *Commission de la représentation électorale du Québec* en 1979, les inégalités entre les circonscriptions sont plus supportables que celles de jadis.

De plus, aujourd'hui, à Québec, les gouvernements ne sont plus accusés de pratiquer le *gerrymandering*, ni même un *gerrymandering* silencieux, puisque la loi (amendée en 1989 puis en 1991) commande à la commission, indépendante, d'agir après chaque deuxième scrutin, en fonction du nombre d'électeurs inscrits lors de ce scrutin, et de décider, seule, de la nouvelle délimitation, dans le respect de critères destinés à donner à chaque vote un poids équivalent au poids d'un autre vote.

La pratique instituée à Québec s'est imposée à Ottawa (pour la carte électorale fédérale) cependant, à la Chambre des communes, certaines inégalités numériques subsistent en raison de la formule de répartition des sièges entre les provinces.

Les inégalités induites par la formule de répartition des sièges de la Chambre des communes

La formule de répartition des sièges à la Chambre des communes d'Ottawa adoptée en 1867 exprimait la volonté des parlementaires de l'ancien Haut-Canada de mettre fin à la surreprésentation dont avaient bénéficié les Canadiens français entre 1852 et 1867 dans l'Assemblée du Canada-Uni (ces parlementaires, si soucieux d'égalité, ignoraient sans doute que les autorités avaient orchestré la sous-représentation des Canadiens français lors de l'union du Bas-Canada et du Haut-Canada en 1840). Ces parlementaires avaient obtenu que le nombre de sièges accordés à toute autre province soit égal au nombre de fois que sa population comprenait la population représentée par chaque député du Québec. Les parlementaires canadiens-français, de leur côté, avaient obtenu que le nombre de sièges accordés au Québec soit de 65, c'est-à-dire le nombre que détenait l'ancien Bas-Canada dans l'Assemblée du Canada-Uni depuis 1852. Ainsi, après chaque recensement, la population du Québec serait divisée par 65 et le quotient de cette division permettrait de calculer le nombre de sièges que mériterait chacune des autres provinces.

Cette formule de répartition, l'article 51 de la Loi constitutionnelle de 1867, comportait initialement une clause qui visait à conserver à une province les sièges qu'elle avait déjà, même si, entre deux recensements, sa population avait crû moins rapidement que celle du Canada. Cette clause avait été réclamée par les parlementaires du Nouveau-Brunswick et de la Nouvelle-Écosse, parce que, sans elle, les futures provinces risquaient de perdre quelques sièges dès la première révision, prévue pour 1871. Il avait fallu négocier fort pour en arriver à un compromis, lequel avait vraiment la forme d'un arrangement, comme le montre bien le style de la clause qui l'exprimait :

> *Lors de chaque nouvelle répartition, nulle réduction n'aura lieu dans le nombre des représentants d'une province, à moins que ne soit constaté par le dernier recensement que le chiffre de la population de cette province par rapport au chiffre de la population totale du Canada, à l'époque de la dernière répartition du nombre des représentants de la province, n'ait décru dans la proportion d'un vingtième et plus.*

Cette clause de protection a permis effectivement de protéger quelque peu la députation des provinces de l'Est au cours des décennies suivantes, mais, malgré cette clause, le Nouveau-Brunswick, qui avait 16 sièges aux élections de 1872, n'avait droit qu'à 11 sièges après le recensement de 1911. La Nouvelle-Écosse avait 21 sièges en 1872, et 16 seulement après le recensement de 1911. L'Île-du-Prince-Édouard a perdu l'un de ses six sièges après le recensement de 1891 (élections de 1896). Elle en a perdu un autre après le recensement de 1901 (élections de 1904) et a failli en perdre un troisième après le recensement de 1911 (elle l'a conservé grâce à une clause additionnelle, l'article 51A, que le gouvernement conservateur de Robert Laird Borden, en 1915, a fait ajouter à la Loi constitutionnelle, pour éviter à une province d'avoir moins de députés que de sénateurs).

À la suite du recensement de 1921, il est devenu évident que les clauses de protection, conçues pour plaire aux parlementaires de l'Est, en 1867, menaient à la surreprésentation de la majorité des provinces, y compris l'Ontario, et à la sous-représentation de trois autres, la province la plus sous-représentée étant le Québec.

À la suite du recensement de 1931, les clauses de protection ont encore joué en faveur de trois provinces déjà surreprésentées.

Après le recensement de 1941, le Québec aurait été très défavorisé puisque les autres provinces auraient conservé 22 sièges de plus que le nombre prévu par l'application du quotient de représentation obtenu en divisant la population du Québec par 65.

Les députés du Québec avaient dénoncé depuis longtemps la sous-représentation qui pénalisait leur province à la Chambre des communes. Ils n'avaient pas été entendus.

Or, voici qu'après le recensement de 1941, en dépit des clauses de protection, la Saskatchewan aurait dû perdre quatre des sièges qu'elle avait auparavant (elle en aurait eu 17 au lieu de 21). Avec 7,8 % de la population du Canada, cette province n'aurait eu que 7 % des sièges de la Chambre des communes. Les doléances des représentants de la Saskatchewan ont été immédiatement entendues. Il en a été ainsi en raison, notamment, de l'attention que leur a portée le premier ministre. Depuis 1926, en effet, William Lyon Mackenzie King se faisait élire dans la circonscription de Prince Albert, située en Saskatchewan !

Pour satisfaire les parlementaires de la Saskatchewan, le gouvernement libéral de Mackenzie King a décidé de faire modifier l'article 51 de l'Acte de l'Amérique du Nord britannique de 1867 (aujourd'hui appelé Loi constitutionnelle de 1867). Ce faisant, il a aussi satisfait les représentants du Québec.

La nouvelle formule, qui a été en vigueur aux élections de 1949, prévoyait de diviser le chiffre de la population du Canada par 254 et d'utiliser le quotient ainsi obtenu pour calculer le nombre de sièges attribué à chaque province (la distribution respectant la règle du plus grand reste et la restriction imposée par l'article 51A). Finalement, aux élections de 1949, il y a eu 262 députés à élire, le Yukon ayant droit à un député additionnel (en vertu d'une disposition datant de 1901), et Terre-Neuve, devenue province canadienne en 1949, ayant reçu sept sièges. La députation du Québec est passée de 65 sur 245 (élections de 1945) à 73 sur 262.

L'article 51 a été à nouveau modifié en 1952, pour tenir compte de Terre-Neuve, mais, à l'occasion, on y a réintroduit une clause de protection. La nouvelle clause devait permettre à toute province de conserver, après chaque recensement, au moins 85 % des sièges qu'elle avait conservés après le recensement précédent. Selon cette clause, de plus, aucune province ne devait avoir moins de sièges qu'une province moins peuplée qu'elle.

Ayant déjà été modifié à trois reprises (avant les élections de 1917, de 1949 et de 1953), l'article 51 a été révisé à nouveau en 1974 et en 1985. La révision de 1974 a réintroduit la règle de 1867 selon laquelle le quotient de représentation appliqué aux autres provinces serait calculé en divisant la population du Québec par le nombre fixe de sièges qui lui serait attribué (ce chiffre a été fixé à 75, la députation du Québec ayant été de 75 aux élections de 1953, 1957, 1958, 1962, 1963 et 1965, mais de 74 en 1968, 1972 et 1974). En voulant éviter de retrancher des sièges au Québec, où le Parti libéral, majoritaire, dominait nettement, le gouvernement a fait passer le nombre total des sièges, à la Chambre des communes, de 264 (aux élections de 1974) à 282 (aux élections de 1979). Par ailleurs, en voulant surreprésenter les provinces où habitaient moins de 1 500 000 personnes, le gouvernement a compliqué considérablement la formule de répartition des sièges à la Chambre des communes.

La révision de l'article 51, en 1985, a mis fin à ces complications. L'article 51 dit dorénavant ceci :

> *Il est attribué à chaque province le nombre de députés résultant de la division du chiffre de sa population par le quotient du chiffre total de la population des provinces et de 279, les résultats dont la partie décimale dépasse 0,50 étant arrondis à l'unité supérieure.*

L'article 51 prévoit en outre que la députation d'une province à la Chambre des communes sera toujours au moins égale à celle qu'elle avait en 1985 :

> *Le nombre total des députés d'une province demeure inchangé par rapport à la représentation qu'elle avait à la date d'entrée en vigueur du présent paragraphe si l'application de la règle 1 lui attribue un nombre inférieur à cette représentation.*

Conformément à la formule de 1985, la Chambre des communes a compté 295 sièges de 1988 à 1997 et elle en compte 301 depuis 1997.

TABLEAU 6.1
Représentation à la Chambre des communes

Provinces et territoires	1867	1872	1874 1878	1882	1887 1891	1896 1900	1904	1908 1911	1917 1921	1925 1926 1930	1935 1940 1945	1949	1953 1957 1958 1962 1963 1965	1968 1972 1974	1979 1980 1984	1988 1993	1997
Ontario	82	88	88	91	92	92	86	86	82	82	82	83	85	88	95	99	103
Québec	65	65	65	65	65	65	65	65	65	65	65	73	75	74	75	75	75
Nouvelle-Écosse	19	21	21	21	21	20	18	18	16	14	12	13	12	11	11	11	11
Nouveau-Brunswick	15	16	16	16	16	14	13	13	11	11	10	10	10	10	10	10	10
Manitoba		4	4	5	5	7	10	10	15	17	17	16	14	13	14	14	14
Colombie-Britannique		6	6	6	6	6	7	7	13	14	16	18	22	23	28	32	34
Île-du-Prince-Édouard			6	6	6	5	4	4	4	4	4	4	4	4	4	4	4
Saskatchewan					4	4	10	10	16	21	21	20	17	13	14	14	14
Alberta							{ 10	7	12	16	17	17	17	19	21	26	26
Yukon et Territoires							1	1	1	1	1	1	2	2	3	3	3
Terre-Neuve												7	7	7	7	7	7
Total	181	200	206	210	215	213	214	221	235	245	245	262	265	264	282	295	301

Années d'élections

Les débats suscités par la formule de répartition des sièges à la Chambre des communes illustrent, à l'envi, la capacité de certaines personnes d'appliquer, dans leurs comportements, ce qu'on appelle le *double standard*. Les attitudes changent, en effet, selon que la sous-représentation affecte une province plutôt qu'une autre, selon qu'une mesure de protection est réclamée par les parlementaires d'une province plutôt que par ceux d'une autre, selon que l'on demande une dérogation (qui entraîne une certaine surreprésentation) plutôt que le respect du principe d'égalité (pour mettre fin à une sous-représentation).

Ces débats montrent que les partis souhaitent conserver leurs sièges. Et ils montrent que les partis agissent comme intermédiaires pour le compte de leurs élus aussi bien que pour celui de leurs électeurs.

LE SCRUTIN UNINOMINAL MAJORITAIRE À UN TOUR

Le désir de conserver son siège a mené plus d'un parlementaire à s'opposer à une réforme du mode de scrutin uninominal (uninominal parce qu'il s'agit d'élire une personne) majoritaire à un tour en vigueur aux élections à la Chambre des communes et aux élections législatives du Québec.

Ce scrutin est désigné par diverses autres expressions : scrutin uninominal à majorité simple, scrutin traditionnel, scrutin britannique... Les Américains l'appellent *the first-past-the-post system of elections*. Certains spécialistes appellent les élections tenues selon ce mode de scrutin *élections à la pluralité des voix*. Mais on se contente souvent d'appeler ce mode de scrutin traditionnel *le scrutin majoritaire*.

Le scrutin majoritaire a ses avantages et ses inconvénients. Il se distingue, en tout cas, du mode de scrutin utilisé dans certaines élections aux États-Unis, où l'équipe qui obtient le plus de voix remporte tous les sièges (le scrutin est alors plurinominal). Il se distingue aussi du mode de scrutin employé, au Canada, pour la sélection des chefs de partis, lequel nécessite plusieurs votes (ou tours de scrutin), ou, du scrutin à deux tours utilisé en France (le second tour est requis si aucun candidat n'a obtenu la majorité absolue des voix au premier tour). Plusieurs pays européens utilisent des modes de scrutin qui accordent à chaque parti une proportion des sièges qui s'apparente à la proportion des votes obtenus. Ce n'est pas le cas avec le scrutin majoritaire.

D'une grande simplicité, le scrutin majoritaire entraîne généralement la surreprésentation, dans l'assemblée, du parti politique qui a obtenu le plus de voix. En conséquence, quand les électeurs cessent de favoriser le parti qui était majoritaire précédemment, de nombreux parlementaires connaissent la défaite (ainsi, à la suite des élections fédérales de 1993, il y a eu, à la Chambre des communes, 199 nouveaux élus sur 295). Par ailleurs, uninominal, le scrutin majoritaire lie chaque élu à un électorat précis, celui de sa circonscription *territoriale*.

Les inégalités induites par le scrutin uninominal majoritaire à un tour

Au cours des trois premières décennies du XXe siècle, de nombreuses personnes ont critiqué les défauts du scrutin majoritaire. En raison des circonscriptions uninominales, les candidats mettaient l'accent sur les préoccupations locales aux dépens des grandes questions d'intérêt général. Puisqu'il entraînait parfois un profond renouvellement des effectifs parlementaires, il permettait l'élection accidentelle de partisans mal préparés aux fonctions représentatives et précipitait la défaite de députés de grande valeur. Il encourageait apparemment les pratiques de favoritisme partisan aux dépens des débats d'idées. Mais, surtout, il défavorisait les petits partis (sauf, parfois, des partis régionaux) et souvent avantageait considérablement le parti classé premier. En Europe, où il y avait des petits partis, il arrivait qu'un candidat l'emporte avec 25 % des voix et qu'un parti obtienne la majorité des sièges même si ses candidats, ensemble, avaient reçu moins de 40 % des voix. Puisque la proportion des sièges accordés à un parti était différente de la proportion des voix données à ses candidats, on ne pouvait dire que le scrutin majoritaire reproduisait fidèlement l'opinion des électeurs.

Le scrutin majoritaire était un *miroir déformant*: l'écart qu'il produisait dans la représentation parlementaire amplifiait l'écart entre les voix attribuées aux divers partis (on appelle *distorsion* la différence entre la proportion des voix et celle des sièges).

Avec le scrutin majoritaire, un parti peut obtenir davantage de sièges qu'un parti dont les candidats, ensemble, ont recueilli davantage de voix. Un parti peut même obtenir la majorité absolue des sièges alors que ses candidats, ensemble, ont eu moins de voix que ceux du parti adverse. Aux élections fédérales de 1896, les libéraux ont obtenu 56 % des sièges avec 45 % des voix. Avec 46 % des voix, les conservateurs n'ont obtenu que 41 % des sièges (voir les tableaux 5.1 et 5.2 pour d'autres cas de distorsions importantes dans la représentation).

Selon les personnes qui les critiquaient, les distorsions induites par le scrutin majoritaire sapaient les fondements de la démocratie. En trahissant les choix exprimés par les électeurs, le scrutin majoritaire perpétuait la domination des gouvernants du passé, que la majorité rejetait. Voyant que le scrutin majoritaire leur enlevait la possibilité de faire représenter leur point de vue dans les assemblées, de nombreux électeurs ne prenaient plus la peine d'aller voter (ils devenaient ce qu'on appelle des *abstentionnistes*). Le scrutin majoritaire engendrait ainsi l'abstention, le désintérêt pour la vie politique, voire une certaine désaffection à l'égard des institutions. À la limite, les injustices associées au scrutin majoritaire menaient les personnes les plus insatisfaites à exprimer leurs revendications de façon violente, sous prétexte que les voies légales leur étaient fermées.

Au début du XXᵉ siècle, les distorsions de la transcription du vote populaire dans la représentation parlementaire induites par le scrutin majoritaire avaient déjà causé plusieurs crises politiques en Europe et, pour éviter de nouvelles crises du même type, les démocrates avaient proposé de remplacer le scrutin uninominal majoritaire par un scrutin plurinominal, permettant d'attribuer à chaque parti une proportion de sièges correspondant à la proportion de voix dont il avait bénéficié. Ce nouveau mode de scrutin était appelé la *représentation proportionnelle*.

Les campagnes d'opinion en faveur de la représentation proportionnelle

La représentation proportionnelle, selon ses partisans, devait guérir la démocratie des virus propagés par le scrutin majoritaire et lui donner un regain de vie. Ce nouveau mode de scrutin avait toutes les vertus (des livres entiers les ont chantées avec conviction et, il faut le dire, avec des raisonnements parfaitement conformes aux grands principes de la démocratie).

La façon la plus simple de réaliser cette représentation propor-tionnelle consistait à regrouper plusieurs circonscriptions électorales d'une même région et à présenter des listes de candidats pour occuper les multiples sièges auxquels la région avait droit, chaque liste obte-nant un nombre de sièges proportionnel au nombre de voix qu'elle avait reçues. Ainsi, dans une région ayant droit à dix sièges, le parti qui aurait eu 40 % des voix aurait obtenu quatre sièges, celui qui aurait reçu 30 % des voix aurait mérité trois sièges, et le troisième, avec 20 % des voix, aurait eu les deux derniers sièges.

Facile à comprendre, la représentation proportionnelle était facile à appliquer, à condition qu'on s'entende pour faire les choses de la façon la plus simple possible. Ainsi, il s'agissait de donner à chaque région (regroupant plusieurs des circonscriptions nécessaires au scrutin uninominal) le nombre de sièges correspondant à l'importance de sa population (ce qui mettait un terme aux débats relatifs aux refontes des cartes électorales, puisqu'il n'y avait plus nécessité de réviser les délimitations territoriales). Puis il s'agissait de répartir entre les partis, en fonction des votes obtenus, les multiples sièges attribués à chaque région, sans autre complication.

Mais, avec la représentation proportionnelle, il était aussi pos-sible de compliquer les choses. On pouvait imaginer au moins trois façons principales de voter : donner ou refuser à l'électeur la possi-bilité d'exprimer ses propres préférences pour les candidats de la liste de son choix (on parlait alors de listes ouvertes ou de listes fermées), ou encore autoriser l'électeur à choisir ses candidats préférés dans diverses listes (on parlait alors de «panachage» entre plusieurs listes). On pouvait, de même, envisager plusieurs façons de répartir les sièges entre les partis (ou listes) : autoriser ou interdire les alliances, les can-didatures indépendantes, etc. Quand, après avoir distribué les sièges selon la proportion de votes donnés à chaque liste, il restait un siège à attribuer, on pouvait le donner à la liste qui avait obtenu le plus de voix, ou à la liste dont le pourcentage de voix devançait le plus la proportion de sièges qu'elle avait déjà obtenus au terme de la pre-mière opération (règle de la plus forte moyenne) ou encore à la liste qui avait le «plus grand reste». On pouvait même compliquer les choses encore davantage.

Mais il y avait aussi, d'un autre côté, parmi les partisans de la représentation proportionnelle, des personnes qui pouvaient accepter que le parti le plus fort puisse bénéficier d'une certaine surreprésentation parlementaire. En effet, le parti le plus populaire serait d'autant plus avantagé que le nombre moyen de sièges par région serait petit. Avec des régions de cinq sièges et la règle attribuant le siège ultime au parti le plus populaire, ce dernier pouvait obtenir une majorité absolue de sièges à l'assemblée, même s'il avait moins de 50 % des voix. Il était donc possible, en théorie, grâce à la représentation proportionnelle, de réduire considérablement la surreprésentation du parti le plus populaire (qui aurait résulté du scrutin majoritaire), tout en l'assurant de la majorité absolue des sièges.

Divisés quant aux modalités à retenir mais convaincus des avantages théoriques de la représentation proportionnelle, de nombreux Canadiens ont proposé de l'adopter. Les électeurs de Montréal ont même eu à se prononcer, par référendum, le 16 mai 1921, sur l'opportunité de l'adopter ou de conserver le scrutin majoritaire aux élections municipales (44 654 voix ont favorisé le scrutin majoritaire, et 26 054, la représentation proportionnelle). Les programmes de plusieurs petits partis politiques (par exemple, celui des progressistes, aux élections fédérales de 1921, 1925, 1926 et 1930) ont comporté des énoncés favorables à la représentation proportionnelle. Pendant un temps, au Manitoba, les députés provinciaux de Winnipeg ont été élus selon les règles de la représentation proportionnelle, imposées par le gouvernement progressiste du premier ministre John Bracken.

L'expérience tentée à Winnipeg n'a pas plu. On a trouvé que la représentation proportionnelle encourageait la dispersion des votes entre de nombreux partis et, de la sorte, divisait l'électorat au point de rendre difficile les compromis auxquels les grands partis doivent se résoudre.

Les partisans de la représentation proportionnelle se sont fait dire que le mode de scrutin qu'ils préféraient contribuait à renforcer les petits partis soutenus par des gens qui ne veulent envisager aucun compromis. L'expérience de Winnipeg confirmait l'expérience des pays d'Europe qui, les uns après les autres, avaient adopté la représentation proportionnelle. En effet, lors d'un scrutin tenu selon les règles de la représentation proportionnelle, chaque électeur vote pour son parti préféré pensant que son vote permettra peut-être d'élire au moins un des candidats de ce parti. Ce comportement est différent de celui que les électeurs adoptent quand le scrutin est uninominal majoritaire à un tour. Contrairement à ce qui se passe dans ce cas, le comportement appliqué à la représentation proportionnelle se traduit par une dispersion des suffrages entre plusieurs partis, et finalement aucun parti n'obtient une majorité absolue de sièges. Aucun parti n'ayant la majorité des sièges, aucun gouvernement majoritaire ne peut se constituer à moins qu'une coalition ne se forme. Et l'expérience des pays européens montrait que les coalitions ne duraient pas, car elles éclataient sous la pression des rivalités entre les partis.

Peu après 1930, on a conclu que la représentation proportionnelle, en Europe, avait favorisé la croissance de partis qui menaçaient la démocratie. En Allemagne, par exemple, la représentation proportionnelle avait contribué au succès du Parti travailliste national-socialiste allemand dirigé par Adolf Hitler (appelé parti nazi en raison des deux premières syllabes de son nom, *National Sozialistische Deutsche Arbeiterpartei*, qui, en allemand, se prononcent comme le mot « nazi »). Alors qu'il aurait été fortement sous-représenté dans une assemblée élue au scrutin majoritaire, le parti d'Adolf Hitler avait réussi à prendre pied dans l'assemblée élue (appelée *Reichtag*, à l'époque) de la République d'Allemagne, puis d'y prendre une place de plus en plus grande (en 1933, avec moins du tiers des voix et un nombre proportionnel de sièges, le parti d'Adolf Hitler a été appelé à participer à la coalition gouvernementale majoritaire, car il était devenu le plus important des partis représentés au Reichtag, et Hitler a alors accédé à la tête du gouvernement). La dictature imposée par Adolf Hitler en Allemagne, où était appliquée la représentation proportionnelle, a mené à conclure que, malgré ses défauts, le scrutin majoritaire favorisait davantage la démocratie.

Après l'arrivée d'Adolf Hitler au pouvoir en Allemagne, il a été difficile de soutenir que la représentation proportionnelle n'avait pas facilité la division, qui, elle, avait engendré l'instabilité ministérielle, laquelle avait mené aux désordres, puis, finalement, à l'arrivée au pouvoir d'un dictateur. Les partisans de la représentation proportionnelle et certains observateurs attentifs de la vie politique ont soutenu, au contraire, que la représentation proportionnelle n'expliquait nullement la situation de l'Allemagne ; selon ces personnes, la dictature imposée à l'Allemagne par le parti d'Adolf Hitler était le produit de multiples enchaînements de causes et d'effets (ce que les politologues d'aujourd'hui admettent volontiers). Néanmoins, peu après 1933, certains adversaires de la représentation proportionnelle prirent prétexte de la dictature d'Adolf Hitler pour dénoncer ce qu'ils appelaient le paradoxe des modes de scrutin : inégalitaire dans ses effets, le scrutin majoritaire permettait la stabilité et l'autorité de partis démocratiques ; conçue pour éviter les inégalités, la représentation proportionnelle risquait de produire des crises politiques (en raison de l'absence de majorité parlementaire stable).

Les partisans canadiens de la représentation proportionnelle pouvaient bien énumérer la liste des pays démocratiques où la représentation proportionnelle avait eu des conséquences bénéfiques, leurs adversaires, majoritaires, n'ont jamais voulu abandonner le scrutin uninominal qui les avait bien servis.

Le Parti québécois lui-même, au pouvoir, après 1976, a été incapable de faire accepter le projet de réforme du mode de scrutin inscrit dans son programme. Après avoir fait publier, en avril 1979, un livre vert intitulé *Un citoyen, un vote*, le gouvernement a conclu qu'aucune réforme du mode de scrutin ne pourrait être réalisée sans une importante campagne d'opinion en faveur d'une formule qui conserverait les avantages du scrutin majoritaire sans en avoir les inconvénients, et qui apporterait les bénéfices de la représentation proportionnelle sans en imposer les défauts. Cette formule a été appelée *« représentation proportionnelle régionale modérée »*, et les personnes qui la trouvaient géniale en ont fait l'apologie. Mais elle a été ridiculisée par certains partisans du scrutin majoritaire. Finalement, en juin 1983, l'Assemblée nationale a demandé l'avis de la Commission de la représentation électorale du Québec (créée en 1979, comme on l'a indiqué précédemment).

La Commission de la représentation électorale a donné son avis en mars 1984. Elle a recommandé à l'Assemblée d'adopter une formule dite de *« représentation proportionnelle territoriale »*.

Le projet de réforme présenté par la Commission a plu au premier ministre René Lévesque, mais il a déplu aux dirigeants du Parti libéral (dont Robert Bourassa était le chef, à l'époque). Plusieurs auraient préféré un système électoral « mixte » (qui consiste à ajouter, aux élus choisis par le scrutin majoritaire, des élus déterminés selon les règles de la représentation proportionnelle). Admiré par certaines personnes, peu nombreuses cependant, le projet de la Commission a soulevé beaucoup d'objections.

Un sondage effectué pour le compte du gouvernement a entraîné l'abandon du projet de remplacer le scrutin majoritaire par la représentation proportionnelle territoriale (des personnes interrogées, 31 % n'avaient rien à dire, 34 % préféraient le scrutin majoritaire tel qu'elles le connaissaient, et 19 % auraient aimé qu'il y ait un deuxième tour de scrutin pour assurer une majorité absolue à tous les élus).

Les personnes qui tiennent à la représentation proportionnelle ne cessent de dénoncer les inégalités induites par le scrutin majoritaire qui, parfois, contredisent carrément les vœux de la majorité. À trois reprises, les élections provinciales du Québec ont donné la majorité des sièges à un parti qui avait moins de voix que son principal concurrent (en 1944, 1966 et 1998). La moitié des élections fédérales ont donné le pouvoir à un parti qui n'avait pas obtenu la majorité des voix ; jamais aucun parti n'a obtenu la majorité de l'électorat total (comprenant les abstentionnistes) ; souvent, l'opposition n'a compté que quelques députés, alors que le parti du gouvernement n'avait même pas obtenu la majorité des voix. Les partisans de la représentation proportionnelle trouvent que le scrutin majoritaire bâillonne les multiples minorités entre lesquelles se répartissent la plupart des gens.

Peu importe ! Les personnes qui tiennent au scrutin majoritaire rappellent que l'élection des gouvernants, élément essentiel de la démocratie, est effectivement (et efficacement) réalisée par le scrutin majoritaire. Avec ce système, au Canada, les électeurs font assurément un choix entre des équipes de candidats aux postes d'autorité. De plus, avec le scrutin majoritaire, pour espérer prendre le pouvoir, un parti doit séduire le plus grand nombre.

LE DROIT DE VOTE

S'il est influencé par le mode de scrutin, le type de médiation privilégié par les partis dépend aussi des catégories de personnes auxquelles a été octroyé le droit de vote. Si les riches sont seuls autorisés à voter, les partis ne s'intéresseront guère aux pauvres. S'ils ont le droit de voter, les pauvres auront la possibilité d'intéresser les partis. La logique des partis politiques, comme des gouvernants, explique pourquoi tant de gens ont lutté pour avoir le droit de vote.

Lors des élections tenues à la fin du XVIIIe et au début du XXe siècle, seules avaient le droit de voter les personnes âgées de 21 ans, qui étaient sujets britanniques, et qui avaient, dans la circonscription électorale, des biens ou des revenus d'une valeur supérieure à un certain montant, appelé cens. Les citadins devaient être propriétaires d'un bien pouvant rapporter au moins 5 livres sterling par année ou locataires d'une résidence dont le loyer annuel était d'au moins 10 livres. En dehors des villes, le cens était de deux livres. Au Bas-Canada, à l'époque, on appelait le droit de vote «franchise électorale» (une traduction littérale du mot anglais *franchise*, désignant le droit de vote).

Dans l'esprit de l'époque, le droit de vote et l'éligibilité (autrement dit, le droit de se porter candidat) s'obtenaient par le paiement d'impôts. Les contribuables devaient avoir le droit de voter. L'objectif n'était pas de priver les autres de ce droit; il s'agissait simplement de le donner à ceux qui étaient assujettis à l'impôt.

Il est difficile, aujourd'hui, d'évaluer l'ampleur des restrictions au droit de vote qu'impliquait le cens. Au Bas-Canada, seuls étaient inscrits aux registres des scrutins, les électeurs qui avaient pris la peine de se rendre au lieu de vote (pendant longtemps, il n'y a eu, dans la plupart des comtés, qu'un seul endroit où voter). Le nombre d'électeurs (inscrits) par rapport à la population totale donne une idée du nombre d'électeurs parmi les adultes, mais cela demeure très approximatif, puisque le nombre d'adultes dans la population totale varie considérablement d'une circonscription à l'autre. Au début du XIXe siècle, les électeurs représentaient près de 15 % de la population totale, 30 % des adultes et 60 % des adultes de sexe masculin.

Étant donné que le droit de vote était accordé aux personnes qui étaient propriétaires ou locataires de propriétés d'une certaine valeur, la même personne pouvait obtenir le droit de voter dans deux circonscriptions ou, même, dans plusieurs circonscriptions. Ces personnes étaient assurément peu nombreuses. En outre, les grandes distances à parcourir pour aller voter dans deux circonscriptions décourageaient ceux qui auraient pu le faire. Ce n'est que vers la fin du XIXe siècle que l'on s'est avisé que certaines personnes votaient dans deux comtés. Une modification à la loi électorale (en 1912, au Québec) a interdit cette pratique, tant pour les élections fédérales que pour les élections provinciales (et ce qu'on appelait le vote plural a cessé, conformément au principe selon lequel une personne ne peut voter qu'une fois lors d'un même scrutin). Cette pratique a toutefois été maintenue pour les élections municipales, jusqu'au jour où le suffrage universel a été appliqué à ce type de scrutin.

À l'époque du Bas-Canada (1791-1840), rien dans les lois électorales n'interdisait aux femmes de voter, si elles avaient 21 ans, possédaient la qualité de sujet britannique, étaient propriétaires ou locataires de biens dont la valeur atteignait le montant du cens, et n'étaient pas frappées d'une incapacité particulière (condamnées pour parjure, par exemple). Il est vraisemblable que certaines célibataires et, sûrement, beaucoup de veuves remplissaient les conditions du cens, mais, en vertu des pratiques de l'époque, la participation à la vie politique était l'affaire des hommes. Cependant, il est probable que, parmi les femmes qui avaient le droit de vote, certaines ont voulu l'exercer, en dépit des difficultés (il fallait tout de même se rendre au lieu du vote, à pied ou à cheval, et, là, faire face à une foule de partisans).

À l'époque, les conceptions les plus répandues menaient à réserver aux hommes les activités de la vie publique (ainsi qu'on l'a vu dans le chapitre 2), de sorte que, au moment de réviser la loi électorale, en 1849, certains ont cru bien faire en clarifiant les choses : dorénavant, le droit de vote serait exercé par les hommes. En retirant aux femmes le droit de vote, les parlementaires du Canada-Uni ont tout simplement suivi les idées dominantes de leur époque, en Europe et en Amérique du Nord.

Cependant, en 1849, les parlementaires du Canada-Uni auraient pu abolir les restrictions de fortune imposées aux hommes. Cela venait d'être fait en France (en 1848). On venait, dans ce pays, d'accéder à ce qu'on appelle le *suffrage universel* masculin, c'est-à-dire l'attribution du droit de vote à chaque citoyen adulte, de sexe masculin, indépendamment de sa fortune ou de ses revenus. Le suffrage universel (des hommes) remplaçait, en France, le suffrage censitaire, qui avait été institué à l'époque de la Révolution, en 1791.

Au Canada, les parlementaires ont conservé le suffrage censitaire jusqu'au début du XXe siècle. Le montant du cens a été révisé à quelques reprises. Le droit de vote a même été attribué à certains hommes qui avaient des capacités particulières (et on a parlé à ce propos de suffrage «capacitaire»), même s'ils ne satisfaisaient pas aux exigences du cens: les religieux ont ainsi acquis le droit de vote. Il en est résulté un certain accroissement de la proportion de la population habilitée à voter.

Le droit de vote aux élections fédérales a longtemps été déterminé par les assemblées provinciales. Il en était ainsi parce que, au moment d'unir les colonies de l'Amérique du Nord britannique, les négociateurs avaient préféré appliquer les lois électorales qui étaient déjà en vigueur dans chacune des colonies, avant 1867. L'article 41 de la Loi électorale de 1867 (l'Acte de l'Amérique du Nord britannique) précise que les lois électorales en vigueur à l'époque de l'union devaient s'appliquer aux élections fédérales, jusqu'à ce que le Parlement du Canada en décide autrement. L'article 40 (un passage de ce chapitre y a déjà fait allusion) retenait d'ailleurs les cartes électorales en vigueur à l'époque de l'union, même dans le cas de l'Ontario. (Toutefois, parce que le nombre de députés de l'Ontario à la Chambre des communes allait être de 82, il a fallu subdiviser, dans la première annexe de l'Acte de l'Amérique du Nord britannique, plusieurs des comtés de cette ancienne partie du Canada-Uni.)

Le Parlement fédéral a adopté plusieurs mesures successives, qui ont eu pour effet d'uniformiser les pratiques en vigueur aux élections fédérales. La plupart ont d'ailleurs soulevé d'importants débats. Le parti au pouvoir à Ottawa a justifié ces mesures en prétendant que les lois électorales adoptées dans les provinces avaient été conçues pour atteindre des objectifs partisans: les libéraux, au pouvoir dans une province, auraient pu modifier les lois électorales de cette province pour nuire aux conservateurs. Pour des raisons diamétralement opposées, les parlementaires provinciaux se sont objectés aux mesures adoptées par le Parlement fédéral. Ils ont aussi prétendu que l'article 41 visait à protéger l'autonomie des provinces et que les assemblées provinciales devaient conserver leur compétence sur le droit de vote aux élections fédérales. Les libéraux fédéraux s'allièrent aux libéraux provinciaux quand, en 1885, le gouvernement conservateur, à Ottawa, décida d'uniformiser les conditions d'octroi du droit de vote aux élections fédérales. Ils promirent de restituer aux assemblées provinciales la compétence qu'elles avaient eue auparavant. Ayant pris le pouvoir à Ottawa en 1896, les libéraux fédéraux tinrent parole et redonnèrent aux assemblées provinciales le pouvoir de déterminer qui aurait le droit de voter aux élections fédérales, à condition toutefois qu'aucune disqualification nouvelle ne soit imposée. Revenus au pouvoir, les conservateurs ont décidé de donner le droit de vote (aux élections fédérales de 1917) à tous les militaires et aux parentes des militaires, indépendamment du cens, et ils ont enlevé le droit de vote à de nombreuses personnes (Canadiens originaires des pays avec lesquels le Canada était en guerre qui avaient accédé à la citoyenneté après 1902, personnes opposées à l'effort de guerre, notamment les mennonites et les doukhobors). Finalement, en 1920, le Parlement fédéral a adopté une loi qui couvrait tous les aspects du mécanisme appliqué aux élections fédérales : cette loi donnait le droit de vote à tous les adultes, hommes et femmes, indépendamment de leur fortune ou de leur revenu.

Aux élections fédérales de 1921, toute personne résidant au Canada, âgée de 21 ans et sujet britannique, a eu le droit de voter dans la circonscription de son lieu de résidence, à condition toutefois de ne pas être frappée d'une disqualification particulière.

Accordant le droit de vote aux sujets britanniques résidant au Canada, la loi en privait les immigrants qui n'étaient pas sujets britanniques. En 1936, pour les élections provinciales, l'Assemblée du Québec a retiré le droit de vote aux immigrants qui, sujets britanniques, n'avaient pas encore acquis la citoyenneté canadienne. Le Parlement du Canada a fait de même en 1968 pour les élections fédérales.

Il y a toujours eu des disqualifications qui ont privé certaines personnes du droit de voter ou d'être candidates. Aujourd'hui, la plupart des disqualifications qui subsistent sont tout simplement des pénalités imposées aux personnes qui ont été jugées coupables d'une infraction à la loi électorale. Des élections de 1900 jusqu'à celles de 1984 (à la Chambre des communes), la loi a refusé le droit de vote aux personnes détenues pour crime dans les prisons et pénitenciers. Alors que la plupart des employés supérieurs du secteur public (juges, commissaires, greffiers, etc.) ont été à un moment ou l'autre privés du droit de vote, la loi ne leur impose plus ce genre d'interdiction. En 1895, la loi électorale du Québec a même enlevé le droit de vote aux entrepreneurs qui avaient des contrats du gouvernement. En fait, jadis, les lois électorales ont créé toutes sortes d'exclusions, d'incapacités, d'interdictions, d'inhabilités ou d'indignités (qui visaient les félons, les traîtres, les parjures, les aliénés...).

Certaines des restrictions au droit de vote imposées jadis ont été vivement contestées par les personnes qui les ont subies. Ce fut le cas des disqualifications imposées aux élections fédérales de 1917 et de 1921 aux Canadiens originaires de pays avec lesquels le Canada était en guerre (1917) ou avait été en guerre (ces disqualifications ont été levées en 1922). Ce fut aussi le cas des disqualifications imposées aux personnes dont les ancêtres vivaient sur le continent avant l'arrivée des Européens ; ceux que le vocabulaire de l'époque appelait *indiens* n'étaient pas considérés comme des citoyens dès lors qu'ils étaient domiciliés ou inscrits dans les *réserves* (cette restriction, justifiée en raison de l'extraterritorialité des réserves, a été abolie en 1962 au Québec). Ce fut, enfin, le cas des femmes.

Le refus d'accorder le droit de vote aux femmes a forcé les plus militantes à mener une lutte dont on parle encore aujourd'hui. Ces militantes ont été appelées *suffragettes*, comme les fondatrices, vers 1865, des premières organisations qui, au Royaume-Uni, avaient été formées pour faire en sorte que les femmes obtiennent le droit de vote (suffrage). Le mouvement des suffragettes, au Canada, a rapidement pris de l'ampleur.

Les assemblées des provinces des Prairies ont donné le droit de vote aux femmes en 1916 (elles ont pu voter aux élections de 1917 en Saskatchewan et en Alberta, et à celles de 1920 au Manitoba). Les assemblées de l'Ontario et de la Colombie-Britannique les ont imitées en 1917, et celles du Nouveau-Brunswick, de la Nouvelle-Écosse et de l'Île-du-Prince-Édouard ont suivi. Finalement, en 1922, les femmes de toutes les provinces, sauf celles du Québec, avaient pu voter aux élections provinciales. Même si elles ne pouvaient le faire encore aux élections provinciales, les femmes du Québec avaient pu voter aux élections fédérales de 1921 (les parentes des militaires avaient même pu le faire aux élections fédérales de 1917).

Au Québec, les suffragettes ont dû poursuivre leur lutte jusqu'en 1940. C'est cette année-là que l'Assemblée législative a enfin octroyé aux femmes le droit de voter aux élections provinciales. Ce droit a pu être exercé une première fois dans une circonscription (celle de Saint-Jean), pour l'élection d'un seul député (une élection partielle). Et il a enfin pu être exercé dans toutes les circonscriptions lors des élections générales de 1944.

Dernière assemblée provinciale à accorder aux femmes le droit de voter aux élections provinciales, l'Assemblée législative de Québec a aussi été la dernière à abolir complètement (en 1936) les restrictions au droit de vote fondées sur la fortune ou le revenu.

En revanche, par la suite, l'Assemblée de Québec a été l'initiatrice de nombreuses réformes. En 1964, les jeunes du Québec âgés de 18 ans ont obtenu le droit de voter aux élections provinciales (et ce droit a pu être exercé aux élections générales de 1966). C'est seulement plus tard que les jeunes des autres provinces ont pu voter à leurs élections provinciales respectives et c'est en 1970 que les jeunes de 18 ans ont obtenu le droit de voter aux élections fédérales (droit exercé lors des élections fédérales de 1972). L'Assemblée du Québec a aussi instauré le suffrage universel des hommes et des femmes lors des élections municipales et adopté diverses mesures destinées à donner aux élections un caractère plus conforme à l'idéal démocratique.

L'Assemblée du Québec a également donné le droit de vote aux détenus des maisons d'arrêt, prisons et pénitenciers situés au Québec. Chaque vote est alors enregistré au compte de la circonscription d'origine de la personne qui l'a exprimé. Lors du référendum d'octobre 1992, parmi les 4 416 détenus autorisés à voter, 3 396 l'ont fait, et, parmi les votes valides, 627 ont favorisé la ratification de l'entente de Charlottetown, 2 646 ont opté pour le contraire. Lors du référendum d'octobre 1995, sur 4 974 détenus inscrits, 4 035 ont voté, et, parmi les votes valides, 2 758 étaient marqués OUI, et 1 066, NON.

L'Assemblée du Québec a même donné le droit de vote aux personnes qui n'habitent pas au Québec, mais qui y ont résidé au cours des deux années antérieures au scrutin et affirment vouloir retourner vivre au Québec un jour. Lors du référendum d'octobre 1992, il y a eu 3 086 inscriptions au registre des électeurs hors Québec, un taux de participation de 79 %, 1 343 votes en faveur de l'entente de Charlottetown et 1 089 votes contre. Pour les élections du 12 septembre 1994, parmi les 2 393 personnes qui s'étaient inscrites au registre des électeurs hors Québec, il y en a finalement seulement 1 455 qui ont exercé leur droit de vote (61 %). Pour le référendum du 30 octobre 1995, le registre s'est gonflé de façon spectaculaire : 14 818 inscriptions, 2 533 votes en faveur de l'option (OUI) soutenue par le Parti québécois, le Bloc québécois et l'Action démocratique du Québec, 9 016 votes contre.

L'octroi du droit de vote à des personnes qui n'ont pas leur domicile dans la province où elles votent paraît contrecarrer le principe selon lequel une personne ne doit voter qu'une fois et, de surcroît, dans la circonscription où elle est domiciliée. Cependant, parce que la Charte canadienne des droits et libertés de 1982 ne pose aucune restriction à l'exercice du droit de vote, certains citoyens canadiens pensent qu'ils peuvent voter n'importe où et à n'importe quelle élection législative : ce raisonnement justifierait le vote, aux élections législatives d'une province, de citoyens canadiens domiciliés ailleurs que dans cette province. La Charte ne parle pas des référendums, toutefois, de sorte que personne ne peut l'évoquer pour voter lors d'un référendum tenu dans une localité ou une province où elle n'est pas domiciliée.

De plus, lors du référendum d'octobre 1995, des personnes domiciliées ailleurs qu'au Québec ont cherché à s'inscrire sur les listes électorales du Québec. Certaines ont réussi à le faire, d'autres ont échoué.

Lors d'un scrutin, il peut arriver que des gens votent deux fois (ou même davantage) ou votent sans avoir le droit de le faire (cas, par exemple, de personnes qui n'ont pas la citoyenneté canadienne). Aux élections provinciales de 1994, certaines personnes, domiciliées dans une circonscription de l'île de Montréal, se sont inscrites dans une autre (celle de Bertrand), où elles résidaient parfois : l'affaire a choqué, des partisans ayant soutenu que ces personnes s'étaient inscrites dans une circonscription où leur vote pouvait décider du scrutin. En novembre 1994, Marie Malavoy a dû démissionner du conseil des ministres quand elle a annoncé qu'elle avait voté avant d'avoir obtenu la citoyenneté canadienne (en 1992 et auparavant). Un autre cas, dont certains se souviennent, concerne l'élection d'un candidat du Parti libéral dans la circonscription de Fabre, où des centaines de personnes nées à l'extérieur du Canada ont voté avant d'avoir obtenu la citoyenneté canadienne. Mais la contestation de cette élection n'a pas abouti, car le juge a estimé que le secret du vote ne lui permettait pas de savoir si ces personnes avaient appuyé le candidat du Parti libéral plutôt que celui du Parti québécois. Les rares confirmations ou condamnations ne permettent pas de dire si les fraudes sont nombreuses. Chose certaine, pour avoir une incidence sur la représentation parlementaire, les manœuvres frauduleuses doivent être généralisées : de toute évidence, elles ne le sont pas.

Assurément sans incidence sur la représentation parlementaire, les manœuvres frauduleuses, si elles étaient nombreuses, pourraient semer le doute quant à la validité d'une verdict référendaire serré. On parlait encore, quinze ans après l'événement, de l'étonnement qu'a suscité la constatation qu'il y avait moins d'électeurs inscrits dans les circonscriptions de l'Ouest de Montréal aux élections d'avril 1981 qu'au référendum de mai 1980, alors que la population de cette région n'avait cessé de croître entre ces deux scrutins.

Lors du référendum du 30 octobre 1995, si elles avaient été commises, de telles fraudes auraient pu laisser planer un doute sur la validité des résultats, puisque la majorité en faveur de l'option du NON a été de 54 288 voix seulement (sur 4 671 008 votes valides). Mais, selon les spécialistes de ces questions, après ce référendum, il aurait été impossible de débusquer rapidement les tricheurs, de sorte que les résultats officiels ont été « acceptés » par les dirigeants des partis souverainistes.

Dans tous les cas, les dirigeants des partis ont tout intérêt à pourchasser la fraude : les manœuvres frauduleuses de leurs partisans entachent la réputation des chefs, entraînent une surenchère et, finalement, privent les gouvernants de la légitimité que leur confèrent des élections honnêtes.

De toute façon, l'étude de l'histoire du droit de vote, au Canada comme dans d'autres pays, montre que les gens accordent une grande importance à la possibilité de participer aux élections. De nombreuses personnes semblent croire que leurs voix peuvent contribuer à mener (ou maintenir) certains chefs au pouvoir ; elles semblent croire que ces chefs tiendront compte de leurs avis ; en définitive, elles perçoivent les élections comme un mécanisme de médiation politique et voient, dans les partis, des agents de cette médiation.

Même si, en général, elles tiennent à avoir la possibilité de voter, certaines personnes ne votent pas à tous les scrutins. Quelques-unes, très rares, ne votent jamais (le référendum du 30 octobre 1995, au Québec, a démontré que, parmi les adultes qui avaient la possibilité de voter, la quasi-totalité ont participé au scrutin). La décision de se rendre à un bureau de scrutin dépend de toutes sortes de considérations, et on ne peut tirer aucune déduction indiscutable des statistiques de la participation électorale. On ne peut assurément pas conclure, en observant une faible participation à tel ou tel scrutin, que les convictions démocratiques des gens ne sont plus ce qu'elles étaient.

L'idée de rendre le vote obligatoire a déjà été envisagée (et retenue, dans certains pays, comme la Belgique ou l'Autriche), mais elle n'a jamais séduit la majorité, au Canada. L'opinion la plus répandue, semble-t-il, fait du vote un exercice de liberté. Certes, pour le décrire, certains parlent d'un devoir civique. Mais, si le vote est un devoir, c'est un devoir que chacun se doit à lui-même, car il y va de ses propres intérêts (comme l'a suggéré la première page de l'introduction de ce livre). Et c'est parce que des milliers de gens y ont vu leur intérêt que le droit de vote a été réclamé, et obtenu.

LE DROIT D'ÉLIGIBILITÉ

Au Canada, le droit d'éligibilité a toujours été lié au droit de vote, bien que, dans certaines lois électorales du passé, des exigences particulières aient pu être imposées aux personnes qui se portaient candidates, alors que d'autres personnes étaient déclarées inéligibles.

Ainsi, en 1840, pour enlever la possibilité d'être candidats aux adversaires des gens en place, le gouverneur (conseillé par les riches propriétaires qui l'entouraient) a décidé que nul ne pourrait être candidat s'il n'avait des propriétés personnelles d'une valeur d'au moins 500 livres (somme très importante, puisqu'elle était 250 fois plus élevée que le cens exigé dans les campagnes). Ces exigences n'ont cependant pas empêché les réformistes et les libéraux, adversaire de l'élite de l'époque, d'obtenir la majorité des sièges aux élections de 1841.

Cette majorité a elle-même ajouté d'autres restrictions : aux élections de 1844, aucun fonctionnaire n'a pu être candidat (cette restriction écartait les adjudants de milice, les greffiers, les officiers, les maîtres de poste, les médecins des prisons, les maîtres de havre, les traducteurs et imprimeurs du secteur public et diverses autres personnes qui auraient pu justifier, par ailleurs, du cens électoral). Les réformistes et les libéraux ont aussi réussi à rendre inéligibles les entrepreneurs ayant un contrat du gouvernement, ainsi que toutes les femmes, à qui ils ont retiré le droit de vote (1849). Ces restrictions ont été maintenues pendant de nombreuses décennies. Ainsi, en vertu de la loi électorale de 1895, était inéligible tout fonctionnaire dont le traitement dépassait 1 000 dollars par année. Cette restriction relative aux fonctionnaires a été abrogée en 1903. Une restiction analogue a été réintroduite au Québec en 1923, puis abrogée définitivement en 1963. Les autres restrictions ont été abolies progressivement, encore que la loi a créé de nouvelles restrictions (concernant, par exemple, les directeurs d'élection).

Depuis 1919 aux élections fédérales et 1952 aux élections provinciales du Québec, la loi interdit à une même personne d'être candidate dans plus d'une circonscription (antérieurement, l'élu de deux circonscriptions devait choisir laquelle il allait représenter, et une élection partielle était ensuite tenue dans l'autre).

Aujourd'hui, en vertu de l'article 3 de la Charte canadienne des droits et libertés de 1982, tout citoyen est éligible aux élections législatives fédérales et provinciales. Confirmant la règle adoptée en 1948 pour les élections fédérales, l'article 3 n'abroge ni l'article 39 de la Loi constitutionnelle de 1867, qui interdit à un sénateur d'être élu à la Chambre des communes, ni la loi de 1874, qui interdit à un parlementaire fédéral d'être membre d'une assemblée provinciale. L'article 3 ne dit mot des procédures de mise en candidature.

Ces procédures sont beaucoup plus contraignantes aujourd'hui que jadis. Lors des premières élections tenues au Bas-Canada (en 1792), n'importe quel électeur pouvait se déclarer candidat, au moment qu'il choisissait (y compris le jour du scrutin devant l'assemblée des électeurs) et de la façon qui lui plaisait (par le moyen d'affiches et, plus simplement, de vive voix à l'ouverture du scrutin). Aujourd'hui, comme cela se fait depuis l'adoption du vote secret (en 1874 à Ottawa, en 1875 à Québec), les lois électorales fixent le jour et l'heure qui terminent la période prévue pour le dépôt des candidatures (une quinzaine de jours avant le scrutin, le délai variant selon les diverses lois électorales, des provinces et du Canada). Pour éviter les candidatures fantaisistes, les lois électorales exigent également que chaque candidat soit appuyé par un certain nombre d'électeurs (le nombre, généralement supérieur à 100, varie selon les lois électorales), dûment inscrits sur les listes de la circonscription concernée, et suivant des règles permettant de contrôler la véracité de ces appuis. De la même façon, la plupart des lois électorales imposent à chaque candidat de verser un dépôt, en argent (ou chèque certifié), dont le montant varie (200 dollars étant le montant que la plupart des lois exigent), dépôt remboursable à certaines conditions (qui varient également, selon les lois électorales), généralement liées à l'obtention d'un nombre minimum de voix lors du scrutin (par exemple, au moins la moitié des voix reçues par le vainqueur). Les lois électorales définissent certaines autres contraintes (production de pièces d'identité, de photos aux caractéristiques déterminées, de déclarations et de certificats d'affiliations partisanes, et ainsi de suite). Finalement, même si tout citoyen est éligible, les personnes qui font acte de candidature sont peu nombreuses.

Si les candidatures sont peu nombreuses, c'est parce que les perspectives de victoire sont faibles, et non pas parce que les procédures imposées aux candidats sont devenues rebutantes. La plupart des personnes qui font acte de candidature sont membres de l'un ou l'autre des principaux partis politiques. Ceux-ci présentent des candidats dans toutes les circonscriptions, parce que c'est en obtenant une majorité de sièges qu'un parti peut placer ses dirigeants dans les postes d'autorité les plus importants (le gouvernement, dans le cas des élections provinciales et fédérales). Mais, à côté des candidats des principaux partis, il y a toujours quelques candidatures indépendantes ou regroupées par petites équipes.

Les lois électorales refusent habituellement de considérer comme des partis les équipes qui ne présentent pas au moins une dizaine de candidats (le nombre requis varie selon les lois électorales).

L'expérience montre que la plupart des candidats indépendants et des candidats des petites équipes sont défaits. Mais tous ne le sont pas nécessairement. Il arrive qu'un indépendant se fasse élire (Frank Hanley a réussi cet exploit dans la circonscription provinciale de Sainte-Anne, sur l'île de Montréal, de 1948 à 1966 inclusivement ; Gilles Bernier, anciennement député membre du caucus du Parti progressiste-conservateur du Canada, a été élu à titre de candidat indépendant dans la circonscription de Beauce aux élections fédérales d'octobre 1993). Parce qu'ils sont très rares, les députés indépendants et les élus membres de petites équipes semblent exceptionnels.

Il est difficile de croire que les petites équipes envisagent, comme les partis politiques, de porter leurs dirigeants aux postes d'autorité. Il y a même, parmi les membres de ces petites équipes, des humoristes, tels, jadis, les candidats du Parti rhinocéros ou ceux du Bloc-Pot en 1998. Ces humoristes profitent des campagnes électorales pour se payer du bon temps, en caricaturant les traits les moins aimables des candidats des grands partis. À côté des humoristes, il y a aussi, dans les petites équipes, des gens qui aimeraient changer profondément la société. Et puis, il y a des porte-parole de groupes d'intérêt, qui voient dans les campagnes électorales une occasion de promotion. L'hétérogénéité de la société trouve une expression dans ces candidatures (que les journalistes qualifient de marginales), et celles-ci, à leur façon, participent à l'exercice de médiation politique qu'encadrent les élections.

Cependant, l'hétérogénéité de la société ne se voit guère dans les assemblées. Les candidats qui arrivent à se faire élire sont davantage des personnes qui font déjà partie de l'élite en raison de leurs connaissances, de leurs revenus, de leurs relations et autres caractéristiques. Certaines catégories de personnes (par exemple, les avocats) sont très nettement surreprésentées dans les assemblées, alors que d'autres sont fortement sous-représentées (les femmes parlementaires, notamment, ont été très peu nombreuses). Pendant de longues années, il n'y a eu aucune femme dans les assemblées, puis il y en a eu au moins une (il n'y a eu qu'une femme à l'Assemblée du Québec de 1961 à 1976) et, enfin, il y en a eu de plus en plus. Parmi les 301 membres de la Chambre des communes, à l'issue des élections fédérales de 1997, il y avait 62 femmes (21 %) ; au Québec, en juin 1997, dans les conseils des municipalités, il y avait 19 % de femmes et, à la tête des municipalités, il y en avait 9 % (127 mairesses). À l'issue des élections de 1998, l'Assemblée nationale du Québec comptait 29 femmes et 96 hommes.

LES PROCÉDURES À SUIVRE POUR TENIR LES SCRUTINS

L'égalité des citoyens, que suppose l'idéal démocratique, ne tient pas seulement à l'universalité du droit de vote et à l'absence de distorsions dans la traduction du vote populaire ; elle dépend aussi des procédures à suivre pour tenir les scrutins.

Ces procédures sont aujourd'hui beaucoup plus contraignantes qu'autrefois.

Les fonctionnaires chargés de la gestion des scrutins

Lors des toutes premières élections, dans le Bas-Canada, les scrutins étaient tenus, suivant une procédure très simple, sous l'autorité de fonctionnaires ou de notables (notamment des avocats, des notaires, etc.) mandatés par le gouverneur. Appelés «officiers-rapporteurs», ces employés temporaires devaient, suivant les procédures prévues, s'assurer de la tenue du scrutin et faire rapport (d'où l'expression «officier-rapporteur»). À l'époque, l'officier-rapporteur de chaque comté devait faire connaître aux électeurs la date et le lieu du scrutin, puis, au jour dit, ouvrir et tenir le registre du scrutin (*poll book*). Si, en raison des distances à parcourir, il paraissait nécessaire de prévoir deux lieux de vote, le scrutin était tenu dans le deuxième endroit quelques jours après le premier ; ainsi, les élections pouvaient durer plusieurs jours. Sur le registre du scrutin, l'officier-rapporteur devait inscrire le nom de chaque électeur qui se présentait à lui puis inscrire (sur la même ligne, mais dans une autre colonne) les qualifications qui lui donnaient le droit de voter et son adresse. Si quelqu'un contestait la véracité des qualifications d'un électeur, l'officier-rapporteur prenait note de ses objections. Enfin, l'officier-rapporteur enregistrait le vote que lui indiquait l'électeur (le vote n'était pas secret, mais bel et bien enregistré).

L'expérience des premières élections fit comprendre la nécessité de préciser les règles. Les lois électorales ont donc été modifiées et ont précisé les conditions d'exercice des fonctions d'officier d'élection, les procédures d'inscription des électeurs, le déroulement du scrutin, etc.

Les règles relatives au recrutement des officiers d'élection ont été modifiées à plusieurs reprises. De 1791 (élections de 1792 au Bas-Canada) à 1849 (élections de 1852 au Canada-Uni), les officiers-rapporteurs ont été nommés par le gouverneur ; le choix du gouverneur portait sur des personnes en vue (notables), à l'exclusion des religieux, des médecins, des chirurgiens et diverses autres personnes (par exemple, les maîtres de poste) dont les charges étaient trop exigeantes ou dont l'autorité morale pouvait influencer le vote. En 1849, à la suite d'une modification de la loi électorale, la fonction d'officier-rapporteur, dans chaque circonscription, a été réservée aux fonctionnaires supérieurs des comtés (les «officiers» chargés de l'enregistrement dans les comtés et les «shérifs» des cités et villes). Peu après, parce que certains «officiers» n'avaient réussi à remplir leur tâche qu'en négligeant leur travail principal, il a fallu élargir la base du recrutement des officiers-rapporteurs. Néanmoins, au Québec, jusqu'en 1936, la plupart des officiers-rapporteurs ont été recrutés en vertu de leurs fonctions dans l'administration des comtés ou des divisions d'enregistrement (par exemple, aux élections provinciales de 1931, c'était le cas de 49 des 90 officiers-rapporteurs).

Au Québec, appelés «officiers-rapporteurs» jusqu'en 1936, les fonctionnaires chargés de gérer le scrutin dans les comtés ont pris le titre de présidents d'élection (des comtés). Nommés pour gérer un scrutin, les présidents d'élection des circonscriptions (appelés aujourd'hui directeurs du scrutin) sont devenus, après 1945, des fonctionnaires permanents (mais travaillant à temps partiel), nommés par le président général des élections (appelé, depuis 1977, directeur général des élections). Ils ne peuvent être révoqués, sauf pour des raisons graves (par exemple, pour cause de manœuvres frauduleuses). Les directeurs du scrutin sont recrutés par le directeur général des élections (voir, plus loin) par voie de concours, et, en raison de la complexité des procédures, ils reçoivent une formation de plusieurs semaines avant de pouvoir gérer leur premier scrutin.

Le responsable de la gestion du scrutin dans chaque circonscription (qu'on l'appelle officier-rapporteur, président d'élection ou directeur du scrutin) doit s'adjoindre quelques collaborateurs pour remplir son mandat. Lors des toutes premières élections de l'histoire du Bas-Canada, deux ou trois collaborateurs suffisaient, puisque, dans la plupart des circonscriptions, il n'y avait qu'un seul lieu de vote. Le nombre de lieux de vote a augmenté et, finalement, aux élections de 1844, il y a eu un bureau de vote par paroisse et, dans les villes, un bureau par quartier. En conséquence, le nombre de collaborateurs des officiers-rapporteurs s'est accru considérablement.

Le responsable du scrutin dans une circonscription a d'ailleurs dû s'adjoindre de plus en plus de collaborateurs pour s'acquitter correctement de son mandat. Avec la multiplication des bureaux de scrutin, il a dû demander de l'aide pour préparer la carte des sections de vote (appelées aussi arrondissements de vote ou arrondissements électoraux), chacune de ces sections correspondant à un bureau de vote (en anglais *poll*). Il a dû également faire appel à des adjoints pour gérer le matériel électoral (documentation, boîtes de scrutin communément appelées « les urnes », etc.), réviser les listes d'électeurs, faire imprimer et distribuer ces listes, recevoir les déclarations de candidature, faire préparer les bulletins de vote, réserver les salles destinées à devenir bureaux de vote, meubler ces salles (chaises, tables, etc.), distribuer le matériel (urnes, bulletins, registres, listes, exemplaires de la loi électorale, pancartes et affiches, etc.), tenir des scrutins anticipés, tenir le scrutin principal, surveiller le dépouillement des votes, et ainsi de suite.

Le recrutement des collaborateurs des responsables du scrutin dans les circonscriptions a toujours posé des difficultés. À l'époque du Bas-Canada et du Canada-Uni, les officiers-rapporteurs choisissaient leurs collaborateurs comme ils le pouvaient, de leur propre initiative ou en suivant les recommandations formulées par les gens en place. Après 1867, la tendance a été de préférer l'embauche d'employés municipaux. Puis, au début du XXe siècle, avec la multiplication des bureaux de vote, les officiers-rapporteurs ont pris l'habitude de solliciter les suggestions des dirigeants des partis. Finalement, après l'avènement du suffrage universel (appliqué aux élections fédérales de 1921 et, au Québec, aux élections provinciales de 1939, pour les hommes, et à celles de 1944, pour les hommes et les femmes), les lois électorales ont confirmé les pratiques qui s'étaient développées.

Aux élections fédérales de 1921 dans l'ensemble du Canada et aux élections provinciales de 1939 au Québec, et à toutes les élections subséquentes, les responsables des bureaux de scrutin ont été nommés sur recommandation des représentants des grands partis politiques. Les titres de ces responsables ont varié (rapporteurs, présidents de scrutin, secrétaires, scrutateurs, greffiers), mais le plus important des deux a été nommé sur la recommandation du candidat officiel du parti majoritaire (lors des élections précédentes) et son second l'a été sur la recommandation du candidat officiel de l'opposition (ou, plus tard, à la suite d'une modification de la loi, sur recommandation du parti du député, si celui-ci n'était pas du parti de l'opposition officielle). Les dispositions adoptées pour les élections fédérales de 1921 et les élections provinciales du Québec de 1939 ont été modifiées par la suite, mais l'esprit de ces dispositions a été maintenu. Ces dispositions visaient à donner à la personne qui s'identifiait au premier parti la possibilité de contrôler ce que faisait celle qui s'identifiait au second parti, et inversement.

Le même esprit a présidé au choix des responsables (à temps partiel) qui, jusqu'à tout récemment, faisaient le recensement des personnes habilitées à voter. Ce recensement a été fait, une première fois, en prévision des élections fédérales de 1921. Il est devenu la règle pour les élections provinciales peu après. Les *recenseurs* (on a dit longtemps «*énumérateurs*») passaient de porte en porte pour inscrire les personnes ayant le droit de vote. Ils l'ont encore fait en avril 1997 pour les élections fédérales (l'adoption de la liste électorale permanente a mis fin à la pratique des recensements électoraux).

Le recensement, ou dénombrement, des électeurs a été requis quand a été adopté le suffrage universel. À l'époque du suffrage censitaire, l'inscription des électeurs s'était d'abord faite le jour du scrutin, puis (en 1853) la décision a été prise de dresser des listes électorales à l'avance, à partir des registres des propriétés, pour éviter les pertes de temps le jour du scrutin et pour décourager les fraudes (présentation de faux titres que l'officier du scrutin ne pouvait vérifier, inscription de la même personne à deux ou trois endroits). En adoptant le suffrage universel des hommes et des femmes, le Parlement du Canada a dû prévoir un recensement des électeurs, qu'il a confié à deux personnes choisies conformément à la règle retenue pour le recrutement des responsables des bureaux de scrutin. Le même choix a été fait au Québec quand la décision a été prise d'accorder le droit de vote à tous les hommes, indépendamment des conditions de fortune ou de revenu. L'un des recenseurs contrôlait l'autre (cependant, aux élections provinciales du Québec de 1956 et de 1960, dans les sections de vote rurales, il n'y avait qu'un recenseur, désigné par les dirigeants de l'Union nationale, alors au pouvoir).

Saluée initialement comme un grand progrès, la formule des deux recenseurs partisans qui se contrôlent réciproquement a été, par la suite, fort critiquée. Sous prétexte que deux recenseurs coûtaient plus cher qu'un seul, la majorité parlementaire, à Québec, a décidé (pour les élections de 1956 et de 1960) de faire faire le dénombrement électoral par une seule personne, dans les régions rurales. Par ailleurs, des erreurs ont été relevées lors de chaque recensement électoral : inscription d'une même personne à deux ou plusieurs endroits, inscription de personnes qui n'existent pas ou qui n'ont pas le droit de voter (visiteurs, touristes venant d'autres pays, etc.). Et puis il y a eu des mesquineries : des sympathisants ou militants des petits partis n'ont jamais reçu la visite des recenseurs.

Il y a eu enfin des difficultés dans le recrutement des recenseurs, car les grands partis, dans certaines circonscriptions, étaient incapables de soumettre plus que quelques noms aux directeurs du scrutin. Aucun grand parti ne pouvait mobiliser une armée de bénévoles pour accomplir une tâche aussi peu remunérée et aussi exigeante que le recensement électoral.

L'idée d'attirer des volontaires en augmentant leur rétribution a été écartée quand on a constaté l'importance du gaspillage de fonds publics que nécessitaient le recensement électoral provincial et le recensement électoral municipal (rendu nécessaire par l'octroi du droit de vote à tous les résidents des municipalités, indépendamment de leur sexe et de leurs contributions à l'impôt foncier), qui s'ajoutaient au recensement électoral fédéral. Les critiques ont pris de l'ampleur quand il a été décidé de faire un recensement chaque automne, pour éviter le délai imposé par le recensement électoral, dans l'éventualité d'élections tenues avant l'échéance du mandat électif. Finalement, en 1995, pour faire taire les critiques, les parlementaires du Québec ont adopté le principe d'une liste électorale permanente, valide dorénavant, pour les scrutins relevant de leur autorité. En 1996, le Parlement du Canada a fait de même et les élections du début du XXIe siècle auront lieu selon cette nouvelle pratique.

Les débats sur l'opportunité de listes électorales permanentes ont aussi touché la question de l'identification des personnes qui se présentent pour voter. Au nom de la défense des libertés individuelles, qui subsistent encore au Québec (mais qui, à ce compte-là, ont disparu ailleurs), de nombreuses personnes se sont opposées au projet d'instituer une carte d'électeur (ou, mieux, une carte d'identité universelle). Par ailleurs, les élections fédérales relevant du Parlement du Canada, plusieurs personnes ont voulu écarter tout projet de conciliation entre les listes électorales fédérales, d'une part, et les listes électorales provinciales et municipales, d'autre part. Il s'ensuit que le dossier de l'inscription des électeurs reste ouvert.

C'est assurément l'un des dossiers qui préoccupent le plus les personnes qui exercent leur autorité sur l'ensemble du scrutin.

L'administration des élections a relevé de l'exécutif, conformément à la loi, jusqu'au début du XXe siècle. À l'époque où elle relevait du gouvernement, cette autorité était exercée formellement par le gouverneur (ou, dans une province, le lieutenant-gouverneur), qui nommait les officiers-rapporteurs et émettait les brefs d'élection (dans ce contexte, un bref est une lettre décrivant les tâches que doit accomplir la personne à qui elle est adressée). Même si c'est le gouverneur qui accomplissait les formalités, c'est en fait le premier ministre qui prenait la décision de tenir les élections tel jour plutôt que tel autre et de nommer à un poste une personne plutôt qu'une autre. Le plus haut fonctionnaire du gouvernement (le greffier du Conseil privé à Ottawa ou le greffier de la Couronne en Chancellerie à Québec) devait assurer le suivi des décisions (transmettre à qui de droit les brefs d'élection, surveiller en permanence le déroulement des opérations, prendre les mesures d'urgence en cas d'imprévus ou d'erreurs...).

Après les élections de 1917, le premier ministre canadien (Robert Laird Borden) a décidé de confier la gestion des élections à un fonctionnaire permanent dont ce serait le mandat exclusif. Ce fonctionnaire, appelé directeur général des élections, a simplement pris la relève du greffier du Conseil privé, mais avec un statut de sous-ministre, un mode de nomination (une résolution de la Chambre des communes) qui faisait de lui un fonctionnaire relevant de la Chambre des communes et une indépendance qui devait garantir sa neutralité à l'égard des partis. Ses fonctions étaient définies dans la loi de manière à éviter d'éventuelles ambiguïtés. Ce fonctionnaire a assuré la gestion des élections fédérales de 1921 et celles des élections subséquentes.

Le directeur général des élections

Les mêmes raisons ont justifié la décision de créer, dans plusieurs provinces, un poste analogue à celui du directeur général des élections d'Ottawa. Ce poste, à Québec, a été occupé de 1945 à 1978 par François Drouin (appelé président général des élections jusqu'en 1977, puis directeur général des élections). Pierre-F. Côté a occupé ce poste de 1977 à 1997.

À Québec, nommé pour un mandat de dix ans, renouvelable jusqu'à 65 ans, par une résolution de l'Assemblée nationale qui doit être adoptée par au moins deux tiers des voix, le directeur général des élections ne peut être révoqué autrement que par la même procédure. Ayant un statut analogue à celui d'un juge, bénéficiant du prestige que lui confère sa compétence, le directeur général des élections exerce une autorité importante, en toute indépendance, puisqu'il est, en quelque sorte, le mandataire de l'Assemblée nationale chargé d'appliquer les lois électorales votées par elle.

Assumant des fonctions qui ressemblent beaucoup à celles qui relèvent du directeur général des élections à Ottawa, le directeur général des élections du Québec recrute les directeurs qui gèrent le scrutin dans les circonscriptions (chaque circonscription ayant un directeur du scrutin) et surveille la mise en œuvre des diverses dispositions des lois électorales (confection de la liste électorale permanente, impression des bulletins de vote, préparation des urnes, tenue du registre des électeurs hors Québec, surveillance du scrutin dans les établissements de détention, et ainsi de suite).

Le directeur général des élections du Québec a aussi la responsabilité de surveiller l'application des lois électorales par les partis politiques et par les candidats, qu'ils soient ou non affiliés à des partis. Pour assumer cette responsabilité, il doit obtenir des divers partis et candidats indépendants des attestations et des rapports. Il peut refuser aux personnes qui aimeraient se porter candidates pour un parti l'autorisation de le faire si ce parti ne s'est pas conformé aux dispositions des lois électorales.

Le directeur général des élections du Québec préside la commission de la représentation électorale chargée de réviser la délimitation des circonscriptions électorales après chaque scrutin.

Pour remplir ses nombreuses fonctions, le directeur général des élections s'appuie sur une organisation (appelée bureau) qui compte environ 150 employés permanents (en 1999) et qui peut engager, lors des élections, les employés temporaires que nécessitent les circonstances. En 30 ans, de 1970 à 1999, le nombre d'employés permanents du bureau central chargé de la gestion des scrutins a été multiplié par dix (en 1970, le bureau du président général des élections du Québec comptait une douzaine d'employés permanents, et le bureau d'Ottawa réunissait une trentaine de personnes).

La croissance des effectifs de l'administration chargée de gérer les élections résulte de causes diverses. L'une d'elles se trouve dans l'augmentation du nombre d'électeurs (lequel a plus que doublé entre 1970 et 1998) et du nombre de circonscriptions. Une autre cause se trouve dans l'extension du droit de vote : ainsi, à Québec, il faut toute une équipe de fonctionnaires pour assurer la simple gestion du registre des électeurs hors Québec, quelques personnes pour s'occuper du vote des détenus et quelques autres pour faire connaître les modalités du vote à l'ensemble de la population. La croissance des effectifs du bureau central s'explique aussi par les complications que posent la confection de la liste électorale permanente, la révision de la carte électorale, l'application de la *Loi sur le financement des partis politiques* et l'aide à apporter aux administrations décentralisées chargées de gérer les élections dans les municipalités.

La plupart des fonctions assumées par le bureau central n'existaient pas en 1970 (la révision de la carte électorale par la commission que préside le directeur général des élections est devenue en 1979 seulement ce qu'elle est aujourd'hui ; la *Loi sur le financement des partis politiques* date de 1977 ; l'extension du droit de vote aux électeurs hors Québec est une initiative du gouvernement de Robert Bourassa issu des élections de 1985...). La complexité des choses oblige aujourd'hui le bureau central à employer des cartographes (pour le dessin des cartes électorales), des juristes (pour les questions qui relèvent du contentieux, notamment), des bibliothécaires et documentalistes, des spécialistes des communications, des informaticiens, des comptables, etc. La gestion des élections repose aujourd'hui sur une importante organisation.

LE SECRET DU VOTE

L'une des tâches les plus délicates qui aient été confiées aux responsables de la gestion des scrutins leur est venue de la décision des autorités d'instituer le vote secret (appliqué, au Québec, aux élections fédérales et provinciales de 1878). Jusqu'à ce que le Parlement canadien (en 1874) et l'Assemblée provinciale à Québec (en 1875) adoptent le principe du vote secret, les électeurs enregistraient leur choix au registre du scrutin du bureau de vote où ils se présentaient. Leur choix ne pouvant être tenu secret, les électeurs étaient à la merci des pressions que les partisans pouvaient exercer sur eux.

La mémoire populaire a gardé des élections du milieu du XIXe siècle l'image de véritables cabales. Certains amis des gouvernants, pour avoir l'avantage, tentaient parfois d'empêcher leurs adversaires de voter en utilisant la force (celle de fiers-à-bras), la menace, l'intimidation... et essayaient d'obtenir l'appui des discrets en leur promettant monts et merveilles, en leur offrant même toutes sortes d'incitations (notamment de l'alcool), tout en leur annonçant de multiples représailles s'ils se rangeaient du côté de leurs adversaires. L'ampleur des pratiques d'achat de votes ne pourra jamais être évaluée précisément, faute de documents fiables, mais ces pratiques étaient sûrement répandues, puisque les parlementaires eux-mêmes ont préféré y mettre un terme.

Bulletin de vote utilisé conformément à la loi électorale du Québec en vigueur en 1999

RECTO   VERSO

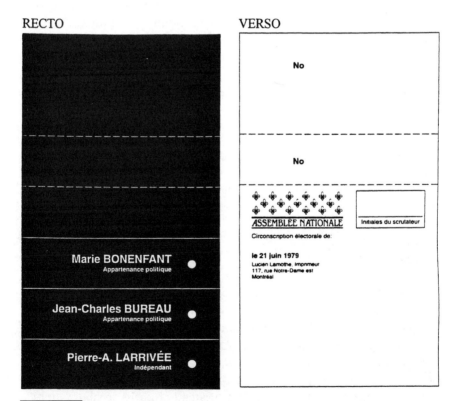

Source : Directeur général des élections, *Loi électorale*, 1989, c. 1, annexe III ; 1998, c. 52, a. 91.

L'adoption du principe du vote secret, au Canada, a suivi de peu l'exemple donné par le Parlement britannique (en 1873). L'exemple britannique n'avait cependant pas été suivi en France, où les parlementaires de la majorité, à l'époque, avaient soutenu que le secret du vote mènerait au fractionnement des partis. Les arguments des adversaires du vote secret, au Canada, étaient calqués sur ceux des conservateurs français. Ils n'ont pas prévalu, et les électeurs du Canada ont enfin pu utiliser un bulletin de vote pour exprimer leur choix.

Il a fallu un certain temps pour qu'on en arrive au bulletin de vote d'aujourd'hui, détachable d'un talon, lui-même détaché d'une souche. Le bulletin de vote utilisé au Canada a l'avantage de protéger vraiment le secret du vote, encore que, jadis, la façon de dessiner la marque désignant le choix de l'électeur pouvait permettre aux personnes qui participaient au dépouillement de contrôler les dires d'un électeur qui aurait promis de voter d'une façon plutôt que d'une autre. Ce type de contrôle a été découragé, il y a longtemps, par une disposition de la loi qui enjoint au scrutateur de rejeter tout bulletin marqué d'une façon qui laisse penser que l'électeur qui l'a déposé a été payé pour voter d'une façon plutôt que d'une autre. La règle imposant le rejet d'un bulletin «douteux» a été appliquée avec rigueur par certains scrutateurs lors du référendum de 1995. Le nombre élevé de rejets, en 1995, a encouragé l'adoption, peu après, du bulletin qui est utilisé maintenant.

Pendant longtemps, avant l'adoption du bulletin utilisé maintenant, les partisans ont été en mesure de contrôler le vote des personnes qu'ils avaient amenées à voter pour leur propre candidat. Lors des élections de 1878, leur «truc» était de donner à l'électeur qu'on devait contrôler un bulletin déjà marqué, et d'exiger, à son retour de l'isoloir, le bulletin encore vierge qu'il avait reçu du responsable du scrutin; l'électeur mettait dans l'urne le bulletin marqué qu'il avait reçu des partisans, glissait le bulletin blanc dans sa poche, puis, en échange de ce bulletin blanc, recevait des partisans la récompense promise (un billet de dix dollars, par exemple). Le bulletin blanc reçu par les partisans servait ensuite au contrôle d'un autre électeur, et ce petit manège se poursuivait toute la journée. Étant donné la ressemblance entre le don d'une récompense en échange du bulletin et le pourboire donné au télégraphiste qui, à l'époque, remettait un télégramme à son destinataire, les humoristes ont parlé de télégrammes, puis de télégraphes, pour décrire la manœuvre frauduleuse qui consiste à contrôler le vote d'un électeur qu'on a soudoyé.

LES MANŒUVRES ÉLECTORALES FRAUDULEUSES

La principale manœuvre frauduleuse que les lois électorales ont cherché à réprimer est effectivement celle qui consiste à contrarier la volonté d'un électeur. Les lois électorales ont ainsi condamné l'intimidation, le chantage, l'achat des consciences... L'adoption du vote secret a considérablement facilité le respect de la loi à ce propos. Pourtant, lors de chaque scrutin, on entend parler de chefs d'entreprise ou autres personnages importants qui, en dépit de la loi, ont tenté d'influencer le vote de personnes qu'ils pouvaient intimider. (Curieusement, après les scrutins, on n'entend pas parler des condamnations qu'auraient méritées ces membres de l'élite.)

Une autre manœuvre frauduleuse que les lois électorales ont tenté de combattre est celle qui consiste à faire voter des personnes qui n'ont pas le droit de vote, ou à faire voter plusieurs fois une même personne, ou encore à faire voter une personne à la place d'une autre. (Cette dernière pratique, une usurpation d'identité, est appelée, au Québec, « substitution » ou « supposition » de personnes et peut prendre deux formes : une personne vote à la place d'une autre qui est absente ; une personne vote à la place d'une autre, qui arrive pour voter ensuite et se voit interdire de voter quand elle se présente, ou obtient l'autorisation de le faire après de longues discussions, auquel cas son vote annule ou double le précédent.) L'adoption de listes permanentes, l'imposition de contrôles de validité des déclarations et l'exigence de pièces d'identité lors du scrutin devraient réduire considérablement le nombre de votes illicites. Il est, pour le moment, impossible d'évaluer ce nombre, pour la bonne raison que les votes illicites échappent encore à tout contrôle.

Il y a eu, dans le passé, toutes sortes de manœuvres frauduleuses : bulletins de vote fictifs (contrefaçons), vols d'urnes, de registres, de bulletins authentiques, tripotage de listes électorales, compilations mensongères, fabrication de votes (le scrutateur ou son collaborateur, laissé seul un moment, marquait plusieurs bulletins qu'il glissait dans l'urne), invalidation de bulletins (lors du dépouillement, profitant de l'inattention des autres personnes, l'un des responsables, malhonnête, marquait une deuxième fois un bulletin d'un adversaire), etc.

Les manœuvres frauduleuses du passé pervertissaient le processus démocratique. Connues, ces manœuvres révélaient la malhonnêteté des dirigeants qui les avaient commandées, la servilité des partisans qui les avaient commises et la duplicité de leurs chefs, qui faisaient mine de ne pas les voir, alors qu'ils en tiraient bénéfice.

Plusieurs chefs de partis, jadis, ont combattu la fraude, l'achat des consciences et les manœuvres d'intimidation. Devenus premiers ministres, ils ont parrainé des réformes qui ont contribué à faire disparaître certaines des pratiques déloyales qui avilissaient la vie politique. C'est ainsi qu'Alexander Mackenzie, à Ottawa, a fait adopter le vote secret en 1874. Parmi les premiers ministres du Québec qui ont favorisé le plus énergiquement l'assainissement des mœurs politiques, René Lévesque se démarque, puisque c'est lui, de toute évidence, qui a mis le plus d'énergie pour faire adopter des réformes électorales égalitaristes. Parmi les mesures qu'il a favorisées afin d'assainir les mœurs politiques, René Lévesque semble avoir préféré la loi de 1977 sur le financement des partis.

L'ARGENT DES ÉLECTIONS

La loi de 1977 sur le financement des partis politiques, adoptée par l'Assemblée nationale du Québec, a été, à l'époque, la plus avant-gardiste d'Amérique. Elle tentait de limiter l'influence que pouvaient avoir, sur les élections, des individus capables d'investir des sommes considérables dans l'attente de décisions politiques qui les compenseraient largement.

En vertu de la logique des élections (mécanisme de médiation politique), les électeurs qui les appuient attendent des chefs de partis qu'ils réalisent certains engagements : les votes donnés aux candidats représentent la contrepartie de l'échange. Mais il y a plus : pour mener une équipe au pouvoir (ou pour l'y maintenir), il ne suffit pas d'avoir une organisation ; il faut également des ressources financières (pour maintenir un secrétariat et un réseau de communications, pour diffuser les messages, pour permettre aux dirigeants de voyager...). Ces ressources, les membres des partis peuvent les fournir; ils peuvent aussi les solliciter en s'adressant à des sympathisants; ils peuvent également les obtenir de gens fortunés, à condition de leur plaire.

Lors des élections tenues dans le Bas-Canada, les riches, dans l'ensemble, appuyaient les candidats qui s'opposaient au Parti canadien (devenu Parti patriote peu avant les élections de 1827). Dominée par les députés canadiens, l'Assemblée a tenté de limiter l'influence de l'argent sur les élections en modifiant la réglementation électorale à plusieurs reprises (1793, 1800, 1807, 1822 et 1825). La loi s'est d'abord attaquée à la corruption (achat de votes, promesses de récompenses en échange d'appuis, menaces de représailles pour empêcher un électeur de voter ou pour l'empêcher de voter selon sa volonté...). L'amende imposée à un contrevenant était très lourde (50 livres, soit 25 fois le cens électoral requis des électeurs ruraux). En 1822 et par la suite, la loi a même interdit aux organisateurs d'un parti d'offrir des compensations aux électeurs (par exemple, rembourser leurs frais de déplacement vers le lieu du vote).

En 1842, majoritaires à l'Assemblée du Canada-Uni, les réformistes et les libéraux (opposés aux gens d'affaires de l'époque) ont augmenté le montant de l'amende imposée à une personne qui aurait été déclarée coupable d'avoir cherché à acheter un vote (cette amende a été portée à 200 dollars en 1875, par une loi du Québec, appliquée à la fois aux élections fédérales et aux élections provinciales).

Pendant quelques années après 1875, au Québec, chaque candidat a dû avoir un agent unique, seul autorisé à défrayer le coût des dépenses engagées en vue de son élection. Cet agent devait se faire connaître de l'officier-rapporteur dès l'acte de candidature, conserver les pièces justifiant les dépenses effectuées, tenir une comptabilité et, peu après les élections, remettre à l'officier-rapporteur un état détaillé des dépenses effectuées, avec les pièces justificatives. Un résumé de cet état des dépenses de chaque candidat devait ensuite être publié dans la *Gazette officielle*.

La loi de 1875 interdisait toute dépense qui pouvait avoir servi à acheter un vote ou à rétribuer quelqu'un pour un travail partisan (on appelait *cabaleur* celui qui tentait de convaincre des électeurs de voter en faveur d'un candidat ou d'un parti, la formule correspondante en anglais étant *canvasser*).

La loi de 1875, appliquée aux élections fédérales de 1878 et de 1882 ainsi qu'aux élections provinciales de 1878, 1881, 1886, 1890 et 1892, a été complétée en 1895 par de nouvelles obligations et interdictions.

La loi de 1895 a interdit toute contribution financière accordée à un candidat ou à un parti en échange d'une promesse de contrat ou de privilège (ou, pire, en échange d'un contrat ou d'un privilège). Une condamnation à ce titre pouvait entraîner une amende (de 1 000 à 2 000 dollars) et une peine de prison (de un à douze mois).

Cette loi de 1895 a obligé les gens qui donnaient de l'argent à un candidat ou à un parti à le remettre à l'agent officiel, en échange d'un reçu. L'agent devait tenir la comptabilité de toutes les sommes qui lui avaient été versées et en indiquer la source dans ses livres. L'état des dépenses (soumis à l'officier-rapporteur peu après les élections) était dorénavant complété par un état des revenus.

Les états financiers produits par l'agent officiel de chaque candidat devaient être conservés par l'officier-rapporteur et pouvaient être consultés et copiés par les électeurs qui désiraient en prendre connaissance. Comme cela avait déjà été voulu par la loi de 1875, le résumé de ces états financiers devait être publié dans la *Gazette officielle*.

La loi de 1895, de plus, a fixé des limites aux dépenses permises aux candidats (dépenses réglées par leur unique agent officiel, appelé «agent spécial»). Les dépenses déjà interdites en vertu de la loi de 1875 (achat de votes, rémunération de partisans, etc.) restaient interdites, et les dépenses permises devaient être contenues à l'intérieur de certaines limites (par exemple, 1 000 dollars par candidat pour certains types de déboursés).

Cette loi de 1895 a été en vigueur aux élections provinciales de 1897 et de 1900, mais, par la suite, elle a été amputée des dispositions qui limitaient le plus les activités partisanes. Les limites imposées aux dépenses par la loi de 1895 ont été abolies dès 1903. En 1903 également, les pénalités prévues pour les infractions ont été réduites. D'autres révisions ont été faites ensuite et, parmi celles-ci, les plus marquantes sont les suivantes : l'abolition de l'obligation de publier les états financiers (1926), l'abolition de l'obligation pour un candidat d'avoir un agent officiel et l'abolition des obligations imposées jusqu'alors à l'agent officiel (1932), l'abolition de l'obligation de produire des états financiers (1936).

En quarante ans de pouvoir ininterrompu, les libéraux du Québec ont réussi à faire disparaître les dispositions de la loi électorale du Québec qui, en 1875 puis en 1895, avaient imposé des restrictions à l'utilisation de l'argent pour gagner les élections.

Par la suite, l'Union nationale dirigée par Maurice Duplessis, premier ministre de 1936 à 1939 et de 1944 à 1959, n'a rien fait pour restreindre la liberté des bailleurs de fonds des grands partis.

Aux élections de 1960, plusieurs personnes, dont des candidats du Parti libéral (tel René Lévesque), ont réclamé une révision de la loi électorale destinée à mettre fin à la domination de l'argent sur les élections. Parce que, depuis des décennies, la loi électorale ne leur imposait plus de limites, les partis en étaient arrivés à dépenser des fortunes pour obtenir une victoire aux élections. Puisque la loi ne leur imposait aucune comptabilité particulière, les dirigeants des partis pouvaient solliciter les bénéficiaires des contrats et privilèges attribués par les gouvernements, et ils pouvaient le faire en toute impunité.

Ce qu'avaient dénoncé les démocrates, entre 1920 et 1936, à l'époque du premier ministre libéral Alexandre Taschereau (pots-de-vin, prévarications, abus de biens publics) et après 1936, à l'époque du premier ministre Maurice Duplessis, le ministre libéral René Lévesque le condamnait avec force au sein de l'équipe libérale du premier ministre Jean Lesage, en 1960. Il a fallu trois ans à René Lévesque et aux autres démocrates que rassemblait alors le Parti libéral pour en arriver à imposer une toute petite partie de la réforme qu'ils souhaitaient. Cette réforme limitée a été réalisée en 1963.

Même si elle a été considérée comme la plus sévère de toute l'Amérique, la réforme électorale du Québec de 1963 a paru fort limitée, aux yeux des plus exigeants, parce qu'elle n'empêchait nullement les grands partis de continuer, comme par le passé, à engager des dépenses considérables grâce aux contributions versées dans ce qu'on avait pris l'habitude d'appeler la « *caisse électorale* ». Certes, cette loi de 1963 a imposé, comme cela avait été le cas à la fin du XIXe siècle, l'obligation à tout candidat d'avoir un agent officiel unique, chargé de la totalité des dépenses permises en période d'élections. Elle a fixé des limites aux dépenses permises et confirmé l'interdiction de toute dépense destinée à payer un vote ou un travail partisan. Mais, comme à la fin du xixᵉ siècle, cette obligation ne s'appliquait que pendant la campagne électorale du candidat, de sorte qu'elle ne limitait guère la liberté d'action des partis avant le début des campagnes électorales. Par ailleurs, contrairement à la loi de 1895, la loi de 1963 n'a rien dit du financement des partis, de sorte que les bénéficiaires des décisions gouvernementales pouvaient encore s'attacher la sympathie des dirigeants des partis en leur faisant des dons. De plus, la loi de 1963 prévoyait un remboursement partiel des dépenses dont faisaient état les agents officiels : ce remboursement, effectué par le président général des élections grâce aux fonds publics, pouvait atteindre le montant obtenu en multipliant par 15 cents (ou « *cennes* ») le nombre d'électeurs inscrits dans la circonscription. Ce remboursement, refusé aux candidats qui n'avaient pas obtenu 20 % des voix, était manifestement conçu au seul bénéfice des deux principaux partis. En définitive, décevant les démocrates de l'époque, le premier ministre Jean Lesage avait préféré une réforme qui avantageait son parti.

C'est finalement un ancien membre du gouvernement de Jean Lesage, qui avait, entre 1960 et 1963, plaidé pour une réforme électorale majeure, qui a imposé, en 1977, une nouvelle réglementation qui a contribué à assainir quelque peu la vie politique au Québec : cette réforme est considérée comme l'un des legs majeurs qu'a laissés au Québec cet ancien ministre libéral, René Lévesque (devenu chef du Parti québécois en 1968 et premier ministre du Québec en 1976).

La loi de 1977 et les modifications qui lui ont été apportées par la suite, qui ne s'appliquent qu'aux scrutins relevant des autorités provinciales du Québec, imposent des contraintes considérables aux partis politiques du Québec. La *Loi sur le financement des partis politiques* du Québec ne s'applique pas à l'extérieur de la province et n'a pas d'équivalent véritable dans d'autres provinces canadiennes. Au chapitre du financement des partis, cette loi québécoise est beaucoup plus restrictive que la loi électorale fédérale, qui impose également des limites aux dépenses électorales, prévoit le versement de subventions aux grands partis (ainsi qu'à de nombreux candidats) et accorde des dégrèvements de leur impôt aux contribuables qui produisent un reçu pour une contribution au financement des partis qu'elle concerne.

En vertu de la loi du Québec, depuis 1977, les agents officiels des partis politiques (et des candidats) doivent tenir la comptabilité de *toutes* les sommes qui leur sont destinées, *en tout temps* (et non pas seulement pendant les quelques semaines précédant les élections). La loi oblige les agents officiels des partis politiques provinciaux et de leurs instances locales à soumettre un rapport financier annuel au directeur général des élections (initialement, peu après 1977, ce rapport était soumis à un directeur du financement des partis, fonctionnaire dont le poste a été aboli et dont la fonction a été attribuée au directeur général des élections). Cette loi interdit à quiconque, sauf l'agent officiel, d'effectuer des dépenses dont l'objectif est d'influencer le vote ou de financer une activité définie comme partisane. Elle interdit à quiconque de donner plus de 3 000 dollars par année à un parti politique et rend obligatoire la divulgation de toutes les contributions financières accordées aux partis politiques et candidats dont le montant est supérieur à 200 dollars (avant 1994, ce montant s'élevait à 100 dollars). Un annuaire reproduit les noms et adresses des personnes dont les dons ont été révélés. La loi du Québec, par ailleurs, n'autorise que les électeurs du Québec (personnes physiques) à faire des contributions au financement des activités reliées aux partis et aux scrutins (élections et référendums). La loi du Québec, enfin, reconduit, avec quelques changements et additions, les diverses dispositions relatives aux limites imposées aux dépenses permises, à l'interdiction de certains types de dépenses, aux subventions (fonds publics) accordées aux partis et aux candidats, et aux avantages fiscaux consentis aux contribuables qui ont participé au financement des partis politiques provinciaux.

Les restrictions imposées au financement des élections tenues en vertu de l'autorité de l'Assemblée nationale du Québec n'ont pas fait disparaître la volonté de certaines personnes d'obtenir des dirigeants des avantages particuliers. Elles leur ont simplement enlevé la possibilité de poursuivre leurs objectifs par le moyen du financement des activités électorales et des partis politiques. Elles les forcent à mettre davantage l'accent sur les jeux d'influence (objet du chapitre 8 de ce livre). Certaines personnes condamnent toutefois ces restrictions qui, à leur avis, briment la liberté des gens.

S'appuyant sur l'article 2 de la Charte canadienne des droits et libertés, qui est censé garantir la *liberté d'expression*, certains avocats réclament l'abolition des restrictions que les lois électorales imposent en matière de financement des activités électorales. Selon l'un des arguments usuels, tout citoyen devrait avoir le droit de donner autant d'argent qu'il veut à l'organisation qu'il choisit pour tenter d'influencer à sa façon le choix des électeurs ou pour exprimer ses opinions. Ce point de vue, s'il prévalait (compte tenu de l'arrêt de la Cour suprême dans l'affaire «Libman» en 1997), ramènerait les pratiques antérieures à la loi de 1963, à l'époque où la richesse donnait toutes les libertés à ceux qui la possédaient.

Il est possible que, comme les restrictions imposées à la fin du XIX\ :sup:`e` siècle en matière de financement des élections, la réforme électorale adoptée à la demande du premier ministre René Lévesque, en 1977, ne reste en vigueur que quelques années encore. Mais elle aura été en vigueur au moins 20 ans !

Les dispositions relatives au financement des partis politiques et des activités électorales sont souvent modifiées. Aux élections de 1998, le directeur général des élections a remboursé 50 % des dépenses autorisées engagées au cours des semaines précédant le scrutin par les partis ayant obtenu 1 % des voix dans l'ensemble des circonscriptions et 50 % de celles des candidats ayant obtenu 15 % des voix dans leur circonscription. De plus, les contributions individuelles au financement des partis valent aux donateurs un allégement de l'impôt sur leur revenu. Par ailleurs, dorénavant, une allocation annuelle est versée aux partis politiques pour défrayer une part de leurs frais courants : chaque parti reçoit un montant proportionnel au pourcentage de voix que ses candidats, ensemble, ont obtenu lors des élections précédentes. Le montant de l'allocation totale (à répartir) est égal au nombre total d'électeurs inscrits, multiplié par 50 cents.

Les restrictions imposées au financement des activités électorales posent d'importantes contraintes, auxquelles les partis politiques provinciaux du Québec ont dû s'ajuster. De toute évidence, ces restrictions mènent les dirigeants des partis à se montrer davantage attentifs aux doléances de l'ensemble de la population. Sans ces restrictions, ils pourraient peut-être s'intéresser davantage à quelques importants bailleurs de fonds. En définitive, les règles du mécanisme électoral en matière de financement, comme dans d'autres domaines, peuvent influencer le style de médiation des partis politiques.

Cette influence peut dépendre des contrôles qui visent à assurer le respect des restrictions imposées par la loi. Or, pour atteindre l'objectif visé, ces contrôles doivent être effectués systématiquement et conformément à l'esprit de la loi. De tels contrôles coûtent cher et, pour les gens qui ne les souhaitent pas, les déficits budgétaires des gouvernements offrent le prétexte voulu pour en exiger l'abandon.

Pour le moment, les contrôles sont maintenus. Le contrôle des rapports financiers annuels et celui des rapports des dépenses électorales sont effectués par le personnel du bureau du directeur général des élections. Ces contrôles, tels qu'exercés depuis 1994, exigent une dizaine de milliers d'heures de travail chaque année. À ces heures doivent d'ailleurs être ajoutées celles que requièrent des activités similaires imposées par la *Loi sur les élections et les référendums* dans les municipalités. Par ailleurs, l'émission des chèques, la comptabilité, la publication des documents prévus par la loi et diverses autres tâches reliées aux finances électorales occupaient encore, en 1995 et 1996, plusieurs dizaines de personnes. Au bout du compte, pour assainir quelque peu les mœurs électorales au Québec, il faut mettre en œuvre des moyens relativement importants.

Certains démocrates estiment que l'égalité associée à l'idéal démocratique ne peut s'accommoder d'une liberté totale : pour atteindre davantage d'égalité, il faudrait, à leur avis, restreindre davantage la liberté. Mais restreindre la liberté, c'est imposer des obligations et des interdictions, et pour imposer, il faut sanctionner. Or, curieusement, la réglementation du financement des activités électorales n'a pas mené à un déluge de condamnations. Même s'ils ne mettent pas en cause les contrôles exercés, les sceptiques en arrivent à se demander si la réglementation est parfaitement respectée.

LES RISQUES ENCOURUS PAR LES PERSONNES QUI CONTREVIENNENT AUX DISPOSITIONS DE LA LOI ÉLECTORALE

En dépit de la sévérité apparente des lois électorales, les personnes qui contreviennent aux dispositions de ces lois peuvent avoir l'impression de pouvoir le faire en toute impunité. Les amendes et autres sanctions susceptibles d'être imposées en vertu des lois électorales s'avèrent vraiment peu nombreuses.

Les pénalités imposées aux contrevenants ne semblent pas plus nombreuses aujourd'hui que jadis. Certes, le directeur général des élections doit instruire un certain nombre de plaintes, après chaque scrutin, mais, faute de preuve, rares sont les condamnations. De toute façon, en matière électorale comme en d'autres matières, il est très difficile d'établir la fiabilité de déclarations relatives à des comportements interdits par la loi quand il n'y a pas de manifestation matérielle durable de ces comportements. Par ailleurs, après un scrutin, la lassitude décourage rapidement les personnes qui ont été choquées par une conduite répréhensible ; rares sont celles qui s'entêtent à poursuivre une action qui leur coûte temps et argent sans leur rapporter quoi que ce soit sinon, éventuellement, la déception de l'échec. Les rares cas où des plaignants ont insisté concernent des manœuvres apparemment frauduleuses qui auraient permis l'élection d'un adversaire ; mais là encore, comme le cas de la contestation d'une élection dans la circonscription de Fabre l'a démontré jadis, le secret du vote et les circonstances plaident en faveur des prévenus.

L'attitude des dirigeants des partis à l'égard des poursuites engagées contre leurs adversaires traduit la logique de leur démarche. Ils vont tenter de bénéficier des rumeurs qui entachent la réputation de leurs adversaires, mais ils se contenteront de cette action, considérant que les bénéfices supplémentaires qui pourraient découler d'une poursuite en justice ne pourraient jamais compenser l'énergie requise pour l'engager.

Il y a toujours eu des gens qui auraient aimé faire condamner les chefs politiques qui ont, jadis, pris le risque de réclamer, pour leur parti, de l'argent des bénéficiaires des décisions gouvernementales. Il a toujours été difficile de le faire. Rares seraient les chefs qui, comme John A. Macdonald en 1873, ont pris des risques. Certains ont cependant, de toute évidence, fermé les yeux sur les manœuvres de leurs propres partisans, qui utilisaient la violence (en empêchant les adversaires de voter), les menaces, l'intimidation, le chantage, la calomnie, le mensonge, la discrimination, le favoritisme...

Le dégoût provoqué par ces pratiques explique assurément l'ampleur des réformes électorales effectuées en 1874 et 1875, puis en 1895 et, enfin, en 1977. Les réformes de 1874 (vote secret, limitation des dépenses électorales, notamment) ont été adoptées en réaction aux abus révélés par le scandale qui avait impliqué le premier ministre canadien, John A. Macdonald. Les réformes de 1895 ont suivi de peu les révélations d'enquêtes sur d'autres scandales. Quant aux réformes de 1977, elles ont été l'expression de la lassitude suscitée par les abus d'argent dans les campagnes électorales.

*

*   *

Finalement, les règles que fixent les lois électorales sont, aujourd'hui, nombreuses et complexes, et la plupart des personnes qui les connaissent le mieux se retrouvent soit au service des directeurs généraux des élections (qui ont la responsabilité de gérer les scrutins), soit au service des partis. Les dirigeants des partis sont sans doute les plus grands spécialistes de la législation électorale.

Ces dirigeants auraient tort de ne pas respecter les règles édictées dans les lois électorales, car en les transgressant ils ne gagnent pratiquement rien et risquent de perdre leur crédibilité et le respect qu'on pouvait leur témoigner jusque-là. Ils risquent en outre de tomber sous les feux croisés de leurs adversaires, car ces règles sont justiciables (autrement dit, les personnes qui les transgressent peuvent subir la sanction de la justice, donc des tribunaux). Mais, plus grave encore, en transgressant les règles, les dirigeants des partis disculperaient tous ceux qui les transgressent et donneraient un argument aux personnes qui aimeraient imposer la démocratie par la violence. Au Québec même, les inégalités de représentation et les manœuvres électorales frauduleuses ont été évoquées dans le manifeste du Front de libération du Québec rendu public peu après les enlèvements réalisés par ses membres, en octobre 1970 (kidnappings du ministre libéral Pierre Laporte et de l'attaché commercial britannique James Richard Cross).

Bien des gens pensent qu'il y aurait encore beaucoup à faire pour donner au mécanisme électoral toutes les vertus que suggère leur conception de la démocratie. Cependant, beaucoup d'autres personnes, se disant peut-être que le mieux est l'ennemi du bien, se satisfont du mécanisme électoral actuel.

Ce mécanisme permet la participation des gouvernés au choix des gouvernants. Les candidats aux postes d'autorité sont amenés à prendre en compte les doléances et les vœux des électeurs qu'ils sollicitent. La quasi-totalité de ces candidats, aujourd'hui, se regroupent au sein de partis politiques ; ces derniers sont devenus les plus visibles des agents de la médiation politique.

LECTURES RECOMMANDÉES

BERNARD, André, *Systèmes parlementaires et modes de scrutin*, Québec, Bureau du directeur général des élections, 1994, 98 pages (Collection Études électorales).

BLAIS, André, et Élisabeth GIDENGIL, *La démocratie représentative : perceptions des Canadiens et Canadiennes*, Ottawa, Commission royale sur la réforme électorale et le financement des partis (Montréal, Wilson et Lafleur), 1991, 277 pages (volume 17).

BOYER, James Patrick, *Elections in Canada : The Law and Procedure of Federal, Provincial and Territorial Elections*, Toronto, Butterworths, 1987, 1213 pages (deux volumes).

CLICHE, Paul, *Pour réduire le déficit démocratique au Québec : Le scrutin proportionnel*, Montréal, Éditions du Renouveau québécois (Québec-livres), 1999, 157 pages.

HIEBERT, Janet, Money and Elections : Can Citizens Participate on Fair Terms Amidst Unrestricted Spending ? *Canadian Journal of Political Science – Revue canadienne de science politique*, 31 (1), mars 1998, pages 91-111.

LAFORTE, Denis, et André BERNARD, *La législation électorale au Québec, 1790-1967*, Montréal, Presses de l'Université du Québec, 1970, 197 pages.

LEMIEUX, Vincent, et Diane JACKSON, La réforme du système électoral, *Politique*, 6, 1984, pages 33-50.

MASSICOTTE, Louis, et André BERNARD, *Le scrutin au Québec : un miroir déformant*, LaSalle (Québec), Hurtubise HMH, 1985, 255 pages.

SEIDLE, Franklin Leslie (sous la direction de) *Le financement des partis et des élections de niveau provincial au Canada*, Ottawa, Commission royale sur la réforme électorale et le financement des partis (Montréal, Wilson et Lafleur), 1991, 240 pages (volume 3).

SEIDLE, Franklin Leslie (sous la direction de), *Aspects du financement des partis et des élections au Canada*, Ottawa, Commission royale sur la réforme électorale et le financement des partis (Montréal, Wilson et Lafleur), 1991, 467 pages (volume 5).

SMALL, David (sous la direction de), *La délimitation des circonscriptions au Canada. Pour un vote égal et efficace*, Ottawa, Commission royale sur la réforme électorale et le financement des partis (Montréal, Wilson et Lafleur), 1991, 397 pages (volume 11).

STANBURY, W.T. (sous la direction de), *L'argent et la politique fédérale canadienne. Le financement des candidats et candidates et des partis*, Ottawa, Commission royale sur la réforme électorale et le financement des partis (Montréal, Wilson et Lafleur), 1991, 793 pages (volume 1).

7

La formation d'une majorité

Depuis le milieu du XIXe siècle, l'enjeu primordial des élections est, sans conteste, le choix du parti dont les chefs formeront le gouvernement. Et la formation du gouvernement repose sur la majorité.

Pourtant, les élections n'imposent vraiment qu'une décision : la désignation des membres des assemblées représentatives. Elles ne garantissent rien d'autre, même si, en pratique, c'est le chef de la majorité parlementaire qui est appelé à former le gouvernement. Quand ce chef décède ou démissionne, la personne qui lui succède n'a pas besoin de recourir à de nouvelles élections pour accéder au poste de premier ministre. Les élections ne dictent pas les décisions effectives du gouvernement, en dépit des « engagements » du parti dont il est issu. Il arrive même, comme l'ont rappelé divers passages des chapitres précédents, que le parti qui a obtenu le plus grand nombre de suffrages ne soit pas celui qui fait élire le plus grand nombre de candidats (comme cela s'est produit au Québec aux élections provinciales de 1944, 1966 et 1998). En définitive, les élections indiquent les préférences de la majorité, sans les imposer vraiment.

En raison des limites des choix électoraux, bien des analystes voient dans les élections un exercice de légitimation du pouvoir politique. À leurs yeux, les élections donnent au pouvoir une sorte d'approbation rituelle, une forme de consécration périodique.

Cette consécration périodique implique aussi l'alternance, au pouvoir, d'équipes différentes. Pour plaire à une majorité, chacun des grands partis cherche à traduire les attitudes, visions et visées de plusieurs catégories d'électeurs ; il essaie de rassembler les soutiens qui lui permettront d'atteindre son objectif immédiat, qui est de porter puis de maintenir ses chefs dans les postes d'autorité. Et, quand il accède au pouvoir, ce parti tente de faire réaliser ses promesses, projets et engagements et s'efforce de satisfaire « sa majorité », car, pour remporter la victoire lors de nouvelles élections, il doit conserver la confiance du plus grand nombre.

Malgré tous les avantages que procure le pouvoir au parti qui l'exerce, l'un des partis concurrents peut mobiliser les insatisfactions, promettre les changements désirés et, finalement, former une nouvelle majorité. Et, puisqu'elles permettent l'alternance, les élections offrent à l'électorat un choix bien réel, un choix de majorité.

Pendant la période d'intense activité (« la campagne électorale ») qui précède les élections, chacun des grands partis tente de rassembler une majorité, en mettant en œuvre tous les moyens dont il dispose (et que les lois électorales autorisent). Ainsi, lors des élections législatives du Québec, en septembre 1994, exprimant les sentiments de nombreux électeurs, le Parti québécois a critiqué les détenteurs des postes d'autorité, qu'il cherchait à remplacer, il a condamné certaines de leurs politiques et il en a proposé d'autres, qu'il a promis de mettre en œuvre s'il accédait lui-même au pouvoir. À l'inverse, le Parti libéral a tenté de mobiliser tous les appuis qu'il pouvait pour contrer l'offensive du Parti québécois. En mettant l'accent sur les mécontentements que le programme du Parti québécois pouvait provoquer, le Parti libéral a voulu exprimer les appréhensions d'une partie de la population, celle qu'effraient les engagements du Parti québécois, un parti qu'on disait (en 1994) de tendance social-démocrate, décidé de faire du Québec un pays souverain, indépendant du reste du Canada. Au bout du compte, comme les autres campagnes électorales, celle de 1994 a pris, dans une bonne mesure, l'allure d'un concours de popularité.

Pour constituer une majorité dans l'électorat, un parti doit arriver à concilier plusieurs des nombreux éléments disparates entre lesquels se divise la population. L'hétérogénéité des communautés culturelles, la diversité des identités catégorielles, la variété des attitudes à l'égard du changement, tout cela (brièvement évoqué dans les trois premiers chapitres de ce livre) pose aux partis un défi considérable.

Ce défi, les grands partis tentent de le relever en cherchant des dénominateurs communs dans les visions et visées d'un grand nombre de personnes qui s'identifient à des catégories distinctes, autrement dit, en élaborant des projets et en formant des équipes qui puissent plaire à une majorité. Ce faisant, les partis effectuent ce que les politologues appellent l'agrégation des intérêts (en anglais, *brokerage*). Effectivement, chaque parti tente de rassembler des éléments distincts pour former un vaste agrégat, une majorité (qu'il tente de mobiliser lors des élections).

Cette entreprise de rassemblement a été facilitée par les pratiques qui, au Canada, mènent au bipartisme. Le bipartisme caractérise en effet l'organisation de la vie politique dans les institutions représentatives du Canada. Dans chacune d'elles, les partis forment un système qui présente généralement une apparence de bipolarité. On dit d'un tel système qu'il est bipartite. Depuis l'union des colonies de l'Amérique du Nord britannique, l'alternance des majorités a caractérisé la vie politique à la Chambre des communes du Canada, comme dans chacune des assemblées législatives des provinces canadiennes, et, depuis peu, cette alternance s'est imposée dans les grandes villes (par exemple, à Montréal ou à Québec). À la Chambre des communes, les conservateurs ont été majoritaires pendant un temps, les libéraux l'ont été ensuite, les conservateurs l'ont été à nouveau, et ainsi de suite. Il en a été de même, pendant longtemps, dans chacune des assemblées provinciales. Il est arrivé, dans six des dix provinces, qu'un parti jeune arrive à supplanter l'un des anciens partis, mais, dans tous les cas, la déviation par rapport au bipartisme a été de courte durée.

Le bipartisme peut étonner dans des territoires qui, comme le Canada, sont très diversifiés. Il s'explique, pourtant. Tout comme s'expliquent les stratégies adoptées par les grands partis. Et tout comme s'explique l'émergence, de temps en temps, de petits partis.

LE BIPARTISME ET LA FORMATION D'UNE MAJORITÉ

L'explication principale du bipartisme se trouve dans la logique du scrutin uninominal. Cette logique induit des comportements électoraux qui mènent au bipartisme. Elle facilite considérablement la formation d'une majorité.

Les comportements induits par la prime au parti préféré accordée par le mode de scrutin uninominal

Comme le chapitre précédent l'a montré, le scrutin uninominal, en vigueur au Canada, avantage considérablement le parti qui est en avance (voir les tableaux 5.1 et 5.2, qui font cependant état de quelques exceptions, notamment celles de 1896, 1957 et 1979 dans le cas des élections fédérales du Canada et celles de 1944, 1966 et 1998 dans celui des élections provinciales du Québec).

Généralement, le mécanisme électoral en vigueur au Canada donne une majorité absolue des sièges au parti qui est en avance, même s'il obtient beaucoup moins que la majorité absolue des voix. Le Parti québécois a pris le pouvoir avec 41 % des voix aux élections législatives provinciales de 1976 au Québec ; c'est aussi avec une proportion voisine de 40 % des voix, que le Nouveau Parti démocratique a pris le pouvoir en Ontario en 1990 ou que le Parti libéral du Canada a obtenu la majorité des sièges à la Chambre des communes en 1993 et en 1997.

Connaissant l'importance de la prime accordée au parti qui est en avance, certaines personnes, pour empêcher un parti de gagner, vont appuyer son principal concurrent plutôt que de voter pour l'équipe qu'elles préfèrent mais savent perdue. Qualifié de « stratégique », ce comportement répond au raisonnement selon lequel, entre deux maux, il faut choisir le moindre. Inspiré par la logique du mode de scrutin, ce comportement engendre le bipartisme.

Le bipartisme est aussi favorisé par d'autres types de comportements. En effet, pour de multiples raisons, plusieurs personnes se rallient à l'équipe qui, prenant de la vitesse, semble en voie de l'emporter sur la première ou, mieux encore, à l'équipe qui semble en avance (aux États-Unis, on dit de ce comportement qu'il reflète l'effet *bandwagon,* autrement dit l'effet d'entraînement que produisait, jadis, le char des musiciens en tête des cavalcades).

Alors qu'il y a beaucoup de « recrues de la onzième heure », il y a bien peu de personnes prêtes à encourager une équipe qui semble ne pas avoir de chances. Il y en a, mais il y en a peu. Aux États-Unis, pour désigner les motivations qui mènent à miser sur un parti qui semble vaincu, on parle de l'effet *underdog*, par allusion à la formule «*to plead for the underdog*», qui signifie «plaider pour les opprimés». Les personnes qui appuient une équipe perdue d'avance peuvent vouloir le faire parce qu'elles se sentent proches de ses membres, parce qu'elles partagent ses points de vue, parce qu'elles croient que la conjoncture le justifie, etc. Certaines peuvent même croire que leur détermination actuelle sera imitée demain. Leur vote est souvent qualifié de vote de protestation ou de vote idéologique. Ces personnes ne sont jamais très nombreuses, sauf lors d'élections que l'on dit être de «réalignement» (par exemple, les élections provinciales de 1970, au Québec, et les élections fédérales de 1993).

Le bipartisme et le parlementarisme de type britannique en vigueur au Canada

La logique du scrutin uninominal est appuyée par la pratique institutionnelle propre au parlementarisme de type britannique en vigueur au Canada. Les comportements des gens, lors des élections, reflètent en effet les diverses finalités du mécanisme électoral. Or, depuis l'avènement de la responsabilité ministérielle, les élections permettent le choix d'un gouvernement et celui de son chef, en plus de permettre le renouvellement des assemblées représentatives.

Ces comportements paraissent d'autant plus logiques que le type de parlementarisme pratiqué au Canada donne le pouvoir au parti qui obtient la majorité des sièges à l'assemblée élue (Chambre des communes, assemblée provinciale) et réserve un rôle d'opposition «officielle» au deuxième parti de l'assemblée (l'éventuel troisième parti se trouvant relégué derrière l'opposition officielle). Ayant le sentiment de faire un choix entre des équipes qui convoitent le pouvoir, de nombreuses personnes se rappellent que le mieux est souvent l'ennemi du bien et votent pour l'un des deux premiers partis.

Le bipartisme et le favoritisme partisan

Conséquence de la logique du scrutin uninominal et de la pratique institutionnelle ainsi que d'une certaine rationalité appliquée aux choix électoraux, le bipartisme résulte également des pratiques selon lesquelles, jadis, les détenteurs des postes d'autorité recompensaient les électeurs qui avaient le plus contribué à la victoire de leur parti lors des élections précédentes. Au gouvernement, les libéraux favorisaient leur électorat et les bailleurs de fonds de leur parti ; quand les conservateurs les délogeaient, l'électorat conservateur recevait à son tour des faveurs. L'intérêt de leur parti guidait les autorités dans le choix des entreprises auxquelles elles accordaient les contrats, dans le choix des personnes à qui elles confieraient des tâches et dans le choix des politiques qu'elles adopteraient. Finalement, autour des institutions fédérales (et des institutions provinciales de l'époque), deux importants réseaux partisans se sont constitués : celui des libéraux et celui des conservateurs.

Le préjugé de bipartisme inscrit dans les lois électorales

Par ailleurs, à tour de rôle, aux moments où ils étaient majoritaires (et les autres minoritaires), les libéraux et les conservateurs ont fait des modifications aux lois électorales afin de consolider leur position.

De toute façon, les lois électorales ont longtemps été conçues en fonction du bipartisme et ont toujours donné un certain avantage au parti du gouvernement. Pendant longtemps, la confection des listes électorales a relevé de personnes désignées par les deux principaux partis. De même, la gestion de chacun des multiples bureaux de vote a relevé de deux personnes désignées par les principaux partis. Toutes ces personnes recevaient des émoluments, ce qui renforçait les réseaux des membres de deux principaux partis.

Le financement public des partis politiques, institué progressivement peu après l'avènement de la télévision, favorise également le bipartisme. Une part de ce financement public prend la forme d'une réduction de l'impôt sur le revenu des personnes qui font des dons aux partis politiques : l'expérience a montré que les deux principaux partis étaient, de loin, les premiers bénéficiaires de cette mesure. Une autre part du financement public des partis est constituée par le remboursement de certaines dépenses engagées par leurs agents officiels au cours des semaines précédant le scrutin. Jusqu'en 1992, année d'un arrêt de la cour supérieure du Québec qui les a jugées discriminatoires, les règles en vigueur ont permis le remboursement d'une partie de leurs dépenses «électorales» (par exemple, 50 %) aux candidats ayant obtenu une proportion substantielle des votes (par exemple, 15 ou 20 %, ou encore, autre possibilité, la moitié des votes obtenus par le vainqueur), ce qui, forcément, a favorisé les grands partis.

Chaque parti a aussi droit à une allocation annuelle dont le montant dépend du pourcentage de votes obtenu aux dernières élections. Cette allocation, qui vise à rembourser des frais effectivement engagés et payés, favorise les grands partis.

Les grands partis sont également avantagés par d'autres dispositions des lois électorales. La déclaration de candidature, pour prendre un exemple, est soumise à une procédure qu'il faut connaître, et que connaissent les agents des principaux partis. Autre exemple : la gestion des fonds dont disposent les partis est assujettie à des règles que savent respecter les agents des principaux partis. Dernier exemple, selon la loi, chaque entreprise de presse (journal, radio, télé) qui offre gratuitement de l'espace publicitaire ou du temps d'antenne à un parti doit offrir le même service gratuit, de façon équitable, à tous les partis qui ont obtenu un certain pourcentage des voix lors des élections précédentes (par exemple, 3 %). Cette règle favorise les grands partis et ceux des petits partis qui existent depuis un certain temps. Ainsi, lors des élections de 1993 à la Chambre des communes, le Parti libéral du Canada a obtenu de la Société Radio-Canada 117 minutes de télédiffusion gratuite, le Parti progressiste-conservateur, également 117, tandis que le Bloc québécois, qui présentait des candidats dans 75 des 295 circonscriptions, n'a obtenu que cinq minutes.

L'examen des lois électorales, celle qui s'applique aux élections à la Chambre des communes ou celles qui concernent les élections provinciales, mène à une conclusion : ces lois avantagent les grands partis.

Le bipartisme et les dichotomies

De très nombreuses personnes raisonnent en procédant d'un choix entre deux options (dichotomie) à un autre choix de même type. Cette façon de faire contribue, elle aussi, au maintien du bipartisme et à la formation d'une majorité. En procédant par étapes, en opposant les options deux par deux (divisions binaires), on se facilite la tâche : oui ou non, pour ou contre, rouge ou bleu. L'expérience de la vie apprend à voir les choses par paires : la gauche et la droite, le jour et la nuit, les hommes et les femmes... Pour bien des gens, il s'agit de choisir entre le parti des «sortants» et celui qui le menace le plus. Pour d'autres, il s'agit de maintenir, ou de retirer, l'appui donné à un parti précédemment. Pour la plupart, le raisonnement s'enchaîne d'un choix binaire (voter ou non) à un autre (pour les «sortants» ou non)...

Ces choix binaires sont encouragés par les leaders d'opinion. En effet, de nombreuses personnes semblent inspirées par les options des leaders d'opinion, qui portent souvent sur un seul parti, celui des notables. Ainsi, parmi les propriétaires des grandes entreprises qui se prononcent publiquement, la quasi-totalité le font dans le même sens. Il est d'ailleurs arrivé que des chefs religieux donnent des consignes de vote. La plupart des propriétaires de journaux affichent clairement leurs couleurs, peu avant le vote. Finalement, l'influence exercée par l'élite renforce généralement la bipolarisation de la vie politique.

Les options centristes et la formation d'une majorité

Les grands partis proposent systématiquement des projets ou des combinaisons de projets qui pourraient rallier une majorité (ou s'en approcher). D'ailleurs, s'ils ne le faisaient pas, ils ne seraient pas ce qu'ils sont.

Sur la plupart des sujets, les grands partis adoptent des stratégies centristes : ils évitent les positions extrêmes et tentent de se situer près du «juste milieu». Dans l'hypothèse où la distribution des opinions, entre deux extrémités, ne comporte pas de concentration médiane, étant soit polarisée, soit bipolarisée, les grands partis préfèrent la majorité. Cependant, lorsque l'opinion est divisée entre deux camps (sur le projet de faire du Québec un pays souverain, par exemple), il arrive que l'un des grands partis représente un camp, et l'autre, le second (on assiste alors à une confrontation directe entre les grands partis).

Les deux grands partis ne s'affrontent, avec des options diamétralement opposées, que sur un nombre limité de sujets. Il arrive que ces sujets paraissent marginaux aux yeux de bien des gens ; il arrive aussi qu'ils touchent beaucoup de monde. Ainsi qu'on vient de le rappeler, c'est le cas lors des élections provinciales au Québec depuis l'accession du Parti québécois au statut de grand parti, en raison, notamment, de son projet de faire du Québec un pays souverain. Ce fut le cas, jadis, quand un parti des villes affrontait un parti des campagnes ou quand l'opinion s'est divisée sur une question comme la libéralisation du commerce entre les États-Unis et le Canada.

Quand les deux grands partis soutiennent des options centristes sur tous les sujets, chacun propose un dosage d'ingrédients qui lui est propre. L'un insiste sur tel ou tel point, son vis-à-vis met l'accent sur d'autres points. Chacun se distingue en insistant sur un choix de projets, un choix différent de celui qu'offre son principal adversaire. Il y a toujours une différence.

Que la concurrence entre eux repose sur l'offre d'options diamétralement opposées (confrontation) ou d'options différentes (sélection), les grands partis arrivent à s'attirer un très grand nombre de votes dès lors qu'ils misent sur des options de rassemblement. S'ils le font, ils renforcent le bipartisme.

Parce que leurs programmes sont hétéroclites, composés de projets divers destinés à plaire à un grand nombre de personnes, les grands partis ressemblent parfois à des fourre-tout (*catchall*), mais cette caractéristique les sert bien et contribue, elle aussi, à renforcer le bipartisme.

Par ailleurs, parce qu'ils ont l'habitude de s'attaquer aux petits partis qui préconisent réformes et changements, les grands ont l'allure de partis traditionalistes. (On dit que les partis traditionnels sont attachés aux valeurs héritées du passé et, pour cette raison, ils plaisent beaucoup aux adultes d'un certain âge.)

Finalement, parce qu'ils cherchent à unir le plus de gens possible et à plaire aux catégories les plus influentes ou les plus nombreuses, parce qu'ils paraissent occuper une situation intermédiaire par rapport aux petits partis, les grands arrivent souvent à se partager 80 % des suffrages, lors des élections fédérales (et davantage lors des élections provinciales).

Dans une province, en raison des options centristes des deux principaux partis, qui se différencient toujours un peu, il arrive souvent que les petits partis n'obtiennent, ensemble, que 2 ou 3 % des suffrages exprimés.

De temps en temps, cependant, il arrive aussi qu'un petit parti obtienne un certain succès. Mais, comme on l'a montré au chapitre 5, le bipartisme s'impose toujours : le nouveau parti qui a du succès remplace l'un des grands partis du passé, sinon il périclite. En remplaçant l'un des grands partis du passé, le nouveau parti se transforme : devenant lui-même un grand parti, il prend les allures d'un parti centriste.

Il est toujours possible de classer les partis centristes de part et d'autre du centre, ou de les classer l'un par rapport à l'autre sur un axe qui irait de gauche à droite (ou inversement). Au XIXe siècle, à l'époque où le pouvoir exécutif était détenu par des conservateurs, on a pris l'habitude de dire que les parlementaires de cette tendance étaient de droite parce que, appuyant les ministres, ils siégaient à droite du président de l'assemblée, en raison de la valorisation du côté droit, dans les peuples de la chrétienté. Dans un hémicycle, aujourd'hui, les progressistes siègent à gauche et les conservateurs, à droite, peu importe le parti qui forme le gouvernement. Dans les salles de ce type, à l'extrême gauche siègent les partis révolutionnaires (qui se situent à gauche des communistes et des socialistes, qui sont eux-mêmes à gauche des travaillistes et des sociaux-démocrates) et on trouve à l'extrême droite les partis réactionnaires (c'est-à-dire des partis dont les chefs s'opposent au changement social et réclament le rétablissement d'un état de choses passé).

Au Canada, les analystes qui classent les partis sur l'axe droite-gauche situent les réformistes à droite des conservateurs, alors que le Nouveau Parti démocratique et le Bloc québécois se trouvent à gauche du Parti libéral. Dans les assemblées provinciales, les grands partis sont soit du centre-droit (cas des partis conservateurs et libéraux, dans la plupart des provinces) soit du centre-gauche (cas du Parti québécois au Québec, du Nouveau Parti démocratique dans les provinces où il est ou a été un grand parti). Au Canada, les grands partis paraissent plus près du centre que les autres.

Les avantages accordés aux grands partis dans le domaine des communications de masse

Généralement centristes dans leurs orientations, les grands partis peuvent occuper beaucoup de place pour une autre raison : la possibilité qu'ils ont de surclasser leurs petits rivaux dans le domaine des communications de masse.

Les grands partis reçoivent l'attention des meilleurs spécialistes des sondages et de la publicité, qui attendent, en retour des services rendus, en plus du paiement d'honoraires, des commandes du secteur public, que peuvent leur faire les détenteurs des postes d'autorité, donc les chefs de celui des deux grands partis qui aura été victorieux.

Les grands partis obtiennent, dans le contenu rédactionnel des journaux et dans les émissions d'affaires publiques (radiodiffusion, télédiffusion, câblodiffusion), un espace ou un temps plus ou moins proportionnel à l'appui qu'ils reçoivent dans l'électorat. Il s'ensuit que la place qu'ils occupent dans l'information est considérable, à la mesure de leur présence dans la vie politique.

Même quand le volume d'information qui lui est accordé est parfaitement proportionnel à sa part des votes, un parti peut être traité plus aimablement que chacun de ses concurrents. Selon leurs porte-parole, les grands partis du centre-gauche, et les petits partis, «seraient moins bien traités». Dans tous les cas, même si l'un d'eux n'obtient pas une couverture globalement positive, les deux grands partis bénéficient toujours d'un avantage, lequel renforce le bipartisme.

Le refus des coalitions et la formation de gouvernements minoritaires

Enfin, le bipartisme est aussi une conséquence du choix, fait par les grands partis, au Canada, de former des gouvernements minoritaires plutôt que des gouvernements de coalition, à la suite des rares élections qui n'ont pas donné la majorité absolue des sièges à un seul parti.

Au Canada, de toute façon, il est rare que les élections (fédérales ou provinciales) ne donnent pas la majorité absolue des sièges à un seul parti que celui-ci ait obtenu ou non une majorité absolue des voix. Il y a eu un groupe parlementaire majoritaire à l'issue de toutes les élections provinciales du Québec tenues entre 1867 et 1994 inclusivement, sauf à celles de 1878 (32 libéraux, 32 conservateurs et un président d'assemblée). Les élections fédérales de 1921 ont mené à la formation d'un gouvernement minoritaire (les libéraux ayant 116 des 235 sièges de la Chambre des communes) ; celles de 1925 également ; puis celles de 1957, 1962, 1963, 1965, 1972 et 1979. À Ottawa, de 1867 à 1996, en 130 ans, il n'y a eu que seize années de gouvernements minoritaires. Il est permis de croire que, à la tête d'un gouvernement minoritaire, un premier ministre puisse envisager de proposer à un petit parti le projet de former une coalition, mais, dans les faits, c'est la formule des gouvernements minoritaires qui a prévalu. Il y a tout de même eu, dans certaines provinces, il y a de cela bien longtemps, quelques coalitions gouvernementales, dont on a fait état dans le chapitre 5.

La décision de former des gouvernements minoritaires plutôt que des gouvernements de coalition a favorisé le bipartisme. En effet, après lui avoir fait confiance une fois, de nombreuses personnes se détournent d'un petit parti qui appuie un grand parti. Parce qu'elles ne voient plus ce qui le différencie du grand parti, elles se détournent du petit parti même si ses porte-parole affirment avoir monnayé avantageusement leur soutien au gouvernement minoritaire. Un petit parti ne peut pas vraiment exercer la *balance du pouvoir* (selon l'expression utilisée au Canada pour désigner l'influence que peut exercer un petit parti sur un gouvernement minoritaire).

Pénalisé s'il appuie un gouvernement minoritaire, le petit parti l'est également quand il choisit de ne pas l'appuyer, car alors on lui reproche d'avoir précipité la chute du gouvernement et d'avoir imposé aux contribuables les frais d'élections prématurées. Les petits partis n'ont vraiment pas de chance quand les grands partis ne veulent pas de coalitions.

Les petits partis sont désavantagés de toutes façons. S'ils s'implantent dans une région, ils soulèvent la méfiance dans les autres régions. S'ils s'appuient sur des catégories de personnes présentes partout, mais minoritaires, ils subissent les rigueurs du scrutin uninominal. Dans tous les cas, ils doivent affronter des équipes qui, elles, ont des soutiens et des ressources considérables. En définitive, bien des facteurs favorisent les grands partis, et chacun d'eux, en consolidant ses assises, a renforcé le bipartisme, autrement dit, la possibilité de former une majorité.

LES PARTIS ET LA RECHERCHE D'OPTIONS MAJORITAIRES

Pour rassembler une majorité, un grand parti doit plaire à de nombreuses catégories de personnes, et ce, en reflétant leurs caractéristiques communes et les vues qu'elles peuvent avoir en commun, en leur offrant aussi de réaliser les visées qu'elles partagent. Comme on l'a vu il y a un instant, les options centristes des grands partis du Canada semblent plaire davantage que les autres. Mais, comme le montrent l'échec obligé de l'un des deux grands partis et la déconfiture des petits partis centristes, il ne suffit pas d'adopter des positions centristes pour rassembler une majorité ; il faut beaucoup plus.

La formation d'une organisation

Chacun des grands partis a déjà le plus important : une *organisation* dont les ramifications quadrillent l'ensemble du territoire (ou presque). La formation d'une équipe constitue la première étape dans le processus d'agrégation des intérêts ; les grands partis l'ont déjà franchie. Leur antériorité les sert contre les nouveaux partis. Chacun des grands partis compte en effet quelques fidèles dans la quasi-totalité des sections de vote.

Après les difficultés initiales de recrutement d'un premier contingent de bénévoles, les leaders d'un *nouveau* parti doivent franchir plusieurs barrières, avant de pouvoir vraiment concurrencer les grands partis. Ils doivent d'abord obtenir la possibilité de présenter des candidats et candidates pour porter leurs couleurs. Or, la loi électorale réserve le titre de parti à une organisation qui présente des candidats dans une dizaine de circonscriptions (chacune des lois électorales prescrit le nombre requis) et qui fournit une liste comprenant des centaines de signatures (mille signatures, aux élections provinciales récentes, au Québec) de personnes qui doivent préciser leur adresse, attester qu'elles ont le droit de vote et certifier que, en plus d'appuyer le parti, elles sont favorables à la demande d'autorisation qu'il soumet. Pour obtenir le titre de parti, une organisation doit aussi fournir au directeur général des élections divers renseignements (noms, adresses et numéros de téléphone des dirigeants, par exemple) et documents (rapports financiers, par exemple).

Enfin reconnu, un nouveau parti doit ensuite arriver à faire élire des candidats. Au Canada, en raison du scrutin majoritaire, il n'est pas facile de franchir cette barrière, celle de la représentation, mais il est encore plus difficile d'atteindre le seuil de la majorité parlementaire, qui mène au pouvoir. Hormis les deux partis traditionnels, aucun parti n'a réussi à franchir ce dernier seuil lors des élections à la Chambre des communes du Canada. Cependant, dans six des assemblées provinciales, il est arrivé qu'un parti non traditionnel pousse ses ramifications dans l'ensemble des circonscriptions de la province concernée et obtienne la majorité des sièges.

L'accueil de la diversité

Traditionnel ou pas, un parti ne peut accéder au pouvoir s'il déplaît à trop de monde. Pour arriver au pouvoir, les dirigeants d'un parti doivent réunir, au sein de leur organisation, des personnes qui se rattachent à une grande variété d'intérêts, sans pour autant constituer une coalition de groupes d'intérêt. Il leur faut, grâce aux membres du parti, donner l'assurance de leur ouverture à l'expression des intérêts particuliers, sans les endosser, mais tout en représentant ce qui apparaît comme des intérêts communs.

L'image d'ouverture du parti est donnée par ses chefs, leurs déclarations et leurs actes, et elle l'est aussi, davantage peut-être, par les milliers de personnes qui font vivre le parti, qui en constituent l'organisation.

Les nouveaux partis, à leurs débuts, sont le reflet de minorités, mais, en s'ouvrant, ils peuvent s'adjoindre de nouvelles catégories de personnes. Un parti qui vient de naître recrute surtout des bénévoles aux fortes motivations, qui s'intéressent aux grands projets, au nom du bien commun (quelle que soit la définition de celui-ci). Si la conjoncture lui est favorable, si son message séduit, si ses chefs ont l'art de plaire, un nouveau parti peut aussi attirer des membres dont les motivations sont davantage mondaines et qui entendent s'occuper d'organisation (assemblées, recrutement, financement, etc.). S'il progresse (au lieu de stagner ou de décliner), le nouveau parti peut finalement amener à lui des contingents entiers de bénévoles, parmi lesquels il peut y avoir des stratèges, des spécialistes des communications de masse, des transfuges d'autres partis, des porte-parole de groupes d'intérêt... C'est là l'histoire des rares partis non traditionnels qui ont survécu (certains ayant même réussi à devenir de grands partis dans leurs provinces respectives).

Au fur et à mesure qu'il grandit, le nouveau parti se transforme, pour en arriver à ressembler à tout autre grand parti, tout en gardant certains de ses traits d'origine. Les catégories de membres qui y dominaient au début se rangent dorénavant derrière une nouvelle direction, formée de personnes qui bénéficient de ressources plus considérables (savoir, relations, etc.) et qui, pour atteindre leur objectif immédiat (le pouvoir), paraissent capables d'abandonner l'objectif premier du parti (la souveraineté du Québec, dans le cas du Parti québécois, la social-démocratie, dans le cas du Nouveau Parti démocratique, le «crédit social», dans le cas des partis créditistes...). Pour accéder au pouvoir, l'équipe dirigeante d'un parti en croissance semble parfois désireuse d'étendre indéfiniment l'agrégation d'intérêts qui permet de constituer une majorité.

L'acquisition d'une image composite

En raison de la diversité des personnes qui s'y rattachent, les grands partis donnent d'eux-mêmes une image composite, dans laquelle beaucoup de gens se reconnaissent.

L'importance de cette image est considérable, si l'on en juge d'après les enquêtes réalisées par les politologues. En effet, selon ces enquêtes, près du tiers des gens décident de leur vote surtout sur la base d'une comparaison entre les partis. La plupart des personnes tiennent compte de l'image des divers partis, que ce soit à titre de premier ou principal critère de leur choix, ou autrement. L'image qu'un parti donne de lui-même va plaire d'autant plus qu'un grand nombre de personnes s'y reconnaîtront. En l'acquérant, un parti concourt à l'agrégation politique.

Cependant, même s'il est diversifié, l'effectif d'un parti reste toujours passablement élitiste. Dans chaque village, dans chaque quartier, le parti attire et retient les personnes qui y occupent des places de choix. Dans chaque milieu, ce sont des leaders que les dirigeants du parti cherchent d'abord ; ces leaders, ce sont des délégués, hommes et femmes, des syndicats de salariés, des professionnels, des patrons, des chefs de clans, des vedettes locales, des bénévoles impliqués dans de multiples activités, des personnes qui s'occupent d'associations de toutes sortes... Finalement, parmi les fidèles des partis, les catégories socioprofessionnelles formées de personnes aux revenus élevés sont fortement surreprésentées.

Parce qu'il surreprésente les gens qui se situent au-dessus de la moyenne et parce qu'il surreprésente certaines générations, régions, communautés et autres catégories identitaires, un parti n'est jamais la copie conforme ou la photographie de la mosaïque sociale. D'ailleurs, les gens qui s'y reconnaissent y voient une silhouette qui leur ressemble plutôt que leur portrait.

De toute façon, les rivalités qui divisent les populations empêchent l'unanimité. L'expérience l'a montré, il est vraiment difficile d'unir (et non seulement rassembler) des catholiques, des protestants et des agnostiques, ou d'unir des anglophones et des francophones (ou encore des propriétaires d'entreprises et des syndicalistes).

La sélection et la conciliation d'intérêts compatibles

Les rivalités mènent les gens à former des camps opposés. Ainsi, au Québec (comme dans d'autres régions), pendant un temps, à l'époque où la population urbaine, en croissance, était sur le point de devenir plus importante que la population rurale, un grand parti s'est trouvé favorisé par les gens des villes (cas du Parti libéral après 1935) et son adversaire a semblé plaire davantage à l'électorat des campagnes ; le parti des citadins s'est présenté comme le parti de la modernité, de l'industrialisation, du pluralisme religieux, et son principal adversaire a glorifié les valeurs traditionnelles, l'agriculture, l'exploitation des ressources naturelles... On a beaucoup parlé, à propos de cette époque, du clivage rural-urbain.

On parle beaucoup, aujourd'hui, du clivage linguistique ou ethnique, parce qu'on a observé que la plupart des personnes qui, au Québec, ne sont pas d'origine française s'opposent au Parti québécois, qui, lui-même, est le préféré des électeurs et électrices d'origine française. Ce clivage s'exprime dans les effectifs des grands partis, au Québec : en effet, il y a peu d'anglophones parmi les membres du Bloc québécois et du Parti québécois ; à l'inverse, la plupart des anglophones du Québec qui militent dans des partis politiques fédéraux ou provinciaux sont membres du Parti libéral du Québec ou du Parti libéral du Canada (ou des deux à la fois).

Bien d'autres clivages transparaissent dans les effectifs des partis politiques (et aussi dans leurs électorats). Les anglophones de religion catholique, depuis fort longtemps, se rangent préférablement derrière le Parti libéral du Canada. Chez les francophones du Québec, les plus jeunes appuient le Parti québécois et le Bloc québécois (environ 70 %). Le Nouveau Parti démocratique obtient le gros de ses voix chez les membres de syndicats. Le Reform Party a réussi une percée uniquement dans les provinces de l'Ouest... Il y a d'indéniables polarisations partisanes de part et d'autre de chacun des grands clivages qui divisent la population.

Même quand il prétend vouloir plaire à la plupart des gens, un grand parti de rassemblement opère nécessairement une sélection. Certaines catégories s'y sentiront favorisées ou aimées, d'autres, non. Finalement, un grand parti sélectionne, puis amalgame des catégories de personnes dont les intérêts sont compatibles, soit parce qu'ils se situent dans des domaines distincts, soit parce qu'ils atteignent un niveau d'agrégation élevé.

En fait, les grands partis tentent à la fois d'exploiter les clivages et de les gommer. Ils arrivent en effet à superposer, dans la représentation de ce qu'ils sont, de multiples catégories identitaires. Perçu comme le préféré des jeunes, des gens des villes et des milieux d'affaires, comme le parti de l'harmonie entre francophones et anglophones, comme le promoteur de l'innovation et le défenseur des traditions, un grand parti parvient à s'attirer les suffrages de personnes qui l'auraient boudé s'il n'avait été que le parti des jeunes, ou celui des milieux d'affaires.

Le lent processus qui aboutit à la formation d'un grand parti est fait de milliers de choix, de milliers d'échanges. Ainsi, en se montrant davantage sensibles aux points de vue de certaines catégories, les porte-parole d'un grand parti peuvent décevoir les membres d'autres catégories. La sélection paraît finalement inéluctable. Et, inéluctablement, en croissant, les partis font la conciliation d'intérêts compatibles, même s'ils sont disparates.

La formation d'alliances de fait

Les préférences accordées à certaines catégories, par un parti, peuvent entraîner (ou suivre) la formation d'alliances informelles entre ce parti et d'autres organisations.

Les alliances informelles qui se forment autour du noyau central d'un parti sont le produit de choix multiples que personne ne contrôle totalement. Tel bon mot, prononcé sans arrière-pensée, attire les porte-parole d'une catégorie de personnes et apporte au chef qui l'a lancé de nouveaux alliés (mais ce même bon mot peut aussi repousser d'autres personnes). Les porte-parole de tel groupe de pression affichent leur soutien à un parti et entraînent ainsi de nouvelles adhésions à ce parti (mais ces adhésions peuvent éloigner les gens qui combattent ce groupe de pression). Parce que leur emprise sur les multiples protagonistes de la vie politique est limitée, les dirigeants des partis peuvent souhaiter des alliances qui ne se réalisent pas et subir des alliances qui leur nuisent. Finalement, les alliances se font et se défont au gré des événements et non pas seulement à la suite d'arrangements plus ou moins concertés.

Pourtant, les grands partis n'arrivent à constituer une majorité qu'en jouant sur les relations d'alliance et de rivalité qui structurent les rapports entre les êtres humains. Chaque grand parti est le produit d'une alliance provisoire entre un grand nombre de personnes (et de groupes).

Ces alliances de fait, quand elles existent, sont rarement affichées. Elles peuvent en effet susciter l'hostilité de personnes identifiées à des groupes qui n'en font pas partie. L'expérience a montré les limites de toute association entre un parti et une catégorie sociale particulière, si celle-ci est minoritaire et mal perçue par la majorité. Ainsi, les liens étroits du Nouveau Parti démocratique avec les syndicats de salariés ont repoussé vers d'autres partis des personnes déçues ou effrayées par les organisations syndicales, ils ont contribué à renforcer l'appui que les patrons accordent aux partis qui les représentent le mieux.

Même si elles ne sont pas affichées, certaines alliances paraissent indéniables. Ainsi, le Parti libéral du Québec, qui se présente comme l'union de tous contre les dirigeants «séparatistes» du Parti québécois, est bel et bien l'allié de certains groupes (par exemple, les associations patronales), lesquels refusent leur soutien au Parti québécois. Ce dernier a manifestement réussi, dans la population de langue française, l'alliance des élites du mouvement coopératif québécois avec celles des syndicats de salariés et des organismes représentatifs du milieu des arts et des lettres. Cette alliance de fait n'empêche pas les porte-parole du Parti québécois d'affirmer que leur parti est celui de tous les Québécois.

Même si elles ne sont pas affichées, les alliances servent le parti qui sait les exploiter. En effet, grâce à ses alliés, l'action de chaque grand parti peut être relayée par d'autres organisations (ainsi, les porte-parole de ces organisations peuvent approuver publiquement les déclarations de son chef). Ces organisations ont toutes sortes d'autres façons d'apporter leur soutien au parti dont elles sont les alliées (contributions financières, conseils, etc.). L'orchestration de ses divers soutiens peut contribuer fortement au succès d'un grand parti.

L'alliance la plus audacieuse des récentes décennies a été constituée en vue des élections fédérales de 1984. En devenant leur chef le 11 juin 1983, Brian Mulroney a proposé aux conservateurs canadiens, déjà bien implantés dans plusieurs provinces, une alliance avec les forces associées au Parti québécois ; cette alliance permettait d'espérer la victoire, puisqu'elle promettait le succès des conservateurs au Québec. Grâce à cette alliance, et grâce à bien d'autres choses aussi, les conservateurs ont effectivement été victorieux aux élections fédérales de 1984 et de 1988 (l'éclatement de cette alliance a contribué à leur défaite, aux élections de 1993).

Comme on l'a montré au chapitre 5 (et comme on vient de le voir à l'instant), un parti politique provincial peut être l'allié d'un parti politique fédéral pour combattre le rival de ce dernier. En offrant son appui (discret) aux conservateurs, aux élections fédérales de 1984, le Parti québécois visait d'abord la défaite de son adversaire le plus menaçant (à l'époque), le Parti libéral du Canada.

Même s'il est indépendant, un parti provincial a du mal à maintenir sa neutralité à l'égard des partis fédéraux. Ainsi, même lorsque ses porte-parole disaient ne pas s'occuper des campagnes électorales fédérales, le Parti québécois a toujours combattu activement les libéraux fédéraux. Jadis, l'Union nationale a fait de même, tout en professant, surtout vers 1956, une stratégie de neutralité à l'égard des partis fédéraux. À l'inverse, lors des élections provinciales, les parlementaires de la Chambre des communes prétendent généralement se tenir à l'écart des débats entre les partis provinciaux, mais sans interdire à quiconque d'aider une équipe provinciale...

Les alliances dont chacun des grands partis est le centre, le produit ou l'instigateur peuvent contribuer à son succès, mais elles ne le garantissent pas. Pour rallier une majorité, un parti doit aussi s'appuyer sur d'autres moyens.

La formulation de points d'accord et de projets communs

Parmi ces autres moyens, c'est le programme du parti qui paraît le plus significatif. Le programme d'un parti, c'est l'énoncé de ses projets, de ses intentions. Cet énoncé peut prendre la forme d'une déclaration, d'un exposé, d'un manifeste, d'un ensemble de propositions (ou résolutions), d'une liste d'engagements... En publiant un plan d'action ou un programme, un parti se lie. Ainsi, devenu premier ministre, Jean Chrétien a dû, à maintes reprises, affronter des membres de sa propre organisation (le Parti libéral du Canada) qui lui reprochaient de ne pas respecter ses engagements de 1993, énumérés dans le livre intitulé *Pour la création d'emplois. Pour la relance économique. Le plan d'action libéral pour le Canada*. Pour ces membres du Parti libéral, comme pour la plupart des gens, un programme de parti doit être respecté.

D'ailleurs, pour bien des gens, les programmes des partis sont encore plus significatifs que leur image ou que la réputation de leurs porte-drapeaux. Selon les données de nombreux sondages, c'est le contenu des programmes qui fonde, en premier lieu, le vote de quelque 40 % des gens, au Québec (cette proportion étant voisine de celles qui ont été observées ailleurs au Canada). Aucun autre critère, dans le choix électoral, n'a l'importance des programmes, bien que l'image de chaque parti serve de principal point de repère à trois personnes sur dix. En fait, la plupart des gens prennent en considération plusieurs éléments de comparaison (les programmes, les partis, les chefs, les personnes pour qui ils doivent voter, et ainsi de suite), de sorte que la plupart tiennent compte des programmes (sinon en premier lieu, du moins en deuxième ou en troisième).

Le programme d'un parti est censé exprimer les visions et visées communes de ses membres. Ce programme peut même être adopté par un congrès qui représente l'ensemble des membres du parti (comme cela se fait au Parti québécois).

En fait, la plupart des gens ne connaissent que quelques éléments des programmes des partis, soit ceux qui font l'objet de messages publicitaires ou de grands débats. Ainsi, le programme électoral du Parti québécois (énoncé dans des dépliants) évoque simplement quelques points de son programme permanent (un document de quelque 230 pages intitulé *Programme du Parti québécois*). Les comparaisons entre les programmes des partis ne portent finalement que sur quelques points, mais elles suffisent à la plupart des gens.

Ainsi, l'article premier du programme du Parti québécois (l'accession du Québec à la souveraineté) est un élément qui décide de très nombreux votes. Le sachant, les membres du Parti québécois ont, petit à petit, précisé le sens de leur objectif primordial. D'ailleurs, avec le temps, en s'ouvrant à la diversité des opinions, le Parti québécois a modifié son programme et le message correspondant. La facture social-démocrate du programme qui était le sien en 1976 a été modifiée. La forme de souveraineté préconisée a changé, et les modalités d'accès à la souveraineté ont été révisées. Comme d'autres partis en croissance, le Parti québécois a suivi une trajectoire qui l'a mené de plus en plus près de la majorité, selon un processus d'agrégation des intérêts semblable à celui des grands partis.

L'idéal est bien d'en arriver, dans un grand parti, à la formulation de projets communs qui traduisent, à la fois, les sentiments de ses membres, ceux de son électorat (les personnes qui ont appuyé ses candidats et candidates lors des élections précédentes) et ceux d'autres personnes, qui ressemblent à ses membres.

Quand, sur des questions importantes, ils ne peuvent trouver de compromis acceptables pour l'ensemble des membres de leur parti, certains chefs voient le pouvoir leur échapper. On l'a vu, c'est ce qui est arrivé au chef du Parti progressiste-conservateur du Canada, le premier ministre Brian Mulroney, après l'Accord du lac Meech (conclu en 1987 et finalement écarté en 1990), encore que, dans ce cas comme dans tous les autres, il est possible de proposer plusieurs interprétations des mêmes événements. On peut, en effet, lier la création du parti de Preston Manning, en 1987, à l'insatisfaction suscitée, dans l'Ouest, par l'Accord du lac Meech, et voir dans l'appui donné à ce parti l'expression de l'insatisfaction ressentie par l'aile la plus conservatrice de l'électorat à l'égard du gouvernement de Brian Mulroney. De même, l'impossibilité d'un arrangement constitutionnel « acceptable » pour « repêcher » l'Accord du lac Meech peut expliquer la création, en 1990, du Bloc québécois, qui a récupéré, en 1993, les votes de nombreuses personnes qui, au Québec, avaient appuyé le Parti progressiste-conservateur du Canada en 1988.

Un autre exemple des conséquences que peut avoir l'incapacité de trouver un compromis acceptable est fourni par l'histoire du Parti libéral du Québec. Parmi les causes multiples de la défaite de ce parti, aux élections de 1976, les plus significatives se trouvent dans l'incapacité du chef, le premier ministre Robert Bourassa, de satisfaire l'ensemble des membres de son parti. En 1976, le Parti libéral du Québec a obtenu quelque 500 000 votes de moins qu'en 1973 (1 135 000 au lieu de 1 623 000), le gouvernement du premier ministre Robert Bourassa ayant déplu à un bon tiers de son électorat de 1973 (tant des anglophones, à cause de la législation en matière de langues, que des francophones, à cause de la gestion des fonds publics).

Autre exemple : en 1994, le Parti libéral du Québec a perdu près de 20 % de son électorat de 1989 (mais il a récupéré des votes qui, en 1989, étaient allés au Parti Égalité). Le Parti libéral, en 1994, a souffert de la présence de l'Action démocratique du Québec. Créée peu avant les élections provinciales de 1994, l'Action démocratique est née de l'incapacité des dirigeants du Parti libéral du Québec de respecter une option de compromis qui avait été adoptée précédemment (cette option, à laquelle a été associé le nom de Jean Allaire, a inspiré le nouveau parti, dont le chef, Mario Dumont, est devenu député de la circonscription de Rivière-du-Loup aux élections de 1994).

Au cours de sa longue histoire, le Parti libéral du Québec a été secoué par trois autres crises importantes, suscitées par l'impossibilité d'en arriver à une option de compromis acceptable pour l'ensemble de ses membres. Ainsi, en 1933, l'insatisfaction de plusieurs députés libéraux a mené à la division du Parti libéral du Québec et à la création de l'Action libérale nationale, qui (aux élections de 1935) a conclu avec les conservateurs du Québec une alliance connue sous le nom d'Union nationale, pour former ensuite ce qui est devenu le parti de l'Union nationale (aux élections de 1936, à l'issue desquelles ce nouveau parti a pris le pouvoir). En 1967, des dissidents libéraux ont créé le Mouvement souveraineté-association, par suite du refus de la majorité des membres du Parti libéral d'accepter «l'option constitutionnelle» proposée par René Lévesque. (Le Mouvement souveraineté-association s'est fusionné avec le Ralliement national pour former le Parti québécois en 1968 et, peu après, le Rassemblement pour l'indépendance nationale a cessé d'exister, la plupart de ses membres rejoignant le Parti québécois.) Après l'adoption d'une modification à la Charte de la langue française, jugée inacceptable, des anglophones, précédemment sympathiques au Parti libéral, ont formé le Parti Égalité, qui a fait élire quatre candidats aux élections provinciales du Québec en 1989. À la suite de chacune de ces trois crises, comme à la suite de celles qui ont précédé les élections de 1976 et de 1994, le Parti libéral a perdu une part importante des appuis qu'il avait encore lors des élections précédentes.

Quand il est incapable d'en arriver à un compromis sur une question qui le divise, un parti majoritaire risque la défaite. Le petit parti qui arrive alors à exprimer le point de vue de la minorité insatisfaite peut le priver de précieux appuis.

Les petits partis qui expriment le point de vue d'une minorité passent souvent pour des partis de «protestation» (en anglais, *movements of political protest*). Leurs chefs jouent le rôle des tribuns de la plèbe dans la Rome antique. Leurs membres espèrent sans doute influencer les dirigeants des grands partis ou, à tout le moins, attirer suffisamment de votes pour en arriver à exercer la «balance du pouvoir». Il est possible que leur action fasse changer d'avis des personnes qui, de prime abord, leur étaient défavorables. Ces partis (on y a déjà fait allusion) contribuent, à leur façon, à la médiation des intérêts et, même, à la recherche de compromis. La négociation d'accords passe en effet par l'expression de points de vue divergents.

Quoi qu'il en soit, pour rester majoritaire, un grand parti doit être capable de trouver les compromis qui concilient les points de vue divergents que peuvent exprimer ses membres. En acceptant les débats, en recherchant les compromis, un parti se donne en outre une image d'organisation démocratique qui lui est bénéfique. La recherche des compromis, c'est, en d'autres mots, l'agrégation des intérêts.

LES PARTIS ET LA MOBILISATION DE L'ÉLECTORAT

Pour accéder et rester au pouvoir, un parti doit réussir davantage que l'agrégation d'intérêts majoritaires. Il ne lui suffit pas d'avoir une organisation imposante et de proposer une image et un message qui plaisent à une majorité. Il lui faut aussi l'emporter sur son principal concurrent, mobiliser davantage de soutiens que lui. En conséquence, dans la mesure où son principal adversaire ne désarme pas, le parti majoritaire, pour rester au pouvoir, doit éviter de «se reposer sur ses lauriers» et poursuivre le combat (autrement dit, il doit s'assurer en permanence de sa capacité de mobiliser une majorité ou, du moins, une pluralité des voix aux élections).

Parce que sa victoire dépend de sa capacité de mobilisation des soutiens et parce qu'il faut beaucoup de temps et d'efforts pour mobiliser ces soutiens, chaque grand parti donne l'impression de faire constamment campagne pour influencer l'électorat.

L'engagement permanent

Entre les campagnes électorales, les partis représentés à la Chambre des communes sont maintenus en état d'alerte par leurs dirigeants. Et il en va de même des partis représentés aux assemblées provinciales (et, dans une moindre mesure, des grands partis municipaux).

Les partis politiques sont tournés vers l'avenir : leur préoccupation, c'est demain ; leur priorité, leur urgence, c'est la prochaine échéance électorale. Les dirigeants des grands partis sont en permanence engagés dans la quête du pouvoir ; pour eux, les quelques semaines que durent les campagnes électorales sont le sprint final d'une course qui recommencera le lendemain du scrutin. La quête du pouvoir passe par la quête de soutiens, et celle-ci semble ne jamais devoir cesser.

Dans cette quête de soutiens, la recherche de ressources financières prend une grande importance. Il faut beaucoup d'argent, en effet, pour assurer le fonctionnement d'un grand parti. Au Québec, même en respectant les limites fixées par les lois électorales, chaque candidat ou candidate pouvait dépenser, entre le début et la fin de la campagne électorale de 1998 (quatre semaines, environ), jusqu'à un dollar par personne inscrite sur la liste électorale de sa circonscription. De son côté, chaque parti pouvait dépenser, au cours de la même période, la moitié du montant prévu pour les dépenses de ses candidats. Il s'ensuit que, pendant les quatre semaines qui ont précédé les élections du 30 novembre 1998, chacun des deux principaux partis du Québec aurait pu dépenser plus de 6 millions de dollars, en comptant les factures passées au compte de ses candidats.

Ainsi qu'on l'a vu déjà, les partis et leurs candidats peuvent obtenir un remboursement partiel des dépenses autorisées qui ont effectivement été faites. Lors des élections de 1998, le directeur général des élections du Québec a versé quelque 3 050 000 dollars aux trois partis ayant remporté au moins 1 % des suffrages exprimés dans l'ensemble des circonscriptions (437 000 $ environ à l'Action démocratique, 1 313 000 environ au Parti libéral du Québec et 1 304 000 environ au Parti québécois) et près du double de cette somme à quelque 270 candidates et candidats. Ce remboursement ne se fait qu'après vérification des rapports financiers détaillés, dont la production est exigée par la loi. La comptabilité requise impose une contrainte sérieuse à tous les partis.

Dans la mesure où la loi ne fixe pas de limites aux dépenses engagées avant les périodes électorales, un grand parti pourrait dépenser davantage avant que pendant ces périodes. La loi du Québec exige cependant, de chaque parti, la production d'un rapport financier annuel faisant état de ses revenus et dépenses, lesquelles peuvent d'ailleurs être partiellement remboursées. (Le montant des remboursements annuels dépasse deux millions de dollars, près des deux tiers de cette somme allant au parti majoritaire.)

Au Québec, au cours des quatre premiers mois de chaque année (autrement dit, au moment où les contribuables déclarent leurs revenus au fisc), chacun des grands partis fait une levée de fonds. Il lui faut en effet financer ses activités régulières (secrétariat, organisation, animation, assemblées, etc.), rembourser les emprunts contractés auparavant et préparer la prochaine campagne électorale.

Les grands partis doivent maintenir un secrétariat central relativement important. En effet, en plus d'avoir à remplir les obligations prévues par les lois (comptabilité, rapports, etc.) et à orchestrer les opérations de financement et de recrutement, les partis doivent coordonner de très nombreuses activités. Les membres de la direction se rencontrent régulièrement pour prendre connaissance des rapports qui leur arrivent de partout, évaluer les avantages et inconvénients des diverses actions à envisager, prendre des décisions, planifier leur mise en œuvre et assurer leur suivi... Dans chaque grand parti, le secrétariat central entretient un important réseau de communications avec les associations du parti dans les circonscriptions.

Ainsi qu'on l'a vu, les grands partis ont besoin d'un très grand nombre de bénévoles. On estime qu'un grand parti doit pouvoir compter, en période électorale, sur un effectif de bénévoles réunissant au moins un centième de l'électorat.

La gestion d'une organisation qui compte plusieurs dizaines de milliers de membres n'est pas une mince affaire. Il y a constamment des postes à combler, du fait des décès ou des démissions. Ces dernières sont toujours nombreuses parce que les personnes les plus actives sont aussi les plus sollicitées ; certaines quittent pour des raisons personnelles, quelques-unes accèdent à des fonctions qui ne leur permettent pas de conserver leur poste dans le parti (ainsi, en devenant juge, une personne qui a milité pendant des années doit abandonner sa charge au sein du parti...), d'autres, enfin, ayant atteint l'âge de la retraite, cèdent leur place. Il arrive même, dans les partis qui ont subi une défaite, que les dirigeants aient à régler de véritables crises de gestion d'effectifs.

Parmi les dizaines de milliers de membres d'un grand parti, il y a diverses catégories de personnes. En effet, on peut distinguer ces personnes selon leur place dans la hiérarchie (haute direction, secrétariat, instances centrales, coordinations régionales, instances locales), selon leurs attributions (présidence, vice-présidence, trésorerie, secrétariat, etc.), selon leur autonomie (mandats représentatifs pour les personnes élues, mandats impératifs pour les autres).

Sur l'échelle de l'engagement partisan, entre le plus haut niveau d'intensité, celui qui est exigé à la tête, et le plus bas, celui qui correspond aux manifestations de sympathie, il y a un grand nombre de degrés. Certaines personnes, sans être membres d'un parti, s'identifient suffisamment à lui pour le soutenir auprès d'autres personnes, à l'occasion ; elles peuvent même « donner un coup de main » ou de l'argent lors des campagnes électorales ou lors des opérations de financement (quand elles apportent leur aide à l'organisation, ces personnes sont souvent qualifiées de « volontaires »). Ces personnes, qui ne sont pas membres du parti, se rattachent à sa « mouvance » (*following*, en anglais) ; elles se sentent davantage proches du parti que d'autres personnes, qui, pourtant, votent toujours pour ses candidats, mais ne s'engagent guère (l'ensemble formé par toutes ces personnes, des « sympathisantes », constitue la « famille politique » ou la « base électorale » du parti, mais n'englobe qu'une portion de son électorat, lequel comprend aussi des gens qui « viennent de voter » pour ses candidats ou candidates). Ce sont toutefois les membres qui fournissent l'effort principal requis par la mobilisation des soutiens.

Parmi les membres des partis (les « adhérents » et « adhérentes »), la catégorie la plus active et la plus engagée est celle des « militants » et « militantes ». Ces personnes consacrent tout leur temps libre, ou presque, à la vie de leur parti, bénévolement, assumant toutes sortes de tâches, acceptant (ou sollicitant) les fonctions de représentation qui exigent des déplacements, et ainsi de suite.

Parmi les membres des partis, plusieurs personnes peuvent être considérées comme des « fidèles », même si elles ne font pas de militantisme. Ces personnes sont moins disponibles que celles qui font du militantisme, mais elles participent aux assemblées, et on peut compter sur elles, à l'occasion, surtout au cours des semaines précédant les élections.

Parmi les membres, il y en a aussi qu'on ne voit presque jamais mais qui renouvellent leur cotisation chaque année (on dit de ces membres qu'ils sont des « réguliers »). Et il y a aussi des membres d'un jour, qui paient leur cotisation initiale, participent à une première activité (par exemple, une assemblée d'investiture), puis disparaissent.

Hormis les parlementaires du parti, les personnes qui leur sont attachées (et rétribuées par les fonds publics) et quelques employés au secrétariat du parti, les membres (militants, fidèles, volontaires, bénévoles) consacrent leur temps au parti sans rémunération. Plusieurs (parmi les militants) s'engagent corps et âme dans les activités de leur parti. De ces personnes, de véritables prosélytes, le parti obtient parfois un engagement comparable à celui qui est réclamé des chefs et des autres dirigeants, qui œuvrent à plein temps.

Mais les contributions, en temps et en argent, exigées des membres d'un parti ne peuvent être obtenues sans rétributions. Celles-ci (qui ne sont pas des rémunérations fournies par le parti) peuvent prendre plusieurs formes : satisfactions matérielles (repas au restaurant, participation à des activités sociales, etc.), épanouissement personnel (plaisir de contribuer à une action collective, contacts humains valorisants, etc.), assouvissement de certains besoins psychologiques (goût du pouvoir, soif de prestige, envie d'être considéré, etc.) et, forcément, contentement procuré par l'expression et la prise en compte des points de vue, des valeurs, des intérêts.

Le militantisme partisan

Les motivations du militantisme partisan sont assez nombreuses, et la plupart des personnes qui militent plus d'une année les éprouvent toutes, d'une manière ou d'une autre. Lors de leur première adhésion, certaines personnes expliquent leur engagement par leur goût de l'action, par l'excitation que leur procurent les activités électorales. D'autres s'inscrivent à un parti parce qu'elles espèrent y établir des relations, y avoir du « bon temps ». D'autres encore s'investissent dans un parti par ambition (le désir de réussite sociale, la volonté d'accéder à des postes d'autorité, etc.). Plusieurs pensent se « positionner » et augmenter leur influence. Quelques-unes veulent modifier le cours des choses, favoriser tel ou tel changement aux lois ou règlements, aux institutions. Et, parmi ces dernières, certaines rêvent d'un idéal... Certaines, enfin, ont été entraînées par leur admiration pour le chef, leur attachement aux grands objectifs du parti, leur antipathie pour les autres partis... Après un temps, restées membres du parti, la plupart de ces personnes expliquent leur militantisme par des motivations multiples. Toutes ont en commun un grand intérêt pour la politique et la volonté de défendre certaines visions du monde, certaines visées.

Le noyau de tout parti est constitué par les fidèles de toujours. Ces personnes sont celles qui donnent au parti sa physionomie dans le milieu où elles vivent. La variété de leurs implications sociales et de leurs activités facilite l'agrégation et la médiation des intérêts qui assurent le succès de leur organisation.

Il y a, parmi les fidèles des partis, certaines personnes qui se distinguent par le type d'interventions qu'elles semblent affectionner. On distingue ainsi des réformistes, qui ne cessent d'imaginer de nouveaux moyens d'innover, et des traditionalistes, qui tiennent à conserver les pratiques « qui ont fait leur preuve ». Et des virtuoses, qui ont une solution pour tout problème, des idéologues qui s'en tiennent à ce qui leur semble être la doctrine du parti ou, simplement, qui s'en tiennent au programme. Il y a aussi les prosélytes (dont on a fait mention à la page précédente), qui voudraient convertir les incrédules, recruter la population entière... Les personnes qui ont longtemps milité dans un parti y ont rencontré des gens de bien des catégories. La variété des tempéraments s'ajoute à la variété des caractéristiques socioprofessionnelles et à la diversité des traits distinctifs des membres.

En dépit de leur grande diversité, les membres les plus fidèles d'un parti se sentent unis par des liens solides. En effet, ces personnes ont beaucoup en commun ; elles ont lutté ensemble, ont connu les mêmes angoisses, les mêmes joies, les mêmes déceptions. En plus de partager un penchant particulier pour l'action et un vif intérêt pour la politique, la plupart ont le sentiment d'appartenir à une sorte de famille et se savent identifiées à leur parti (« cette personne, c'est l'une des ressources du Parti libéral ! »). Elles ressentent de l'attachement pour le vaste ensemble dans lequel elles s'insèrent et, aussi, une certaine hostilité pour les autres partis. Ayant milité déjà pendant plusieurs années, la plupart entretiennent un important réseau de relations partisanes ; toutes souhaitent la victoire de leur équipe.

Mais, en dépit de leur statut social élevé, par rapport à leur milieu, et en dépit de leurs motivations et des satisfactions qu'apporte leur militantisme, les membres des partis éprouvent parfois le besoin de diminuer l'intensité de leur engagement. Il n'est pas facile de mobiliser en permanence des milliers de bénévoles.

Le recrutement

S'il n'est pas facile d'obtenir l'engagement permanent de milliers de bénévoles quand la conjoncture est favorable, il est extrêmement difficile de le faire quand la défaite paraît inéluctable.

Aucun parti n'arrive à garder tous ses membres. Dans les partis politiques, il y a un important roulement des effectifs (*turnover*, en anglais) : on estime que le tiers des personnes qui adhèrent à un parti ne paient jamais une deuxième cotisation annuelle. En revanche, le quart des adhésions, en moyenne, sont souscrites par des membres de longue date.

Quand la conjoncture politique le favorise, un parti peut accroître rapidement le nombre de ses membres (bien que la plupart des partis n'accordent le statut de membres qu'aux personnes qui ont rempli et signé un formulaire d'adhésion et payé une cotisation annuelle). Ainsi, l'effectif du Parti québécois, voisin de 88 000 membres en 1971, a franchi la barre des 300 000 dix ans plus tard, en avril 1981. Ce chiffre élevé tient compte des adhésions et reconductions d'adhésions comptabilisées au cours des mois précédant le référendum du 20 mai 1980 et de celles de la période terminée avec les élections du 13 avril 1981. Un an plus tard, en avril 1982, au terme de la campagne annuelle de financement, les responsables du recrutement ont déclaré que le Parti québécois comptait encore 211 632 membres.

Entre 1980 et 1982, au Québec, près de sept adultes sur cent étaient membres du Parti québécois. À cette époque, par ailleurs, le Parti libéral du Québec comptait, lui aussi, de très nombreux membres (le chiffre de 200 000 étant souvent cité), de sorte que, parmi les adultes du Québec, une personne sur huit était membre d'un parti politique provincial. Une telle mobilisation est exceptionnelle.

La mobilisation enregistrée en 1980, 1981 et 1982 a eu pour parallèle celle qui s'est produite à l'occasion du référendum du 30 octobre 1995, mais, entre ces deux événements, les campagnes de recrutement organisées par les partis n'ont pas eu beaucoup de succès.

Ainsi, en mai 1983, Le Parti québécois n'avait plus que le quart de son effectif du début de 1982 (298 000 membres avaient en effet eu le droit de participer à une consultation interne commandée par le chef du parti, René Lévesque, en janvier 1982). Peu avant les élections du 2 décembre 1985, le Parti québécois comptait à nouveau près 200 000 membres. Deux années plus tard, à la fin de 1987, l'effectif était inférieur à 100 000 membres.

S'il compte suffisamment de fidèles, un parti survit aux périodes de découragement et d'abandon qui suivent les grandes défaites. L'histoire du Parti québécois le montre, tout comme celle du Nouveau Parti démocratique ou celle de chacun des grands partis représentés à la Chambre des communes. Même après une défaite, il y a de nombreux renouvellements d'adhésions dans un grand parti, des renouvellements qui proviennent surtout des personnes qui s'identifient davantage au parti, partagent ses objectifs, y trouvent des satisfactions nombreuses.

Rares sont les petits partis qui survivent aux défaites, en dépit de l'énergie que leur consacrent leurs membres (le Parti communiste du Québec est le seul qui ait persisté plus d'une décennie sans jamais faire élire personne). La logique du bipartisme a raison des petits partis qui n'ont pas de membres dans les assemblées représentatives.

Il peut arriver aussi qu'un grand parti vieillisse et, finalement, ne puisse survivre très longtemps à ses fondateurs. On dit d'un tel parti qu'il a été le parti d'une génération. Cela a été le cas du Parti national, dont le chef, Honoré Mercier, a été premier ministre du Québec après les élections de 1886. Cela a été le cas, aussi, de l'Union nationale, dont le chef initial, Maurice Duplessis, a été premier ministre de 1936 à 1939 puis de 1944 à 1959. Cela a été le cas, enfin, des partis du Crédit social en Alberta et en Colombie-Britannique : l'un et l'autre ont été au pouvoir, l'un et l'autre ont vieilli.

L'animation

Pour devenir majoritaire et le rester, un parti doit faire « la nouvelle ». Les déclarations de ses porte-parole doivent être relayées dans les journaux et dans les émissions de radio et de télévision. On l'a dit, ses chefs et ses membres doivent animer leur milieu sans relâche. Les porte-parole des partis tiennent des conférences de presse pour exprimer leurs points de vue sur les questions d'actualité. Les parlementaires des partis utilisent les débats pour faire valoir leurs idées. Les dirigeants mènent régulièrement des opérations de recrutement et de financement. Les membres se réunissent en assemblées et en congrès pour débattre des grands enjeux de la vie politique, pour choisir ou acclamer leurs porte-drapeaux, et ainsi de suite. Quand le chef d'un parti décède ou démissionne, on organise une «course à la chefferie» (expression utilisée, au Canada, pour désigner le processus électoral en vigueur dans les partis). Les grands partis utilisent de nombreux moyens pour attirer l'attention.

Les partis, petits et grands, sont tributaires des médias. En effet, à moins d'avoir une véritable armée de bénévoles, qui multiplieraient les sollicitations individuelles et les assemblées, et des ressources financières importantes pour organiser des tournées, tenir de grands rassemblements, diffuser des documents (y compris des cassettes vidéo), un parti doit passer par les médias pour atteindre le grand public. L'information partisane ne rejoint l'électorat visé que si les médias acceptent de la véhiculer (dans ce qu'on appelle le contenu rédactionnel des journaux ou dans les émissions d'affaires publiques de la radio et de la télé).

En raison de la contrainte qui leur est imposée par l'obligation de passer par les médias, les partis doivent multiplier les événements qui peuvent faire l'objet d'une mention dans les bulletins de nouvelles. C'est ainsi que de nombreuses assemblées d'investiture se tiennent avant le début d'une campagne électorale. Ces assemblées (exemple parmi d'autres) permettent aux partis qui les tiennent d'attirer l'attention des journalistes et, par conséquent, celle du public.

Ce qu'on appelle de la propagande partisane, c'est, du point de vue des dirigeants des partis, de l'information, voire de l'éducation. Les partis cherchent en effet à faire connaître leurs points de vue et à faire partager leur vision du monde et leurs visées. L'animation, à laquelle tant d'efforts sont consacrés, vise finalement la mobilisation des esprits.

Les têtes d'affiche de chacun des grands partis affirment que leur parti appartient à ses membres. Associations volontaires, sans but lucratif, ces partis ont en effet adopté des formules de fonctionnement démocratique. Ils s'imposent à eux-mêmes un fonctionnement interne qui leur donne l'image d'organisations où sont valorisés les principes de l'égalité et de la liberté. Ce mode de fonctionnement les sert, leur donnant une réputation qui plaît et leur permettant d'élaborer des propositions susceptibles de satisfaire beaucoup de monde. Il contribue à conserver aux grands partis et à leurs chefs les appuis accordés dans le passé. Il permet même d'élargir leurs réseaux partisans et d'accroître l'intérêt qu'ils suscitent dans l'électorat (on appelle cet intérêt l'«*audience*» du parti).

Les courses à la chefferie

Malgré l'image d'organisations démocratiques qu'ils projettent, les grands partis laissent cependant à leurs chefs une autonomie considérable. Les mandats détenus par leurs dirigeants sont en effet des mandats représentatifs qui, à la différence des mandats impératifs, leur permettent de prendre des décisions sans avoir à les faire entériner. Il est possible de soutenir que, derrière leur façade démocratique, les partis politiques d'aujourd'hui sont, comme ceux du passé, des oligarchies. La place qu'y occupent leurs chefs et leurs principaux porte-drapeaux peut le faire croire. Les investitures, d'ailleurs, montrent bien l'importance de ces chefs et des personnes qui les entourent.

L'investiture d'un chef de grand parti est toujours un événement qui attire l'attention. Si le parti est majoritaire, cette investiture décide du gouvernement, puisque le chef du parti majoritaire devient automatiquement chef du gouvernement. Dans tous les cas, cette investiture détermine le choix qui sera proposé à l'électorat. Pour cette raison, le choix d'un chef a des implications considérables, à la fois pour son parti et pour l'ensemble de l'électorat.

Les effets prévisibles de la personnalité de leur chef lors des élections influencent les membres d'un parti lors d'une course à la chefferie. C'est ainsi que les regards se portent vers des personnalités avantageusement connues, des personnes dont les compétences et les caractéristiques (âge, style, etc.) correspondent au profil désirable. C'est logique : les membres du parti souhaitent se donner un chef qui saura plaire à la majorité, alors que, dans l'électorat, les gens souhaitent avoir des gouvernants qui leur ressemblent, expriment leurs visions et poursuivent leurs visées.

Les caractéristiques, les déclarations et les attitudes d'un chef sont prises en considération par les gens, au moment de faire leur choix électoral. Cette prise en compte se fait plus ou moins consciemment, car elle résulte souvent de multiples influences. Les spécialistes ont depuis longtemps compris que plusieurs personnes réagissent davantage à l'image que projettent les chefs de partis qu'aux perceptions qu'elles peuvent avoir des programmes, des candidats ou des organisations.

Selon divers sondages récents, une personne sur six fonde son choix électoral en considérant d'abord la personnalité des chefs. Toutefois, on l'a vu, 40 % des gens comparent d'abord les programmes (ou, plus précisément, ce que l'on sait des programmes), et un peu plus de 30 % prennent d'abord en compte une comparaison entre les partis (ou, plus précisément, l'image que chacun peut avoir). Cependant, même si seulement 15 % des électeurs et électrices considèrent que la comparaison entre les chefs leur sert de premier critère au moment d'arrêter leur choix électoral, la plupart des autres ont tout de même recours à ce critère, en deuxième ou troisième lieu, après les programmes, l'image des partis, ou diverses autres considérations (candidatures locales, conjoncture, etc.). En raison des motivations du vote, «les attentes de l'électorat» à l'égard des chefs influencent les membres d'un parti lors d'une course à la chefferie.

Mais le choix d'un chef, dans un parti, ne dépend pas uniquement de considérations électorales. Lors d'une course à la chefferie, tout en cherchant évidemment à se donner un porte-drapeau qui leur apportera le pouvoir, les membres d'un parti souhaitent aussi avoir un premier ministre qui saura le conserver. Pour conserver le pouvoir, une vedette qui a remporté une première victoire doit être capable de consolider son succès en s'entourant de personnes qui pourront l'aider à prendre des décisions conformes aux vues du parti et de la majorité qui l'a appuyée. Il s'ensuit que, dans leur choix, les membres du parti considèrent d'autres critères que ceux qui concernent la perspective d'une première victoire aux élections. Parmi ces critères complémentaires figurent l'identification au parti (bien le connaître, partager les valeurs et points de vue qui y dominent), les liens avec les groupes qui lui sont alliés, les qualités de leadership et les aptitudes au compromis, et bien d'autres choses encore.

Ces critères, aujourd'hui, avantagent des personnes dont les compétences sont exceptionnelles (éloquence, sang-froid, connaissances, leadership, etc.) et dont la volonté est extraordinaire. Les personnes qui ont accédé à la tête des grands partis et qui ont su y rester ont démontré des capacités hors du commun. Comme les vedettes du sport lors des championnats, il leur a fallu s'engager à plein temps et avec toute leur énergie, sans garantie de succès. Mais, contrairement aux athlètes, les personnes qui se consacrent ainsi à la politique doivent encaisser médisances et calomnies, subir sans broncher insultes et trahisons, essuyer les coups portés par des adversaires apparemment infatigables...

Comme il est impossible qu'un chef soit tout pour tout le monde à la fois, l'investiture est l'occasion de très vives compétitions, sauf si la popularité d'une personne l'assure d'une élection par acclamation.

La course à la chefferie peut durer jusqu'à l'une ou l'autre de deux échéances possibles : les déclarations finales de candidatures ou un scrutin. Le successeur de Robert Bourassa à la direction du Parti libéral du Québec, en décembre 1993, et le successeur de Jacques Parizeau à la tête du Parti québécois, en janvier 1996, n'ont pas eu à affronter de scrutin ; Daniel Johnson s'est retrouvé seul en lice après le désistement de chacune des autres personnes pressenties à la direction du Parti libéral ; la candidature de Lucien Bouchard, avant même d'être annoncée, a suscité, chez les membres du Parti québécois, un ralliement qualifié d'unanime. Le 18 mars 1988, Jacques Parizeau avait été, lui aussi, acclamé, sans compétition, chef du Parti québécois, à la suite de la démission de son prédécesseur, Pierre-Marc Johnson, mais ce dernier avait été élu, en septembre 1985, avec quelque 70 % des voix, lors d'un scrutin ouvert à l'ensemble des membres du Parti québécois.

Les élections par acclamation dont ont bénéficié Jacques Parizeau (en mars 1988), Daniel Johnson (en décembre 1993), Lucien Bouchard (en janvier 1996) et Jean Charest (en avril 1998) constituent des exceptions dans les pratiques des grands partis. Depuis 1960, il a fallu tenir des «congrès de nomination» pour choisir chacun des chefs du Parti libéral du Canada et chacun des chefs du Parti progressiste-conservateur du Canada (à l'exception de Jean Charest, coopté par la direction du parti le 14 décembre 1993, après le départ de Kim Campbell), encore que Joseph (Joe) Clark a pris la relève de Jean Charest, en novembre 1998, à la suite d'un scrutin à deux tours auquel ont pu participer tous les membres du parti.

Quand elles se terminent par un scrutin, les courses à la chefferie peuvent laisser des cicatrices. (Selon plusieurs analystes, le Parti libéral du Canada aurait perdu une partie de son électorat à cause de l'élection de John Turner à sa direction, le 30 juin 1984.) Cependant, elles peuvent aussi se prolonger par une victoire aux élections. Cela s'est produit aux élections fédérales de 1968 (remportées par Pierre Elliott Trudeau) et à celles de 1979 (succès de Charles Joseph Clark), de 1984 (Brian Mulroney) et de 1993 (Jean Chrétien).

Les courses à la chefferie, dans les petits partis, ne suscitent pas l'intérêt de celles des grands partis. Ainsi, en janvier 1996, après le désistement de Svend Robinson, qui était apparemment favori, l'arrivée d'Alexa McDonough à la direction du Nouveau Parti démocratique n'a mérité qu'une mention en première page des journaux. Avant elle, Audrey McLaughlin, devenue leader le 2 décembre 1989, avait attiré davantage l'attention, en raison de la notoriété qu'elle avait acquise à titre de députée du Yukon (après avoir été élue à la Chambre des communes lors d'une élection partielle en juillet 1987).

Les mises en candidatures

Par ailleurs, comparativement à l'investiture des chefs de partis, la sélection des candidats et des candidates dans les diverses circonscriptions peut paraître bien secondaire. Pourtant, cette sélection est un événement, du point de vue de l'électorat de la circonscription concernée, et peut avoir des conséquences importantes. Le choix des parlementaires préoccupe en effet de nombreuses personnes. Selon les sondages, en moyenne, dans chaque circonscription, un vote sur dix est déterminé en premier lieu par la comparaison des candidats et candidates qui se présentent dans cette circonscription.

Les critères appliqués à la comparaison des candidats et candidates ressemblent à ceux qui sont considérés dans l'évaluation des chefs de partis. Les attributs des personnes (intelligence, vivacité, sang-froid, probité, etc.) sont probablement décisifs dans certains cas, alors que, dans d'autres cas, l'attention se porte sur des caractéristiques plus générales (lieu d'origine, lieu de résidence, âge, sexe, statut socio-professionnel, langue d'usage, religion, implication dans le milieu, etc.). Les responsables des organisations locales attachent une grande importance, dans le choix de leurs porte-parole, aux traits dominants de la population de la circonscription ; c'est ainsi que sont souvent préférés des « enfants du comté » qui bénéficient déjà d'une excellente réputation (en raison de leurs activités multiples dans les affaires, l'administration ou les associations volontaires).

En raison de leur notoriété, les parlementaires surclassent généralement les membres de leur parti qui aimeraient les remplacer. En revanche, quand le parti ne détient pas déjà le siège de la circonscription, il arrive que la lutte soit vive. Il est même possible d'expliquer par des conflits d'investiture certains échecs des partis dans des circonscriptions où leurs porte-drapeaux remportent habituellement la victoire. On a expliqué de cette façon, par exemple, la défaite du Parti libéral du Québec dans Bonaventure, lors de l'élection partielle de février 1994 (élection nécessitée par le décès de Gérard D. Levesque, qui avait été député libéral de Bonaventure de 1956 jusqu'à sa mort). Au lendemain des élections générales, immanquablement, quelques analystes expliquent par des considérations « locales » l'élection de telle ou telle personne, qui aurait dû subir la défaite en raison du « balayage » d'ensemble (ce qu'on appelle le *swing*, en anglais) !

Les plans de campagnes électorales

Les facteurs qui concourent à la victoire ou à la défaite d'un parti sont fort nombreux, et la plupart d'entre eux semblent avoir leurs effets indépendamment des campagnes électorales. Pourtant, les campagnes sont importantes. Il est arrivé à maintes reprises qu'un parti mal aimé (selon les sondages) arrive à l'emporter sur des rivaux apparemment favorisés. Ainsi, lors des élections de juin 1995 en Ontario, le parti qui était en troisième position à la ligne de départ s'est retrouvé en tête à la ligne d'arrivée (cas des conservateurs de Michael Harris). Il est donc évident que les plans de campagnes et les campagnes proprement dites peuvent avoir un certain impact.

L'utilisation des techniques modernes (sondages, études de marché, etc.) facilite l'élaboration d'un plan de campagne (abusivement appelé « stratégie »). Ces techniques permettent de savoir ce que veulent entendre et voir les électeurs et électrices qu'il s'agit de mobiliser. Chacun des grands partis doit parler d'unité dans la diversité. Tous doivent recourir aux formulations englobantes. Chacun, pourtant, doit se distinguer de son principal concurrent, tout en restant fidèle à sa «base électorale».

Au cours de la campagne électorale, chaque parti cherche à mobiliser les appuis qu'il a déjà et à faire des gains. Tenant compte de ses plans de campagne, et en raison des contraintes de temps, des entreprises de publicité et de marketing peuvent l'aider en préparant de courts messages publicitaires.

Les messages qui illustrent le programme d'un parti doivent ressembler à l'image que les gens ont de ce parti. Alors qu'elle avait élaboré une publicité nouvelle censée refléter les vues de la majorité dans l'électorat, l'ancienne Union nationale, rebaptisée Unité-Québec, a perdu, aux élections de 1973, les trois quarts de ses votes de 1970 : il est clair que la publicité et le nouveau nom du parti ne reflétaient pas les sensibilités des personnes qui avaient appuyé l'Union nationale en 1970. Par ailleurs, redevenue l'Union nationale, avec une publicité conforme aux valeurs de ses fidèles, le même parti a obtenu, aux élections de 1976, autant de votes qu'en 1970. Il y a des dizaines d'explications possibles de la déconfiture de l'Union nationale en 1973 et de sa remontée en 1976, mais ces épisodes de la vie politique au Québec rappellent les mésaventures de Coca-cola, qui, vers 1992, a tenté d'élargir son marché avec son «nouveau coke» et a déçu des millions d'adeptes du «classique».

Souvent, en raison de son message, un parti ne peut pas rallier la majorité qu'il sollicite. Ainsi, tant que l'évolution de la population ne l'a pas permis, le Parti québécois n'a pu convaincre la majorité de l'électorat des vertus de l'article premier de son programme : l'accession du Québec à la souveraineté. À la direction du Parti québécois, des stratèges ont toujours soutenu qu'il ne fallait surtout pas camoufler cet objectif (faire du Québec un pays souverain), d'abord parce que la vérité rend libre, ensuite parce que l'on ne camoufle pas une montagne et, enfin, parce que le projet souverainiste ne peut s'imposer à l'intelligence des gens si les souverainistes ne le leur présentent pas.

Il arrive parfois que les messages nuisent au parti qu'ils sont censés servir. En 1993, l'exploitation d'un trait physique du chef libéral, Jean Chrétien, dans une publicité du Parti progressiste-conservateur, a nui à l'ensemble de l'équipe conservatrice.

Il arrive aussi que des énoncés avec lesquels tout le monde devrait être d'accord ressemblent à des paroles en l'air. C'était le cas, en 1993, de la première phrase du texte de 40 pages intitulé *Un gouvernement au service de la population. Par respect envers le contribuable.* Kim Campbell : « *Il est temps de remettre le gouvernement au service des Canadiennes et des Canadiens.* » Les adversaires de Kim Campbell ont fait les gorges chaudes de cette phrase, énoncée par la porte-parole d'une équipe qui était au pouvoir depuis 1984.

Malgré les avantages que le pouvoir procure au parti du gouvernement, le principal parti de l'opposition peut marquer des points s'il sait exploiter l'insatisfaction suscitée par les politiques en vigueur. Dans l'opposition, un grand parti a pour conduite obligatoire la critique des ministres et l'accueil des personnes qu'ils désappointent.

Le second des grands partis a généralement tendance à accueillir les transfuges qui quittent le principal parti. En effet, quand il est dans l'opposition, un grand parti ressemble à un accordéon qui s'ouvre (et, quand il est au pouvoir, le même grand parti ressemble à un accordéon qui se ferme). Ainsi, après avoir connu une importante décrue de son effectif et subi une sérieuse défaite aux élections de 1976, le Parti libéral du Québec a réussi à reconquérir une grande part de son électorat des élections de 1973 et, cette fois après 1982-1983, a accueilli des personnes qui avaient appuyé le Parti québécois précédemment. Le Parti libéral s'était « dégonflé » peu avant les élections de 1976 ; il s'est regonflé par la suite.

Mais, après deux victoires, aux élections de 1985 et de 1989, le Parti libéral du Québec s'est à nouveau essoufflé. Parmi les défections qui ont affaibli le Parti libéral du Québec peu avant les élections de 1994, certaines ont été le fait de personnes qui sont allées au nouveau parti, l'Action démocratique du Québec, ou qui ont renforcé le Parti québécois, d'autres ont été le fait de personnes qui ont simplement choisi de ne pas voter. Les défections ont été particulièrement nombreuses après la décision du gouvernement libéral d'accepter l'entente de Charlottetown à la fin de l'été 1992. En adhérant au Parti québécois, les nouvelles recrues savaient qu'elles iraient s'associer à des souverainistes et fréquenter des bénévoles qui souhaitent instaurer une social-démocratie au Québec, mais elles pensaient, aussi, pouvoir influencer la formulation des options du parti. En renforçant le parti, ces nouvelles recrues ont aussi contribué à l'évolution de son discours et elles ont aidé à élargir son audience. Cependant, il est à prévoir que, comme tout parti du gouvernement, le Parti québécois, après quelques années au pouvoir, aura tendance à se refermer et finalement ressemblera un accordéon à bout de souffle, comme l'était son prédécesseur au gouvernement, le Parti libéral du Québec en 1994.

Les manœuvres des campagnes électorales

Les quelques semaines qui précèdent les élections ressemblent au sprint final d'une longue course. Chacun des chefs des grands partis et ses collègues les plus populaires parcourent le pays (ou la province), faisant halte, chaque jour, dans plusieurs endroits (une participation à une émission de radio ou de télévision le matin, un repas dans une salle bondée le midi, une allocution dans une autre salle un peu plus tard, une réception ou une visite dans un établissement important en fin d'après-midi et une grande assemblée en soirée). Chaque halte est l'occasion d'un échange avec les journalistes qui «couvrent» la «tournée» du chef (le déplacement du chef et des personnes qui l'entourent, y compris les journalistes, se fait dans un autobus ou, s'il le faut, un autobus et un avion, généralement aux frais du parti).

En fin de campagne, on amplifie les attaques contre le parti adverse et ses points de vue. Chacun tente de tirer avantage des bévues de ses adversaires. Parmi les centaines de journalistes qui s'intéressent à la campagne, il y en a qui arrivent à arracher à un chef des petites phrases qu'il regrettera d'avoir dites. Des images négatives sont publiées dans certains journaux ou diffusées à la télévision. Certains faits prennent une grande importance et polarisent l'attention (un exemple parmi des milliers : en 1984, des adversaires du chef libéral, le premier ministre John Turner, ont porté sur leurs fesses un tablier qualifié de «protection contre Turner», ou *Turner's shield*, ridiculisant ainsi le premier ministre qui avait été vu en train de tapoter le bas du dos d'une «militante»).

Il arrive aussi, en fin de campagne, que les porte-parole de chacun des grands partis s'éloignent des orientations définies dans leur programme et formulent des engagements et promesses de dernière minute, dans une sorte de surenchère électorale.

Il arrive même qu'un chef donne du programme de son parti une interprétation différente de celle qui avait été proposée initialement. Les contradictions entre les interprétations sont toujours embarrassantes, même si le chef est censé exprimer l'orthodoxie. Ces contradictions viennent souvent du caractère ambigu des textes, y compris ceux des programmes, qui parfois sont des versions amendées d'ébauches controversées. Cette observation montre la difficulté de trouver les points communs traduisant une agrégation des intérêts qui puisse satisfaire une majorité dans l'électorat.

Parmi les événements qui ponctuent le déroulement d'une campagne électorale, ceux qui attirent le plus d'attention sont les grands rassemblements et les débats télévisés au cours desquels les chefs s'affrontent. Les grands rassemblements organisés par chacun des grands partis, au cours de chaque campagne électorale, stimulent assurément les personnes qui y participent et influencent probablement celles qui en prennent connaissance par la radio, la télévision ou les journaux. Il est cependant extrêmement difficile de mesurer leur impact net sur le vote, tout comme il est difficile d'évaluer l'effet des débats télévisés.

Certains débats télévisés entre les chefs ont déjà eu un impact mesurable, amenant des milliers de personnes à modifier leur choix électoral. Ce fut le cas, semble-t-il, à la suite du débat télévisé de la campagne électorale provinciale de 1962 au Québec (le chef libéral, le premier ministre Jean Lesage, l'ayant emporté sur le chef de l'Union nationale, Daniel Johnson). Ce fut aussi le cas, lors de la campagne fédérale de 1984, le chef du Parti progressiste-conservateur du Canada, Brian Mulroney, ayant réussi à confondre le chef libéral, le premier ministre John Turner, lors d'un échange relatif aux décisions qu'il avait prises au cours des mois précédents. Au cours de la campagne électorale fédérale de 1988, selon l'opinion de plus des deux tiers des personnes rejointes par les spécialistes des sondages, John Turner a fait meilleure figure lors de ses échanges avec Brian Mulroney, mais c'est ce dernier qui a remporté la victoire le soir des élections. Pierre Elliott Trudeau aurait, paraît-il, été légèrement avantagé lors des débats des chefs auxquels il a participé (en 1968 et 1979). La première ministre Kim Campbell aurait été la grande perdante des débats télévisés de 1993. En Ontario, la victoire de Micheal Harris, en juin 1995, aurait simplement confirmé son succès lors du débat télévisé auquel il a participé. Compte tenu de l'impact qu'ils peuvent avoir sur le vote, les débats télévisés qui opposent les chefs des partis inquiètent les personnes qui craignent leurs conséquences.

Plusieurs personnes, de même, semblent craindre l'impact, sur le vote, que peut avoir la publication des résultats des sondages relatifs aux préférences partisanes. Certaines personnes estiment que la connaissance des intentions de vote a un effet d'entraînement (*effet band-wagon*) qui mène les «perplexes» à troquer leur indécision pour un appui supplémentaire à la victoire. D'autres affirment que tel n'est pas le cas, puisque, lors de nombreuses campagnes électorales, les intentions de vote n'ont guère changé. Il est même arrivé que le parti en tête au début d'une campagne se fasse finalement distancer par un autre, les sondages n'ayant pas eu, dans ces circonstances, l'effet dénoncé par les personnes qui veulent les interdire. Quels que soient les avis, les personnes qui veulent l'interdiction des sondages ont obtenu gain de cause, à Ottawa, peu avant les élections fédérales de 1993.

En vertu d'une interdiction imposée depuis les élections fédérales de 1993, les médias doivent taire l'état des intentions de vote au cours des trois derniers jours de la campagne. Sous prétexte que le temps manque pour la contrôler et qu'elle influence le vote, l'information produite par un sondage a été interdite. Pourtant, plusieurs sondages différents, réalisés indépendamment les uns des autres, fournissent automatiquement un excellent contrôle croisé. Par ailleurs, mille choses influencent le vote ; celui-ci n'est pas uniquement fondé sur l'information factuelle relative à la popularité des partis fournie par les sondages, quand elle est disponible. De toute façon, si elle n'est pas connue par les sondages, la popularité de chaque parti fait l'objet de rumeurs. Or, les rumeurs n'ont pas été interdites (et ne peuvent l'être) ; pourtant, elles échappent à tout contrôle et ont un impact sur le vote. Selon plusieurs spécialistes, l'interdiction de publier l'état des intentions de vote à la fin d'une campagne électorale laisse libre cours au mensonge, tout en brimant la liberté et en restreignant l'accès à l'information. La Cour suprême s'est rangée à cet avis dans un arrêt prononcé le 29 mai 1998 (le tribunal a jugé l'interdiction contraire à la Charte des droits et libertés).

Les choix électoraux

Le débat suscité par l'interdiction de publier l'état des intentions de vote s'inscrit à l'intérieur d'un débat plus général qui concerne les motivations des choix électoraux. Ces motivations sont fort nombreuses (c'est la thèse de ce chapitre) et les significations du vote ne le sont pas moins.

Les choix électoraux sont complexes. Chaque personne évalue les options qui lui sont proposées en fonction de sa perception de ces options, de la conjoncture et des perspectives, en fonction de ce qu'elle est (âge, sexe, etc.) et de ce qu'elle croit, en fonction, vraiment, de très nombreux paramètres, parmi lesquels certains peuvent prendre ou perdre de l'importance. Certaines personnes fondent leur décision sur leur perception du passé (elles disent juger les chefs et les partis à leurs actes) ; d'autres, au lieu de faire cette évaluation rétrospective, considèrent plutôt l'avenir, les promesses, les projets, les perspectives (elles font une évaluation prospective de leurs options) ; la plupart tiennent compte, simultanément, de toutes les informations qu'elles ont emmagasinées.

À plusieurs reprises, dans ce chapitre et les chapitres précédents, il a été question du vote des francophones et des anglophones (clivage linguistique), du vote urbain, du vote des catholiques, du vote des jeunes, des partis régionaux, de l'électorat du Nouveau Parti démocratique... Il a été dit à maintes reprises que de nombreuses personnes votent pour les partis auxquels elles s'identifient, pour les partis dont le programme correspond à leurs visions et à leurs visées, pour les chefs qui leur disent quelque chose, pour les candidats ou candidates qui répondent à leurs attentes. Il est évident que bien des personnes votent en fonction de ce qu'elles sont et de ce qu'elles croient, et en fonction de leurs propres perceptions, peu importe la conjoncture que mesurent les indices statistiques, peu importe le contenu exact des programmes, peu importe la composition précise des équipes en présence.

En examinant de vastes échantillons, les spécialistes ont parfois réussi à voir certaines corrélations entre le vote et la religion des gens, l'intensité de leur pratique religieuse, leur statut socioprofessionnel, leur âge, leur sexe, leur première langue, leur deuxième, leur région d'origine, leur lieu de résidence, leurs avoirs, leur revenu et quantité d'autres particularités ou caractéristiques (considérées comme des variables indépendantes censées expliquer le vote, lequel est la variable dépendante, la variable à expliquer). Les spécialistes ont aussi cherché un lien entre le vote et les attitudes, opinions ou convictions des gens (attitudes de gauche ou de droite; attitudes individualistes, régionalistes, nationalistes, internationalistes, mondialistes ou franchement cosmopolistes; attitudes à l'égard du changement, de l'ordre, de la liberté, de l'égalité, de la propriété privée, et ainsi de suite). Quelques politologues ont même cherché un lien entre le vote et l'état de santé ou les tempéraments (introversion, extraversion, autoritarisme, etc.). L'énumération des nombreuses variables dont les spécialistes ont traité donne une idée de la variété des facteurs personnels (l'identité, l'individualité ou le psychisme) qui peuvent influencer les choix électoraux.

De nombreuses personnes, d'élection en élection, ne font que reprendre leurs choix antérieurs: libérales à leur arrivée à l'âge adulte (il y a vingt, trente, quarante ou cinquante ans), elles le sont encore aujourd'hui (d'autres ont toujours préféré le Parti progressiste-conservateur). Ces personnes, qui ressemblent aux fidèles des partis, s'identifient fortement au parti qu'elles préfèrent. Toutefois, la proportion de l'électorat constituée par ces personnes semble avoir diminué depuis l'époque des premiers sondages. Néanmoins ces personnes sont sans doute celles qui accordent le plus d'importance à la correspondance qu'elles voient entre leurs caractéritiques personnelles et celles du parti auquel elles s'identifient.

Aux facteurs personnels s'ajoutent des facteurs conjoncturels dont l'importance varie. Il est clair que les campagnes électorales et leurs péripéties (on l'a vu) ont un impact, comme en ont la situation économique, les problèmes qui défraient la chronique et les attitudes à l'égard des «sortants». Ainsi, on ne peut nier l'impact des organisations qui réussissent à «faire sortir le vote» (y compris en offrant un moyen de transport aux personnes qui en ont besoin pour aller voter), ou l'impact d'une aggravation du chômage, ou de l'inflation, ou de problèmes sociaux, dont la responsabilité est imputée au gouvernement. L'influence des leaders du monde des affaires ou du milieu associatif paraît incontestable, tout comme l'influence des médias. En définitive, de très nombreux facteurs conjoncturels peuvent être pris en compte dans la décision électorale.

De nombreuses personnes décident même de ne pas voter. Ces abstentionnistes pourraient expliquer leur comportement par leur situation personnelle (l'absence du domicile, une surcharge de travail, des difficultés particulières, comme la maladie, qui rendent difficile le déplacement jusqu'au bureau de vote), par la conjoncture (la pluie, le froid, la victoire annoncée d'une équipe) ou encore par la perplexité (embarras devant les options proposées, pressions contradictoires provenant du milieu de vie, sentiment de voter pour rien en ajoutant une voix pour ou contre une majorité indélogeable).

Les spécialistes qui ont étudié le phénomène de l'abstention ont observé que la plupart des gens votent au moins de temps en temps. Rares sont les personnes qui ont pris leur retraite de la vie politique, ne veulent rien savoir de la politique ou s'estiment trop ignorantes de la politique. Toutefois, parmi les personnes qui votent le moins souvent, il y a une certaine surreprésentation des personnes âgées et des personnes qui, en raison de la maladie ou de l'isolement, se trouvent à l'écart (ou à l'abri) des sollicitations politiques. Beaucoup de jeunes, également, s'abstiennent de voter avant d'avoir acquis une certaine expérience. Voulant donner un sens à ces observations, quelques spécialistes ont suggéré que le vote était un indice de l'intégration à la société.

*

* *

Indice de l'intégration à la société, le vote a de très nombreuses significations pour les gens. Il exprime assurément le contenu de la socialisation particulière à laquelle a été soumise chaque personne et il traduit, dans une très large mesure, la situation individuelle de chacune. D'une certaine façon, il est aussi une manifestation du désir de vivre en démocratie : voter, c'est consacrer l'importance du vote. Mais le vote sert aussi à donner sa légitimité au gouvernement, puisqu'il décide de l'équipe qui le formera.

Il y a de nombreuses conceptions de la légitimité, y compris de la légitimité démocratique. On l'a vu dans les chapitres précédents, bien des gens préféreraient une démocratie fondée sur le consentement général, voire sur une sorte d'unanimité. De nombreuses personnes souhaiteraient une démocratie fondée à la fois sur la règle de la majorité et le respect des minorités, une démocratie en vertu de laquelle les seules actions permises seraient celles qui se traduisent par un avantage collectif net, dont la répartition permettrait de dédommager les catégories qui n'en bénéficient pas directement.

Dans les faits, aujourd'hui, au Canada, la démocratie proposée à l'électorat est une démocratie représentative, dans laquelle la pluralité (majorité simple) décide de l'équipe dont les membres occuperont les postes d'autorité, avec des mandats représentatifs (lesquels, on l'a vu, permettent de prendre des décisions sans avoir à les faire entériner par l'électorat).

Même si les institutions héritées du passé sont celles d'une démocratie représentative, les grands partis politiques, au Canada, ont adopté des pratiques qui, en dernière analyse, donnent beaucoup de poids aux choix électoraux. En effet, en tentant de former une majorité, chaque parti se fait médiateur, recherchant les convergences, les points communs dans la diversité des intérêts, des désirs, des besoins, des visions du monde...

La concurrence qu'ils se livrent impose aux grands partis une contrainte majeure. Agent médiateur de la vie politique, chaque parti atteindra le but qu'il vise dans la mesure où ses adversaires n'auront pas su produire ou promettre ce qui leur aurait permis de remporter une majorité de sièges lors des élections, et dans la mesure où, lui-même, aura su le faire. Pour l'emporter sur ses adversaires, chaque parti doit à la fois les traquer et les distancer, dénoncer leurs choix et en proposer d'autres, présumément plus mobilisateurs ; il doit tenter de tromper et de démoraliser ses concurrents, tout en stimulant ses propres troupes ; il doit arriver à priver l'ennemi des ressources qui lui seraient indispensables, tout en s'assurant lui-même d'une abondance de moyens... La concurrence que se livrent les grands partis rappelle la lutte que se faisaient les gladiateurs dans l'arène, à Rome, il y a deux mille ans.

Jadis, cette lutte entre gladiateurs avait ses règles, tout comme la concurrence entre les partis d'aujourd'hui. Les principales règles des affrontements d'aujourd'hui sont définies par les lois électorales ; d'autres règles sont définies par les partis eux-mêmes. Ce ne sont pas les lois électorales qui prescrivent aux grands partis de promettre aux électeurs des satisfactions de tel ou tel ordre. Les lois électorales n'exigent pas des grands partis qu'ils prennent les apparences de partis de rassemblement. Rien dans les lois électorales ne commande le style des messages que les partis produisent. Les grands partis s'ajustent non seulement aux contraintes de la loi mais aussi à celles que dictent les institutions, les techniques, les attitudes des gens, les circonstances, etc.

Le mécanisme électoral représente le principal ensemble de règles imposées aux affrontements actuels, parce qu'il est le procédé qui permet vraiment aux partis d'atteindre leur objectif immédiat, le pouvoir.

Cependant le pouvoir a toujours permis au parti qui le détenait de modifier les règles, de changer celles qui lui nuisaient, de conserver celles qui l'avantageaient. Cette logique explique les très nombreuses modifications apportées, en deux siècles, au mécanisme relativement simple qui a été appliqué aux premières élections, à la fin du XVIIIe siècle.

À l'époque du Canada-Uni et, par la suite, pendant plus de cent ans, le découpage du territoire en circonscriptions a toujours été conçu à l'avantage du parti qui le préparait. Avantagé par la carte électorale et par le mode de scrutin, le parti dominant a aussi bénéficié de nombreux atouts complémentaires. Les lois électorales ont toujours ménagé le parti du gouvernement (par exemple, en raison du choix des personnes chargées de la gestion des scrutins). Le parti majoritaire a toujours bénéficié des privilèges du pouvoir exécutif. Les personnes en place, de toute façon, sont généralement plus connues que leurs adversaires et elles sont avantagées par leur notoriété. L'exercice d'une charge (*incumbency*, en anglais) avantage la personne qui en est titulaire (*incumbent*), pour peu qu'elle s'acquitte correctement de ses fonctions : autrement dit, une place correctement défendue peut résister à bien des adversaires. Et puis, c'est le premier ministre qui décide du jour du scrutin. En définitive, comme les blancs aux échecs, les détenteurs du pouvoir ont toujours un coup d'avance.

LECTURES RECOMMANDÉES

BAKVIS, Herman (sous la direction de), *La participation électorale au Canada*, Ottawa, Commission royale sur la réforme électorale et le financement des partis (Montréal, Wilson et Lafleur), 1991, 204 pages (volume 15).

BAKVIS, Herman (sous la direction de), *Les partis politiques au Canada : chefs, candidats, et organisation*, Ottawa, Commission royale sur la réforme électorale et le financement des partis (Montréal, Wilson et Lafleur), 1991, 401 pages (volume 13).

CAMPBELL, Colin, et William CHRISTIAN, *Parties, Leaders and Ideologies in Canada*, Toronto, McGraw-Hill Ryerson, 1996, 273 pages (livre qui succède à *Political Parties and Ideologies in Canada* paru en 1973).

CARTY, Roland Kenneth, *L'action des partis politiques dans les circonscriptions au Canada*, Ottawa, Commission royale sur la réforme électorale et le financement des partis (Montréal, Wilson et Lafleur), 1991, 325 pages (volume 23).

COURTNEY, John C., *Do Conventions Matter ? Choosing National Party Leaders in Canada*, Montréal, McGill-Queen's University Press, 1995, 477 pages.

DROUILLY, Pierre, *Indépendance et démocratie, Sondages, élections et referendums au Québec, 1992-1997*, Montréal, L'Harmattan, 1997, 355 pages.

FRIZZEL, Alan, et Jon H. PAMMETT (sous la direction de), *The Canadian General Election of 1997*, Toronto, Dunburn, 1997, 286 pages.

FRIZZEL, Alan, Jon H. PAMMETT, et Anthony WESTELL (sous la direction de), *The Canadian General Election of 1993*, Ottawa, Carleton University Press, 1994, 205 pages.

FRIZZEL, Alan, Jon H. PAMMETT, et Anthony WESTELL (sous la direction de), *The Canadian General Election of 1988*, Ottawa, Carleton University Press, 1989, 250 pages.

GINGRAS, Anne-Marie, Chantal MAILLÉ, et Évelyne TARDY, *Sexes et militantisme*, Montréal, Cidihca, 1989, 256 pages.

GOSSELIN, André, et Gilles GAUTHIER, Les arguments de causalité et de conséquences dans les débats politiques télévisés : l'exemple du débat des chefs lors des élections canadiennes de 1993, *Revue québécoise de science politique*, 27, 1995, 149-174.

JOHNSTON, Richard, André BLAIS, Elisabeth GIDENGIL, et Neil NEVITTE, *The Challenge of Direct Democracy : The 1992 Canadian Referendum*, Montréal, McGill-Queen's University Press, 1996, 338 pages.

JOHNSTON, Richard, André BLAIS, Henry E. BRADY, et Jean CRETE, *Letting the People Decide : Dynamics of a Canadian Election*, Montréal, McGill-Queen's University Press, 1992, 304 pages.

MANCUSO, Maureen, Richard G. PRICE, et Ronald WAGENBERG (sous la direction de) *Leaders and Leadership in Canada*, Toronto, Oxford University Press, 1994, 288 pages.

MONIÈRE, Denis, *Votez pour moi : une histoire politique du Québec moderne à travers la publicité électorale*, Montréal, Fides, 1998, 243 pages.

MONIÈRE, Denis, *Le combat des chefs : analyse des débats télévisés au Canada*, Montréal, Québec-Amérique, 1992, 284 pages.

MONIÈRE, Denis, et Jean-Herman GUAY (sous la direction de), *La bataille du Québec*, Montréal, Fides, 1994 (ouvrage portant sur les élections fédérales de 1993, qui a été suivi de deux autres, du même titre, portant, cette fois, sur les élections provinciales du Québec de 1994 et le referendum tenu au Québec en octobre 1995).

NEVITTE, Neil, André BLAIS, Elisabeth GIDENGIL, et Richard NADEAU, *Unsteady State : The 1997 Canadian Federal Election*, Don Mills (Ontario), Oxford University Press, 1999, 182 pages.

PENNIMAN, Howard R. (sous la direction de), *Canada at the Polls, 1979 and 1980 : A Study of the General Elections*, Washington, American Enterprise Institute for Public Policy Research, 1981, 426 pages.

PENNIMAN, Howard R. (sous la direction de), *Canada at the Polls, 1984*, Washington, American Enterprise Institute for Public Policy Research, 1988, 218 pages.

8

Les jeux d'influence

Aux côtés des partis politiques, qui sont les plus visibles des agents de la médiation politique, se profilent sans cesse d'autres organisations dont les membres cherchent à influencer les décisions des autorités. Groupes de pression ou lobbies, ces organisations occupent une place importante dans la vie politique, même si elles sont mal connues du grand public. Ces agents de la médiation politique exercent leur action par des procédés que nous appelons dans ce livre « jeux d'influence ».

L'action menée par ces organisations peut prendre des formes très diverses. Leurs dirigeants peuvent tenter d'influencer les décisions des autorités en les atteignant directement ou en faisant intervenir des personnes qui peuvent les atteindre. Les interventions directes auprès des détenteurs des postes d'autorité, comme celles qui s'exercent sur d'autres personnes, couvrent la gamme des possibilités (séduction, persuasion, pression, marchandage, etc.). Ces organisations peuvent aussi tenter d'orienter, en faveur d'un parti politique ou à ses dépens, les votes de certains électeurs, directement ou indirectement (par le truchement de campagnes d'information, par exemple). Elles peuvent aussi envisager quantité d'autres options. En définitive, ces organisations ont accès à une grande variété de cibles et de moyens.

Le choix de ces moyens, celui des catégories de personnes à viser et d'autres choix connexes, dépendent de multiples contraintes et opportunités. Choix de stratégies, ils sont d'abord fonction des objectifs de l'organisation qui doit les faire. Ils sont aussi fonction des ressources dont elle dispose, des avantages qui peuvent la servir et des handicaps qui limitent ses possibilités. Ces choix tiennent aussi aux relations d'alliance et de rivalité qui lient l'organisation. Selon que les organisations concurrentes seront plus ou moins fortes, selon que les organisations amies pourront ou non aider, les choix seront différents. Et puis il y a les circonstances, la proximité d'une échéance électorale, un changement à la direction d'un grand parti, une conjoncture favorable et beaucoup d'autres facteurs. Au bout du compte, malgré la variété des options, les choix stratégiques que peut faire une organisation sont souvent contenus à l'intérieur d'une marge étroite.

De toute façon, pour conserver leur liberté de choix, les détenteurs des postes d'autorité opposent toutes sortes d'obstacles aux pressions qui ne leur conviennent pas. Ils ont la possibilité de rester sourds aux suppliques qu'on leur adresse. Ils peuvent accorder ou refuser l'audience ou l'entretien que sollicitent les porte-parole d'une organisation ou d'un groupe d'organisations. Ils ont le choix d'accepter ou de décliner l'invitation de tel ou tel lobby. Ils se sont même donné des codes d'éthique (ou codes de conduite) qui leur permettent de se soustraire à certaines pressions. Ils peuvent procéder eux-mêmes aux consultations qu'ils désirent, commander des études, des enquêtes, des sondages, des analyses, créer des comités de spécialistes, se doter de services de renseignements, de documentation et de recherches, demander l'aide de leurs conseillers pour mieux résister aux pressions...

Parmi les obstacles qui se dressent devant les lobbies, il en est qui reposent sur les lois. Celles-ci interdisent l'achat de privilèges, les pots-de-vin, le népotisme, les situations de conflit d'intérêts et, de façon générale, l'utilisation de certains moyens que les intrigants de jadis employaient couramment. Par ailleurs, la loi du Québec sur le financement des partis politiques adoptée en 1977 éloigne la tentation de proposer ou de solliciter les contributions des entreprises et des groupes de pression pour financer des activités électorales. De plus, en vertu des pouvoirs que les lois constitutionnelles confèrent aux institutions législatives, les parlementaires peuvent gêner l'action des groupes qui déplaisent. Enfin, les lois permettent de grandes consultations populaires (appelées référendums), qui fournissent aussi, à leur façon, une arme contre certaines pressions.

Cependant, même s'ils cherchent souvent à se prémunir contre les pressions, les détenteurs des postes d'autorité ne peuvent échapper aux jeux d'influence. Ils se trouvent, par leurs fonctions, au centre de ceux-ci. Ils sont eux-mêmes les produits de toutes sortes d'influences, qui les ont faits ce qu'ils sont, avec leur vision du monde, leurs visées, leurs attitudes diverses. Les influences qui les touchent davantage sont sans doute celles qu'ils ne sentent pas, celles qui vont dans le sens de leur propre tendance.

On est parfois porté à rendre les lobbies responsables des décisions des autorités qui ne correspondent pas à leurs engagements électoraux. Parce qu'on leur impute une influence qui contrecarre la volonté de la majorité des électeurs, les lobbies paraissent contredire les principes démocratiques. Parce qu'on imagine que leurs moyens sont illicites ou déloyaux, on déconsidère les groupes de pression. Parce que les gains des uns signifient souvent la défaite des autres, on voit d'un mauvais œil la foule de courtisans et d'intrigants que forment, autour des autorités, les porte-parole des entreprises et autres organisations engagées dans les jeux d'influence. Pour ces raisons et bien d'autres encore, les jeux d'influence ont une mauvaise réputation.

Ils sont pourtant fort importants, parce qu'ils facilitent la médiation des besoins et des appuis que les gens sont susceptibles d'exprimer dans l'espoir d'obtenir des autorités les décisions souhaitées. Ces jeux d'influence s'ajoutent à la médiation réalisée grâce aux élections. Ils permettent l'acheminement, vers les autorités, de demandes et de soutiens que les grands partis politiques ne peuvent prendre en considération dès lors qu'ils tentent de rassembler une majorité autour de grands projets. Ils poussent les détenteurs des postes d'autorité à donner satisfaction à de nombreuses personnes qui ne pourraient être entendues si elles n'avaient d'autre canal que le mécanisme électoral. Les jeux d'influence donnent aux minorités quelques-unes des compensations que leur refuse un mécanisme électoral qui, comme c'est le cas au Canada, surreprésente considérablement la majorité (quand ce n'est pas la simple pluralité).

LES INTERVENTIONS AUPRÈS DES AUTORITÉS

Les porte-parole de groupes qui veulent influencer les décisions des pouvoirs publics peuvent imaginer toutes sortes de moyens de le faire. Mais, quel que soit le moyen utilisé, il leur faut toucher les décideurs. Or, parce que leurs journées n'ont que 24 heures, ces décideurs ne peuvent jamais consacrer que quelques minutes à chacune des nombreuses personnes rencontrées chaque jour ; au bout de l'année, un ministre (ou un premier ministre ou un maire) pourra avoir vu quelques milliers de personnes, mais il n'en aura vraiment écouté que quelques dizaines. Et, parmi ces quelques dizaines de personnes qui sont écoutées, il y en a bien peu qui ont vraiment l'oreille du ministre (ou celle du premier ministre ou celle du maire ou de la mairesse).

Et, parmi tous ces décideurs, il n'y a jamais eu de femmes avant 1958 (à Ottawa) ou 1970 (à Québec). Les premières femmes admises au gouvernement fédéral ont beaucoup fait pour changer les mentalités ; il en a été de même dans les gouvernements provinciaux, puis dans quelques municipalités. Mais les choses n'ont pas changé au rythme souhaité par ces pionnières et par de nombreuses autres femmes, de sorte que, aujourd'hui encore, les personnes qui détiennent les postes d'autorité sont des hommes, pour la plupart. Certes, il y a eu des femmes premières ministres (Kim Campbell, en 1993, à Ottawa, Catherine Sophia Callbeck, également en 1993, à Charlottetown, Rita Johnston, en 1991, à Victoria). Jocelyne Bourgon a accédé, en 1994, au poste le plus élevé de la fonction publique fédérale (greffière du Conseil privé, c'est-à-dire la sous-ministre du premier ministre Jean Chrétien). En 1994, le tiers des membres du conseil des ministres du Québec étaient des femmes. Quelques villes importantes au Québec (et aussi dans les autres provinces) ont des femmes à leur tête.

Néanmoins, malgré la percée réussie par plusieurs femmes, la politique reste, pour le moment, un monde d'hommes. Le vocabulaire de la politique, en français, est marqué par le genre masculin (un décideur, un député, un électeur...). Certains de ces mots peuvent être utilisés au féminin (une électrice), d'autres, curieusement, sont des noms de genre masculin (un décideur, un député). Le genre des mots traduit les pratiques du passé ; pour montrer que la vie a changé ou qu'elle doit changer, on peut leur donner une version féminine (une députée), en dépit de l'usage ancien, et employer systématiquement des formules qui rendent compte de la réalité contemporaine. Puisqu'il y a des femmes parmi les ministres, il serait correct de le dire et de parler du ministre et de la ministre (même si le mot «ministre» est un nom masculin). Les plus habiles utilisent le pluriel (les ministres), choisissent des adjectifs qui se disent de même façon au masculin et au féminin (habiles, par exemple), et ont recours à des collectifs («l'électorat», au lieu de «les électeurs et les électrices»). Et pourtant, dans les jeux d'influence, jusqu'à maintenant, tout laisse croire que le masculin l'emporte toujours sur le féminin. Le style de ce chapitre le montre bien. Quelques mots, en particulier, le révèlent : les décideurs, les détenteurs des postes d'autorité, les dirigeants, les démarcheurs...

Quand elles ne bénéficient pas déjà des contacts privilégiés qui leur permettraient d'influencer les titulaires des postes d'autorité dont relèvent les décisions qui les intéressent, les personnes qui représentent des groupes doivent influencer, d'abord, les intimes, les fonctionnaires et les parlementaires qui ont ces contacts privilégiés. Et, pour atteindre ces personnes, il faut parfois passer par d'autres intermédiaires : les porte-parole de certains groupes qui entreprennent pour une première fois des démarches auprès des autorités prennent vite conscience de leur principal handicap, leur éloignement par rapport aux sphères d'influence.

Cet éloignement force certains groupes à recourir à d'autres moyens que la séduction et la persuasion (qui sont les procédés que peuvent utiliser les personnes qui ont la confiance des décideurs). Pour amener un décideur à prendre en considération leurs points de vue, les porte-parole de certains groupes utilisent toutes sortes de procédés, notamment les «pressions». Les procédés qui donnent des résultats sont ceux qui font comprendre aux décideurs qu'il leur faut répondre, dans leur propre intérêt, aux demandes qui leur sont adressées. Et leur propre intérêt, c'est habituellement leur réélection !

Les contacts privilégiés, la séduction et la persuasion

Les personnes qui ont le plus d'influence sont celles qui sont déjà introduites dans l'entourage des détenteurs des postes d'autorité. Qu'elles soient chefs d'entreprises ou membres du conseil d'administration d'organisations de toutes sortes, ces personnes ont un avantage incomparable : elles bénéficient de contacts privilégiés, lesquels leur permettent de servir leurs intérêts (et ceux de leurs groupes, qu'il s'agisse d'entreprises, d'associations ou autres types d'organisations).

Ces contacts privilégiés leur donnent la possibilité de bien connaître les décideurs et leurs collaborateurs et d'utiliser, pour les intéresser et les influencer, des moyens qui s'apparentent à la séduction et à la persuasion.

Peu importe leur indépendance d'esprit, les gens se laissent influencer par toutes sortes de choses, suivant leurs goûts, leurs penchants, leurs désirs, leurs valeurs... Connaître la personne à influencer permet d'identifier ce qui la touche. Cupide, elle sera séduite par les gains. Ambitieuse, elle voudra des soutiens qui servent ses aspirations. Éprise d'elle-même, elle cédera facilement aux flatteries, aux honneurs. Gourmande, elle acceptera d'entendre les hôtes qui lui offrent les meilleures tables. Pour influencer une personne sans la contraindre, il faut d'abord attirer son attention, et la façon idéale d'y arriver, c'est de lui offrir ce qu'elle préfère.

C'est parce qu'ils ont bien compris cela que certains lobbyistes valent leur pesant d'or. Les lobbyistes qui ont vraiment du succès sont ceux qui possèdent l'art de se faire des amis, qui savent dire le mot qui retient, offrir le cadeau qui convient, proposer l'activité souhaitée, et qui, d'une amitié à l'autre, ont su se constituer des réseaux de relations dans l'entourage des détenteurs des postes d'autorité. Ces lobbyistes ont ce qu'on peut appeler de l'entregent.

Mais ces lobbyistes à succès, qui sont peu nombreux, ne font pas que manier la séduction ou la diplomatie : ils ont aussi des objectifs et, pour les atteindre, ils emploient plusieurs autres moyens. En effet, pour obtenir d'une personne une décision qui lui coûte, il ne suffit pas d'être amical, jovial, inoffensif. Il faut aussi savoir persuader.

Certaines personnes qui font partie de l'entourage des décideurs auraient une façon bien à elles de convaincre. Ces personnes sont assurément moins nombreuses encore que les lobbyistes les plus habiles. On prétend en effet qu'elles ont réussi à passer des années dans l'entourage de ministres sans laisser voir l'importance des services qu'elles rendaient aux organisations dont elles étaient proches : les points de vue des dirigeants de ces organisations n'étaient jamais abordés que dans le cours de conversations à bâtons rompus, lors de rencontres informelles, en l'absence de toute marque de sympathie particulière pour un camp ou un autre. Le message passait sans que leurs destinataires aient eu l'impression d'avoir été influencés ! Mais de telles histoires, qui plaisent en raison de leur caractère exceptionnel, sinon fantaisiste, montrent le poids que peuvent avoir les personnes qui gravitent autour d'un ministre (ou de n'importe quel détenteur d'un poste d'autorité).

On peut penser, en effet, que certaines personnes qui ont des contacts privilégiés ne manquent pas de subtilité, de finesse, de sagacité. De toute façon, étant donné que la plupart des détenteurs de postes d'autorité sont constamment sollicités, le succès d'une démarche peut tenir à l'ingéniosité de ceux qui la font. Il est probable que l'habileté (la ruse, diront certains) a plus d'impact que les pressions, d'autant que les décisions politiques comportent toujours des coûts.

D'ailleurs, faut-il le rappeler, l'objectif des jeux d'influence qui visent les autorités, c'est, par définition, une décision politique, une décision que nul ne peut prendre sans déplaire à quelqu'un (puisque les décisions politiques sont nécessairement des décisions controversées).

Pour influencer quelqu'un sans le forcer d'aucune façon, il faut donc beaucoup d'habileté. Tout démarcheur doit d'abord attirer puis retenir l'attention de la personne qu'il cherche à influencer, lui faire prendre conscience de l'intérêt que peut avoir, pour elle, la réflexion qu'elle va consacrer à l'objet de la démarche. Le démarcheur doit être succinct, logique ; il lui faut aller à l'essentiel, sans heurter. Il faudrait, idéalement, que les raisonnements menant aux conclusions visées soient faits par la personne même qu'il s'agit de convaincre. Et puis, il faut s'assurer que la conclusion à laquelle on croit être arrivé a été enregistrée (certains lobbyistes laissent à leur interlocuteur quelque chose, une simple feuille parfois, qui lui rappellera le message reçu ; certains transmettent une note le lendemain, expliquant que l'intérêt manifesté par leur interlocuteur leur a donné l'idée de lui fournir une renseignement utile ; il y a sûrement bien des façons de rappeler un message). Dans tous les cas, un bon démarcheur doit assurer le suivi de sa démarche initiale.

S'ils n'ont aucun accès aux détenteurs des postes d'autorité dont ils attendent une décision, les groupes peuvent choisir d'embaucher des démarcheurs professionnels (des spécialistes qui vendent leurs services à titre de lobbyistes) ou envisager la construction d'un réseau de relations qui, une fois établi, permettra de pénétrer dans l'orbite du pouvoir et d'utiliser les contacts privilégiés et les procédés qui permettent d'influencer les décideurs sans que ceux-ci aient le sentiment d'avoir cédé à des pressions. Les dirigeants de groupes qui entreprennent leurs premières démarches doivent savoir qu'il leur faudra beaucoup de temps avant d'arriver à avoir des contacts privilégiés. Beaucoup n'y arrivent jamais.

De toute façon, même les personnes qui ont des contacts privilégiés peuvent découvrir que la séduction et la persuasion ne leur suffisent pas pour obtenir les décisions souhaitées et empêcher des décisions qui leur seraient défavorables. Elles doivent parfois insister, harceler ou, même, menacer. Bref, il leur faut parfois recourir aux pressions.

Les procédés visant à impressionner, apitoyer, exaspérer, intimider...

Quand on parle de pressions, on envisage non seulement les procédés qui permettent d'influencer mais aussi ceux qui permettent de contraindre. Faire pression, c'est chercher à convaincre, certes, mais c'est aussi chercher à vaincre (sous la contrainte). Certaines pressions ressemblent même à du chantage : *cédez, sinon vous subirez une défaite aux prochaines élections !*

Les procédés appelés pressions sont utilisés couramment. Ils sont habituels parce que la plupart des personnes qui tentent d'influencer les détenteurs des postes d'autorité n'ont ni les accès ni le savoir-faire des lobbyistes les plus expérimentés. Elles n'ont souvent d'autre recours que les pressions.

Les pressions dont il s'agit ici sont des procédés qui visent à apitoyer, à impressionner, à intimider, à exaspérer les détenteurs des postes d'autorité, pour les faire fléchir, plier, céder. Il ne s'agit plus de persuasion ou de séduction : il s'agit bien de pressions.

On a recours aux pressions quand, justement, on n'a pas su séduire ou convaincre. Les gens qui font des pressions croient que les décideurs vont prendre les décisions qu'elles souhaitent parce qu'elles auront réussi à éveiller leurs bons sentiments ou leur sens des responsabilités. Il arrive que des manifestations de force ou des campagnes d'opinion parviennent à impressionner des gouvernants et les amènent à modifier leurs projets (lesquels, cela va sans dire, satisfaisaient des groupes qui avaient eu, jusqu'alors, plus d'influence).

Le bombardement de messages avec lequel certains groupes essaient d'assommer leur cible est souvent utilisé. Ces groupes inondent les personnes qu'elles veulent vaincre sous des déluges de lettres, de télégrammes et autres textes, ou encore saturent leur poste téléphonique d'appels incessants. Ces groupes espèrent ainsi que les décideurs qu'ils visent, exaspérés, céderont à leurs demandes.

La fascination qu'exerce ce procédé tient à sa simplicité. C'est un procédé peu coûteux, auquel toute organisation peut avoir recours, sans avoir de compétence particulière. Toutes les organisations peuvent utiliser la poste, le téléphone, le télécopieur ou le télégraphe pour adresser des messages aux personnes à atteindre. Dans certaines circonstances, les dirigeants d'une organisation peuvent obtenir de leurs membres qu'ils transmettent des lettres personnelles aux autorités qu'il s'agit d'impressionner. Parfois, des chefs de pupitre acceptent de publier, dans la tribune de leur journal consacrée au courrier des lecteurs, quelques-unes des nombreuses lettres reçues, qui traitent toutes du même sujet et qui, à l'évidence, proviennent toutes du même groupe. On peut faire signer des pétitions par des milliers de personnes et les soumettre aux décideurs. Il est possible (en payant) de faire paraître dans les quotidiens des manifestes signés par des personnes que l'on croit représentatives. Tout cela est à la portée de n'importe quelle organisation.

Ce procédé, qui a manifestement pour but d'apitoyer, d'impressionner ou d'exaspérer les décideurs, n'a pas toujours l'effet escompté. Il n'est guère rentable quand les messages adressés aux personnes visées prennent l'allure d'exigences, voire de mises en demeure... La gradation des tons employés dans les messages serait inversement proportionnelle à la gradation de l'attention qu'ils obtiennent.

Mais on peut comprendre l'impatience des dirigeants de certains groupes qui s'estiment outrageusement maltraités par les autorités. Il arrive en effet que toutes sortes de démarches préalables aient échoué.

Il arrive que des lettres polies n'aient obtenu que des accusés de réception insignifiants (« *Cher Monsieur, chère Madame, L'honorable XX, ministre de XX, à qui votre lettre du XX était adressée, m'a demandé de vous...* », etc.), qui ont fait comprendre que ces lettres avaient été classées sans avoir été montrées à leur destinataire. Il arrive que tel décideur, pour toutes sortes de raisons, n'arrive pas à accorder à certains dirigeants les entrevues qu'ils sollicitent. En somme, le bombardement de messages agressifs peut s'avérer, pour certains, le procédé qui fera comprendre à un décideur qu'il ne peut plus compter sur les suffrages des membres du groupe qui y a recours.

De toute façon, les dirigeants de certains groupes peuvent recourir au bombardement de messages comme d'autres personnes vont au casino : leur mise ne les ruine pas et, avec de la chance, elle peut rapporter. Autrement dit, ce procédé n'est pas souvent efficace, mais il peut parfois l'être un peu.

Les manifestations et actions d'éclat auront peut-être un peu plus de succès que les bombardements de messages, mais on pourrait aussi passer des heures à compiler la liste des manifestations qui semblent n'avoir rien changé aux décisions qu'elles visaient. Quoi qu'il en soit, chaque jour, ou presque, les médias font état de manifestations de toutes sortes.

Les manifestations et autres actions d'éclat demandent toutefois beaucoup de temps et d'énergie et, pour avoir une certaine ampleur, elles doivent être organisées par des groupes qui comptent beaucoup de membres très motivés.

Parce qu'elles requièrent beaucoup de ressources (notamment, le temps des gens qui y participent), les manifestations laissent croire qu'elles peuvent impressionner davantage que les déluges de lettres et, de fait, il arrive que les décideurs annoncent, au lendemain d'une manifestation d'opposition, que le projet que visait celle-ci ne sera pas mis à exécution.

Il arrive que les manifestations des uns soient suivies par celles de leurs adversaires. Ainsi, les manifestations des groupes antiavortement ont immanquablement l'allure de contre-manifestations, tout comme celles des groupes pro-choix. Ce genre d'affrontements entre camps adverses est typique des périodes au cours desquelles les autorités hésitent entre des options opposées.

Il arrive également que les groupes qui ont l'oreille des décideurs organisent des manifestations pour contrer celles des groupes qui préconisent d'autres options que les leurs.

La plupart des manifestations ont pour but d'éviter un changement annoncé (et il s'agit alors d'amener les décideurs à abandonner leur projet). Si, influencés par les gens d'affaires, des gouvernements préparent (et adoptent) des projets qui déplaisent aux personnes sans revenus, ces dernières, très nombreuses mais n'ayant pas les contacts privilégiés des gens d'affaires, ont recours aux manifestations et aux seuls autres moyens de pression auxquels elles ont accès.

Il est rare que des groupes dont les membres sont des patrons ou des professionnels organisent des manifestations. Mais de tels groupes, par exception, peuvent eux aussi recourir aux manifestations quand leurs dirigeants n'arrivent pas à convaincre les autorités de leurs points de vue. Ainsi, de nombreux commerçants de Montréal se sont assemblés en face de l'hôtel de ville à maintes reprises, en 1993 et 1994, mécontents des politiques du Rassemblement des citoyens et citoyennes de Montréal, qui avait pris le pouvoir aux élections municipales de 1986 et l'avait conservé par la suite. Les manifestations des commerçants ont sûrement eu une incidence sur le vote aux élections municipales de Montréal en 1994.

Autre exemple : les manifestations organisées par les associations de médecins du Québec en 1991. Alors que les professionnels évitent normalement de recourir à la technique des manifestations, par exception, en 1991, les médecins du Québec ont cru utile d'organiser des démonstrations de force, pour contrer un projet du ministre libéral Marc-Yvan Côté (ce projet plaisait à beaucoup de monde, mais il retirait aux médecins quelques-uns des avantages auxquels ils tenaient). Leurs actions d'éclat, en 1991, leur ont permis de casser la décision du gouvernement (dirigé par le premier ministre Robert Bourassa, ce dernier ayant finalement décidé de trancher en leur faveur).

Le succès remporté par les médecins du Québec en 1991 laisse voir que certaines manifestations peuvent donner les résultats recherchés par ceux qui les organisent.

Quand elles sont le complément d'autres techniques, les manifestations peuvent effectivement donner les résultats escomptés. Ce fut le cas de plusieurs des manifestations qui ont exprimé l'opposition des gens à certaines des mesures annoncées par le gouvernement de Robert Bourassa entre 1986 et 1990 : à la suite de manifestations importantes (accompagnées de toutes sortes d'autres actions), les libéraux ont abandonné quelques-uns de leurs projets de restructuration des budgets (restructuration souhaitée, notamment, par les gens d'affaires). Ce fut aussi le cas de nombreuses autres manifestations, mais la liste de celles qui n'ont eu aucun succès est bien plus longue que la liste de celles qui en ont eu.

Quand elles s'opposent sans succès aux décisions des décideurs, les manifestations et les actions d'éclat peuvent quand même miner les assises du parti sur lequel s'appuient ces décideurs. L'exemple des manifestations des commerçants de Montréal en 1993 et 1994 le montre. Autre exemple : les manifestations organisées entre 1974 et 1976 par les anglophones pour s'opposer à la loi sur la langue officielle (appelée à l'époque « *bill 22* ») ont contribué à la défaite du Parti libéral du Québec, qui l'avait proposée (près de la moitié des électeurs de langue anglaise du Québec qui avaient appuyé les candidats libéraux aux élections de 1973 ont en effet appuyé des candidats de l'Union nationale aux élections de 1976).

Puisqu'elles peuvent avoir une incidence importante sur le vote lors des élections à venir, les décideurs n'aiment certainement pas les manifestations qui expriment l'opposition aux décisions qu'ils ont prises et qu'ils ne peuvent guère annuler sans déplaire aux groupes qui les ont souhaitées. On comprend, dans ces conditions, que les décideurs souhaitent éviter les grandes manifestations, celles qui mobilisent beaucoup de monde et sont soutenues par des organisations dont les effectifs sont considérables.

En conséquence, il est possible que la menace d'organiser des manifestations de grande envergure fasse plier certains décideurs, dans certaines circonstances.

Les manifestations traduisent, en général, l'exaspération des membres des groupes qui les organisent. Et, en général, les groupes qui ont recours à ce procédé sont ceux qui n'ont pas accès aux personnes qui gravitent autour des détenteurs des postes d'autorité. Les salariés y pensent souvent (comme le laisse croire la fréquence des défilés encadrés par les organisations syndicales), et les plus démunis semblent privilégier cette technique (occupation de locaux, attroupements, grèves de la faim, etc.). La manifestation ou l'action d'éclat peut effectivement attirer l'attention, surtout si les bulletins de nouvelles en font état.

Alertés à l'avance, et sachant qu'une manifestation antérieure a suscité toutes sortes de rumeurs, les journalistes peuvent se montrer intéressés par un rassemblement de plusieurs centaines de personnes : c'est de cette façon que certains groupes arrivent à faire connaître leurs doléances. Ils y arrivent d'autant mieux quand leurs manifestations peuvent affaiblir un parti que les dirigeants des grands journaux n'aiment pas (ainsi que le montre la couverture de presse donnée aux manifestations dirigées contre le gouvernement du Parti québécois en 1983, ou aux manifestations organisées en Ontario contre le gouvernement du Nouveau Parti démocratique en 1994 et 1995, ou encore aux manifestations des commerçants montréalais en 1993 et 1994).

En raison de l'énergie qu'ils requièrent, les attroupements et les défilés de manifestants (qu'on appelle en anglais *demonstrations*) sont cependant, à l'instar des grèves, des armes de dernier recours, employées quand les autres formes de pression n'ont mené à rien ou, compte tenu du contexte, paraissent inappropriées (cas des contre-manifestations, notamment).

Les campagnes d'opinion et les campagnes de publicité sont aussi des techniques de pression souvent utilisées. Elles le sont d'ailleurs pour les mêmes fins que les manifestations et actions d'éclat (pour appuyer une demande de changement ou une résistance au changement, ou encore pour manifester un appui ou une opposition aux décisions annoncées). Elles sont surtout le fait des organisations qui n'ont pas les moyens d'atteindre autrement les décideurs qu'elles visent, mais il arrive que des groupes amis du pouvoir y aient également recours.

Pour avoir une certaine ampleur, une campagne d'opinion requiert d'importantes ressources. Il faut en effet déployer beaucoup d'efforts pour arriver à capter l'attention des gens et, finalement, susciter l'expression d'opinions (favorables aux points de vue des organisateurs). En raison de ses coûts et de sa logistique, une campagne d'opinion nécessite beaucoup de détermination de la part de ses organisateurs.

Pour réussir leur campagne, ceux-ci doivent aussi avoir des complicités dans le milieu des journalistes (on dit d'ailleurs des campagnes d'opinion qu'elles sont parfois des campagnes de presse, des campagnes de communications). En effet, pour avoir un quelconque retentissement, les conférences de presse des organisateurs doivent être suivies par des journalistes qui veulent bien en rendre compte. Leurs communiqués de presse doivent avoir un écho dans les journaux (et, idéalement, alimenter des réflexions en page éditoriale ou dans les chroniques). Des émissions de radio et de télévision doivent présenter les points de vue des dirigeants des groupes qui orchestrent cette campagne d'opinion; il faut que des journaux et des périodiques fassent de même, que des animateurs de programmes dits de lignes ouvertes y donnent suite. En définitive, le succès d'une campagne d'opinion se mesure souvent à l'importance de la couverture de presse.

Par ailleurs, ces campagnes d'opinion sont souvent accompagnées d'autres actions: pétitions, manifestations diverses (assemblées, marches, défilés, etc.), campagnes de publicité.

Utilisée comme élément d'une campagne d'opinion, la campagne publicitaire peut aussi être réalisée seule.

La technique des campagnes publicitaires est utilisée par des groupes de toute nature, comme le montre l'observation courante. Ces campagnes publicitaires peuvent être de petite ou de grande envergure, selon les moyens des organisations qui les commandent et les objectifs poursuivis. Cependant, elles ont toutes une même caractéristique: elles s'appuient sur l'achat d'espaces publicitaires (autrement dit, leurs commanditaires achètent des pages dans les journaux et autres périodiques, ou du temps d'antenne à la radio et à la télévision, louent des panneaux et affiches des agences spécialisées, distribuent aux gens des banderoles à installer dans leurs fenêtres, des affichettes à coller à l'arrière des voitures, ou à la vue des passants, et ainsi de suite).

Les campagnes publicitaires peuvent viser les mêmes buts que les manifestations et les campagnes d'opinion, mais elles peuvent aussi en viser d'autres, par exemple la bonne renommée. En recourant aux campagnes publicitaires, la plupart des organisations importantes cherchent à donner d'elles-mêmes une image rassurante, dans l'espoir de gagner la sympathie populaire, d'acquérir une réputation favorable.

Cependant, la publicité (ou, à la limite, la campagne d'opinion) n'est presque jamais utilisée par certains groupes. Elle ne l'est pas par les gens qui, ayant déjà accès aux détenteurs des postes d'autorité, ne veulent pas attirer l'attention. Par ailleurs, d'autres groupes peuvent trouver inabordable le coût de la publicité dans la presse à grand tirage et absolument dissuasif celui du temps d'antenne à la radio et à la télévision. De plus, bien des gens n'aiment pas afficher leurs couleurs à leur fenêtre ou à l'arrière de leur automobile.

De toute façon, il est très difficile de prévoir l'efficacité de la publicité ou de la campagne d'opinion. Mais, puisque certaines ont donné, jadis, les résultats escomptés, de nombreuses organisations y ont encore recours aujourd'hui. Il est douteux, cependant, que les détenteurs des postes d'autorité et leurs collaborateurs changent d'avis sur une question chaque fois qu'une publicité leur présente un avis contraire à celui qu'ils ont, ou chaque fois qu'une campagne d'opinion fait une forte impression. Selon les réponses fournies lors d'une enquête auprès d'un échantillon d'une soixantaine d'associations ayant un bureau à Washington, vers 1985, la publicité n'est pas une technique rentable, sauf en de rares circonstances (une quarantaine des quelque soixante associations consultées ont répondu qu'elles n'y avaient jamais eu recours).

Mais il en va des campagnes d'opinion comme des manifestations : elles peuvent avoir une incidence sur le vote et, quand c'est le cas, les décideurs peuvent réfléchir, puis fléchir. Faire plier : c'est bien là le but de ce qu'on appelle des pressions !

L'offre de compensations matérielles ou financières

Complément, ou option de remplacement, une autre technique d'intervention consiste à rechercher les faveurs des décideurs en échange de soutiens à leur parti ou de compensations de toutes sortes (des compensations qui, au Québec, sont appelées «pots-de-vin»). Cette technique peut s'apparenter à des démarches interdites par la loi.

Il est cependant difficile de croire que les grands décideurs d'aujourd'hui (un premier ministre, par exemple) puissent se faire acheter. Néanmoins, il est arrivé que des ministres acceptent des pots-de-vin (même si l'achat de faveurs est formellement interdit par la loi). Et il y aurait déjà eu, parmi les ministres ayant accepté des pots-de-vin, des victimes de chantage, mais alors, on ne parle plus d'influence ou de pressions, mais de délits (comme leurs victimes, ceux qui font chanter se taisent, de sorte que l'on ne connaît du chantage que l'écho des chuchotements perçus par des oreilles indiscrètes).

Les contreparties auxquelles songent les démarcheurs peuvent prendre la forme de contributions aux caisses électorales des partis. Au lieu d'offrir des pots-de-vin ou des dessous-de-table, les démarcheurs font simplement des dons, en pensant « donnant, donnant ».

De nombreuses personnes croient apparemment obtenir les décisions souhaitées si elles promettent ou offrent leur soutien financier au parti politique des décideurs (les décideurs eux-mêmes devant tout ignorer des marchandages qui se font dans leur dos). Elles imaginent que les gardiens de la caisse électorale sauront intercéder en leur faveur sans jamais compromettre les détenteurs des postes d'autorité. Mais, en cette matière comme dans le domaine des pots-de-vin et du chantage, on n'entend souvent que des bruits, car, même lors d'enquêtes et de procès, les marchands d'influence savent garder le silence. Nul ne peut dire si les quelques condamnations prononcées ont simplement effleuré ou complètement épuisé le sujet.

Quoi qu'il en soit, le procédé des contributions financières aux décideurs et à leurs partis doit être utilisé avec circonspection, puisqu'il peut donner prise à des accusations de trafic d'influence (s'il y a promesse de contrepartie) ou d'interventions illicites dans le processus électoral (puisque la loi électorale provinciale, au Québec, interdit toute dépense visant à influencer le vote, sauf celles effectuées par les agents officiels des partis et des candidats). De toute façon, les directives adressées aux ministres et aux parlementaires, par la direction des partis, commandent la plus grande honnêteté.

Le marchandage électoral

Plutôt que des dons, ou en plus des dons, certains démarcheurs proposent des votes. Il semble, en effet, que les dirigeants de certains groupes pensent que les détenteurs des postes d'autorité seront impressionnés par la perspective d'une victoire facile que permettrait l'apport de nouveaux appuis, ou par la crainte d'une défaite probable résultant des appuis accordés à l'opposition. Ces dirigeants espèrent influencer les autorités en encourageant leurs membres à voter pour les candidats qui les soutiennent et en offrant des appuis publics à leur parti à l'occasion des élections.

Très en vogue jadis, la promesse d'appuis électoraux en échange d'engagements partisans est encore utilisée aujourd'hui. Elle l'est d'autant plus que le parti que l'on courtise est aussi celui que l'on préfère. Et encore davantage s'il est majoritaire, semble devoir le rester ou paraît en voie de le devenir.

Toutefois, l'incertitude quant aux résultats du scrutin à venir freine bien des gens. Plusieurs démarcheurs, prudents, n'osent pas se compromettre en faveur du parti majoritaire, craignant sa défaite prochaine, et ils évitent d'appuyer le principal parti de l'opposition, dont la victoire n'est pas assurée. Plutôt que d'aider un perdant, ou même un vainqueur que l'on n'aime guère, mieux vaut jouer la neutralité.

Quand l'un et l'autre des grands partis leur plaisent également, et semblent avoir des chances égales de gagner aux élections à venir, les dirigeants de certaines organisations encouragent l'un et l'autre. Ainsi, après la défaite du Parti libéral du Canada aux élections fédérales de 1957, les dirigeants de nombreuses organisations ont pris l'habitude d'alimenter à la fois le Parti libéral du Canada et le Parti progressiste-conservateur du Canada. Les dirigeants d'une même entreprise ou d'une même association allaient jusqu'à se partager les tâches : certains se rangeaient du côté des libéraux, d'autres du côté des conservateurs.

Il n'est pas dit que les chefs de partis tiennent vraiment aux appuis bruyants que leur offrent certains groupes. Étant donné que ceux-ci sont nécessairement opposés à d'autres groupes, leur partisanerie peut éloigner des électeurs des autres groupes. Un appui public, en outre, au lieu d'impressionner favorablement, peut gêner les dirigeants des partis, comme on l'a suggéré au chapitre précédent (s'agissant des déclarations intempestives de certains alliés des chefs de partis). Finalement, pour toutes sortes de raisons (rapidité des communications, hétérogénéité des populations, attitudes des électeurs, etc.), les chefs des grands partis hésitent de plus en plus à soutenir les intérêts d'un groupe de pression plutôt que ceux d'un autre et préfèrent se dire à l'écoute de tout le monde.

Par ailleurs, de nombreux exemples de promesses non tenues laissent croire que les chefs de partis oublient le passé pour ne penser qu'au présent et à l'avenir. Ainsi, au pouvoir, les dirigeants du Parti québécois ont semblé avoir oublié, en 1982, l'appui donné à leurs candidats par les membres des syndicats de salariés aux élections de 1976 et 1981. Autre exemple : à deux reprises, en adoptant de nouvelles réglementations relatives à la langue française et à la langue anglaise, les dirigeants du Parti libéral du Québec ont déçu des milliers d'anglophones. Les histoires d'engagements rompus sont si nombreuses que l'on peut conclure que le procédé qui consiste à promettre des votes en échange de promesses électorales n'est pas vraiment payant.

Il arrive même, semble-t-il, que la menace de représailles électorales ait plus d'impact que la promesse d'appuis. En tout cas, les dirigeants de certains groupes croient vraiment pouvoir obtenir des concessions de la part des décideurs s'ils menacent de soutenir l'opposition officielle quand celle-ci talonne déjà la majorité. Une telle menace aurait un double avantage : si elle était crédible, elle pourrait entraîner des concessions de la part des autorités du moment, sinon, elle permet d'espérer des faveurs de l'autre équipe, quand celle-ci aura, à son tour, accédé au pouvoir.

Les activités partisanes

Faute de pouvoir compromettre les dirigeants des partis, les membres des organisations (entreprises, associations, etc.) peuvent tenter d'utiliser, comme moyen d'action, le militantisme dans un parti politique, dans l'espoir d'obtenir l'adoption, par ce parti, d'engagements conformes à leurs intérêts. Cependant, les activistes de groupes de pression sont souvent déçus de leur militantisme dans un parti ; ils découvrent que les chefs de partis évitent souvent de prendre des engagements précis, car ils recherchent d'abord le pouvoir. En effet, parce qu'ils tentent de rassembler les gens autour de dénominateurs communs, les partis ne doivent pas afficher d'engagements en faveur des intérêts spécifiques de groupes restreints, forcément opposés à d'autres groupes. Néanmoins, la plupart des partis accueillent les activistes des groupes de pression qui veulent bien unir leurs efforts à ceux des autres partisans ; les membres des organisations qui retrouvent leurs intérêts dans les grandes orientations d'un parti peuvent finalement arriver à y faire la promotion de leurs propres objectifs et, peut-être, y trouver une voie d'accès aux détenteurs des postes d'autorité, si le parti qu'ils ont choisi est majoritaire ou s'il le devient.

Précisément, s'ils accèdent aux instances supérieures du parti majoritaire, les dirigeants d'entreprises et d'associations peuvent avoir, enfin, la possibilité de fréquenter des personnes qui font partie de l'entourage des détenteurs des postes d'autorité, et ils peuvent même, à l'occasion, rencontrer les décideurs qu'ils aimeraient influencer. Leur participation aux activités d'un grand parti peut aussi contribuer à orienter, indirectement, les décisions des autorités ; elle leur donne une voie d'accès au pouvoir et la possibilité d'utiliser des contacts privilégiés.

Il est arrivé, jadis, que des organisations créent des partis dans l'espoir de mieux servir leurs intérêts. Les Fermiers unis, auxquels une partie du chapitre 5 a été consacrée, en sont un exemple. Cependant, ces partis, qui représentent un segment particulier de l'électorat, ne parviennent pas à conserver le pouvoir, si jamais ils y accèdent. Pour former une majorité dans l'électorat, les partis doivent en effet élargir suffisamment leurs assises. La logique du mode de scrutin uninominal et celle des institutions parlementaires condamnent au statut de petits partis les formations qui ne s'appuient que sur des segments de l'électorat.

Les recours judiciaires

Parfois, pour atteindre leurs objectifs, certaines organisations s'adressent aux tribunaux. Ce moyen peut avoir un impact, même s'il n'est pas accompagné d'une importante publicité, parce que les arrêts des tribunaux font loi ; un arrêt satisfaisant peut même entraîner une révision des décisions gouvernementales. Cette technique a été utilisée par certains groupes qui contestent la Charte de la langue française du Québec : ces groupes ont soutenu, avec succès, que divers articles de cette charte, adoptée en 1977, allaient à l'encontre de la Charte canadienne des droits et libertés, adoptée en 1982. Cette technique est aussi utilisée par des groupes qui défendent des valeurs morales ou qui luttent pour la protection de la nature, pour le respect des traditions et pour l'adoption de nouvelles réglementations qui pourraient être justifiées en vertu de telle ou telle loi, ou en vertu, justement, de la Charte canadienne des droits et libertés, dont la portée paraît illimitée aux yeux des personnes qui l'invoquent.

Les bons offices

Pour obtenir les décisions qu'ils souhaitent et, tout au moins, se gagner la confiance des détenteurs des postes d'autorité, certains groupes ont recours à la technique des bons offices. Leurs dirigeants offrent leurs services, leur assistance, dans l'espoir d'influencer les décideurs, grâce à l'information qu'ils leur transmettent ou aux suggestions qu'ils formulent.

Les messages que les organisations transmettent peuvent en effet servir à leur ouvrir des portes et, peut-être, à influencer les décisions. Les messages qui ouvrent les portes sont ceux qui fournissent à leurs destinataires des informations qu'ils recherchent : des listes, des compilations, des états de situation, des analyses, des données factuelles, des résultats de sondages, des conclusions de recherches scientifiques... Il arrive que certains dirigeants d'organisations progressent rapidement en utilisant cette technique, mais l'intérêt qu'elle présente dépend du type d'information que détient l'organisation, et son succès dépend de nombreux facteurs, en particulier les lacunes que les destinataires des messages aimeraient combler.

En offrant leurs bons offices, certains groupes qui avaient déjà des atouts importants (ressources financières, effectifs, etc.) ont gagné la confiance des autorités, de sorte que leurs dirigeants ont été invités à multiplier les avis qu'ils donnaient déjà si volontiers. Ainsi, après de longues années de patience, certains groupes ont enfin eu la possibilité d'utiliser des contacts privilégiés. Mais, pour y arriver, il leur a fallu sans doute offrir davantage que leurs bons offices (par exemple, il a probablement fallu aussi que leurs dirigeants s'insèrent dans les réseaux partisans de la majorité parlementaire).

Les porte-parole de certains groupes dont les intérêts semblent bien servis paraissent installés à demeure dans l'entourage des titulaires des postes d'autorité. C'est notamment le cas de lobbyistes qui ont été, jadis, fonctionnaires, parlementaires ou ministres (on dit de ces personnes qu'elles «pantouflent», pour dire qu'après avoir été au service du secteur public elles sont passées au service d'organisations du secteur privé, qui leur accordent d'importants émoluments). Certains démarcheurs en arrivent même à participer à l'élaboration de politiques publiques ou même de projets de loi. Certains sont consultés régulièrement par des conseillers des décideurs ou par des fonctionnaires au sujet de questions d'actualité ou de modifications à apporter à la réglementation. Certains obtiennent des postes dans des commissions, des comités, des conseils, des régies... Ces privilégiés ont fait plus qu'ouvrir des portes : ils sont entrés dans l'antichambre du pouvoir et détiennent, de ce fait, un avantage considérable. Ayant placé leurs pions (comme on dit), les groupes que représentent ces privilégiés l'emportent sur les groupes concurrents.

Les dirigeants de grandes entreprises en sont un bon exemple. Certains ont même réussi à faire participer des hauts fonctionnaires à des organismes qui servent leurs intérêts, sous couvert d'activités de recherche scientifique. Parmi ces organismes, les plus connus sont le C.D. Howe Institute, le Conference Board, le Fraser Institute, le Hudson Institute...

Certaines associations du monde des affaires réussissent aussi à faire participer des ministres et des hauts fonctionnaires à des séminaires qu'elles organisent pour traiter de questions d'actualité ou de dossiers qui les intéressent. Ces formules permettent à la fois d'accroître le nombre des contacts privilégiés et de persuader, subtilement, les décideurs qui participent à ces séminaires de la validité des points de vue qui y sont présentés. Ces séminaires, qui ont l'allure de rencontres d'intérêt public, constituent un moyen parmi d'autres d'accéder à la sphère du pouvoir.

Les invitations et les fleurs

Pour s'ouvrir des portes et, éventuellement, influencer la prise de décisions, les groupes peuvent aussi inviter la personne qu'ils veulent convaincre à rehausser de sa présence certaines de leurs activités (assemblées générales, congrès, expositions, etc.) ou lui faire une fleur en lui offrant l'honneur de la première page dans leur publication la plus importante. Une invitation acceptée, c'est la possibilité de conversations informelles, d'échanges de points de vue... Une première page, c'est aussi le prétexte d'une rencontre, d'un contact...

Aucun élu ne refuse systématiquement les fleurs qu'on lui offre ou les invitations qu'on lui transmet. S'ils en ont la possibilité, la plupart acceptent de prononcer quelques mots lors du congrès annuel d'une importante association, lors d'une inauguration ou d'une cérémonie quelconque. Même si leur horaire est chargé, la plupart des parlementaires (ou, encore des maires) cherchent les bains de foules et les retombées positives que ceux-ci peuvent avoir lors de futures élections ou lors d'éventuelles confrontations politiques requérant la mobilisation de tous les appuis possibles. Mais encore faut-il que les groupes qui les invitent ne nuisent pas à leur image.

Il y a en effet des invitations que les élus préfèrent ne pas recevoir. Il est peu probable que les invitations provenant de groupes qui passent pour marginaux pourront être acceptées. Par ailleurs, même quand elles proviennent de groupes importants qui ont une bonne réputation, bien des invitations sont perdues en raison, notamment, du calendrier des personnes invitées et des priorités qu'elles peuvent avoir. En déclinant une invitation en raison des circonstances, un élu peut, malgré lui, décevoir ceux qui la lui ont adressée et, ainsi, regretter de l'avoir reçue.

En dépit de ces aléas, la technique des invitations adressées aux détenteurs des postes d'autorité est beaucoup utilisée.

La participation aux activités des organismes consultatifs

Une autre technique populaire, du moins dans certains milieux, est celle du mémoire, instrument principal de la participation aux activités des organismes consultatifs. Toutes les organisations peuvent transmettre des documents, appelés communément mémoires, aux commissions d'étude ou d'enquête qui peuvent s'intéresser à l'objet de leurs propres préoccupations. Par ailleurs, il est permis de soumettre aux parlementaires n'importe quel document (pétition, déclaration, etc.). On peut aussi saisir d'une question ou d'un problème l'une ou l'autre des commissions parlementaires, dont les mandats sont censés couvrir tous les sujets relevant de l'autorité de l'assemblée dont elles font partie. Et il n'est pas rare qu'une organisation peu connue, apparemment sans grandes ressources, obtienne de se faire entendre d'un des nombreux organismes consultatifs qui encadrent partiellement les jeux d'influence.

La présentation de mémoires aux organismes consultatifs est une spécialité des associations bien établies, celles qui ont des ressources importantes, des membres influents ou nombreux. Rares sont les grandes associations qui n'ont pas, au moins une fois au cours des dix dernières années, utilisé la technique du mémoire. En revanche, cette technique semble boudée par les grandes entreprises (qui font pourtant un lobbying important). Et, même si elle est accessible à n'importe quel groupe (et individu), elle n'est guère utilisée par les petites organisations.

Du point de vue d'une même organisation, l'efficacité de ses éventuelles interventions auprès d'organismes consultatifs varie sans doute selon les sujets, les circonstances, les enjeux, les groupes en présence et autres éléments. Étant donné qu'une intervention auprès d'un organisme consultatif coûte cher (il faut tout de même rédiger un mémoire, le polycopier ou le photocopier, et déléguer des porte-parole pour le présenter), les dirigeants des corps intermédiaires doivent y penser à deux fois avant de s'engager dans ce type de démarche. Mais s'ils s'y engagent, ils ont tout intérêt à le faire le mieux possible (il leur faut préparer leur mémoire ou document sous forme d'argumentaire, un argumentaire concis, rédigé avec élégance, mais sans luxe ; il leur faut aussi lui assurer une très large diffusion, en publier des extraits dans les journaux, et ainsi de suite).

Cependant il se peut que la présentation d'un mémoire à une commission vise autre chose que l'objet des travaux de cette commission. Certains groupes peuvent choisir d'intervenir auprès des organismes consultatifs simplement pour rester dans le paysage, continuer à faire partie du lot des organisations auxquelles les gens songent quand il y a des avis à solliciter. Ces mêmes groupes ou d'autres encore peuvent estimer que leur intérêt à long terme leur impose de présenter leur point de vue publiquement, chaque fois que cela est possible, de sorte qu'ils participent à toutes les consultations publiques qui leur sont ouvertes. Par ailleurs, les sceptiques peuvent penser que tel ou tel groupe, très friand des forums ouverts par les pouvoirs publics, présente chacun de ses nombreux mémoires simplement pour étancher la soif de paraître qui tenaille ses dirigeants, ou pour satisfaire leur goût secret des fréquentations prestigieuses, ou encore pour plaire à leurs commettants qui réclament de la visibilité, des actions d'éclat. Mais ces motivations individuelles sont toutes utiles à l'organisation (notoriété, contacts privilégiés cultivés par ses dirigeants, satisfaction de ses membres...).

On peut s'interroger quant à l'efficacité de la participation aux activités des organismes consultatifs, du point de vue des objectifs spécifiques des groupes d'intérêt, mais on s'entend pour reconnaître que cette forme de participation à la vie politique sert fort bien les détenteurs des postes d'autorité. Ceux-ci, grâce à cette participation, donnent l'impression de chercher les compromis les plus acceptables ; ils trouvent, parmi les mémoires présentés par les groupes, des textes qui soutiennent les compromis qu'ils ont pu concevoir ; ils utilisent cette participation, dit-on parfois, pour donner plus de légitimité à leurs décisions.

De fait, les techniques d'intervention accessibles aux organisations ne sont pas toutes efficaces (certaines ne permettent pas d'atteindre les objectifs recherchés et peuvent même attirer la foudre sur ceux qui les utilisent) et elles ne sont pas toutes efficientes (certaines exigent une colossale consommation d'énergie ou énormément d'argent, alors qu'elles ne rapportent presque rien). Certaines techniques, accessibles à tous, sont finalement utilisées par bien peu de groupes, sauf par ceux qui n'ont pas d'autre choix.

LES VOIES D'ACCÈS AUX TITULAIRES DES POSTES D'AUTORITÉ

Les personnes qui ont des liens de confiance avec les détenteurs des postes d'autorité sont peu nombreuses, de sorte que la plupart des dirigeants des groupes d'intérêt sont confrontés par la difficulté d'accéder au centre du mécanisme de la prise de décisions politiques. Intermédiaires entre leurs membres et les autorités, les dirigeants des groupes doivent passer par d'autres intermédiaires pour atteindre les personnes qu'ils visent. Ces autres intermédiaires, ce sont justement des personnes qui ont des liens de confiance avec les détenteurs des postes d'autorité.

Parmi les personnes qui peuvent intervenir en faveur d'un groupe se trouvent d'abord les collaborateurs du décideur que l'on cherche à atteindre, ce décideur pouvant être, par exemple, le premier ministre. Celui-ci est en contact quotidien avec deux ou trois personnes de son secrétariat et rencontre, au moins une fois par semaine, un certain nombre d'autres collaborateurs. Il rencontre souvent ses ministres et quelques autres parlementaires de son caucus. Il voit assez souvent quelques-uns des permanents de son parti et aussi, de temps en temps, quelques autres personnes, y compris certains journalistes qui le traitent aimablement. C'est parmi ces quelques dizaines de personnes que se trouvent celles qui peuvent participer, avec le premier ministre, à l'élaboration de ses décisions (la quasi-totalité des décisions que le premier ministre tient à prendre lui-même sont préparées par ses collaborateurs).

Par ailleurs, de très nombreuses décisions politiques peuvent être prises ailleurs qu'au sommet de la hiérarchie, en vertu des délégations d'autorité qui, à Ottawa ou dans la capitale d'une province, libèrent le premier ministre, les ministres et les sous-chefs (le sous-chef, appelé sous-ministre, est le principal fonctionnaire d'un ministère, son chef étant le ministre).

Il en va de même, dans une certaine mesure, des administrations municipales de grande taille. Le maire doit déléguer une partie de son autorité à des adjoints ; le directeur général doit s'appuyer sur des chefs de service, et ainsi de suite.

Cependant les décisions politiques importantes (du point de vue des détenteurs des postes d'autorité) ne font jamais l'objet de délégations et, de toute façon, aucune délégation d'autorité n'est définitive (même dans le contexte de ce qu'on appelle la décentralisation).

L'accès aux fonctionnaires chargés d'un dossier n'est pas facile pour les groupes qui en sont à leurs premières armes, d'autant moins que la circonspection est une vertu pour les fonctionnaires qui participent à l'élaboration des décisions politiques (et, aux derniers échelons de la hiérarchie administrative, les décisions qui semblent techniques sont presque toutes des décisions politiques).

On dit que les fonctionnaires (sous-ministres, sous-ministres adjoints, directeurs généraux, directeurs) chargés des dossiers qui concernent un groupe sont des personnes que les porte-parole de ce groupe doivent voir, mais il faut savoir qui voir et quoi faire : les néophytes peuvent perdre leur temps, alors que des lobbyistes expérimentés peuvent éviter cette perte de temps !

De toute façon, puisque la quasi-totalité des grandes décisions politiques résultent de la mise en commun de nombreux points de vue, les groupes de pression peuvent avoir à convaincre plusieurs personnes à la fois.

Le choix des personnes à influencer devrait dicter celui des moyens à prendre pour ce faire. Mais parfois, même s'ils ont pu identifier les réseaux de relations qui mènent aux détenteurs des postes d'autorité qu'il faut atteindre, certains dirigeants d'organisations qui en sont à leurs débuts dans le monde du lobbying n'arrivent à rencontrer que des personnes dont la fonction est, justement, de recevoir les démarcheurs.

Alors que l'accès aux sous-ministres et aux ministres n'est pas facile, pour ceux qui n'ont pas encore de contacts privilégiés, l'accès aux secrétariats des ministres est plus aisé, et les représentants de la plupart des groupes peuvent rencontrer sans peine des parlementaires de la majorité qui siègent sur les banquettes arrière (les *back-benchers*). Les parlementaires les plus accessibles sont généralement ceux qui sont le plus loin du pouvoir, c'est-à-dire les parlementaires de l'opposition.

La chose est claire : les options ouvertes à certains groupes, qui font du lobbying depuis longtemps, sont interdites à d'autres groupes. Des contraintes extrêmement gênantes limitent considérablement les possibilités des petites organisations dont les ressources sont faibles et dont les dirigeants ne sont pas déjà insérés dans les jeux d'influence. Inversement, les goupes les plus forts ont beaucoup d'occasions.

LES LIMITES DU POSSIBLE DANS LES JEUX D'INFLUENCE

Les contraintes imposées aux groupes sont multiples, tout comme les occasions qu'ils peuvent saisir. Certaines contraintes et possibilités découlent des objectifs que chaque groupe cherche à atteindre. D'autres tiennent à la configuration d'ensemble des forces qui se soutiennent ou s'opposent dans le secteur où se situe le groupe qui doit faire un choix. D'autres encore tiennent aux conjonctures, et les dernières, aux ressources dont chacun peut disposer. Ces contraintes et possibilités, qui déterminent la marge de manœuvre de chaque groupe, doivent être prises en compte dans l'examen des jeux d'influence.

Les contraintes et possibilités liées aux objectifs poursuivis

Les groupes qui veulent un changement sont défavorisés par rapport à ceux qui défendent un privilège, proposent le maintien d'une situation ou veulent confirmer une décision déjà prise. Il en va des jeux d'influence comme de la guerre : pour l'emporter sur les défenseurs, les assaillants doivent être plus nombreux ou mieux équipés. Les défenseurs sont généralement des gens en place, qui ont accès aux autorités et qui disposent de ressources importantes. L'histoire des revendications formulées par les groupes de femmes montre à l'envi les difficultés que peuvent éprouver les personnes qui veulent changer les choses. Pour obtenir que les femmes aient le droit de vote aux élections provinciales du Québec, il a fallu aux suffragettes une trentaine d'années de pétitions et de marches. L'obtention de droits analogues à ceux des hommes, dans le couple et la famille, leur a demandé une quarantaine d'années de démarches.

Un objectif de changement pose des contraintes particulières, et ces contraintes sont d'autant plus gênantes que le changement visé porte sur des sujets à propos desquels les gens sont très divisés et à propos desquels beaucoup de gens se passionnent. De tels sujets constituent des enjeux importants, du point de vue des autorités. L'exemple des luttes relatives à l'abolition des châtiments corporels infligés aux criminels, y compris la peine de mort, illustre la difficulté posée par la diversité des options et l'intensité des sentiments. D'autres exemples : la lutte menée pour l'obtention du droit au divorce, le débat au sujet de l'avortement, l'incertitude relative à l'euthanasie ou à la fécondation *in vitro*.

Plus les enjeux sont importants, plus les changements sont difficiles. Le jugement qui compte, en l'occurrence, c'est celui des détenteurs des postes d'autorité qui ont juridiction sur les sujets en cause ; ce jugement dépend notamment des coûts et avantages que présente, du point de vue de leur éventuelle réélection, chacune des décisions possibles. Les décideurs ont tendance à tergiverser quand une option de changement irrite à la fois ceux qui ne veulent pas de changement et ceux qui veulent un autre type de changement que celui qui a été envisagé. Quand n'importe quelle des décisions possibles coûte beaucoup de votes, les élus ont raison d'hésiter !

Les conflits linguistiques et les conflits constitutionnels sont de ceux qui, aux yeux des ministres, posent les dilemmes les plus préoccupants. L'histoire le montre : les décisions prises en cette matière ont toujours soulevé des tempêtes et, dans quelques cas, contribué à miner la position des autorités qui les avaient prises (l'Union nationale a souffert aux élections de 1970, le Parti libéral du Québec a été défait aux élections de 1976, l'opposition à l'Accord du lac Meech a été alimentée par la décision du gouvernement du Québec, dirigé par Robert Bourassa, de modifier la Charte de la langue française). Il est patent que les enjeux qui divisent posent des dilemmes.

Quand les décisions qu'il cherche à faire changer ou à influencer relèvent à la fois de deux autorités, voire de plusieurs, un groupe doit affronter des difficultés considérables, et les contraintes qui encadrent ses choix sont alors différentes de celles qui s'imposeraient autrement. Pour amener un gouvernement provincial et le gouvernement fédéral à s'entendre sur une question controversée, un groupe doit persuader davantage de gens qu'il n'aurait à le faire si cette question tombait sous la juridiction exclusive d'un seul gouvernement, toutes choses étant égales par ailleurs.

Le choix des moyens d'influence à mettre en œuvre et celui des voies d'accès aux autorités varient selon les sujets, puisque les compétences législatives, au Canada, sont partagées entre les institutions fédérales et les institutions provinciales. Quand son objectif touche un sujet qui se trouve dans les champs d'intervention d'une municipalité, un groupe peut se trouver devant une gamme d'options beaucoup plus vaste que celle qu'il aurait si son objectif portait sur un sujet qui relève des autorités fédérales. Mais il peut aussi se trouver confronté aux interventions d'autres groupes qui, elles, visent les autorités provinciales. Et ce qui se produit à propos d'objets sur lesquels les organismes décentralisés peuvent agir peut aussi se produire à propos des compétences des institutions provinciales (ou de celles des institutions fédérales).

En effet, comme on l'a montré au chapitre 4, certains groupes voient les partages de compétences comme une possibilité supplémentaire. Certes, à la division des compétences correspond une répartition des champs d'action des organisations. Cependant, certains groupes, en dépit de la division des compétences, font pression sur les autorités fédérales pour obtenir satisfaction en des matières qui relèvent des autorités provinciales. Ainsi, alors que la plupart des organisations qui s'intéressent à des questions relevant des provinces se structurent sur un base provinciale et adressent leurs suppliques aux autorités provinciales, certaines préfèrent faire porter leurs pressions sur les autorités fédérales. De même, dans des matières que les autorités provinciales ont cédées à des organismes régionaux ou aux municipalités, quelques groupes continuent à réclamer l'intervention des autorités provinciales. Il y a plus : dans certains cas, les mêmes groupes réclament des satisfactions à la fois à Ottawa, à Québec et à Montréal (ou, si l'on considère des exemples de l'Ontario, à Ottawa, à Queen's Park et au City Hall). Les exemples de ces chassés-croisés, qui durent souvent des décennies, sont fort nombreux : les débats relatifs à la lutte contre l'alcoolisme sont sans doute les plus connus (ils ont duré soixante ans, ont nécessité un référendum fédéral en 1898 et de très nombreux référendums municipaux et provinciaux, dont un au Québec en 1919, référendums qui ont amené la prohibition, et ainsi de suite). En vérité, la liste des exemples de conflits entre groupes qui se sont prolongés dans des querelles entre gouvernements serait fort longue : conflits au sujet de l'analphabétisme, l'aide aux écoles des minorités, le respect des dispositions constitutionnelles relatives aux écoles séparées, la sécurité routière, l'aide aux universités, l'aide aux artistes, les bourses d'études, etc.

Les contraintes et possibilités liées aux forces en présence

Fonction des objectifs poursuivis et des autorités en cause, le choix des procédés, on le constate, est aussi fonction de la concurrence à laquelle chaque groupe fait nécessairement face. Certains groupes peuvent solliciter l'appui des autorités fédérales pour contrer les interventions de groupes qui s'adressent aux autorités provinciales. Certains peuvent se trouver isolés face à des coalitions. Les cas de figure sont nombreux.

Son objectif, dans les jeux d'influence, étant de maintenir ou de changer une décision controversée, un groupe sera avantagé ou désavantagé selon que ses concurrents sont faibles ou forts, et ses alliés potentiels, puissants ou misérables. Ainsi l'évaluation des possibilités d'un groupe dépend des forces en présence.

Or, cette évaluation montre que, par rapport à chaque question politique controversée, dans chacun des très nombreux secteurs d'activités humaines, il y a des groupes dominants, des groupes qui sont en voie de le devenir, des groupes qui périclitent, etc. Dans certains cas, rares, il y a une apparence d'équilibre entre groupes d'égale force. Dans de nombreux cas, il y a une relative stabilité dans l'inégalité : par rapport à leurs concurrents, les groupes dominants conservent les avantages dont ils bénéficient. Il y a enfin des périodes au cours desquelles certains groupes sont en déclin, alors que d'autres (déjà dominants ou en voie de le devenir) grimpent rapidement dans l'échelle de l'influence.

Le cycle de vie des groupes peut aussi être pris en compte dans l'analyse des contraintes et possibilités qui encadrent les choix que font les groupes participant aux jeux d'influence. En effet, un groupe en croissance doit relever les défis de sa jeunesse ; privés de contacts privilégiés, ses dirigeants doivent trouver à s'insérer dans les réseaux. Inversement, toutes sortes de difficultés confrontent un groupe qui a cessé de croître, à l'exemple des entreprises qui font de mauvaises affaires, des associations qui n'attirent plus personne, des organisations dont les dirigeants et les membres ont vieilli et perdu l'allant de leur jeunesse. Il arrive souvent que des organisations, après avoir connu croissance et succès, stagnent puis périclitent, parallèlement au cycle de vie de leurs membres ou de leurs produits... Parmi les interventions possibles auprès des autorités, certaines, qui ne sont pas encore accessibles aux groupes qui viennent de se former, ne le sont plus aux groupes dont les effectifs ont vieilli sans se renouveler.

Parmi les groupes qui durent se distinguent ceux qui ont su constituer des effectifs dont la structure d'âge ressemble à celle de la population active. Tout en ayant parfois beaucoup moins de ressources que des groupes concurrents, ces groupes anciens, qui allient l'expérience des aînés et l'énergie des jeunes, bénéficient souvent d'un avantage décisif.

Les groupes qui ne sont pas dans une position dominante sont souvent incapables d'utiliser les contacts privilégiés dont disposent leurs adversaires. Ils n'ont souvent pas le choix : ils doivent recourir aux pressions ou tenter de bâtir, grâce aux bons offices, les réseaux de contacts privilégiés qui leur font encore défaut. Cette deuxième option demande du temps (autrement dit, de la patience, de la détermination et de la persévérance) et quelques ressources que certains groupes n'ont pas.

Les contraintes et possibilités liées à la conjoncture

Le cycle électoral, le calendrier parlementaire, la conjoncture économique et, de façon générale, le déroulement de la vie posent aussi des contraintes aux groupes, mais ils leur offrent également des possibilités.

D'une durée prévisible de quatre ans et d'une durée maximale de cinq ans, le temps qui s'écoule entre deux scrutins comporte plusieurs phases, comme on l'a montré au chapitre 7. Il est possible, comme le soutiennent certaines personnes, que les jeux d'influence soient plus visibles la première ou la troisième année du cycle, puisque les grands choix du parti majoritaire sont confirmés au cours des mois qui suivent les élections, alors que les choix du cycle suivant sont préparés peu avant la fin du mandat. Les manifestations des gens qui protestent contre les décisions des autorités semblent un peu plus fréquentes (et peut-être plus importantes) au cours de la première année des mandats et à la fin des mandats. Les procédés d'intervention appliqués aux partis semblent, en tout cas, des spécialités de fin de mandat.

L'activité des groupes en fin de mandat semble varier selon les circonstances, en particulier quand les sondages ne permettent pas de prévoir le résultat du scrutin à venir. À la fin d'un deuxième mandat, quand règne l'incertitude, beaucoup de démarcheurs, dit-on, hésitent à investir dans des interventions dont les résultats pourraient être remis en cause en raison de la défaite possible du gouvernement. Les groupes dont les ressources sont limitées peuvent effectivement préférer des actions sporadiques plus importantes (préférer cela à une action continue de faible intensité).

Cependant, certains groupes semblent ne s'accorder aucune relâche. Ainsi, les grandes associations du monde des affaires et les grands syndicats de salariés semblent être toujours sur la brèche.

Pour ces organisations, les interventions semblent toujours de mise. Elles profitent des vacances parlementaires, alors que ne se posent plus les contraintes des sessions ; elles profitent aussi des sessions, parce que l'actualité s'y prête. Pendant les sessions, elles prennent d'abord prétexte du discours inaugural pour se situer par rapport aux projets du gouvernement ; plus tard, elles commentent le plan de dépenses, puis le budget ; enfin, au fur et à mesure que sont présentés les grands projets de loi, elles se positionnent, selon leurs intérêts.

D'autres groupes, moins visibles, ne font parler d'eux que lorsque les commissions parlementaires reçoivent leurs porte-parole ou que des projets de loi mettent leurs intérêts en cause. Et, parce qu'il comporte un sprint en décembre et un sprint en juin, le calendrier parlementaire semble commander les pulsations de certains groupes.

Sur une longue période, une décennie par exemple, les fluctuations dans le volume de la production de biens et de services ou d'autres fluctuations relatives à l'activité économique (variations dans les taux d'intérêt, dans les taux de change, dans les taux de chômage, etc.) ponctuent elles aussi les interventions des groupes. Les jeux d'influence sont tributaires des conjonctures économiques. Ainsi, les attaques dirigées contre les déficits budgétaires, les dépenses publiques et les impôts sont plus nombreuses et vigoureuses en période de ralentissement de l'activité économique, alors que s'accroissent les pressions provenant de groupes qui réclament des mesures de relance de l'économie.

Selon la conjoncture, selon le moment, le choix des procédés d'intervention d'un groupe peut varier. Ainsi, même s'il y en a parfois l'hiver, les manifestations semblent plus fréquentes et plus fréquentées l'automne, ou en mai et juin. Les actions d'éclat de certains groupes semblent plus nombreuses en période de recrudescence des difficultés économiques. La couleur du temps aurait donc une incidence sur les jeux d'influence. Ainsi, le beau temps a pu expliquer, en partie, la décision des femmes de marcher de Montréal à Québec, en juin 1995, pour sensibiliser les autorités au problème de la pauvreté.

En vérité, les jeux d'influence sont liés aux conjonctures, comme on l'a déjà suggéré au chapitre 3, parce que le changement est incessant, inéluctable. Certains groupes réagissent au changement en s'y adaptant ou en s'y opposant, d'autres amènent le changement. Et, parmi les changements qui font agir les groupes, il en est de toutes sortes.

Et puis les dirigeants des groupes peuvent espérer profiter de certains événements : un changement à la direction d'un parti, la croissance de la popularité d'un chef, de son parti, une innovation, une découverte, l'ouverture d'un marché, la mode, une nouvelle vague... En définitive, les conjonctures apportent leur lot de contraintes, de défis, et d'occasions.

Les contraintes et possibilités liées aux ressources

Fonction de la conjoncture, fonction aussi des objectifs poursuivis par chacun et de la situation des forces en présence, la gamme des options ouvertes à un groupe dépend aussi des ressources dont il dispose.

L'abondance ou la pénurie de ressources est relative : la question est de savoir si ces ressources peuvent permettre au groupe qui les possède d'atteindre ses objectifs. Par ailleurs, un groupe peut avoir des ressources adéquates pour certains de ses objectifs et insuffisantes pour d'autres, ou encore être avantagé dans ses démarches auprès d'un gouvernement et handicapé dans celles qu'il engage auprès d'un autre. Ainsi, les ressources d'un même groupe peuvent lui permettre un certain succès dans ses démarches auprès des autorités d'une province et s'avérer insuffisantes dans ses relations avec d'autres gouvernements.

LES RESSOURCES DES GROUPES ET LES JEUX D'INFLUENCE

Toute relative soit-elle, l'abondance des ressources caractérise forcément les groupes les plus influents (ceux qui dominent leur secteur ou ceux qui font des gains). Ces ressources peuvent être cataloguées en diverses catégories distinctes, même si, pour bien des groupes, les ressources d'une catégorie apparaissent comme le complément d'autres ressources. De toute façon, à certaines ressources correspondent des moyens particuliers : aux réseaux de relations correspond un procédé d'influence (la séduction et la persuasion que permettent les contacts privilégiés) ; aux effectifs considérables correspondent certains moyens de pression (manifestations d'envergure, mobilisations importantes).

Les disponibilités financières

Les disponibilités financières sont assurément, parmi les ressources, celles qui offrent le plus de souplesse et, sans doute aussi, celles qui donnent le plus de choix dans la sélection des moyens d'influence. De plus, les groupes qui ont d'importantes disponibilités financières sont généralement en mesure d'utiliser bien d'autres ressources (par exemple, les réseaux de relations, l'expertise technique, etc.).

Les disponibilités financières permettent d'utiliser assez facilement le procédé par excellence des jeux d'influence : les contacts privilégiés, qui mettent en œuvre la séduction et la persuasion. Elles permettent aussi de réaliser des campagnes de publicité et des campagnes d'opinion, d'utiliser le procédé des bons offices, et ainsi de suite.

Les grandes entreprises et les associations qu'elles subventionnent (ces subventions étant déductibles de leurs revenus aux fins de l'impôt) détiennent, grâce à leurs ressources financières, des atouts qui font défaut aux autres groupes. Les associations qui représentent les professionnels et les petites entreprises ont pourtant des caisses bien garnies, mais leurs moyens financiers sont déjà beaucoup plus faibles que ceux des grandes entreprises et des regroupements qu'elles soutiennent. Enfin, malgré les importantes cotisations de leurs nombreux membres, les syndicats de salariés paraissent bien dépourvus par rapport aux grandes entreprises. Finalement, les possibilités qu'offrent les ressources financières situent certains groupes au sommet d'une hiérarchie invisible que semblent respecter les détenteurs des postes d'autorité.

Les innombrables avantages que les lois et les politiques gouvernementales accordent aux dirigeants des grandes entreprises traduisent peut-être cette hiérarchie de l'argent. Ils traduisent sans doute, également, l'efficacité du lobbying que l'argent permet d'orchestrer. Ils peuvent être expliqués de très nombreuses façons (qui seraient sans rapport avec le lobbying) mais, dans la perspective des jeux d'influence, ils apparaissent comme le fruit des multiples interventions que font les porte-parole de chacune des organisations du milieu des affaires pour orienter en leur faveur les décisions des autorités, et, dans les jeux d'influence, les gens d'affaires ont des atouts incomparables.

Le succès des gens d'affaires (auprès des autorités) peut sembler, en partie, un résultat de la rivalité d'intérêts qui les oppose les uns aux autres. Qu'une entreprise obtienne un avantage fiscal particulier, et toutes les autres le réclament, leurs dirigeants estimant que cet avantage doit être accordé à toutes, afin d'assurer le libre jeu de la concurrence. Qu'un groupe d'entreprises (ou de professionnels ou d'artisans) arrive à bénéficier d'une politique de stabilisation (limitation du nombre de producteurs et quotas de production, tarifs, etc.), et chacun des autres groupes du même secteur (par exemple, celui de l'agriculture) en exige une également, pour assurer à ses produits la part du marché que lui aurait donnée la vérité des prix. Si les fonds publics financent le développement d'une première entreprise (en lui donnant des terres, une voie ferrée, un port...), voilà que des dizaines d'autres entreprises, appuyées par leurs associations, exigent les mêmes contributions à leur propre développement, au nom de la justice, de l'égalité, de l'emploi, de la lutte au chômage, des intérêts des régions, et ainsi de suite. En définitive, une première aide à l'exportation engendre encore davantage d'aide à l'exportation, une première subvention encourage d'autres entreprises à en demander, un premier privilège en amène des dizaines d'autres (voire, des milliers), de sorte que, finalement, la masse des décisions politiques favorables aux entreprises ne cesse de croître.

À la limite, cette compétition incessante entre les entreprises peut sembler l'explication des jeux d'influence (certains expliquent même le développement des institutions et des pratiques dites démocratiques par l'exacerbation de la concurrence entre les entreprises).

Effectivement, beaucoup d'entreprises participent activement aux jeux d'influence et, parmi elles, plusieurs le font de leur propre chef, pour leur propre compte, séparément des autres (une entreprise est une organisation, faut-il le rappeler). De plus, parmi les entreprises actives dans les jeux d'influence, il en est plusieurs qui s'engagent dans des actions communes, avec d'autres, pour servir d'abord leurs propres intérêts : l'intérêt particulier de certaines entreprises se trouve probablement au fondement de chacune des nombreuses associations du monde des affaires (produit par produit, catégorie par catégorie, secteur par secteur, région par région, etc.), certaines associations étant concurrencées par d'autres (dans la même catégorie, le même secteur, etc.). Dans le monde des affaires, si l'on en juge d'après les confidences qui inspirent ce passage du livre, les motivations financières et les rivalités sont si importantes que les actions communes ont souvent l'allure d'opérations destinées à enrichir ceux qui les mènent. Les plus riches pourraient faire monter les enchères et accroître ainsi leur part du gâteau.

Même si cette surenchère dure depuis des siècles, les sondages d'opinion laissent comprendre que la plupart des propriétaires et chefs d'entreprises et la plupart des professionnels et travailleurs indépendants s'estiment lésés par les pouvoirs publics, écrasés sous le fardeau fiscal, privés de la liberté d'action nécessaire à l'innovation et indispensable au marché... Les données des sondages montrent aussi que de nombreuses personnes, dans le monde des affaires, ont une vision des choses qui les amène, semble-t-il, à se liguer quand leurs intérêts communs paraissent menacés. De toute façon, parmi ces personnes, il y en a beaucoup qui croient que la minorité dont elles font partie est brimée par la majorité, celle que mobilisent les organisations qui ont de gros effectifs.

Les effectifs

S'il est considérable, l'effectif, autrement dit le nombre de membres d'un groupe, est en effet une ressource politique importante. Un effectif considérable donne à une organisation un poids électoral que les décideurs sont portés à respecter. Les Églises, les organisations représentatives des grandes communautés culturelles et les syndicats de salariés bénéficient à cet égard d'un atout important.

Cependant certaines grandes entreprises ont le même atout. Toutefois, leurs dirigeants l'utilisent d'une façon qui leur est propre. En effet, si l'on en juge d'après les journaux et les bulletins de nouvelles, la promesse d'embauches massives ou la menace de licenciements collectifs leur sert souvent d'argument dans leurs interventions auprès des autorités. Il arrive même, en raison de ses effectifs dans une même ville, qu'une entreprise (même de taille moyenne) puisse orchestrer un véritable concert de revendications, grâce à la coalition d'intérêts qu'elle peut facilement rassembler.

Les entreprises qui sont engagées dans des jeux d'influence trouvent dans leurs effectifs un atout complémentaire, qui s'ajoute aux autres importantes ressources qu'elles peuvent mobiliser (disponibilités financières, réseaux de relations, compétences techniques, soutien d'associations patronales insérées dans les sphères dirigeantes, etc.).

Pour leur part, les syndicats de salariés et les groupes représentatifs de communautés culturelles ou de fidèles de diverses confessions religieuses n'ont souvent que leurs effectifs à opposer aux nombreuses ressources politiques des groupes qui leur font concurrence. Les mouvements de lutte pour l'égalité entre les hommes et les femmes n'ont eu aucun succès tant qu'ils n'ont pas mobilisé une forte proportion des femmes. Les mouvements de jeunes n'ont un impact que dans la mesure où ils sont largement suivis. Les prohibitionnistes, autrefois, n'ont pu imposer l'interdiction du commerce de l'alcool tant qu'ils n'ont pas eu l'appui des foules.

C'est clairement en raison de l'importance de leurs effectifs que les syndicats de salariés arrivent à obtenir des autorités des décisions qui répondent partiellement à leurs revendications. Les syndicats regroupent en effet, au Canada, entre le quart et le tiers de la main-d'œuvre en emploi. Quand ils favorisent nettement un grand parti plutôt que l'autre, les votes des syndiqués peuvent même, parfois, décider de l'issue des élections. Au Québec, les votes des syndiqués, en 1960 et 1962, ont contribué à donner la victoire au Parti libéral du Québec, alors dirigé par Jean Lesage. La victoire du Parti québécois aux élections de 1976 et de 1981 n'aurait peut-être pas été possible sans l'appui des syndiqués; il en est allé de même aux élections de 1994. En Ontario, c'est aussi avec l'appui des syndiqués que le Nouveau Parti démocratique a pris le pouvoir en 1990. Les succès du Nouveau Parti démocratique en Saskatchewan, au Manitoba et en Colombie-Britannique ont aussi été facilités par les votes des syndiqués. Finalement, grâce aux effectifs qu'ils peuvent mobiliser en faveur d'un parti, les syndicats exercent parfois une influence importante.

Cette influence a contribué à motiver les décisions politiques que l'on dit progressistes et que les groupes conservateurs ont toujours contestées. Les syndicats de travailleurs, associés à d'autres groupes, ont réclamé puis obtenu l'adoption de plusieurs programmes sociaux (assurance-chômage, pensions de vieillesse, compensations pour les accidents du travail, régime des rentes). Ils ont obtenu le développement de plusieurs services publics financés par l'impôt (soins de santé, transports publics, éducation). Ils ont obtenu les échelles à taux progressifs appliquées à l'impôt sur le revenu. Mais ce sont les lois du travail (salaire minimum, conditions d'embauche, négociations collectives, etc.) qui représentent les plus grands succès des syndicats, puisqu'elles ont été imposées aux dirigeants des entreprises (qui n'en voulaient pas).

L'importance de la réglementation dans le marché du travail et la part des dépenses publiques consacrée aux programmes sociaux montrent que l'influence des syndicats a pu, à certains moments, être considérable.

Leur influence a été d'autant plus grande qu'elle a été conjuguée à celle de nombreux groupements représentatifs du milieu des «gagne-petit», à celle de certaines Églises et à celle d'organisations liées aux communautés culturelles.

La capacité de former des alliances

La capacité de former des alliances est en effet une ressource pour certains groupes. Cette capacité élargit considérablement la gamme des interventions possibles. Elle ouvre notamment la possibilité de réaliser des campagnes d'opinion de très grande envergure, des manifestations grandioses, de changer l'orientation du vote... Nous avons fait allusion, dans les pages précédentes, aux appuis obtenus par les syndicats de salariés auprès d'autres groupes, et montré que, dans le monde des affaires, les gens peuvent se liguer autour des intérêts d'une catégorie (par exemple, les intérêts des pomiculteurs), ou d'une région ou encore d'un secteur, voire autour des intérêts du patronat ou, plus largement, des épargnants détenteurs d'actions et d'obligations.

Le mode de fonctionnement

Le mode de fonctionnement des organisations que sont les entreprises ne facilite pas les mobilisations que réussissent à monter les syndicats de salariés, les groupes représentatifs des communautés culturelles et des confessions religieuses, les organisations de jeunesse ou les groupes de femmes.

Davantage encore que les groupes culturels ou religieux, les organisations syndicales fonctionnent selon un modèle qui permet de mobiliser énormément de gens pour les manifestations et les actions d'éclat. Peu nombreuses, les fédérations ou confédérations de syndicats sont capables, au Canada, de faire front commun pour défendre certains intérêts. Leur mode de fonctionnement et les interventions qu'il permet expliquent sûrement une partie des succès que les syndicats ont pu avoir.

Comme les centrales syndicales, les Églises, les organisations représentatives des communautés culturelles et les groupes de femmes réussissent à faire une sorte d'agrégation des intérêts de leurs membres. Cette agrégation assure une cohésion et une unité d'action qui facilitent grandement leurs interventions auprès des autorités. Ainsi, les Églises, qui pourtant se concurrencent, ont réussi, les unes après les autres, à obtenir des décisions d'autorité qui ne plaisent assurément pas à tout le monde. De même, leur mode de fonctionnement explique, en partie, le succès (relatif) des fédérations de groupes de femmes au Canada.

Grâce à cet atout, et à certains autres, plusieurs associations qui représentent des communautés culturelles ont obtenu des autorités des décisions qui répondaient partiellement aux aspirations de leurs membres (mais qui étaient fort mal acceptées par d'autres personnes).

L'expertise technique et la spécialisation poussée

L'expertise technique et la spécialisation poussée des membres de certaines organisations fournissent assurément l'une des explications de leur succès. C'est le cas des entreprises qui fabriquent des produits brevetés ; c'est le cas aussi des associations de professionnels (dont les ressources financières, par ailleurs, ne sont pas négligeables et dont la cohésion est exceptionnelle). Ces organisations font partie de la catégorie des groupes dont les dirigeants ont le privilège de s'insérer dans la sphère du pouvoir, grâce à leur participation à des organismes publics et aux consultations qui leur sont demandées par les conseillers des décideurs.

Les réseaux de relations et de communications

Les réseaux de relations, les réseaux de communication, les capacités de communication sont des ressources d'autant plus prisées qu'elles font défaut à beaucoup de groupes. Rares sont ceux, en effet, qui comptent, parmi leurs dirigeants, l'un des amis d'enfance, l'un des proches ou l'un des collaborateurs du décideur qu'il faut convaincre, ou encore des personnes dont les postes commandent une audience ou un prestige considérable! Rares sont les as de la communication!

Les organisations du monde des médias et les organisations de spécialistes de la publicité bénéficient à cet égard d'avantages colossaux, puisque leurs dirigeants, qui connaissent personnellement quantité de personnes influentes, ont des possibilités d'intervention incomparables.

Certaines grandes entreprises (et aussi certaines petites et moyennes entreprises) sont dirigées par des personnes qui ont des liens privilégiés avec des membres de l'entourage des décideurs qui ont compétence pour les questions qui les préoccupent : ces liens sont souvent multiples (liens familiaux, solidarités d'affaires, voisinage...). On ne peut dire à quel point est précieux ce que l'on appelle, en anglais, un *old-boys network* (réseau d'anciens élèves d'une même institution d'enseignement). Dans certaines agglomérations urbaines, au cœur des quartiers où habitent les familles les plus riches, des collèges privés ont pu, jadis, contribuer à resserrer des liens qui, par la suite, ont grandement servi les amis qui les avaient tissés.

Dans le milieu de la politique municipale, au Québec (en dehors de Montréal), des réseaux de relations du même ordre se sont développés autour des Chevaliers de Colomb ou de quelques autres organisations de ce type. Certaines personnes soutiennent que ces réseaux rappellent ceux de la franc-maçonnerie, dont les loges et les obédiences ont suscité toutes sortes d'imitations à la fin du XIXe et au début du XXe siècles.

Les réseaux de relations permettent d'utiliser le procédé des contacts privilégiés, la notoriété ouvre les portes, et on peut facilement convaincre quand on a d'exceptionnelles capacités de communication (qu'il s'agisse de l'éloquence d'un individu ou de l'audience ou du lectorat d'une entreprise de presse).

Bref, les réseaux de relations, la notoriété des grands communicateurs, le prestige des chefs de presse et des grands publicistes permettent d'utiliser facilement le procédé des bons offices et celui des contacts privilégiés, d'autant plus que ces atouts se conjuguent souvent avec d'autres (disponibilités financières, expertise technique, spécialisation poussée...).

Or, c'est mathématique, les contraintes de temps imposées aux décideurs restreignent considérablement le nombre de personnes qui peuvent utiliser les contacts privilégiés (y compris après avoir utilisé le procédé des bons offices). Il s'ensuit que, dans les jeux d'influence, la place de choix est réservée aux rares groupes qui possèdent les relations (et, accessoirement, la notoriété, les disponibilités financières et les autres ressources qui lui sont généralement associées).

L'imagination, l'expérience, la compétence, la motivation

Plusieurs autres catégories de ressources (l'imagination, l'expérience du lobbying et de l'administration publique, la compétence, la motivation des membres, etc.) devraient être prises en compte dans l'examen des contraintes (ou possibilités) qui peuvent aider un groupe à choisir ses moyens d'intervention auprès des autorités, mais, au-delà des moyens et des ressources, s'impose ce que l'on peut appeler le leadership.

Le leadership

Le leadership de ses dirigeants peut permettre à un groupe dont les autres ressources sont limitées de l'emporter sur des concurrents avantagés à tous égards, sauf à ce chapitre. Entreprise ou association, une organisation dépend beaucoup des personnes qui la dirigent. Certains dirigeants se contentent de suivre, certains préfèrent même l'inaction et pratiquent l'immobilisme, et il arrive que leurs subordonnés les soutiennent indéfiniment, vieillissant avec eux, sans se renouveler. D'autres sont des personnes exceptionnellement douées (énergiques, infatigables, imaginatives, etc.) qui s'entourent de conseillers perspicaces et de collaborateurs exemplaires. Comme l'action rapporte plus que l'inaction, les gagnants sont les groupes dont les dirigeants se démènent davantage.

Mais, quelle que soit l'énergie déployée par ses dirigeants, un groupe n'a aucune garantie d'atteindre le décideur qu'il souhaite influencer. Ce sont en effet les décideurs qui choisissent leurs interlocuteurs.

LES OBSTACLES OPPOSÉS À CERTAINES PRESSIONS

Pressés par les urgences et les priorités concurrentes, mais désireux (normalement) de prendre les décisions qui leur permettront de conserver le pouvoir, les décideurs cherchent à se soustraire aux interventions qui, de leur point de vue, leur font perdre du temps sans contribuer utilement à la recherche des meilleures décisions à prendre. Les vrais décideurs n'ont que faire des bavardages et souhaitent avoir l'heure juste. C'est pourquoi, ayant à choisir qui entendre, ils vont préférer recevoir les démarcheurs qui les appuient et qui ont derrière eux beaucoup de monde, beaucoup d'argent, beaucoup d'informations, bref, beaucoup de ressources. Mieux encore, ils vont préférer s'entourer de collaborateurs qui vont le faire à leur place. Et ceux-ci, à leur tour, vont s'appuyer sur d'autres personnes.

Par ailleurs, entouré de collaborateurs, tout décideur avisé craint de se trouver dans la situation d'un roi prisonnier de sa cour. Fort heureusement (de son point de vue), pour savoir ce que l'on pense à l'extérieur de son entourage, il n'a pas besoin de faire comme le bon calife des contes des mille et une nuits qui devait se déguiser en mendiant pour arriver à connaître l'humeur du peuple. En effet, grâce aux consultations particulières, aux études spécialisées, aux avis d'experts, aux enquêtes sur le terrain, aux sondages (auprès du grand public, auprès des personnes concernées, etc.), à l'analyse de la documentation, aux compilations des services de renseignements, aux recherches sociopolitiques et à divers autres sources d'information, le décideur d'aujourd'hui peut (en principe) avoir une bonne idée de ce que pensent ou veulent les gens qui ne font pas partie de son entourage.

Cette connaissance des opinions lui permet, s'il la recherche, d'avoir un autre son de cloche que celui que font entendre ses familiers. Mais, pour avoir cette connaissance de l'opinion, le décideur doit, encore une fois, recourir à des collaborateurs.

Tous ces collaborateurs deviennent, à la fin, des obstacles qui empêchent les porte-parole des groupes d'accéder vraiment aux détenteurs des postes d'autorité. Même les lobbyistes qui ont des contacts privilégiés doivent s'entretenir avec de nombreuses personnes en raison de la division des tâches par niveaux et par spécialités. À ce qu'on dit, les audiences qu'un premier ministre accorde à des gens qui ne sont pas de son entourage revêtent un caractère que l'on qualifie de conventionnel (le mot « conventionnel » étant pris ici au sens de « conforme aux bons usages », plutôt qu'au sens de « peu naturel, manquant de vérité ou d'originalité »).

De toute façon, parce qu'elle emploie des milliers de personnes et traite de questions extrêmement variées, l'administration publique est devenue extraordinairement complexe. La division des tâches y est poussée très loin, de sorte que les personnes qui participent à l'élaboration des décisions y sont fort nombreuses.

Aux obstacles que constituent les nombreuses personnes qui ont à intervenir dans l'élaboration des décisions s'ajoutent ceux qui visent à écarter certains types d'interventions auxquelles pourraient songer des lobbyistes. En effet, pour éviter les risques de compromissions, les détenteurs des postes d'autorité du passé ont adopté des codes d'éthique qui réduisent les possibilités des lobbies. Ces textes interdisent les pots-de-vin, le népotisme et le favoritisme. Chose certaine, un code de bonne conduite donne un bon argument aux fonctionnaires qui désirent éviter certaines pressions !

De plus, pour éviter les conflits d'intérêts et les concussions, les décisions prises quotidiennement en vertu des lois et règlements en vigueur sont censées être l'aboutissement d'un processus au cours duquel sont intervenus des fonctionnaires différents, indépendants les uns des autres. Même après avoir été considérablement allégés (en vertu de décisions prises après 1984, à Ottawa, et après 1985, à Québec), ces contrôles multiples gênent ceux qui aimeraient les éluder.

Aujourd'hui, les groupes les plus divers peuvent, certes, participer aux jeux d'influence, mais ils doivent le faire dans le cadre d'une réglementation plus restrictive que naguère (comme on l'a vu déjà, une loi du Parlement fédéral, adoptée en 1988, a même institué un registre des lobbies et lobbyistes autorisés à faire des démarches auprès des fonctionnaires fédéraux).

Par ailleurs, grâce aux consultations publiques qu'ils orchestrent eux-mêmes (par le truchement des commissions d'enquête ou des commissions parlementaires, notamment), les titulaires des postes d'autorité peuvent mobiliser des soutiens en faveur des orientations qu'ils favorisent et contrecarrer les pressions auxquelles ils ne veulent pas céder.

*
* *

L'opinion garde cependant l'image des lobbies d'autrefois, qui agissaient dans la clandestinité et employaient des procédés qui paraissaient déloyaux, déjà à l'époque.

Cette image, héritée du passé, reste vivace parce que les gains des uns se font presque toujours au détriment de quelqu'un. On explique les promesses électorales non tenues par l'action de groupes importants. On trouve injustes les possibilités d'action qu'ont les organisations les mieux dotées. On continue à voir dans les jeux d'influence des jeux de coulisses, des jeux d'ombres.

Ce n'est pas l'enregistrement des lobbies et des lobbyistes qui modifiera cette perception. En effet, cet enregistrement fait connaître les organisations qui veulent bien se faire connaître, mais il ne fait pas grand lumière sur les jeux d'influence. Déjà, dès la fin du XIXe siècle, des réformistes ont proposé, à Washington, ce moyen pour contrôler les lobbies et, en 1946, une loi du Congrès des États-Unis a finalement institué l'enregistrement obligatoire des groupes de pression, mais cette loi a été déclarée inconstitutionnelle en 1954. Cette loi américaine avait, de toute façon, montré ses limites, car il est illusoire de vouloir contrôler les jeux d'influence par le truchement de l'enregistrement des organisations qui entreprennent des démarches auprès des autorités.

Comme aux États-Unis entre 1946 et 1954, l'enregistrement des lobbies et des lobbyistes, imposé à Ottawa depuis 1988, rend service aux lobbyistes qui ont pignon sur rue, puisqu'il leur donne une reconnaissance officielle que n'ont pas les amateurs et les novices (lesquels pourraient même subir les foudres de la loi, si des concurrents prouvaient qu'ils avaient entrepris des démarches auprès de fonctionnaires sans être auparavant enregistrés).

Les propositions de contrôle plus sévère, dont on parle souvent, laissent entendre que, en dépit de la pratique de l'enregistrement des lobbyistes et en dépit des autres mesures qui encadrent leurs activités, de nombreuses personnes continuent à déplorer la pratique du lobbying, autrement dit, les jeux d'influence.

Et pourtant, ces jeux ont une grande importance dans la vie politique. Ils permettent à la diversité de s'exprimer. Ils permettent la recherche de règlements aux conflits, lesquels règlements, même s'ils sont contestés, paraissent plus acceptables que les décisions arbitraires. Ils sont finalement un complément de la médiation qu'effectuent les partis politiques et le mécanisme électoral.

LECTURES RECOMMANDÉES

AMARA, Nabil, Réjean LANDRY, et Moktar LAMARI, Les déterminants de l'effort de lobbying des associations au Canada, *Canadian Journal of Political Science – Revue canadienne de science politique*, 32 (3), septembre 1999, pages 471-497.

BÉLANGER, Yves, *Québec inc. L'entreprise québécoise à la croisée des chemins*, Montréal, Hurtubise HMH, 1998, 201 pages.

BÉLANGER, Yves, et Robert COMEAU (sous la direction de), *La CSN: 75 ans d'action syndicale et sociale*, Sainte-Foy, Presses de l'Université du Québec, 1998, 339 pages.

CLARKE, Tony, *Main basse sur le Canada ou la tyrannie de la grande entreprise*, Montréal, Boréal, 1999, 386 pages.

EVERITT, Joanna, Public Opinion and Social Movements: The Women's Movement and the Gender Gap in Canada, *Canadian Journal of Political Science – Revue canadienne de science politique*, 31 (4), décembre 1998, pages 743-765.

GAGNON, Alain-G., *Développement régional: État et groupes populaires: le cas de l'est du Québec*, Hull (Québec), Asticou, 1985, 286 pages.

GINGRAS, Anne-Marie, *Medias et démocratie: le grand malentendu*, Sainte-Foy, Presses de l'Université du Québec, 1999, 237 pages.

GODBOUT, Jacques T. (sous la direction de), *La participation politique: leçons des dernières décennies*, Québec, Institut québécois de recherche sur la culture, 1991, 301 pages.

ÉTHIER, Diane, Jean-Marc PIOTTE, et Jean REYNOLDS, *Les travailleurs contre l'État bourgeois: avril et mai 1972*, Montréal, Éditions de l'Aurore, 1975, 274 pages.

KWAVNICK, David, *Organized Labour and Pressure Politics: The Canadian Labour Congress, 1956-1958*, Montréal, McGill-Queen's University Press, 1972, 287 pages.

GOW, James Iain, L'État, le citoyen et l'industrie. Le cas de la MIUF, dans Mohamed CHARIH et Réjean LANDRY (sous la direction de), *Politiques et management publics. L'heure des remises en question*, Sainte-Foy, Presses de l'Université du Québec, 1997, pages 85-114.

PIOTTE, Jean-Marc, *La communauté perdue. Petite histoire des militantismes*, Montréal, VLB éditeur, 1987, 141 pages.

MALVERN, Paul, *Persuaders: Influence Peddling, Lobbying and Political Corruption in Canada*, Toronto, Methuen, 1985, 350 pages.

SARPKAYA, Suleyman, *Lobbying in Canada: Ways and Means*, Don Mills (Ontario), CCH Canadian, 1988, 292 pages (intéressant manuel destiné aux lobbyists).

SEIDLE, F. Leslie (sous la direction de), *Les groupes d'intérêt et les élections au Canada*, Ottawa, Commission royale sur la réforme électorale et le financement des partis (Montréal, Wilson et Lafleur), 1991, 144 pages (volume 2).

TREMBLAY, Manon (sous la direction de), *Les politiques publiques canadiennes*, Sainte-Foy, Presses de l'Université Laval, 1998, 314 pages.

QUATRIÈME PARTIE

La prise
de décisions politiques

La prise de décisions est au cœur de la vie politique. Bien que les motivations de l'action politique soient très nombreuses et visent toutes sortes d'objectifs, la plupart des gens s'engagent dans la vie politique soit pour assurer le maintien des décisions politiques en vigueur, soit pour les modifier ou pour les remplacer par d'autres décisions.

Les décisions politiques, on l'a vu dès les premières pages de ce livre, ont une très grande importance. Au Canada comme dans les autres pays du monde, ce sont des décisions politiques qui, en dictant toutes sortes d'obligations et d'interdictions, encadrent les activités de production et de distribution des biens et services, ainsi que la plupart des pratiques sociales; ce sont des décisions politiques qui délimitent les frontières des territoires, précisent les conditions de leur protection et assurent leur aménagement; à l'intérieur des frontières d'un territoire, ce sont des décisions politiques qui accordent des droits et des statuts à certaines personnes, fixent les limites des libertés individuelles, imposent de multiples règles de conduite aux populations et aux diverses catégories qui les constituent, assurent le prélèvement obligatoire de certaines ressources et prévoient leur affectation... En définitive, les décisions politiques définissent la configuration des collectivités, établissent les organes et mécanismes de leur régulation et expriment cette régulation.

Si elles répriment l'exploitation des faibles et garantissent l'accès universel au bien-être, les décisions politiques peuvent entraîner les populations dans la voie du bonheur. Inversement, si elles permettent l'exploitation des faibles et tolèrent les discriminations, les décisions politiques condamnent des populations entières à la misère.

En effet, tout comme elles peuvent contribuer au bonheur des êtres humains, les décisions politiques peuvent engendrer le malheur ; l'histoire politique de l'humanité le montre amplement. Cette histoire est à la fois une série de réalisations merveilleuses (explorations, découvertes et productions de toutes sortes, rendues possibles par l'action des autorités) et une suite interminable de spoliations et de tueries (perpétrées avec la bénédiction des autorités, au nom de la foi, de l'ordre, de la tradition, du droit, de la patrie, de la liberté, de l'égalité, du progrès, de la croissance économique ou en vertu d'autres arguments). Les spoliations liées aux inégalités de statut entre les êtres humains ont toujours été colossales (pensons aux droits des maîtres et aux devoirs des esclaves ou des subalternes, ou aux pratiques du «peuple supérieur» ou «civilisé» à l'égard des «peuplades barbares»...) ; ces inégalités peuvent être maintenues et accrues par des décisions politiques, et seules des décisions politiques peuvent les diminuer ou les abolir.

Le malheur des populations exploitées a très souvent été associé aux massacres dont elles ont été victimes. La volonté de maintenir ou d'accroître les inégalités (la «supériorité» ou la «domination») et, à l'inverse, la volonté de les réduire ou de les faire disparaître ont été à l'origine d'innombrables tueries orchestrées par les pouvoirs publics. Après la Première Guerre mondiale, qui a causé quelque 8 millions de décès, l'humanité a connu une Seconde Guerre mondiale, qui a fait plus de 50 millions de morts : ces deux grands carnages, au cours desquels plus de 100 000 Canadiens (62 000 entre 1914 et 1918, 41 000 entre 1939 et 1945) ont perdu la vie, ont été engendrés par des décisions politiques (qu'on peut vouloir expliquer de maintes façons). Les multiples horreurs guerrières qui s'étaient produites auparavant et qui se sont produites depuis ont, elles aussi, été engendrées par des décisions politiques, y compris les décisions de maintenir un ordre inégalitaire par la répression (policière, judiciaire ou militaire).

Il est difficile de ne pas reconnaître l'importance des décisions politiques quand on songe aux malheurs qu'elles peuvent causer. Et il est difficile de ne pas voir leur importance quand on songe aux bienfaits qu'elles pourraient apporter. En raison des conséquences heureuses ou malheureuses qu'elles peuvent avoir, les décisions politiques sont au cœur de la vie politique ; elles sont au cœur de la vie en société.

Les décisions politiques sont toujours controversées, car elles expriment des choix entre des options distinctes (et souvent opposées). Qu'elles concernent des questions urgentes et prioritaires ou des sujets dont on parle depuis des décennies, qu'elles semblent avoir été prises à la hâte ou au terme de longues délibérations, les décisions qui relèvent des autorités suscitent en effet, presque toujours, d'importantes insatisfactions, car les choix qu'elles concrétisent sont nécessairement des choix contestables et contestés. Les décisions politiques sont formulées dans le contexte des rivalités entre intérêts antagonistes. Aux intérêts antagonistes correspondent des rationalités contradictoires. Au nom de la tradition, de la stabilité et de divers grands principes, certaines personnes réclament le maintien et le respect de la loi en vigueur ; d'autres, au nom du progrès, de l'adaptation à l'évolution ou au nom de la recherche de gains de productivité, exigent des modifications aux lois en vigueur ou l'adoption de nouvelles lois, mais, immanquablement, ces dernières personnes se disputent au sujet des changements préconisés. Et, finalement, les autorités tranchent.

Les décisions politiques résultent généralement de la prise en compte de considérations multiples. Parmi ces considérations, il en est qui se rapportent aux aspirations et convictions des personnes qui détiennent les postes d'autorité. De toute évidence, ces personnes ont tendance à privilégier les options qui leur font perdre le moins de votes aux élections (ou qui leur en rapportent le plus) ; elles auraient aussi tendance à écarter les options qui contrarient leurs valeurs ou croyances (autrement dit, leur idéologie). Néanmoins, en raison des résistances prévisibles que soulèveraient les options qu'elles préfèrent, il peut arriver qu'elles retiennent des options qu'elles n'aiment guère mais qu'elles peuvent plus facilement imposer. Les ressources accessibles, les perspectives de collaboration, les risques d'opposition ou de contestation et bien d'autres choses encore limitent considérablement les choix possibles. Une phrase le dit clairement : les autorités pratiquent l'art du possible.

Parce qu'elles pratiquent « l'art du possible », les autorités donnent parfois l'impression d'entériner des conclusions plutôt que des décisions.

Mais, dans les faits, elles ont le choix ; elles peuvent soit laisser faire, soit agir ; elles ont le choix entre diverses actions. Dans le respect des lois constitutionnelles, les autorités ont toujours la possibilité de modifier les lois qui relèvent de leur compétence (certaines questions relèvent des autorités fédérales, d'autres, des autorités provinciales, ces dernières ayant, par ailleurs, délégué certains pouvoirs aux institutions municipales et à d'autres organismes). Les lois constitutionnelles elles-mêmes peuvent être modifiées par les autorités (selon les procédures prévues). En définitive, même si elles pratiquent l'art du possible, les autorités ont effectivement la capacité de décider.

Si cette capacité de décider était vraiment réduite, on ne verrait pas de différences entre les décisions des gouvernements du Nouveau Parti démocratique et celles des gouvernements conservateurs, ou entre les choix du gouvernement du Parti québécois et ceux des libéraux, ou encore entre les politiques du gouvernement du Parti libéral du Canada et celles du gouvernement du Parti progressiste-conservateur. Or, chaque changement de gouvernement est suivi de réorientations plus ou moins importantes. Et les nouvelles orientations sont immanquablement critiquées par les parlementaires qui, peu auparavant, étaient du côté de la majorité. De plus, elles sont condamnées par les porte-parole des groupes à qui elles ne plaisent pas. En somme, comme le montre un examen le moindrement attentif du déroulement de la vie politique, les décisions d'un gouvernement ne sont pas celles que préconisent ses adversaires.

Les écarts entre les politiques initiales de gouvernements différents semblent d'autant plus grands que les options des partis qui forment ces gouvernements sont davantage distantes les unes des autres. Alors que l'alternance au pouvoir, entre les libéraux et les conservateurs, rappelle la manœuvre (louvoiement) d'un voilier qui navigue contre le vent, l'arrivée d'un parti social-démocrate au gouvernement se traduit immanquablement par un changement d'allure ; on l'a vu avec le Nouveau Parti démocratique, au Manitoba, en Colombie-Britannique, en Saskatchewan et en Ontario, à divers moments au cours des récentes décennies. Cependant, s'il opte pour l'allure la plus rapide, un gouvernement social-démocrate risque l'embardée (risque qui peut sembler proportionnel au manque d'expérience : on l'a vu, aussi). Après quelques empannages, un gouvernement social-démocrate décide généralement de prendre le vent de travers (allure qui offre plus de régularité, mais moins de vitesse que le «vent arrière» : cela aussi, on l'a vu, y compris au Québec, cette fois avec le Parti québécois, dont les orientations ont changé, vers décembre 1981, cinq ans après sa victoire aux élections de 1976). Enfin, le remplacement des sociaux-démocrates par des conservateurs ou des libéraux implique un retour «au près» («au plus près», un équipage travaille beaucoup, avec l'impression d'aller vite, même s'il n'avance guère) : comme on l'a dit, revenus au pouvoir à Québec en 1985, les libéraux «ont donné un vigoureux coup de barre», tout comme l'ont fait les conservateurs en Ontario après leur victoire de 1995, et tout comme l'avaient fait avant eux d'autres partis, après la défaite des sociaux-démocrates, au Manitoba, en Saskatchewan et en Colombie-Britannique. Aucun parti ne prend le pouvoir avec l'intention de laisser «dériver le navire de l'État au gré du vent et des courants, sans voile ni gouvernail».

Il est habituel qu'un nouveau gouvernement procède à une révision systématique des programmes qui relèvent de sa compétence. Le gouvernement du premier ministre Jean Lesage, formé en 1960, l'a fait entre 1960 et 1962 ; le gouvernement du premier ministre Robert Bourassa, formé en 1970, l'a fait à son tour (en utilisant une formule appelée le «budget de programmes») ; formé en 1976, le gouvernement du premier ministre René Lévesque l'a fait aussi, puis, revenu aux affaires, en 1985, le premier ministre Robert Bourassa l'a fait encore une fois. À Ottawa, entre 1968 et 1972, le premier ministre Pierre Elliott Trudeau a engagé une révision d'ensemble de l'administration fédérale (suivant la formule du «budget de programmes», appelée, à Ottawa comme à Washington, *Planning-Programming-Budgeting System*). Entre 1984 et 1986, à Ottawa, une autre révision systématique a été effectuée, cette fois par le gouvernement du premier ministre Brian Mulroney (formé en 1984). Une autre encore a été réalisée par le gouvernement issu des élections fédérales de 1993, sous la direction du premier ministre Jean Chrétien. Tout comme à Ottawa ou à Québec, dans chacune des principales provinces du Canada, un changement de gouvernement annonce habituellement un réexamen de l'ensemble des activités.

L'examen des programmes (en anglais, *program review*) effectué par un nouveau gouvernement entraîne immanquablement des modifications aux pratiques antérieures. Or, selon plusieurs politologues, ces modifications reflètent, dans une large mesure, les orientations et caractéristiques du parti politique majoritaire, même si certaines promesses électorales de ce parti ne sont jamais suivies d'effets.

L'expérience des révisions effectuées par les nouveaux gouvernements et, de façon plus générale, l'observation attentive de la vie politique amènent à conclure que les autorités décident vraiment, y compris quand leurs porte-parole affirment ne pas avoir eu le choix.

Les décisions politiques importantes prennent la forme de lois (lois du Parlement fédéral ou des législatures provinciales) et la forme de décrets, arrêtés et règlements (adoptés en vertu des lois). Les décrets et arrêtés sont des décisions du pouvoir exécutif visant des cas particuliers. On appelle «règlements» les décisions de portée générale, y compris celles qui relèvent des autorités municipales.

Au Canada, les membres des organes décisionnels ont accédé à ces organes grâce au mécanisme électoral et à la formation d'une majorité. Ils partagent les visions et visées d'une importante partie de l'électorat et réagissent aux incitations et aux pressions provenant des nombreux groupes qui participent aux jeux d'influence. Ces personnes exercent leur autorité en s'appuyant sur l'immense organisation qu'est l'État (c'est-à-dire l'ensemble des pouvoirs publics).

Au Canada, les organes décisionnels sont nombreux, en raison du fédéralisme (partage des domaines d'intervention entre les autorités fédérales et les autorités provinciales), des pratiques de décentralisation (municipale, par exemple) et du régime parlementaire. Il y a, dans chaque province ou territoire, un certain nombre d'autorités municipales (ou l'équivalent). Au Québec, précisément, on trouve un peu plus de 1 400 municipalités (sans parler d'organismes régionaux, comme les municipalités régionales ou les communautés urbaines, qui exercent leur compétence à l'intérieur de délimitations englobant les frontières de plusieurs municipalités). Enfin, en vertu du régime parlementaire, tel qu'il est pratiqué à Ottawa ou dans une capitale provinciale, les lois ne sont promulguées qu'au terme d'un processus qui implique des organes distincts (à Ottawa, par exemple, ce sont la Chambre des communes, le Sénat et le gouverneur général, ce dernier obéissant au porte-parole du comité qui le conseille, c'est-à-dire le gouvernement).

Toutefois, malgré le nombre élevé d'organes décisionnels, dans l'ensemble du Canada, une même personne n'est assujettie qu'à trois autorités principales, tant qu'elle se trouve au lieu de son domicile : les autorités municipales de l'agglomération où elle est domiciliée, les

autorités provinciales (ou territoriales) de la province (ou du territoire) où est située cette agglomération et, enfin, les autorités fédérales. Cette vue simplifiée a guidé la rédaction des derniers chapitres
de ce livre, qui traitent successivement des autorités fédérales du
Canada, des autorités provinciales du Québec et des autorités municipales au Québec.

Mais cette vue simplifiée ne doit pas faire oublier la présence
des autorités des municipalités et provinces voisines et l'existence
d'organes spécialisés à qui les autorités fédérales, provinciales ou
municipales ont confié un certain pouvoir de décision. Les lois peuvent
accorder à des ministres et, éventuellement, à d'autres personnes le
pouvoir de prendre certaines décisions. Ces décisions, que peuvent
prendre les personnes qui reçoivent une délégation d'autorité, peuvent
être annulées ou modifiées par l'autorité supérieure. Il s'ensuit que,
malgré l'importance qu'elles peuvent avoir, les décisions adoptées en
vertu d'une délégation se situent à un niveau moins élevé que celles
des principaux organes décisionnels.

Quoi qu'il en soit du niveau qu'elles occupent, les interdictions
ou obligations décrétées par des organismes spécialisés, qui bénéficient
d'une délégation d'autorité, doivent être respectées. Par ailleurs, dès
qu'elle quitte la province de son domicile, une personne devient
assujettie aux lois de la province où elle se rend, de même qu'aux
règlements des municipalités qu'elle traverse pour s'y rendre. Par conséquent, en examinant les organes décisionnels à Ottawa, à Québec et
dans une municipalité, nous ne donnons, dans les derniers chapitres
de ce livre, qu'un aperçu de l'ensemble.

Cet aperçu rend compte de l'agencement institutionnel propre
au Canada, agencement qualifié de fédéral. En vertu de cet agencement, décrit dans la Loi constitutionnelle de 1867 et les autres lois qui
la complètent (textes reproduits en annexe de ce livre), les autorités
fédérales exercent leur compétence, dans l'ensemble du Canada, sur
un certain nombre de sujets ou domaines, à l'exclusion de certains
autres, qui relèvent, dans chaque province, des autorités provinciales. Les dispositions constitutionnelles qui établissent ce qu'on appelle
«le fédéralisme canadien» ne peuvent être modifiées sans le consentement des autorités fédérales, d'une part, et celui des autorités provinciales que ces dispositions concernent, d'autre part.

Comme dans toute fédération, s'il y avait urgence (par exemple, en cas de désastre entraînant une panique générale ou en cas de guerre, déclarée ou appréhendée), pour maintenir la paix et l'ordre, les autorités fédérales pourraient, si nécessaire, prendre des décisions dans tout domaine, y compris dans des matières qui relèvent des autorités provinciales.

Les autorités fédérales peuvent aussi conclure des accords ou ententes avec les autorités provinciales et, en vertu de ces accords ou ententes, intervenir dans des domaines ou sujets que la Loi constitutionnelle de 1867 assigne aux autorités provinciales. De multiples ententes, que l'on qualifie de « fédérales-provinciales », ont été conclues, déjà. Ainsi, bien que la plupart des services de santé relèvent des autorités provinciales, les autorités fédérales financent à peu près la moitié des dépenses publiques dans le domaine de la santé. De même, alors que l'éducation (*education*, en anglais) relève exclusivement des autorités provinciales (qui, en général, ont délégué leurs pouvoirs à des commissions scolaires), les autorités fédérales financent environ un dixième des dépenses consacrées à ce domaine, au Canada. Le Régime d'assistance publique du Canada, adopté par les autorités fédérales, contribue au financement de plusieurs services sociaux institués par les autorités provinciales.

Finalement, prenant en compte l'ensemble des transferts financiers (y compris ce qu'on appelle les « paiements de péréquation ») effectués par les autorités fédérales et l'ensemble de ce qu'on appelle les « arrangements fiscaux » conclus entre les autorités fédérales et les autorités provinciales, on constate que, dans la moitié des provinces, plus du quart des dépenses provinciales sont financées par les autorités fédérales.

Le répertoire des lois du Canada (adoptées par le Parlement fédéral) couvre une gamme de sujets très étendue. Aux lois auxquelles il vient d'être fait allusion (dans le domaine de la santé, par exemple) s'ajoutent des lois se rapportant aux sujets qui relèvent de l'autorité exclusive du Parlement fédéral (et qui sont énumérés à l'article 91 de la Loi constitutionnelle de 1867, reproduit en annexe). Parmi ces sujets figurent, par exemple, la réglementation du commerce, l'assurance-chômage, le service postal, le recensement et les statistiques, les forces armées et la défense, la navigation (et les aides à la navigation), les pêches (appelées communément « pêcheries »), la monnaie, les banques et les caisses d'épargne, les poids et mesures, les taux d'intérêt, les faillites, les brevets d'invention, les droits d'auteur, le mariage et le divorce, le droit criminel et les pénitenciers. Le répertoire des lois fédérales comprend en outre des lois sur l'agriculture, l'immigration, les pensions de vieillesse, les transports ferroviaires, aériens, routiers et maritimes, les communications (notamment la radio et la télévision), les arts (notamment le cinéma), les sports, la protection de l'environnement et de très nombreux autres sujets.

Par ailleurs, les autorités fédérales entretiennent des relations avec les autorités des autres pays et elles sont représentées dans un certain nombre d'organisations dites « internationales » (la plus importante et la plus connue étant l'Organisation des Nations Unies).

Les activités des autorités fédérales dans le champ des « relations extérieures » impliquent l'élaboration et la ratification de décisions très importantes (par exemple, l'Accord de libre-échange nord-américain, l'Accord commercial négocié entre 1986 et 1993 et paraphé à Marrakech en avril 1994 qui a mené à la création, en janvier 1995, de l'Organisation mondiale du commerce) et, dans bien des cas, des choix qui font la différence entre la vie et la mort pour des milliers de personnes (par exemple, les opérations de maintien de la paix, les actions en faveur des réfugiés et des victimes des guerres et autres calamités).

Alors que les décisions que prennent les autorités fédérales balaient l'horizon et touchent à peu près tous les domaines, les décisions qui relèvent des autorités provinciales paraissent très étroitement circonscrites. En vertu de la Loi constitutionnelle de 1867, chacune des « législatures » provinciales a une compétence, exercée à l'intérieur de sa province, sur l'éducation, les terres publiques qui appartiennent à la province (et les ressources qui s'y trouvent), les prisons (alors que les pénitenciers relèvent des autorités fédérales), les hôpitaux, les institutions municipales, les travaux et entreprises de nature locale (ce qui exclut les chemins de fer et autres installations qui mènent à l'extérieur), l'incorporation des compagnies pour des objets provinciaux (par exemple, une compagnie qui gère un hôpital), la célébration du mariage (alors que le mariage et le divorce relèvent des autorités fédérales), la propriété et les droits civils, l'administration de la justice et (comme le précise le paragraphe 16 de l'article 92 de la Loi constitutionnelle de 1867) « toutes matières d'une nature purement locale ou privée dans la province». Les autorités provinciales peuvent aussi adopter des lois relatives aux pensions de vieillesse (les autorités fédérales le peuvent également, dans le respect des lois provinciales) et adopter des lois relatives à l'agriculture et à l'immigration (cependant, les autorités fédérales peuvent le faire aussi, et les lois fédérales ont alors préséance).

Même si elles paraissent étroitement circonscrites, les compétences des autorités provinciales couvrent des domaines vers lesquels, aujourd'hui, sont dirigées près des deux tiers des dépenses du secteur public consacrées à l'investissement et à la production de biens et de services (et qui sont prises en compte dans le calcul du produit intérieur brut). Inversement, les autorités fédérales assument à peu près les deux tiers des dépenses de transfert aux personnes et aux entreprises (ce qui, par définition, ne comprend pas les transferts aux administrations publiques). La part des dépenses finales à porter au compte des autorités fédérales ne représente même pas 10 % du produit intérieur brut, dont le calcul exclut les dépenses de transfert, celles-ci n'étaient pas des dépenses finales. (En effet, les prestations d'aide sociale et d'assurance-emploi, les pensions de vieillesse, les rentes, les allocations familiales, les bourses, les subventions ainsi que les intérêts sur les emprunts sont des «redistributions».)

Les diverses dépenses de transfert au compte des autorités fédérales (y compris les intérêts sur la dette et les versements consentis aux administrations publiques provinciales) représentent plus des deux tiers de leurs dépenses totales. Inversement, les dépenses finales en immobilisations, en biens et services, ce qui comprend la totalité des traitements et salaires versés et des équipements et services achetés, représentent moins du tiers des dépenses totales portées au compte des autorités fédérales.

Le poste le plus important, dans les dépenses finales qui relèvent des autorités fédérales, est celui de la «défense». Or, ce poste ne représente même pas 2 % du produit intérieur brut.

Au Canada, parmi les gens qui ont un emploi, une personne sur cinq travaille dans ce qu'on appelle le secteur public, comprenant les administrations et les entreprises publiques (autre façon de voir les choses, le secteur public occupe 24 % des «personnes» qui, dans la main-d'œuvre en emploi, ne sont pas «à leur propre compte», puisque, parmi les personnes qui tirent un revenu de leur travail, 18 % sont «à leur propre compte»). Parmi les quelque 2 800 000 personnes concernées,

22 % seulement sont à l'emploi des organismes fédéraux (5 % sont à l'emploi des Forces armées canadiennes, de la Gendarmerie royale du Canada et des services connexes), et 78 % sont à l'emploi des administrations publiques provinciales et des organismes qui en relèvent (municipalités, commissions scolaires, centres hospitaliers du secteur public, et ainsi de suite). Au Canada, sur 100 personnes en emploi (y compris celles qui sont «à leur propre compte»), 5 seulement travaillent pour des organismes fédéraux (y compris les Forces armées), et 15, pour des organismes publics relevant des autorités provinciales.

Les deux postes de dépenses publiques dites «finales» les plus importants, au Canada, sont la santé et l'éducation, qui relèvent tous deux des autorités provinciales. En raison de leur compétence sur les hôpitaux, les autorités provinciales gèrent les dépenses publiques au chapitre de la santé, que celles-ci soient financées par les impôts qu'elles perçoivent elles-mêmes ou par ceux que perçoivent les autorités fédérales (qui assument près de la moitié des coûts, comme on l'a dit précédemment) : les dépenses publiques dans le domaine de la santé représentent un peu plus de 7 % du produit intérieur brut (les dépenses totales, dans ce domaine, dépassant 9 % du produit intérieur brut). Par ailleurs, les dépenses publiques au chapitre de l'éducation (qui est une compétence exclusive des autorités provinciales) représentent aussi environ 7 % du produit intérieur brut au Canada (au Québec, toutefois, elles atteignent 8 % du produit intérieur brut de la province).

Les dépenses des administrations municipales (excluant celles du service de la dette et les subventions ou autres transferts aux personnes et aux entreprises) représentent environ 4 % du produit intérieur brut. Parmi les postes de dépenses qui relèvent des autorités municipales, les plus importants concernent les transports en commun, la voirie (construction, réfection, entretien, éclairage, etc.), la distribution de l'eau, l'enlèvement et le traitement des ordures, les services de police et de lutte contre les incendies et les loisirs (aménagement et entretien des parcs, terrains de jeux et autres équipements).

Quand on prend en compte le nombre considérable et l'extraordinaire variété des activités des administrations et entreprises publiques, on voit bien la multitude de décisions que doivent prendre les autorités.

Quoi qu'il est soit, dans tous les cas, la prise de décisions s'effectue au terme d'une délibération qui se fait généralement en plusieurs phases, selon les mécanismes institutionnels hérités du passé. Dans les institutions parlementaires, par exemple, tout projet de décision devant avoir le caractère d'une loi ordinaire (par exemple, un projet de loi privée ou un projet de loi publique du gouvernement autre qu'un projet de loi relatif aux finances publiques) fait d'abord l'objet d'une présentation (une personne, membre de l'institution, prend l'initiative de le soumettre à ses collègues « en première lecture ») puis d'un examen (c'est l'étape de la délibération proprement dite), avant d'entraîner un choix (étape de l'adoption du projet, appelée communément « troisième lecture »). Approuvé en troisième lecture (dans l'une et l'autre chambre du Parlement, s'il s'agit des institutions fédérales), le projet doit encore, avant de devenir loi, recevoir la « sanction royale » (c'est l'étape de la ratification).

Les questions de fond sont envisagées au cours de la délibération qui précède la conclusion du processus (étape de la deuxième lecture et de l'étude en commission, dans le cas d'un projet de loi privée, d'un projet de loi publique émanant d'un membre qui le présente à titre personnel, ou d'un projet du gouvernement autre qu'un projet relatif aux finances publiques). La délibération peut porter sur l'identification des besoins ou demandes à satisfaire (« définition du problème »), sur la formulation des objectifs à atteindre (« principe du projet »), sur la sélection des moyens appropriés, etc. Le projet peut être modifié ; il peut aussi être rejeté.

Parce qu'elle se déroule nécessairement dans le temps, la délibération qui précède la décision ressemble à un processus. Les procédures parlementaires distinguent, par exemple, la discussion des principes ou objectifs du projet (débat sur la motion de procéder à la deuxième lecture du projet), puis la discussion de ses détails (étude, article par article, en commission). Cependant, la logique apparente des diverses phases ou étapes de ce processus fait illusion, car les choix qui mènent à la décision sont interdépendants.

Mais la logique apparente des diverses phases du processus qui mène à l'adoption des décisions par les organes décisionnels permet de mettre de l'ordre dans les débats de ces organes (comités, conseils, commissions ou assemblées). Elle facilite, de plus, l'action des personnes qui prennent l'initiative des projets de décision. En présentant aux organes dont elles sont membres des textes qui sont eux-mêmes le produit d'un long cheminement, ces personnes proposent à leurs collègues la chaîne de raisonnements qu'a formée ce cheminement.

En fait, avant d'être soumis à l'attention des membres des organes décisionnels, un projet peut avoir passé des années sur la planche à dessin. Souvent, des années s'écoulent entre le moment où un ministre (par exemple) est saisi d'un projet une première fois (à la demande de fonctionnaires, de porte-parole de groupes de pression ou autres personnes, membres d'un parti, parlementaires, etc.) et le moment où, enfin, un texte « acceptable » est soumis à l'organe compétent pour examen et, éventuellement, adoption. Les longs délais d'élaboration sont fréquents, dans le cas des décisions qui impliquent plus de deux organes décisionnels (par exemple, des décisions relevant à la fois des autorités fédérales et des autorités provinciales) ou dans le cas des projets les plus controversés.

À l'instar du processus de délibération qui suit la présentation d'un projet à un organe décisionnel, l'élaboration de ce projet se déroule selon un processus dont les phases logiques peuvent être distinguées, pour fins d'analyse et pour des raisons de régularité. Certaines des étapes logiques de ce processus peuvent être franchies plus d'une fois, en raison de retours sur les choix antérieurs, qu'il faut reconsidérer.

Il faudrait sans doute remonter très loin dans le temps pour retracer le cheminement complet d'un projet, mais, pour fins d'analyse, il est raisonnable de considérer qu'il débute au moment où s'en saisissent les autorités (des ministres, par exemple). Ayant choisi de s'intéresser à une question, les autorités vont réclamer un état de la situation ou de la question. La chronologie des documents d'archives relatifs à un projet comporte immanquablement un texte, émanant des autorités, qui demande un avis, lequel est généralement suivi de nombreux autres textes, parmi lesquels apparaît finalement un premier projet de décision. Celui-ci est presque toujours suivi, dans la chronologie, de textes qui expriment les points de vue de nombreuses personnes (fonctionnaires, porte-parole d'organisations diverses), puis d'un nouveau projet de décision, qui reprend certains éléments du premier, et de nouvelles expressions de points de vue, et ainsi de suite, jusqu'au projet définitif.

Un projet de décision du conseil des ministres ou un projet de loi est presque toujours précédé, dans la chronologie, par des documents qui l'ont annoncé. Parmi ces documents annonciateurs du projet, il y a généralement des textes qui font état de consultations préalables auprès de divers organismes (par exemple, quelques ministères intéressés par le projet) et des textes qui résument les prises de position qui auraient pu être présentées, sur le sujet, par des parlementaires (y compris des ministres). L'élaboration de certains projets de loi est d'ailleurs précédée de consultations publiques (réalisées par des commissions d'enquête ou par des commissions parlementaires, par exemple).

Chaque projet de décision soumis au conseil des ministres est accompagné d'un document, appelé «mémoire» (ou, en anglais, *memorandum*), qui explique pourquoi une décision est requise, fait état des divers choix possibles, compare leurs avantages et inconvénients respectifs, et qui recommande le projet. Les projets de loi du gouvernement sont soumis aux parlementaires après avoir été examinés par le conseil des ministres.

Même si la plupart des décisions politiques sont l'aboutissement de très longues délibérations, certains choix urgents et prioritaires peuvent être élaborés, examinés, adoptés et ratifiés à la hâte. Mais les décisions prises à la hâte sont d'autant plus rares que les urgences elles-mêmes ont été prévues. Ainsi, à Ottawa, pour faire face à d'hypothétiques événements exigeant une réaction immédiate (par exemple, une prise d'otages dans un avion), les autorités ont fait établir des scénarios susceptibles de mener à une décision dans un délai très court. Pour éviter de perdre du temps en cas d'urgence, les décisions à prendre dans chaque éventualité sont élaborées à l'avance ; ces décisions, comme les autres, sont l'aboutissement de longues délibérations.

En fait, les longues délibérations sont de règle, même dans le cas de projets de décision présentés par un nouveau gouvernement (issu d'élections) ou dans le cas de mesures annuelles (comme le budget). Parmi les projets présentés à un nouveau gouvernement, rares sont ceux qui n'ont pas déjà été longuement étudiés par les fonctionnaires qu'ils concernent. Quant au budget, il est le produit épisodique de discussions qui ne cessent jamais.

Finalement, comme le montrent les deux derniers chapitres de ce livre, la prise de décisions relevant des autorités constitue le moment crucial du déroulement de la vie politique.

9

Les autorités fédérales du Canada

La Loi constitutionnelle de 1867 stipule que le gouverneur général (ou la gouverneure générale), qui représente la reine (ou le roi), administre le Canada sur l'avis d'un conseil dénommé «Conseil privé de la reine pour le Canada» (*Queen's Privy Council for Canada*). La Loi constitutionnelle précise qu'aucun projet de loi, après avoir été adopté par la Chambre des communes et par le Sénat, ne peut avoir force et effet tant qu'il n'a pas reçu la sanction royale, donnée par le gouverneur général ou par la reine*.

Cette loi identifie clairement les autorités fédérales du Canada, mais elle ne dit rien du premier ministre. Or, la pratique accorde au chef du parti qui a ou peut avoir l'appui d'une majorité à la Chambre des communes le privilège d'être nommé, par le gouverneur général, membre du «Conseil privé de la reine pour le Canada» et lui accorde d'être désigné porte-parole de ce conseil, à titre de premier ministre. En conséquence, ce sont les avis de ce chef de parti, le premier ministre, qui décident des choix politiques entérinés, en vertu des dispositions de la Loi constitutionnelle de 1867, par le gouverneur général et par le «Conseil privé de la reine pour le Canada».

---

* En poste de 1984 à 1990, la très honorable Jeanne Sauvé se faisait appeler « madame le gouverneur général ».

La Loi constitutionnelle de 1867 a doté le nouveau pays qu'elle créait d'institutions semblables à celles du Royaume-Uni. Or, au Royaume-Uni, en 1867, la reine entérinait les choix politiques du premier ministre, chef du parti qui avait l'appui de la majorité à la Chambre des communes britannique. Puisque le nouveau pays, le Canada, allait être une colonie britannique, comme précédemment le Canada-Uni, la Loi constitutionnelle de 1867 a attribué à la reine le gouvernement et le pouvoir exécutif du Canada, tout en prévoyant qu'un gouverneur général administrerait le pays en son nom, mais sur les avis d'un conseil. Ainsi, tout en conservant les formes d'une monarchie (qu'elles ont toujours, encore aujourd'hui), les institutions du nouveau pays allaient obéir aux principes du parlementarisme (et elles le font encore). C'est toujours au nom de la reine que les décisions politiques sont prises, mais, sauf en de très rares circonstances (hypothétiques), aucune décision politique n'est prise sans l'accord (formel ou implicite) du premier ministre, chef d'un parti qui a ou peut obtenir l'appui de la majorité à la Chambre des communes.

Même s'il ne participe plus à l'élaboration des décisions politiques qu'il entérine, le gouverneur général, représentant de la reine, détient toujours une autorité formelle, dont il convient de rendre compte (ce que feront quelques pages, de ce chapitre). À titre de représentant de la reine, qui est chef de l'État, le gouverneur est considéré comme un chef d'État (une distinction étant faite, dans les régimes parlementaires, entre la fonction de chef d'État et celle de chef du gouvernement, c'est-à-dire le premier ministre).

Les avis que formule le Conseil privé, on vient de le voir, sont tout simplement les avis du premier ministre (ou d'une personne que désigne le premier ministre). Les avis du premier ministre sont eux-mêmes inspirés par les recommandations et opinions de nombreuses autres personnes (fonctionnaires, parlementaires, etc.), en particulier celles des membres de son gouvernement.

Les principaux conseillers du premier ministre sont les ministres, et ensemble le premier ministre et ses ministres forment ce qu'on appelle le gouvernement (au sens strict du terme). Cependant, au Canada, on emploie souvent le mot « gouvernement » pour désigner l'ensemble de l'administration publique, même si ce mot a normalement un sens plus restreint. (Le gouvernement, c'est l'organe qui détient le pouvoir exécutif dans un État ; si cet organe est composé de personnes élues, on dit que le gouvernement est démocratique; quand cet organe prend des décisions, on dit qu'il exerce son gouvernement, qu'il pose des actes de gouvernement.)

Au Canada, on appelle communément «Cabinet» l'ensemble formé par le premier ministre et ses ministres. Cette appellation est celle que l'on avait commencé à donner, sous le règne d'Élisabeth Ire, à la fin du XVIe siècle, à ceux des membres du Conseil privé qui avaient le privilège de conseiller la reine. Le mot «cabinet» désignait alors la petite salle où se réunissaient ces conseillers; à la cour, on avait pris l'habitude de dire de ces privilégiés qu'ils étaient les «membres du cabinet» (*Cabinet members*). Aujourd'hui, au Royaume-Uni, on désigne les membres du gouvernement (britannique) par l'expression «ministres du cabinet» (*Cabinet ministers*).

Puisque le mot «cabinet» utilisé par les Britanniques était un mot français, les Canadiens de langue française l'ont utilisé comme synonyme des expressions qui, en France, à diverses époques, ont désigné l'ensemble des membres du gouvernement. Aujourd'hui, ce qu'on appelle le «Cabinet», au Canada, s'appelle, en France, le «conseil de cabinet» (autrement dit, une réunion des ministres sous la présidence du chef du gouvernement, le premier ministre, mais en l'absence du chef de l'État), alors que le conseil des ministres, en France, est la réunion des ministres sous la présidence du chef de l'État, c'est-à-dire le président de la République. Pendant longtemps, au Québec, on a employé le mot «ministère» pour parler du Cabinet («... le ministère a décidé...»), mais ce mot, depuis quelques décennies, a été remplacé par l'expression «conseil des ministres». Aujourd'hui, au Canada, on utilise souvent cette expression (conseil des ministres), en français, pour parler du Cabinet.

Depuis quelques années, au Canada, le mot «cabinet», en français, sert aussi à désigner l'ensemble formé par le personnel attaché à un ministre (à distinguer du personnel du ministère). On dit le «cabinet d'un ministre» (avec des minuscules), quand on veut traduire l'expression «*Minister's Office*», expression qui pourrait aussi être traduite par d'autres formules (bureau du ministre ou secrétariat du ministre). Cet usage du mot «cabinet» est parallèle à celui de l'expression «conseil des ministres».

La Loi constitutionnelle de 1867 ne parle pas du Cabinet (ou conseil des ministres), pas plus qu'elle ne parle du premier ministre.

Néanmoins, les délibérations du Cabinet ont, aujourd'hui, une grande importance, car elles facilitent considérablement l'action du premier ministre. En pratique, elles sont des délibérations du Conseil privé, puisque les membres du Cabinet sont avant tout des membres du Conseil privé. Cependant, les seuls membres du Conseil privé qui participent aux délibérations du gouvernement sont les ministres. Le Cabinet, ou conseil des ministres, apparaît ainsi comme la partie active du Conseil privé, autrement dit, le comité directeur du Conseil privé (pour utiliser, ici, une analogie). Plusieurs pages de ce chapitre sont consacrées aux ministres et au conseil des ministres siégeant à Ottawa.

Conseiller privilégié du représentant de la reine à titre de porte-parole du Conseil privé, entouré de ses ministres, chef du parti qui, normalement, a l'appui d'une majorité à la Chambre des communes, le premier ministre occupe une position centrale dans les institutions fédérales.

Il pourrait même, s'il le voulait, décider des choix faits par la Chambre des communes, puisqu'il y dispose de l'appui d'une majorité (il reste d'ailleurs premier ministre tant qu'il a cet appui et, l'ayant perdu, il le reste jusqu'à la défaite de son parti aux élections, s'il choisit de ne pas démissionner et de s'en remettre au verdict de l'électorat).

Or, on l'a dit il y a un moment, la Loi constitutionnelle de 1867 prévoit que l'adoption des lois du Canada requiert le consentement de la Chambre des communes, du Sénat et de la reine (représentée par le gouverneur général, lequel ne peut agir que sur l'avis de son Conseil privé, c'est-à-dire sur l'avis du premier ministre). Sa position auprès de la majorité parlementaire et sa position auprès du gouverneur général donnent au premier ministre *la possibilité* d'empêcher l'adoption d'un projet qu'il n'approuve pas et celle d'amener l'adoption d'un projet qu'il soutient.

Cependant, s'il n'a pas l'appui d'une majorité au Sénat, le premier ministre peut se trouver dans l'impossibilité de faire adopter tous les projets de loi qu'il soutient. Il peut toutefois influencer le cours des choses, puisque, en vertu de la Loi constitutionnelle de 1867, les postes qui deviennent vacants au Sénat sont comblés par des personnes que nomme le gouverneur général (qui agit sur avis du premier ministre, comme on vient de le voir).

La position dominante du premier ministre a depuis longtemps fait comprendre que le Sénat et la Chambre des communes n'ont pas l'initiative des principaux projets de loi. La Loi constitutionnelle de 1867 (comme l'Acte d'union de 1840) a d'ailleurs interdit l'adoption de motions de nature financière au Sénat ou à la Chambre des communes, hormis celles qui étaient recommandées par le gouverneur (c'est-à-dire par le gouvernement). Cependant, malgré les frontières que la Loi constitutionnelle de 1867 leur impose et malgré la domination qu'y exerce le premier ministre, la Chambre des communes et le Sénat ont une grande importance dans le processus d'élaboration et de ratification des décisions politiques et, pour cette raison, plusieurs pages de ce chapitre sont consacrées à ces deux institutions.

Même si la Loi constitutionnelle de 1867 ne le mentionne pas, le premier ministre est assurément le principal détenteur du pouvoir de décision dans les institutions fédérales du Canada. La première partie de ce chapitre lui est consacrée.

LE PREMIER MINISTRE

Jusqu'en 1993, comme le montre le tableau 9.1, seuls des hommes avaient occupé la fonction de premier ministre du Canada. Kim Campbell a été première ministre du Canada du 25 juin au 4 novembre 1993. En raison de la défaite de son parti (le Parti progressiste-conservateur du Canada) aux élections du 25 octobre 1993, elle a dû démissionner, en recommandant au gouverneur de nommer, au poste qu'elle quittait, le chef du Parti libéral du Canada, dont les membres occupaient doré-navant 177 des 295 sièges de la Chambre des communes. Ainsi, le 4 novembre 1993, Jean Chrétien a prononcé le même serment que tout premier ministre du Canada au moment d'entrer en fonction, serment par lequel il s'engage à servir son pays de la meilleure façon possible.

Le premier ministre du Canada exerce, sur les institutions fédé-rales, une sorte de suprématie. Cette prééminence lui vient à la fois de ses attributions à titre de chef du gouvernement et du prestige qu'il a acquis en devenant chef de son parti, puis, grâce à la victoire aux élections, chef du groupe parlementaire dominant. S'il est, de surcroît, un leader populaire, le premier ministre peut bénéficier d'une auto-rité considérable.

L'exercice de cette autorité requiert toutefois une disponibilité de tous les instants et une logistique complexe. En raison des attentes que génère sa fonction, le premier ministre du Canada est sollicité de façon constante et pressante. Pour occuper au mieux les heures qu'il peut consacrer à ses tâches, il doit s'appuyer sur une équipe comptant plusieurs dizaines de personnes.

TABLEAU 9.1
Premiers ministres du Canada, 1867-1999

Nom et affiliation	Période
John Alexander Macdonald (cons.)	01.07.1867 – 05.11.1873
Alexander Mackenzie (lib.)	07.11.1873 – 08.10.1878
John Alexander Macdonald (cons.)	17.10.1878 – 06.06.1891
John Joseph Caldwell Abbott (cons.)	16.06.1891 – 24.11.1892
John Sparrow David Thompson (cons.)	05.12.1892 – 12.12.1894
Mackenzie Bowell (cons.)	21.12.1894 – 27.04.1896
Charles Tupper (cons.)	01.05.1896 – 08.07.1896
Wilfrid Laurier (lib.)	11.07.1896 – 06.10.1911
Robert Laird Borden (cons. puis union.)	10.10.1911 – 10.07.1920
Arthur Meighen (union, puis cons.)	10.07.1920 – 29.12.1921
William Lyon Mackenzie King (lib.)	29.12.1921 – 28.06.1926
Arthur Meighen (cons.)	29.06.1926 – 25.09.1926
William Lyon Mackenzie King (lib.)	25.09.1926 – 07.08.1930
Richard Bedford Bennett (cons.)	07.08.1930 – 23.10.1935
William Lyon Mackenzie King (lib.)	23.10.1935 – 15.11.1948
Louis Stephen Saint-Laurent (lib.)	15.11.1948 – 21.06.1957
John George Diefenbaker (prog.-cons.)	21.06.1957 – 22.04.1963
Lester Bowles Pearson (lib.)	22.04.1963 – 20.04.1968
Pierre Elliott Trudeau (lib.)	20.04.1968 – 04.06.1979
Charles Joseph Clark (prog.-cons.)	04.06.1979 – 03.03.1980
Pierre Elliott Trudeau (lib.)	03.03.1980 – 30.06.1984
John Napier Turner (lib.)	30.06.1984 – 17.09.1984
Martin Brian Mulroney (prog.-cons.)	17.09.1984 – 25.06.1993
A. Kim Campbell (prog.-cons.)	25.06.1993 – 04.11.1993
Jean Chrétien (lib.)	04.11.1993 –

Tous les premiers ministres, sauf deux (Alexander Mackenzie et John Joseph Caldwell Abbott), ont porté le titre de «très honorable». Les abréviations signifient : conservateur, libéral, unioniste et progressiste-conservateur.

Par ailleurs, pour donner ou garder une majorité des sièges à son parti lors des prochaines élections à la Chambre des communes, et pour conserver sa fonction, un premier ministre doit, en plus de cultiver sa bonne image, tenter de satisfaire de très nombreuses personnes. Tout en cherchant à prendre les décisions qui pourraient contribuer à atteindre des objectifs de croissance économique, de progrès social et de stabilité politique qui semblent être ceux de tout gouvernement, le premier ministre doit essayer de conserver l'appui de son électorat, l'unité et la combativité de son parti et de son groupe parlementaire, et la collaboration active des quelque 600 000 personnes employées dans les organismes fédéraux (ministères, agences, etc.).

La suprématie du premier ministre

On l'a vu dans les chapitres précédents, l'ascendant que possède le premier ministre lui vient d'abord des pratiques, dites démocratiques, qui font des élections le principal procédé du choix des gouvernants. Un grand prestige auréole le chef du parti qui arrive en tête dans la quête de suffrages.

La sélection du premier des gouvernants, le premier ministre, s'inscrit dans le prolongement d'une longue évolution. Comme on l'a vu précédemment, il a fallu des décennies de luttes, au XIXe siècle, pour en arriver à imposer les pratiques démocratiques que l'on considère comme normales aujourd'hui. La tradition et la règle de la majorité mènent à choisir pour premier ministre le chef du parti qui commande la majorité à la Chambre des communes (même si son parti est minoritaire). Le respect qu'inspire le premier ministre tient en partie à la légitimité que la tradition, les valeurs démocratiques et les usages confèrent au poste qu'il occupe.

Au moment de son accession au poste de premier ministre, le chef du parti qui a l'appui de la majorité à la Chambre des communes bénéficie d'une grande popularité dans l'électorat. Parce qu'ils sont caractérisés par une apparence de «bonne entente», les débuts d'un premier ministre sont même qualifiés de «lune de miel». Cette période heureuse peut durer plus ou moins longtemps, selon les circonstances.

Le respect voué au premier ministre tient aussi, en partie, aux attributions de sa fonction. À titre de chef du gouvernement, c'est lui qui choisit les personnes à qui il confie les portefeuilles ministériels (le mot «portefeuille» désignant les fonctions que doit remplir chaque ministre) et c'est lui qui décide des modes de fonctionnement du Cabinet. De plus, on l'a vu il y a un instant, c'est lui (ou quelqu'un qu'il désigne) qui parle au nom du gouvernement et, de ce fait, conserve le dernier mot. Les décisions relatives aux politiques et aux programmes du gouvernement fédéral ne peuvent être prises sans son aval. Il en va de même des quelques milliers de décisions annuelles qui, en vertu des lois en vigueur ou des traditions, appartiennent au «gouverneur en conseil».

C'est ainsi que la sélection finale des personnes à nommer aux postes les plus importants relève de lui. Il peut, s'il le désire, avoir le dernier mot dans le choix des titulaires de nombreux autres offices comme dans celui des récipiendaires de divers titres honorifiques. Alors que le gouverneur général l'a choisi pour former le gouvernement, le premier ministre du Canada est appelé à recommander à la reine un candidat au poste de gouverneur général, quand ce poste devient vacant ou quand son titulaire l'a occupé pendant un certain temps (habituellement six ou sept ans, bien qu'aucune limite de temps ne soit imposée par la loi). C'est le premier ministre du Canada qui recommande au gouverneur général la personne que celui-ci doit nommer au poste de lieutenant-gouverneur de chaque province (quand ce poste devient vacant ou quand son titulaire l'a occupé déjà pendant cinq ans). C'est aussi le premier ministre du Canada qui recommande au gouverneur général la personne que celui-ci doit nommer pour combler une vacance au Sénat. Et c'est lui qui recommande le nom de la personne qui aura la responsabilité de présider le Sénat.

S'il le désire, le premier ministre peut aussi choisir les parlementaires de son parti à qui seront confiées diverses missions ou tâches. Il peut aussi laisser tous ces choix ou certains de ces choix à d'autres.

Il peut, enfin, décider de mettre fin au mandat de la Chambre des communes avant l'échéance de cinq ans fixée par l'article 4 de la Loi constitutionnelle de 1982. La pratique, depuis 1980, a été de tenir les élections générales quelques mois avant l'échéance constitutionnelle (cinq mois dans le cas des élections de 1984, dix aux élections de 1988, un mois à celles de 1993 et dix-sept en 1997). En cas de guerre, d'invasion ou d'insurrection, le mandat de cinq ans peut être prolongé, si la prolongation n'est pas refusée par au moins un tiers des membres de la Chambre des communes. Dans toute éventualité, le choix de la date des élections incombe au premier ministre.

C'est aussi le premier ministre qui recommande au gouverneur général la convocation du Parlement et la date d'ouverture de chaque session parlementaire et la date de chaque prorogation (acte qui met fin à une session et reporte à une date ultérieure, à déterminer, le moment où les parlementaires se réuniront à nouveau). Le premier ministre doit cependant respecter l'article 5 de la Loi constitutionnelle de 1982 qui stipule que «le Parlement et les législatures tiennent une séance au moins une fois tous les douze mois».

Un premier ministre prudent prend conseil avant d'effectuer les très nombreux choix qu'il doit faire, mais, en lui attribuant la décision, les conventions lui confèrent une autorité considérable.

Cette autorité qu'il possède à titre de chef du gouvernement, le premier ministre la complète par l'autorité qu'il détient sur son groupe parlementaire et sur son parti. Avant d'accéder au poste de chef du gouvernement, le premier ministre a dû, d'abord, devenir chef de son parti et, pour devenir chef de son parti, il a dû bénéficier du soutien d'une forte proportion des parlementaires que comptait le parti au moment où il a accédé à la tête de celui-ci. Comme on l'a précédemment, pour accéder à la tête d'un grand parti, au Canada, une personne doit avoir des qualités qui donnent à penser qu'elle peut mener son parti à la victoire et doit aussi avoir obtenu le soutien ou, du moins, l'assentiment de la majorité des membres. Arrivé à la tête de son parti, un nouveau chef peut rapidement consolider son autorité, au sein du parti, en facilitant l'accession de ses supporters aux postes d'influence qui deviennent vacants, puis en obtenant que des personnes qu'il connaît bien et qui lui sont attachées soient candidates aux élections dans les circonscriptions qui ne sont pas encore représentées par des parlementaires de son parti. Finalement, au terme des élections qui l'ont fait accéder au poste de chef du gouvernement, le premier ministre trouve autour de lui, à la Chambre des communes, parmi les parlementaires de son parti, un grand nombre de fidèles.

Que ce soit par amitié, fidélité, gratitude ou intérêt, les membres du groupe parlementaire du premier ministre font bloc avec lui. D'ailleurs, pour préserver l'unité de son groupe, un premier ministre habile garde le contact avec chacun de ses membres. Il rencontre, aussi souvent qu'il lui paraît nécessaire de le faire, l'ensemble de ces membres, lors de réunions qu'on appelle *caucus* (terme qui désignait les conciliabules des dirigeants dans certaines des premières nations, à l'époque où les Européens ont commencé leur migration vers le Nouveau Monde). Par ailleurs, l'un des confidents du premier ministre, appelé *leader parlementaire*, se charge d'assurer la cohésion du groupe, avec l'aide de collègues, les *whips* (terme utilisé au Canada, et dans d'autres pays, dont le Royaume-Uni, pour désigner les personnes qui, à l'instar des «serre-files» ou «chefs de files» de l'infanterie, s'occupent de voir à ce que la troupe garde le pas et défile en bon ordre). Ces chefs de file, les «whips», font en sorte que les membres de leur groupe obtiennent les services désirés, aient accès aux médias, puissent intervenir dans les débats et, au bout du compte, se sentent parties prenantes de la majorité parlementaire.

Le groupe parlementaire du premier ministre donne généralement une impression d'unanimité. Ses membres cherchent à faire écho aux propos de leur chef, sachant ou croyant que celui-ci exprime, dans ses propres propos, les sentiments ou points de vue de son caucus. Ce qu'on appelle *la discipline de parti* est le produit d'une forme de collégialité : les parlementaires du parti du premier ministre partagent en effet la conviction de former une équipe de partenaires, que distinguent une même appartenance et un même grand objectif, leur maintien à la droite du trône (côté de la majorité parlementaire). Les membres du groupe parlementaire du premier ministre trouvent que leur unité sert leur intérêt commun. Et, même si la liberté d'expression leur est garantie, rares sont les parlementaires de la majorité qui expriment publiquement une dissidence (ou, pire, une dissension). Il arrive pourtant, rarement, quand leurs options contrarient celles de la plupart de leurs collègues, que des parlementaires choisissent de «briser les rangs» et, éventuellement, de démissionner (bien que l'on ait beaucoup parlé des défections suscitées, au début de 1996, par les décisions du premier ministre Jean Chrétien, les démissions les plus retentissantes des dernières décennies ont été, en mai 1990, celles du ministre Lucien Bouchard et des parlementaires conservateurs Gilbert Chartand et François Gérin, qui refusaient les compromis acceptés par leurs collègues et surtout leur chef, le premier ministre Brian Mulroney, pour obtenir la ratification de l'Accord du lac Meech).

La recherche de l'unité, qui traduit l'intérêt commun des membres du groupe parlementaire du premier ministre, correspond également à l'intérêt commun des membres de leur parti. Il s'ensuit que le premier ministre peut compter sur son parti.

Le premier ministre peut tirer profit des renseignements que lui procurent les membres de son parti quant aux sentiments que suscitent ses projets et ses décisions. S'il sait accueillir ou, mieux, solliciter l'aide que peut lui fournir son parti, il peut éviter bien des erreurs et, surtout, conserver la confiance de ses précieux supporters. Les spécialistes que regroupe le parti peuvent aussi contribuer à l'élaboration de nouveaux projets qui donneront des arguments pour convaincre les gens de conserver ou de donner leur appui à l'équipe du premier ministre lors des prochaines élections. Le premier ministre peut aussi trouver, dans son parti, des appuis fort utiles quand il doit adopter des politiques qui, satisfaisant sa «base militante», déplaisent néanmoins à beaucoup de gens.

Mais, pour maintenir l'unité et la combativité de son parti, un premier ministre doit éviter (ou tenter d'éviter) les décisions qui vont à l'encontre des intérêts communs de ses membres et aussi prendre soin de fréquenter assidûment sa «base». S'il avalise des décisions gouvernementales qui déplaisent à l'une des composantes importantes de son parti, un premier ministre canadien risque de briser l'amalgame délicat qui a facilité sa victoire lors des élections précédentes. En effet, dans chacun des deux grands partis qui ont des membres dans la plupart des régions du Canada, une grande hétérogénéité caractérise la «base militante» (c'est-à-dire l'ensemble des membres les plus fidèles, dans les diverses circonscriptions, à distinguer des sphères dirigeantes), comme on l'a vu précédemment. Cette hétérogénéité (on l'a vu également, dans les chapitres 5 et 7) donne à chaque grand parti l'image d'un vaste rassemblement et facilite la recherche de projets politiques capables de plaire à son électorat, mais elle représente une menace constante pour le parti qui devient majoritaire. S'il arrive à satisfaire les diverses composantes de son parti et s'il sait stimuler le dynamisme de ses troupes, un premier ministre peut s'assurer d'un formidable avantage.

Un premier ministre est tributaire du parti sur lequel il s'appuie. Son maintien en poste dépend du soutien continu de l'aile parlementaire du parti. De plus, la vitalité de son parti accroît les chances du premier ministre de remporter une nouvelle victoire aux élections à venir. Les liens qui unissent le premier ministre aux membres de son groupe parlementaire, à la Chambre des communes et au Sénat, et les liens qui l'unissent à son parti et à son électorat peuvent se resserrer, si les décisions qu'il prend ou entérine répondent aux vœux des personnes qui le soutiennent, ou se relâcher, dans le cas contraire. Un premier ministre qui bouscule les membres de son groupe parlementaire, qui néglige son parti et oublie les attentes de son électorat risque fort de perdre son poste à l'issue des prochaines élections.

Les visions et les visées des gens qui l'ont appuyé devraient être prises en compte par tout premier ministre. Ce faisant, il accroît ses chances de conserver son poste et de garder les appuis qu'il a déjà dans l'électorat. En définitive, pour rester au pouvoir, un premier ministre et son équipe doivent prendre certaines décisions plutôt que d'autres.

Le premier ministre et son équipe dépendent l'un de l'autre. Le premier ministre, qui ne peut tout faire, attend de son équipe tout l'appui dont il a besoin. Il s'attend à ce qu'on planifie son emploi du temps, à ce qu'on le guide dans ses déplacements et ses rencontres avec les gens, à ce qu'on lui dise ce qu'il doit absolument savoir avant de recevoir les personnes qui ont obtenu un rendez-vous ou avant de se présenter lui-même devant celles à qui il rend visite. Il s'attend surtout à ce que ses ministres et les fonctionnaires qui l'entourent l'informent de tout ce qui leur paraît indispensable de lui faire connaître.

Les exigences de la fonction de premier ministre

Malgré tous les avantages de sa position, le premier ministre ne peut pas se multiplier. La course perpétuelle contre la montre est une contrainte inéluctable avec laquelle il doit composer. Or, il ne peut assumer correctement sa fonction s'il ne consacre pas une partie importante de son temps aux relations avec ses ministres, avec les membres de son groupe parlementaire, avec les fonctionnaires qui occupent des postes stratégiques, avec les membres de son parti, avec les porteparole des groupes que confrontent les grands problèmes de l'heure, avec les journalistes, etc. Il doit, de plus, passer de nombreuses heures à recevoir des dignitaires de gouvernements étrangers et, parfois, consacrer des journées entières à des voyages outre-mer pour participer à des séances d'organismes internationaux (par exemple, le Groupe des principaux pays exportateurs du monde, appelé G-7 encore en 1997) ou pour se rendre en Europe, continent auquel le Canada est uni par des liens historiques. Il doit aller souvent aux États-Unis, principal partenaire du Canada dans le monde. Il lui faut aussi rencontrer régulièrement les premiers ministres des provinces canadiennes pour envisager avec eux les réponses à donner aux nombreuses questions qui relèvent des «relations fédérales-provinciales» et élaborer de nouveaux projets de collaboration. Il doit également être présent, à l'occasion, à titre de premier ministre du Canada, dans l'une ou l'autre des localités du pays pour y rencontrer et entendre les gens.

En plus de toutes les obligations énumérées ci-dessus, le premier ministre du Canada doit assumer son rôle de porte-parole du gouvernement à la Chambre des communes, y présenter ses principaux projets et ses grandes décisions, y répondre aux questions formulées par les parlementaires et, de façon générale, participer à certains débats.

Et, toujours à titre de chef du gouvernement, il doit convoquer et présider des réunions du conseil des ministres pour assurer la coordination qui, seule, permet d'éviter la confusion et le gaspillage, pour y entendre les avis qui orienteront ses décisions et pour assurer la cohésion et la solidarité nécessaires à l'unité sans laquelle il ne saurait conserver son poste.

Dans un emploi du temps extraordinairement chargé, en raison des exigences de sa fonction à titre de chef du gouvernement, le premier ministre doit aussi trouver quelques moments pour garder le contact avec la circonscription électorale dont il a été élu député et, on l'a vu, pour cultiver ses liens avec le parti et avec le groupe parlementaire dont il est le chef. Et il lui faut aussi penser aux médias, qui lui permettent de transmettre certains des messages qu'il destine à l'ensemble de la population, et penser à une foule d'autres choses encore (la préparation de ses discours ou allocutions, par exemple).

Ses très nombreuses obligations ne laissent guère de temps au premier ministre pour étudier la multitude de projets de décisions qui relèvent de lui en vertu de ses attributions. Mais ses multiples échanges avec toutes les personnes qu'il rencontre lui apportent de précieuses informations et lui donnent une vue d'ensemble des questions à régler. D'ailleurs, nul autre que lui ne peut avoir la vue d'ensemble que lui donnent tous ces échanges. Les informations dont il dispose alimentent sa réflexion et lui permettent, malgré les contraintes de temps, de faire des choix et, effectivement, de prendre les décisions qui lui incombent. De plus, les rencontres qu'il a quotidiennement avec tant de gens lui permettent de cultiver les loyautés dont il a besoin quand vient le temps de donner suite à des décisions particulièrement controversées.

Malgré ses nombreuses obligations, un premier ministre avisé arrive à trouver du temps pour étudier les dossiers qu'on lui soumet et faire connaître ses choix (lesquels trouveront forme dans des arrêtés en conseil, des prises de position, des ordres, des nominations, des options de politiques, des modifications de programme, etc.). Pour se donner le temps de la réflexion, certains premiers ministres ont choisi de réserver jusqu'à deux journées entières, chaque semaine, à l'examen des projets de décisions; d'autres ont opté pour des plages dans leur horaire quotidien, qu'ils ont consacrées à «la prise de décisions». Certains ont choisi des formules mixtes (journées, demi-journées et périodes quotidiennes), de façon à ajuster leur emploi du temps aux exigences du calendrier (les débuts et les fins des sessions parlementaires réclamant beaucoup du premier ministre). Quelques-uns ont privilégié leurs activités publiques (voyages, rencontres, etc.) afin de consolider leurs réseaux d'amitiés et leur image, laissant beaucoup de latitude à leurs ministres et aux fonctionnaires; d'autres ont préféré s'employer d'abord à la réalisation des projets annoncés à l'occasion des élections; la plupart ont cherché ce qui leur apparaissait comme le meilleur équilibre entre la réflexion, la décision et les relations, tout en se gardant du temps pour reprendre leur souffle (temps consacré à la «vie privée»).

L'expérience que possèdent déjà les personnes qui accèdent au poste de premier ministre leur a appris que, pour accomplir beaucoup de choses, il faut laisser «les détails» à d'autres. Un axiome latin (*De minimis non curat praetor*) l'enseigne depuis des siècles: «Le préteur (gouverneur) ne s'occupe pas des petites affaires» (autrement dit, de lourdes responsabilités ne laissent aucun temps pour les vétilles).

Pour se libérer des tâches qui ne leur semblaient pas essentielles, en plus de déléguer à des collègues, des ministres, le pouvoir de prendre certaines décisions, les premiers ministres du XIXᵉ siècle ont pris l'habitude de faire confiance aux personnes qui étaient chargées de leur agenda et de leur courrier (le secrétariat du premier ministre) et aux personnes chargées d'enregistrer les décisions du Conseil privé (le greffe du Conseil privé).

Le nombre de personnes, dans le secrétariat du premier ministre du Canada (*Prime Minister's Office*) et dans le secrétariat du Conseil privé (*Privy Council Office*), a crû, petit à petit, au fur et à mesure qu'ont augmenté le volume et la diversité des activités de l'État, parallèlement à la croissance de la population et à la complexification de la société.

Le secrétariat du premier ministre

Le secrétariat du premier ministre (on dit aussi «bureau du premier ministre») est communément appelé «pi-m-o» (prononciation typiquement canadienne des lettres initiales des mots *Prime Minister's Office*), bien que l'on puisse préférer utiliser, pour le désigner, l'expression «cabinet du premier ministre» (mais cette formule prête à confusion, car l'ensemble formé par les membres du gouvernement est connu sous le vocable de Cabinet).

Le secrétariat du premier ministre s'occupe de l'agenda et du courrier, comme jadis, et aussi, depuis quelques décennies, de toutes sortes d'autres choses (coordination, relations avec les parlementaires, les fonctionnaires et les journalistes, et ainsi de suite).

L'agenda du premier ministre est sans doute le sujet qui doit préoccuper le plus le chef du secrétariat du premier ministre. Le chef du secrétariat doit s'assurer que le premier ministre ne perde pas son temps (attendre à ne rien faire, écouter de longs discours, etc.). Il doit aussi veiller à ce que la santé et la sécurité du premier ministre soient privilégiées (il lui faut éviter, par exemple, les confrontations violentes, les voyages épuisants, les repas qui pourraient l'indisposer, etc.). Il doit, en somme, préparer son horaire quotidien de telle sorte qu'il puisse remplir le mieux possible les nombreuses exigences de sa fonction.

Pour agencer l'emploi du temps le mieux adapté aux diverses exigences de sa fonction, le premier ministre réclame de son secrétariat une planification à long terme et un important effort de concertation. Il lui demande, en fait, de travailler de concert avec le secrétariat du parti, le secrétariat du Conseil privé, les secrétariats des divers ministres, des leaders du gouvernement à la Chambre des communes et au Sénat et les multiples services qui peuvent être impliqués dans l'une ou l'autre de ses activités.

Au bout du compte, en raison des contraintes de temps, il arrive qu'il faille minuter certaines journées du premier ministre.

Aujourd'hui, lors d'une semaine normale, en période de session, du lundi au vendredi, un premier ministre en bonne santé passe entre huit et dix heures par jour « au travail », parfois davantage, rarement moins. Il consacre aussi quelques heures à son travail le samedi et le dimanche (en raison, par exemple, des réunions, assemblées ou congrès de son parti, de rencontres ou cérémonies auxquelles il a accepté de participer ou de conciliabules requis pour examiner des affaires urgentes et imprévues). Trois journées (dont le mercredi, journée habituellement réservée aux réunions avec les ministres, parce qu'elle est au centre de la semaine) sont surtout occupées par l'examen des projets de décisions (politiques, programmes, projets de loi, nominations, etc.).

La journée typique d'un premier ministre en bonne santé, en période de session parlementaire, comporte une ou deux heures de travail avec les membres de son secrétariat ou avec des membres du secrétariat du Conseil privé (briefing relatif à l'emploi du temps de la journée, du lendemain et des jours suivants, briefing sur l'actualité, briefing sur l'activité législative, briefing particulier sur l'une ou l'autre des questions à l'ordre du jour), une ou deux heures de présence à la Chambre des communes, une ou deux heures de rencontres avec des ministres et des membres de son groupe parlementaire, et plusieurs heures d'activités diverses (accueil de visiteurs étrangers, préparation d'allocutions ou de discours, conversations avec des journalistes ou des porte-parole de groupes divers, présence à un banquet ou à un dîner, et ainsi de suite). Un horaire si chargé, auquel aucun premier ministre n'a pu échapper au cours des dernières décennies, montre bien que la fonction de chef de gouvernement n'est pas une sinécure.

S'il faut beaucoup d'habileté pour gérer l'agenda du premier ministre, il en faut également beaucoup pour s'occuper de son courrier. Le premier ministre doit entretenir une correspondance avec de très nombreuses personnes et aussi répondre à des milliers de lettres, parmi lesquelles se trouvent des centaines d'invitations. Or, c'est l'évidence, le premier ministre n'a le temps de rédiger lui-même que quelques-unes des nombreuses lettres qu'il signe. Ce sont donc d'autres personnes, de son secrétariat, qui prennent connaissance des lettres et messages qui arrivent, tentent d'imaginer la meilleure réponse que pourrait faire le premier ministre à chacune des questions ou informations qui lui sont adressées, et s'empressent de formuler, le même jour (parfois même dans l'heure qui suit l'arrivée d'un texte télécopié) soit un simple accusé de réception, soit une lettre «personnelle» signée par le premier ministre. Le secrétariat doit, de toute façon, pouvoir réagir de façon instantanée, en raison de la rapidité avec laquelle se déroulent certains événements (par exemple, une crise internationale ou une prise d'otages dans une zone relevant des autorités fédérales).

La gestion du courrier du premier ministre réclame énormément d'attention. Avant de rédiger certaines lettres, les spécialistes à l'emploi du secrétariat du premier ministre doivent parfois prendre conseil auprès de nombreuses personnes, accomplir toutes sortes de démarches, prendre de multiples précautions. De nombreuses lettres, qui peuvent avoir des conséquences juridiques ou diplomatiques, exigent une formulation impeccable. D'autres lettres, qui, elles, peuvent influencer les sentiments à l'égard du premier ministre, requièrent un style particulier : la décision de refuser une invitation, en raison des contraintes du calendrier, doit être signifiée avec beaucoup de doigté ; l'incapacité de satisfaire une requête doit être exprimée de manière à ne pas décevoir irrémédiablement les personnes qui l'ont soumise. Au bout du compte, le courrier du premier ministre occupe, à Ottawa, plusieurs dizaines de spécialistes.

Tout en s'occupant de son agenda et de son courrier, son secrétariat a bien d'autres moyens d'aider le premier ministre à remplir le mieux possible les exigences de sa fonction. Parmi ces moyens complémentaires, le plus important est la préparation des dossiers.

Celle-ci relève d'une équipe de spécialistes qui possèdent des compétences particulières. Quelques membres de cette équipe s'intéressent aux dossiers parlementaires (relations avec les parlementaires, déroulement des sessions et des séances, contenu des débats, sujets des interventions, des questions ou des interpellations, etc.), d'autres consacrent leur temps aux «relations fédérales-provinciales», d'autres encore s'occupent du dossier des nominations... Quelques spécialistes suivent l'actualité internationale, certains se chargent des relations avec les médias, d'autres font chaque jour l'examen de la situation politique au pays...

Ces spécialistes doivent agir de concert avec leurs autres collègues du secrétariat, qui s'occupent de l'agenda et du courrier, et rester en liaison constante avec les autres secrétariats, en particulier celui du Conseil privé et ceux des ministres dont les dossiers sont à l'ordre du jour.

Le premier ministre attend de son secrétariat (ou du secrétariat du Conseil privé, comme on le verra plus loin) qu'il lui fournisse toute l'information dont il a besoin pour traiter des différentes questions dont il doit s'occuper. Cette information peut lui être transmise verbalement (au téléphone ou, souvent, lors de brèves réunions, les «briefings», qui, comme on l'a vu il y a un instant, sont d'office à l'horaire du premier ministre). Elle peut aussi lui être transmise par écrit. Depuis longtemps, les premiers ministres ont pris l'habitude de faire préparer par des fonctionnaires des textes très courts dans lesquels sont décrites les situations qu'il faut connaître et présentés les arguments à l'appui de chacune des réponses possibles aux questions qu'il faut trancher. Ces textes peuvent prendre diverses formes : «aide-mémoire», «analyses», «aperçus», «argumentaires», «mémoires», «mémorandums» (communément appelés «mémos»), «notes», «scénarios», «synthèses», «tableaux synoptiques»... Ils permettent à un premier ministre d'avoir la meilleure compréhension possible de chaque nouvelle affaire portée à son attention et d'en saisir, en quelques minutes, la complexité.

Mais, pressé par le temps, le premier ministre réclame davantage que des informations. Il s'attend à recevoir des recommandations et généralement, avant de prendre une décision, il demande leur avis aux personnes de son entourage (ses proches, ses ministres, quelques fonctionnaires...). La prudence dicte à ces personnes d'assortir leurs avis de multiples réserves, mais leur loyauté leur commande de dire ce qu'elles pensent (un premier ministre habile n'a que faire de «béni-oui-oui», communément appelés *yes-men*, à Ottawa).

Il arrive même que le premier ministre demande à des membres de son secrétariat de régler, en son nom, des questions qu'il n'a pas le loisir d'examiner. Cependant, même si les actions posées ne conviennent pas, le premier ministre en porte la responsabilité ultime. En conséquence, s'il ne veut pas subir le blâme pour de nouvelles «erreurs», un premier ministre évite de garder parmi ses délégataires un «Gaston LaGaffe».

Même s'il n'a guère le temps d'élaborer lui-même le détail des décisions qu'il prend et même s'il délègue souvent, le premier ministre prend effectivement de très nombreuses décisions. Mais, il faut le répéter, il ne les prend pas sans avoir demandé des avis. Ainsi, on l'a vu, il demande aux personnes qui sont à son service d'identifier les diverses réponses possibles à chacune des questions qui se posent (qui choisir pour tel ou tel poste? quelle date retenir pour les élections? que faire pour satisfaire telle ou telle requête, sans susciter de récriminations? etc.). Ces personnes peuvent même énumérer les avantages et les inconvénients de chacune des options et faire connaître leurs propres préférences et celles, différentes ou semblables, des ministres, des parlementaires, des membres du parti et des fonctionnaires que la question intéresse. Le premier ministre va faire un choix entre les diverses options, et pourra même choisir de ne rien faire. Il peut même, comme on dit, lancer un «ballon d'essai» et dire à ses gens: «Nous allons laisser entendre que j'ai choisi l'option A et voir comment réagit l'opinion!» La semaine suivante, ses gens vont lui dire si la rumeur lancée afin de «sonder le terrain» a suscité des réactions négatives. Cette nouvelle information va lui permettre de cheminer vers la décision qu'il prendra, en fin de compte.

Les décisions attendues d'un premier ministre

On dit souvent qu'un premier ministre fait (ou devrait faire) ses choix en fonction des attentes de son électorat, de son parti et de son groupe parlementaire. On l'a dit à maintes reprises dans ce livre. Il serait d'ailleurs logique que le premier ministre agisse ainsi, mais il n'est pas certain qu'il le puisse toujours (ou même le veuille toujours). Évidemment, bien des gens ne voient pas les choses ainsi: de nombreuses personnes estiment en effet que le premier ministre devrait, en accédant à son poste, oublier son passé de militantisme partisan et se situer dorénavant «au-dessus des partis».

D'autres personnes, qui prennent d'ailleurs leur propre intérêt pour «l'intérêt national» ou pour «le bien commun», affirment que les décisions d'un premier ministre doivent toutes tendre vers un seul objectif, l'intérêt national du Canada et le bien commun de sa population ; selon ces personnes, le premier ministre doit s'appuyer sur ce seul critère, le Canada, contre vents et marées, peu importe l'opinion publique, peu importe l'avenir de son parti. Bon enfant, un premier ministre peut répéter mille fois qu'il n'a que le Canada en tête et, en pratique, prendre ses décisions en fonction de multiples critères, y compris des critères partisans.

L'opinion selon laquelle les décisions d'un premier ministre devraient être dictées par l'intérêt partisan s'appuie sur une logique « électoraliste », alors que l'opinion contraire procède d'une vue idéalisée de la démocratie ou, plus généralement, d'une analyse des difficultés concrètes qui confrontent les autorités.

La prééminence de l'intérêt partisan dans les critères de la décision peut paraître logique, puisque la plupart des gens décident de leur vote en fonction de considérations multiples, parmi lesquelles figure l'évaluation des décisions qui ont été prises par le gouvernement. D'ailleurs, quelques spécialistes ont déjà soutenu que, lors des élections fédérales, au Canada, l'évaluation des actions du gouvernement (jugement « rétrospectif ») l'emporte parfois sur la comparaison des perspectives proposées par les divers partis (jugement « prospectif ») ou sur d'autres considérations (par exemple, l'appui au parti dans lequel on se reconnaît le plus).

Il y a quelques années, des analystes ont même soutenu que les autorités fédérales, au Canada et aux États-Unis, avaient adopté des politiques économiques expansionnistes en fin de mandat afin de s'attirer la faveur de l'électorat. Leur raisonnement procédait d'une première hypothèse selon laquelle le parti au pouvoir est « reconduit » lors d'élections tenues en période de croissance économique et « éconduit » lors d'élections tenues en période de ralentissement de l'activité économique. Leur raisonnement procédait aussi d'une seconde hypothèse selon laquelle les autorités sont capables de moduler l'activité économique à leur guise. Autrement dit, selon ces analystes, quand les choses vont bien, on ne change pas d'équipe, de sorte que l'équipe en place n'a qu'à stimuler l'activité économique. Ces analystes, aux États-Unis surtout, ont même tenté de démontrer leur théorie en examinant méthodiquement l'évolution des taux d'intérêt, de la masse monétaire, des émissions d'obligations fédérales, des dépenses et déficits (ou surplus) budgétaires du gouvernement fédéral... Quoi qu'il en soit des conclusions des universitaires qui ont voulu la vérifier, cette théorie a été soutenue par de nombreuses personnes.

C'est son apparente logique qui explique le succès de cette théorie du «cycle économico-électoral» ou du «cycle politico-économique» (traduction approximative de l'expression nord-américaine *political business cycle*) selon laquelle les autorités stimulent l'activité économique en fin de mandat, pour avantager leur parti, quite à la freiner immédiatement après les élections.

Dans les faits, les autorités ont dû prendre leurs décisions de politique économique en tenant compte de multiples facteurs, qui n'allaient pas toujours dans le sens de leur intérêt partisan ou même dans le sens du programme annoncé lors des élections précédentes. Il est arrivé, aussi, que les choix posés produisent des résultats contraires à ceux qui, apparemment, avaient été escomptés.

En pratique, le premier ministre ne peut pas toujours plaire à l'ensemble de son groupe parlementaire ou à l'ensemble de son parti, pas plus qu'il ne peut toujours satisfaire la majorité dans l'électorat.

Une première difficulté qui confronte le premier ministre, quand il cherche à plaire à ses supporters, tient à la variété de leurs attentes. Comme on l'a vu dans les chapitres précédents, les attentes communes (les dénominateurs communs) ne concernent, en général, que des orientations d'ensemble, alors que les attentes particulières, très nombreuses mais généralement compatibles les unes avec les autres, touchent des sujets relativement précis. Le premier ministre peut, dans ses décisions relatives à certaines politiques (par exemple, la politique économique), tout faire pour respecter les orientations de son parti et satisfaire de nombreuses attentes particulières exprimées par les membres de son parti, mais, quand il procède à une nomination, par exemple, il déçoit les personnes qui convoitaient le poste qui leur échappe (il est même arrivé que, faute d'avoir accédé au Cabinet, des parlementaires quittent la vie politique). Quand il donne son accord au projet final de budget, il déçoit nécessairement bien des membres de son parti, qui attendaient autre chose que le compromis qui leur est présenté (car le budget est toujours un compromis entre des centaines d'options contradictoires). En définitive, les décisions du premier ministre expriment nécessairement des choix qui ne peuvent plaire à tout le monde.

Plusieurs épisodes de la vie politique des dernières décennies, évoqués précédemment dans ce livre, montrent d'ailleurs que certaines promesses peuvent être interprétées d'une façon par certaines personnes, dans le parti ou l'électorat, et d'une tout autre façon par d'autres personnes. Ainsi, la promesse de Brian Mulroney, en 1983 et 1984, de « réconcilier le Québec et le reste du Canada » a pris une signification au Québec et une autre ailleurs, de sorte que, pour plaire à ses supporters du Québec, le premier ministre devait déplaire à d'autres (et inversement).

Par ailleurs, même s'ils permettent la formation d'une majorité, les choix électoraux n'accordent aucune indication précise quant aux sentiments populaires à l'égard de chacune des très nombreuses questions à l'ordre du jour, d'autant moins que la plupart des gens connaissent peu de choses des projets politiques des partis. Certes, selon une certaine vue des choses, en accordant son soutien à un candidat, à un parti et à son chef, une personne devrait également donner son appui au projet politique qui est le leur. Et il y a certainement, dans l'électorat, de nombreuses personnes qui conçoivent les choses ainsi. Mais il y en a aussi qui peuvent appuyer le projet politique d'un parti (ou de son chef), alors que, pour toutes sortes de raisons (évoquées au passage dans les chapitres précédents), elles votent pour un autre parti. On le sait d'expérience, bien des gens peuvent accorder leur soutien à un chef qui leur plaît, sans aimer son programme ou, à la rigueur, sans le connaître. Il y a même des personnes qui favorisent toujours le même parti, peu importe son programme ou son porte-drapeau. En définitive, dès qu'on examine les réalités, on doit conclure que la victoire d'un parti aux élections ne signifie nullement que la majorité approuve chacune des diverses propositions de son « programme électoral ».

Parce que les élections n'ont pas révélé les sentiments de la population à l'égard de chacun de ses engagements électoraux ou de chacune des propositions de son programme, le premier ministre ne peut guère savoir si, en répondant aux attentes des membres de son parti, dans la mesure où elles sont compatibles, il peut gagner ou perdre des votes.

Pour décevoir le moins de monde possible, un premier ministre pourrait s'appuyer sur des sondages d'opinion. Il demeurerait ainsi à l'écoute de l'électorat et prendrait les décisions qui, à tout le moins, pourraient lui conserver les appuis requis pour obtenir une nouvelle majorité (des sièges) aux prochaines élections. Il lui est certainement possible, aujourd'hui, d'utiliser de nombreux moyens (et non seulement des sondages) pour connaître les sentiments des gens, distinguant même les personnes qui l'ont appuyé lors des élections antérieures des autres catégories de personnes, distinguant aussi, les unes des autres, les opinions selon les attitudes qu'elles expriment, distinguant, à la limite, les régions, les classes d'âge et toutes sortes d'autres subdivisions. Il n'est pas certain, toutefois, que les données des sondages ou des enquêtes sociologiques soient vraiment fiables et soient toujours prises en compte. D'ailleurs, dans bien des cas, l'indifférence qui précède une décision peut être suivie, après la décision, d'une mobilisation dévastatrice.

Avant l'avènement des sondages et des enquêtes sociologiques, les premiers ministres avaient recours à l'information fournie par les parlementaires et les membres du parti, qui connaissaient bien leur monde et savaient déceler les attitudes et les intérêts qui se dissimulaient derrière les mots. Il est permis de croire que les premiers ministres d'aujourd'hui utilisent encore cette information. Ils auraient, en tout cas, tout intérêt à le faire.

En définitive, même s'il ne peut échapper à l'obligation de choisir et au risque de déplaire, un premier ministre devrait chercher à éviter les décisions qui menacent de le défavoriser lors des prochaines élections. Si l'on en juge d'après leurs biographies, John A. Macdonald, Wilfrid Laurier et Mackenzie King, qui ont tous obtenu plusieurs mandats (voir tableau 9.1), ont vraiment tenté d'éviter les décisions qui pouvaient pénaliser leur parti aux élections.

Dans la logique du parlementarisme et du type de démocratie appliqués au Canada, l'intérêt partisan doit être au nombre des multiples critères de la décision politique. Le premier ministre (ou son parti) a en effet besoin de l'appui d'une importante proportion de l'électorat pour conserver sa popularité et pour obtenir un nouveau mandat. Pour l'emporter à nouveau, le premier ministre (ou l'équipe dirigeante de son parti) a encore besoin, aussi, de l'aide des milliers de personnes qui ont milité en sa faveur lors des élections précédentes.

Pour garder uni le parti qu'il dirige et conserver sa combativité, un premier ministre doit assurément, comme chef du gouvernement, chercher à prendre des décisions qui répondent aux aspirations communes des diverses catégories de personnes qui forment son organisation (puisque ces aspirations communes sont identifiables), chercher aussi à satisfaire, au moins partiellement, leurs attentes particulières et, à la fois, chercher à définir des projets d'avenir qui puissent les mobiliser encore. Autrement dit, les dénominateurs communs et les intérêts compatibles autour desquels s'est constitué son parti doivent, en toute logique, figurer parmi les critères à considérer dans l'élaboration des décisions politiques qui relèvent du premier ministre.

Mais ce qu'on peut appeler l'intérêt partisan n'est jamais qu'un critère parmi d'autres dans les choix que doit faire le premier ministre. Celui-ci est en effet la cible principale des jeux d'influence et doit composer avec les forces qui l'entourent et qui, parfois, l'isolent et tentent de l'éloigner davantage des influences extérieures.

Chef du gouvernement, le premier ministre est bien davantage que le chef d'un parti. Détenteur affirmé du pouvoir exécutif dans les institutions fédérales du Canada et chef du groupe parlementaire dominant à la Chambre des communes, il doit faire face à de très nombreuses demandes de toutes provenances et non seulement aux demandes qui viennent de son parti. Or, ces diverses demandes, on l'a vu dans les chapitres précédents, sont assorties d'offres ou de menaces. Ainsi, pour obtenir la collaboration des quelque 600 000 personnes à l'emploi des organismes fédéraux (ministères, agences, etc.) et éviter l'hostilité des bénéficiaires des services offerts par ces organismes, le premier ministre devrait transiger, même si son parti avait, par hypothèse, proposé de «couper» dans les dépenses publiques. De même, pour éviter une hausse des impôts, un premier ministre peut préférer ne pas remplir certains engagements (par exemple, le financement public des garderies). Dans la prise des décision, des considérations relatives aux «grands équilibres sociaux» l'emportent souvent.

LES MINISTRES

De toute façon, un premier ministre prudent sollicite les avis de ses ministres, qui ont leurs propres sources d'information, bénéficient des conseils de leurs fonctionnaires et, souvent, représentent des catégories distinctes d'intérêts. Ces avis, souvent inspirés par d'autres parlementaires de leur parti, s'ajoutent d'ailleurs à tous ceux qui proviennent de nombreuses autres personnes, comme on l'a dit à maintes reprises précédemment. Mais, pour toutes sortes de raisons, les avis des ministres (ou, plus précisément, de quelques ministres) ont un plus grand impact que la plupart des autres avis que reçoit le premier ministre.

Parmi les raisons qui expliquent l'importance des avis formulés par les ministres, la principale tient à leur qualité particulière. Ces avis, en effet, sont fondés sur des considérations qui ressemblent beaucoup à celles que le premier ministre prend lui-même en compte. Comme leur chef, les ministres sont tributaires de leur groupe parlementaire et de leur parti ; leur connaissance du parti et de leur électorat et leurs affinités avec leurs collègues parlementaires leur permettent d'identifier d'emblée, parmi celles qui s'offrent, les options de décisions qui répondent aux attentes à satisfaire. Par ailleurs, leur expérience de la vie politique, considérable dans certains cas, leur donne une compétence que les spécialistes ne peuvent avoir. En outre, à l'exemple du premier ministre, les ministres envisagent les choses du point de vue du gouvernement, et cette perspective distingue leurs avis de ceux qui proviennent de personnes ayant une vision plus étroite des choses. Et puis, solidaires de leur chef, les ministres savent que leur avenir, au Cabinet, dépend à la fois de leur propre contribution et de la capacité de l'ensemble de leurs collègues de conserver la confiance d'une majorité : cette situation particulière, qui est la leur, leur inspire des avis qui ont toutes les chances de toucher le premier ministre.

Les critères de sélection appliqués à la formation du conseil des ministres

D'ailleurs, c'est en grande partie pour bénéficier d'avis compétents et diversifiés que le premier ministre choisit, pour former son gouvernement, certaines personnes plutôt que d'autres. En faisant nommer telle personne au Cabinet, le premier ministre poursuit de multiples objectifs, dont celui, fort important, d'assurer la variété des avis qui y seront présentés. Pour éviter les erreurs, il a besoin d'avis complémentaires et contrastés, des avis qu'il privilégiera sans doute s'ils lui viennent de personnes qu'il considère loyales.

Un premier ministre avisé cherche à donner à son Cabinet une hétérogénéité voisine de celle qui caractérise son groupe parlementaire, son parti et son électorat. C'est ainsi que le Cabinet fédéral compte habituellement, parmi ses nombreux membres, au moins une personne pour « représenter » chaque province. Dans le Cabinet du premier ministre Jean Chrétien, peu après les élections de 1993, comme dans celui de Brian Mulroney, après celles de 1984, chacune des dix provinces et l'un des deux territoires de l'époque étaient représentés ; toutefois, dans le Cabinet formé le 4 novembre 1993, la représentation de l'Île-du-Prince-Édouard et du Yukon se situait en périphérie, car elle était assurée par des secrétaires d'État, lesquels, membres du Conseil privé, semblent avoir été longtemps ou souvent exclus des réunions du Cabinet. Dans un cas comme dans l'autre, deux tiers des ministres étaient toutefois des parlementaires des deux provinces centrales, le Québec et l'Ontario. Parmi les ministres, il y avait des personnes dont le patronyme évoquait une origine autre que française et britannique. Les biographies des ministres faisaient aussi penser que les confessions religieuses les plus fréquentes au Canada étaient représentées au Cabinet. Le Cabinet réunissait en outre des personnes de diverses professions et de diverses générations (dans le Cabinet de Jean Chrétien, en 1993, aux côtés de Herbert E. Gray et Michel Dupuy, nés en 1931 et 1930, respectivement, on trouvait Brian Tobin, né en 1954 et Sergio Marchi, né en 1956).

En donnant à son Cabinet une certaine hétérogénéité, le premier ministre atteint bien d'autres objectifs que celui qui consiste à obtenir une variété de points de vue lors des délibérations qu'il préside. Il permet (par exemple) à de nombreuses personnes, dans l'électorat, de croire qu'elles sont « représentées au gouvernement ». Il peut aussi donner une voix à chacun des principaux courants d'opinion identifiables au sein de son parti. Par ailleurs, les parlementaires qui n'ont pas accédé au Cabinet peuvent se consoler en pensant que le sacrosaint principe de la « représentativité » leur a coûté le poste de ministre qui, en toute justice ou en toute logique, aurait dû leur revenir.

En fait, le premier ministre choisit ses ministres en tenant compte de nombreux critères de sélection. En plus de lui suggérer de nommer au Cabinet des personnes qui pourront contribuer utilement à la prise de décisions, le bon sens guide son choix vers des personnes qui, tout en ayant à cœur l'intérêt de leur groupe parlementaire, ont déjà fait la preuve de leur intégrité personnelle, de leur combativité, de leur capacité de gestion. Le premier ministre cherche aussi à s'entourer de ministres qui seront capables de «travailler ensemble», qui sauront respecter les divergences, qui pourront garder le secret des délibérations, et ainsi de suite. En définitive, les critères qui inspirent le choix des ministres sont fort nombreux.

Les traditions dictent en outre au premier ministre de choisir ses ministres parmi les membres de son groupe parlementaire à la Chambre des communes. Quand sa «représentativité» ne réclame pas davantage, le Cabinet ne compte qu'un seul sénateur ou une seule sénatrice (qui agit à titre de «leader du gouvernement au Sénat», rôle assumé par Joyce Fairbairn en 1993 dans le Cabinet du premier ministre Jean Chrétien, et par Duff Roblin, dans celui de Brian Mulroney, en 1984).

Le premier ministre peut, à l'occasion, recruter comme ministre une personne qui n'est pas membre du Parlement, mais cette personne doit, dès que possible, se faire élire à la Chambre des communes ou, encore, se faire nommer au Sénat. En janvier 1996, le premier ministre Jean Chrétien a ainsi décidé de faire accéder Stéphane Dion et Pierre Pettigrew à son conseil des ministres. Ces deux ministres se sont portés candidats aux élections partielles tenues dans les circonscriptions de Saint-Laurent-Cartierville et Papineau-Saint-Michel, sur l'île de Montréal, où le Parti libéral du Canada bénéficiait alors d'importants appuis. Ils ont été élus le 25 mars 1996. En 1975, nommé ministre sur la recommandation du premier ministre Pierre Elliott Trudeau, Pierre Juneau n'a pas eu la même chance : il a été battu par le candidat du Parti progressiste-conservateur du Canada (Jacques Lavoie) le 14 octobre 1975, dans la circonscription d'Hochelaga, circonscription qu'avait pourtant représentée, depuis 1965, Gérard Pelletier, un ami personnel du premier ministre. Battu aux élections, Pierre Juneau a dû quitter le conseil des ministres (en l'occurrence, c'est la tradition qui a prévalu, puisque la loi n'oblige pas le premier ministre à choisir ses ministres parmi les parlementaires).

Depuis quelques années, une nouvelle attitude dicte aussi au premier ministre de nommer quelques femmes au conseil des ministres. Ellen Louks Fairclough a été la première femme admise au conseil des ministres, à Ottawa. Elle y a accédé le 21 juin 1957, quarante ans après l'octroi du droit de vote à certaines femmes (les épouses des militaires, notamment) aux élections fédérales (de 1917) et 36 ans après l'entrée d'une première femme à la Chambre des communes (Agnes McPhail, une institutrice de l'Ontario, qui a été réélue quatre fois et est restée députée jusqu'en 1940). Jusqu'en 1984, la «représentation» féminine au conseil des ministres a été fort réduite. En 1984, cette représentation a considérablement augmenté, le premier ministre Brian Mulroney ayant nommé six femmes et 32 hommes à son Cabinet. En 1993, le premier ministre Jean Chrétien a porté à huit le nombre de femmes parmi ses ministres et réduit à 25 le nombre d'hommes (lui-même compris).

La hiérarchie invisible au sein du Cabinet

Le nombre de ministres laisse penser qu'il existe une hiérarchie au sein du Cabinet. Cette hiérarchie, cependant, n'est jamais évidente, parce que, en théorie, l'égalité de statut est de règle. Une formule souvent citée suggère, en effet, que le premier ministre, seul, se distingue des autres membres du conseil des ministres (on dit de lui qu'il est «*primus inter pares*», «le premier entre ses égaux»).

Tout en ayant droit à un même statut, les ministres se rangent selon un ordre de préséance, lequel est fondé sur la date (et la minute) de l'assermentation des ministres à titre de membres du Conseil privé. Ainsi, dans le Cabinet formé le 17 septembre 1984, la première place, après le premier ministre Brian Mulroney, était réservée à George Hees, qui avait été assermenté le 21 juin 1957 pour accéder au gouvernement de John Diefenbaker. La deuxième était occupée par Duff Roblin, qui, le 5 juillet 1967, avait été nommé au Conseil privé, à titre de premier ministre du Manitoba, en même temps que tous les premiers ministres des provinces, à l'occasion du centième anniversaire de la création de la fédération canadienne. La troisième place était attribuée à Charles Joseph Clark, qui lui-même avait accédé au Conseil privé en devenant premier ministre le 4 juin 1979. Suivaient, dans l'ordre de leur assermentation du 4 juin 1979, Flora MacDonald, élue à la Chambre des communes en 1972, Erik Nielsen, député depuis décembre 1957, John Crosbie, député depuis octobre 1976, Roch La Salle, le plus ancien député conservateur du Québec à l'époque, puis Donald Mazankowski, et ainsi de suite. Lors de leur assermentation initiale, les personnes que le premier ministre veut distinguer précèdent les autres, sinon la préséance dépend simplement de l'ordre alphabétique des patronymes.

Ainsi, parmi les membres du Cabinet assermentés le 17 septembre 1984, onze, à la fin, ont défilé selon l'ordre alphabétique (André Bissonnette, Suzanne Blais-Grenier, Benoît Bouchard, Andrée Champagne, Michel Côté, et ainsi de suite, jusqu'à la dernière en liste, Monique Vézina).

Après le premier ministre, qui bénéficie d'émoluments plus importants que ceux attribués à ses collègues, on s'accorde à dire que les ministres qui ont le plus d'influence sont le (ou la) ministre des Finances et le président (ou la présidente) du Conseil du trésor. Cette influence tient en partie aux atouts personnels que peuvent avoir ces ministres (connaissances, expérience, habileté, liens d'amitié avec le premier ministre, etc.) et aussi à la nature des mandats qui leur sont confiés. La personne qui est ministre des Finances détient en effet le mandat de recommander au conseil des ministres la «politique économique» du gouvernement (politique qui concerne de nombreux sujets, y compris la «politique monétaire») et surtout sa «politique budgétaire» (laquelle englobe la «politique des dépenses», la «politique fiscale» et les «politiques de trésorerie»). Quant à la personne qui occupe la présidence du Conseil du trésor, elle veille à l'élaboration des plans de dépenses relatifs aux quelque mille programmes du gouvernement et, après leur adoption, voit à leur respect et aux négociations d'ensemble que cela implique.

Par ailleurs, depuis quelques décennies, le premier ministre choisit, parmi les ministres, un ou une collègue pour prendre sa relève en cas d'absence. Cette personne, vice-première ministre (cas de Sheila Copps, en 1993, dans le Cabinet du premier ministre Jean Chrétien) ou vice-premier ministre (cas d'Erik Nielsen, en 1984, dans le Cabinet de Brian Mulroney), assume une responsabilité particulière, puisqu'elle doit être prête, en tout temps, à se saisir des dossiers les plus difficiles (dossiers qui sont l'apanage du premier ministre).

La personne qui est «leader du gouvernement à la Chambre des communes» détient aussi une place de choix, car elle est en contact régulier avec le premier ministre (en 1993, ce poste a été attribué au solliciteur général, Herbert E. Gray, vieil ami du premier ministre Jean Chrétien et parlementaire respecté).

En raison de leurs atouts personnels et des mandats qui sont les leurs, quelques autres ministres font aussi partie d'un petit groupe particulièrement influent, dont la composition peut varier. En plus des titulaires des postes les plus prestigieux (finances, par exemple), font habituellement partie de ce petit groupe les responsables des portefeuilles suivants : Affaires étrangères, «programmes sociaux» et Affaires intergouvernementales (ou «relations fédérales-provinciales»).

Certains autres portefeuilles sont également considérés comme plus importants. Ainsi, sachant le rôle crucial qui serait le leur en temps de crise, plusieurs collègues du premier ministre peuvent souhaiter devenir ministre de la Défense nationale ou ministre responsable de la Gendarmerie royale du Canada (celle-ci relevait du solliciteur général Herbert E. Gray, en 1993, dans le Cabinet du premier ministre Jean Chrétien).

Parmi les membres du conseil des ministres, plusieurs portent ou ont porté des titres qui semblent faire exception. Ainsi, le leader du gouvernement, le solliciteur général et quelques autres peuvent ne pas avoir le titre de ministre tout en étant bel et bien ministres. Il y a eu, jadis, des membres du Cabinet qui ont porté le titre de ministre d'État (par exemple, le ministre d'État chargé des Affaires urbaines, dans le gouvernement de Pierre Elliott Trudeau, poste créé en juin 1971) ou de ministre sans portefeuille (le 20 avril 1968, le premier ministre Pierre Elliott Trudeau a fait nommer au Conseil privé sept «ministres sans portefeuille») ou encore de ministre associé (il y a longtemps eu un «ministre associé de la Défense nationale»).

Dans le gouvernement du premier ministre Brian Mulroney, parmi les membres du conseil des ministres, plusieurs ont porté le titre de «secrétaires d'État». Comme les ministres d'État, les ministres sans portefeuille et les ministres associés, ces personnes ont eu, en général, des mandats relativement restreints, alors que leurs collègues dirigeaient des ministères qui, dans certains cas, regroupaient plusieurs milliers de fonctionnaires. Il est arrivé cependant que des secrétaires d'État ou des ministres responsables de «petits» budgets se retrouvent à l'avant-scène en raison de l'actualité ; ainsi, avec des portefeuilles peu prestigieux, ces personnes ont eu l'occasion de montrer ce dont elles étaient capables.

Dans le gouvernement du premier ministre Jean Chrétien, les secrétaires d'État ne participent pas d'office aux réunions du Cabinet. Ils sont d'ailleurs moins bien rétribués que les ministres, mais ils font partie du Conseil privé et, comme les ministres, ils participent à la responsabilité collective du gouvernement.

Considéré comme «inférieur», depuis quelques années, le titre de secrétaire d'État était porté, jadis, par des ministres de premier rang. Longtemps le portefeuille des «affaires extérieures» a été attribué à un secrétaire d'État, tout comme le portefeuille de la «citoyenneté», des «affaires indiennes» et des «communications» l'était au secrétaire d'État du Canada.

En pratique, chaque mandat ministériel est important. Ainsi, un ministère comme celui des Travaux publics et Services gouvernementaux (qui a pris la place du ministère des Approvisionnement et Services, en 1993), qui n'est guère connu, exige pourtant de son titulaire un jugement particulièrement sûr (dans l'idéal, du moins). Le ministère des Transports, celui des Pêches et Océans ou celui de la Citoyenneté et de l'Immigration, pour ne citer que trois autres exemples, demandent aussi, idéalement, aux ministres qui en ont la charge beaucoup de clairvoyance et de perspicacité. En définitive, chaque poste de ministre réclame de grandes capacités, mais, en raison des mandats qui leur sont attachés, certains portefeuilles très exigeants sont plus prestigieux et plus convoités et il arrive que des ministres paraissent moins capables que d'autres, pour les assumer.

Sachant que les portefeuilles les plus prestigieux sont davantage convoités, le premier ministre doit pondérer avec soin les arguments qui peuvent l'amener à les attribuer à certaines personnes plutôt qu'à d'autres. Pour obtenir le portefeuille qu'elle désire, une personne doit avoir, au départ, «le profil de l'emploi» (capacité de travail, sagacité, expérience, compétence, prestige, réputation, etc.) ou, du moins, une «chance exceptionnelle». Parmi les rares personnes qui ont obtenu des portefeuilles qui correspondaient à leurs «mérites», au cours des récentes décennies, on cite souvent Paul Martin, nommé ministre des Finances en 1993, ainsi que deux ou trois autres personnes (par exemple, Herbert E. Gray). En fait, la plupart des personnes qui accèdent au conseil des ministres obtiennent «l'un des autres portefeuilles», et non pas le portefeuille désiré ou envisagé. Selon le commentaire désabusé que bien des ministres pourraient faire, «chaque ministre obtient le portefeuille qui reste quand tous les autres ont été attribués».

En plus de décevoir les membres de son groupe parlementaire qui n'accèdent pas au Cabinet, le premier ministre peut, pour leur avoir offert un «deuxième choix», décevoir plusieurs des personnes qui y accèdent. Mais, puisqu'il ne peut avoir trente ministres des

Finances (ou trente «leaders du gouvernement»), le premier ministre essaie de répartir les portefeuilles de manière à obtenir le meilleur équilibre possible dans chacun des grands domaines d'intervention de son gouvernement (par exemple, la défense et les affaires étrangères, les affaires sociales, l'économie, la régulation des comportements...). Pensant aux comités de ministres qui seront formés pour regrouper les responsables des dossiers qui relèvent de chacun de ces grands domaines, le premier ministre tente de recréer, dans chacun, l'hétérogénéité qui caractérise l'ensemble du Cabinet.

Le mode de fonctionnement du Cabinet

L'ensemble du Cabinet (excluant éventuellement les secrétaires d'État, comme en novembre 1993) constitue d'abord, pour le premier ministre, le creuset dans lequel vont se fondre les points de vue variés dont il faut tenir compte dans la prise de décisions. Le Cabinet est en effet, avant tout, un organe décisionnel.

Il est, de plus, un organe qui assure la coordination des interventions du gouvernement.

Enfin, il est aussi l'organe qui permet, par le truchement de ses délibérations, d'assurer l'unité d'action du gouvernement. C'est au Cabinet, en effet, que se forge la solidarité ministérielle.

En raison de ses rôles, le Cabinet doit se réunir souvent. Il tient, en général, entre cinquante et cent séances plénières chaque année. (Le nombre de séances annuelles varie en fonction de nombreux facteurs, parmi lesquels le plus important est sans doute le désir du premier ministre de confronter les points de vue de ses ministres et de cultiver leur esprit de corps.) Une quarantaine de séances du Cabinet, dites «régulières» ou «hebdomadaires», ont lieu le mercredi matin. Plusieurs autres se tiennent lors de rencontres consacrées à l'élaboration des grands choix de politiques. (Il arrive que les ministres tiennent ainsi deux ou trois séances d'affilée pour traiter d'un dossier difficile, par exemple, celui des «relations fédérales-provinciales» ou celui de la «réforme administrative».) Quelques séances, enfin, sont parfois convoquées pour définir la position du gouvernement à propos d'un problème d'actualité (parmi les événements qui ont ainsi justifié des séances spéciales, les plus connus sont ceux de la «crise d'octobre 1970» et de la «crise d'Oka de 1990»).

À ces séances plénières s'ajoutent de nombreuses réunions des comités formés par quelques ministres. Le nombre de ces comités a atteint la quinzaine vers 1990; il a été réduit à quatre en novembre 1993. C'est le premier ministre qui, après consultation, décide du nombre de comités et détermine le mandat et la composition de chacun. C'est aussi le premier ministre qui désigne la personne chargée de présider chaque comité. Le premier ministre se réserve la présidence d'un comité de coordination générale qui comprend, entre autres membres, les présidents et présidentes des autres comités. Le comité que préside le premier ministre peut avoir une appellation particulière, comme en aura une chacun des autres comités. En raison du rôle qui leur est donné, les comités du Cabinet ont une grande importance. Il s'ensuit que le mandat et la composition de chaque comité font l'objet de beaucoup d'attention.

Les comités restreints sont devenus indispensables, car les dossiers dont le Cabinet doit s'occuper sont, aujourd'hui, trop nombreux et trop complexes pour être tous examinés en séance plénière. Ces comités permettent d'augmenter considérablement les possibilités du Cabinet. Les questions étudiées dans un comité permettent aux ministres qui en font partie d'approfondir leur réflexion, de faire valoir leurs divers points de vue, puis d'élaborer une position commune qui peut ensuite être présentée à l'ensemble de leurs collègues. Les recommandations formulées par les comités permettent d'accélérer les travaux du Cabinet lors de ses séances plénières.

Certains comités peuvent même obtenir une délégation d'autorité qui leur permet de prendre des décisions politiques à l'intérieur de paramètres définis par le conseil des ministres. L'un des comités, le Conseil du trésor, détient d'ailleurs, en vertu de la *Loi sur la gestion des finances publiques*, le pouvoir de prendre des décisions dans les domaines relevant de sa compétence.

Une décision d'un comité de ministres est toujours sujette à révision si, par hypothèse, elle va à l'encontre des objectifs du gouvernement, tels qu'interprétés par le premier ministre. Même s'il n'a pas à le faire, en pratique, parce que les échanges préalables aux décisions assurent la coordination nécessaire, le premier ministre pourrait, en cas de besoin, faire annuler une décision inopportune.

En fait, toutes les décisions politiques importantes sont censées avoir l'aval du premier ministre.

D'ailleurs, les décisions du conseil des ministres sont celles que le premier ministre constate. Chaque point à l'ordre du jour d'une séance du conseil des ministres peut faire l'objet d'un échange de vues. Puis, quand il estime que le sentiment général confirme la recommandation qui a été faite, le premier ministre déclare qu'elle est adoptée, sinon il reporte son examen à une séance ultérieure (bien qu'il puisse tout aussi bien choisir de poursuivre la discussion). Il n'y a pas de vote au conseil des ministres, de sorte que les décisions semblent toujours faire l'unanimité. Le premier ministre pourrait toutefois, s'il le jugeait à propos, demander ce qu'on pourrait appeler un «vote indicatif», pour «tâter le pouls», et, si la levée de mains révélait des dissensions, il pourrait préférer ajourner la discussion sur la question controversée et demander à quelques ministres ou fonctionnaires de chercher, après la séance, un compromis qui pourrait être présenté lors d'une séance ultérieure.

Il est rare, cependant, que les délibérations du conseil des ministres suscitent de réels débats. Les séances du conseil sont en effet préparées avec soin, et les projets de décision qui y sont soumis ont, en général, été élaborés par des comités de ministres qui ont pris en compte une diversité de points de vue, y compris, s'il y a lieu, ceux du premier ministre lui-même. En fait, les discussions les plus importantes ont lieu dans les comités de ministres ou, de façon générale, avant ou après les séances. Cependant, immanquablement, il y a des avis divergents sur certains points, ici et là, dans l'ordre du jour de plusieurs séances. Il y en a, en particulier, sur les dossiers «urgents» et sur les questions les plus controversées.

La règle de l'unanimité est censée assurer la cohésion du conseil et permettre aux ministres, peu importe leur statut, d'émettre leur avis sans avoir à donner l'impression, par un vote, que la décision prise n'a pas leur approbation. Les ministres sont obligatoirement solidaires des décisions du gouvernement, de sorte que la règle de l'unanimité accorde une sorte d'impunité et d'anonymat aux membres du Cabinet qui pourraient ne pas les approuver.

La règle de l'unanimité est d'autant plus facile à appliquer que les séances du conseil des ministres ont lieu à huis clos et que le contenu des discussions est censé rester secret.

Le secret des délibérations renforce la cohésion du Cabinet. S'ils étaient révélés, les propos ou les avis des membres du conseil des ministres pourraient servir leurs adversaires, qui prendraient prétexte des divergences pour critiquer la « division au sein du gouvernement » et pour contester avec une vigueur accrue les décisions du premier ministre, « qui ne font même pas l'affaire de ses ministres ».

Le secret évite aussi aux analystes qui auraient eu vent des délibérations du Cabinet de spéculer sur ses projets de décision, lesquels peuvent n'avoir aucun avenir.

De plus, le secret des séances du conseil interdit aux ministres de confier à des proches des informations qui pourraient les servir (ainsi, ayant appris avant les autres l'annonce d'un changement de politique, ces proches pourraient s'enrichir aux dépens « du public »).

Le secret des délibérations du Cabinet est une priorité telle que l'on a suggéré au secrétariat du Conseil privé d'imprimer sur des feuilles numérotées certains des documents remis aux ministres en vue des séances. Il lui serait possible, si besoin était, d'utiliser du papier « sensible », qui noircit à la photocopie. La reproduction des documents « secrets » serait difficile, et l'origine des fuites, s'il s'en produisait, pourrait être identifiée. Cependant, en plus d'être fort contraignantes, des mesures de ce type ont (ou auraient) l'inconvénient de laisser croire aux ministres qu'on ne leur fait pas confiance.

En pratique, il en va des séances du conseil des ministres comme de n'importe quelle réunion de personnes liées par l'amitié et des intérêts communs. L'expression des points de vue peut y être très libre, dès lors que règnent la confiance et le respect d'autrui. Cependant, comme dans n'importe quel groupe, les relations entre les personnes présentes dépendent d'une hiérarchie invisible, fondée sur les attributs individuels et, dans ce cas particulier, sur les distinctions dont il a été fait mention plus haut. Les ministres qui ont le plus d'influence peuvent l'emporter sur les plus faibles, peu importe leur nombre, peu importe l'enjeu immédiat des discussions.

Mais le premier ministre a intérêt à entendre tous les avis que ses ministres peuvent vouloir lui adresser et à rechercher une réelle unanimité. Celle-ci est le gage d'une décision réfléchie, qui, vraisemblablement, pourra plaire davantage au groupe parlementaire, au parti et à son électorat. En tout cas, elle facilite grandement la cohésion du conseil des ministres.

L'unanimité recherchée est facilitée par les travaux des comités de quelques ministres, qui, on l'a vu déjà, préparent ou, à tout le moins, examinent bon nombre de projets de décision. Ceux-ci sont ainsi l'objet de discussions qui ont lieu avant les séances. Ils sont en outre soumis aux ministres plusieurs jours avant la séance au cours de laquelle ils seront examinés (habituellement, les principaux projets à l'ordre du jour de la séance du mercredi sont soumis aux ministres le vendredi précédent, d'autres, le lundi matin). Les ministres qui ne sont pas d'accord avec une recommandation formulée par un comité ou par un ou une collègue ont tout le temps de faire connaître leurs objections avant la séance. S'il est informé de ces objections avant la séance, le premier ministre peut choisir de surseoir à la décision et demander au comité ou à la personne qui a fait la recommandation de reconsidérer la question.

À la limite, le premier ministre pourrait sans doute agir à sa guise, puisque son choix est censé l'emporter. Les règles qui prévoient que le quorum du conseil des ministres est simplement de cinq membres pourraient, éventuellement, lui servir de caution. Mais aucun premier ministre n'a intérêt à se comporter comme un monarque absolu et, de fait, si l'on en juge d'après leurs biographies, les premiers ministres du Canada ont toujours eu soin de consulter quelques collègues avant d'agir.

Les secrétariats et la haute fonction publique

La sagesse et l'opportunité des avis dépendent, en partie, du travail effectué par les membres de la haute fonction publique qui œuvrent au sein des ministères et des divers autres organismes fédéraux, et en particulier au ministère des Finances, au secrétariat du Conseil du trésor et au secrétariat du Conseil privé (ou bureau du Conseil privé), appelé communément «pi-ci-o» (lettres initiales de *Privy Council Office*).

Les membres de la haute fonction publique ont une influence considérable sur les décisions politiques que l'on dit «administratives» (parce qu'elles ne sont pas entièrement déterminées par les lois et les textes d'application qui les prolongent, certaines décisions que l'on dit «administratives» sont effectivement politiques; parmi les décisions «administratives» qui sont effectivement politiques, on trouve celles qui se rapportent aux règles et critères à respecter avant de conclure un contrat). Ces décisions sont celles qui, dans chaque ministère, relèvent du «chef», c'est-à-dire le ou la ministre. La loi qui régit chaque ministère et celles qui concernent ses champs d'activité donnent de vastes pouvoirs au «chef». Même si elles semblent d'ordre administratif, les décisions adoptées en vertu de ces pouvoirs sont indiscutablement politiques, dès lors qu'elles tranchent entre diverses options opposant des intérêts distincts. Ainsi, chaque ministre doit prendre un certain nombre de décisions politiques dans la gestion des affaires du ministère à la tête duquel il (ou elle) se trouve. Dans un très grand nombre de cas, ces décisions sont formulées d'après les recommandations des sous-ministres, autrement dit des membres de la haute fonction publique. Il arrive même que, par délégation, les «sous-chefs» (c'est-à-dire les sous-ministres) puissent exercer beaucoup d'autorité au sein de certains ministères.

Parce qu'elle leur a été déléguée, cette autorité est toujours soumise à la tutelle des ministres et, éventuellement, à celle du premier ministre (puisque celui-ci détient le pouvoir réel de faire nommer ou démettre les sous-ministres). Dans ce contexte, par prudence, les membres de la haute fonction publique dans les ministères ont l'habitude de solliciter toutes sortes d'avis avant de prendre une décision (en vertu d'une délégation d'autorité) ou de recommander un projet de décision. Les consultations d'usage, dont l'ampleur varie selon les projets, peuvent les amener à prendre contact avec leurs homologues d'autres ministères ou avec les spécialistes à l'emploi du secrétariat du premier ministre, du secrétariat du Conseil privé, du secrétariat du Conseil du trésor ou du ministère des Finances. Parce que les demandes d'avis convergent vers eux et parce qu'ils tentent d'assurer la coordination et l'harmonisation des activités, ces derniers organismes sont qualifiés d'organes «centraux».

Chacun des organes centraux a une spécialité. Le ministère des Finances (on l'a dit précédemment) est chargé de travailler, avec le (ou la) ministre des Finances, à l'élaboration de la politique économique du gouvernement et de sa politique budgétaire. Le Conseil du trésor (formé de six ministres) s'appuie sur un secrétariat pour élaborer le plan de dépenses de l'année à venir et faire respecter celui de l'année courante. Le secrétariat du premier ministre, on l'a vu, a un rôle de soutien polyvalent, qui tend à compléter celui qui est dévolu au secrétariat du Conseil privé.

Pour l'essentiel, le secrétariat du Conseil privé aide le premier ministre à définir et à répartir les mandats confiés aux ministres, à préparer les réunions des ministres et à assurer le suivi des décisions qui auront été prises. En raison de leur connaissance des dossiers qui sont à l'ordre du jour et de l'obligation qui leur est faite d'assurer le suivi des décisions, les fonctionnaires du secrétariat du Conseil privé sont au centre du processus décisionnel. De tous les organes centraux, à Ottawa, le secrétariat du Conseil privé est, de loin, le plus important.

Ce secrétariat est dirigé par le greffier du Conseil privé. Une première femme, Jocelyne Bourgon, a accédé à ce poste le 24 février 1994, après avoir été sous-ministre des Transports et, auparavant, présidente de l'Agence canadienne de développement international, notamment. Le greffier (ou la greffière) du Conseil privé (*Clerk of the Privy Council*) occupe le poste le plus élevé de la fonction publique fédérale. Secrétaire du Cabinet, sous-ministre du premier ministre, cette personne conseille le premier ministre dans ses fonctions de chef du gouvernement (mais pas dans ses fonctions de chef de parti ou de chef d'un groupe parlementaire).

L'aide prodiguée au premier ministre par le secrétariat du Conseil privé prend des formes variées, allant jusqu'à l'élaboration de projets de décisions, en particulier celles qui concernent la coordination générale des activités gouvernementales (organisation, systèmes de gestion, nominations aux postes de sous-ministres et autres postes de niveau supérieur), celles qui concernent les politiques d'ensemble et celles qui requièrent l'intervention simultanée de plusieurs ministères.

De façon générale, dans l'élaboration des décisions, le secrétatriat du Conseil privé agit à titre d'agent de liaison. Le personnel de ce secrétariat tente de coordonner les échanges de renseignements entre les divers organismes impliqués dans chaque projet de décision et essaie d'harmoniser les points de vue de ces divers organismes, de telle sorte que tous les points de vue aient été pris en compte avant les réunions et que les éventuelles divergences d'opinion aient pu être identifiées.

Le secrétariat du Conseil privé fait plus que conseiller et renseigner le premier ministre dans ses fonctions de chef de gouvernement ; il l'aide à préparer les réunions du Cabinet (choix des dates et des endroits, réservation et aménagement des salles, construction de l'ordre du jour, convocation, préparation et distribution des documents requis), il enregistre les décisions (compte rendu des délibérations, texte de chaque arrêté), voit à ce qu'elles prennent les formes appropriées (certaines décisions ayant à être ratifiées par le gouverneur général « en conseil ») et s'assure de leur suivi (communication aux ministres et aux fonctionnaires des documents appropriés, puis, ultérieurement, demandes de renseignements quant à la mise en œuvre des décisions et, éventuellement, interventions visant à assurer cette mise en œuvre).

Pour aider le premier ministre à préparer les réunions du Cabinet, le secrétariat du Conseil privé doit constituer un dossier complet sur chaque question à l'ordre du jour et fournir au premier ministre, à l'avance, les renseignements qui lui permettront d'en faire l'étude sans perdre de temps. En constituant ainsi le dossier de chaque question, les fonctionnaires du secrétariat du Conseil privé doivent examiner le projet de décision qui s'y rapporte et, dans l'hypothèse où ce projet provient d'un ministère, vérifier s'il est conforme aux lois en vigueur (à moins qu'il ne s'agisse d'un projet de loi, auquel cas il faut voir s'il comporte les modifications requises aux lois en vigueur) et s'assurer qu'il est compatible avec les politiques du gouvernement.

Le secrétariat du Conseil privé doit aussi suivre l'activité des comités de ministres (les comités du Cabinet) et leur fournir le soutien administratif requis (le Conseil du trésor, on l'a déjà vu, est le seul comité de ministres doté d'un secrétariat distinct de celui du Conseil privé). S'il y a lieu, les fonctionnaires du secrétariat du Conseil privé rappellent leurs mandats aux membres des comités du Cabinet et tiennent le premier ministre informé de leurs travaux.

Dans l'accomplissement de leurs tâches, comme cela se fait aussi dans les autres organes centraux, les fonctionnaires du secrétariat du Conseil privé tentent de répondre aux vœux suivants : premièrement, réduire à l'essentiel la documentation soumise aux ministres ; deuxiè-mement, leur suggérer les diverses réponses possibles aux questions posées, tout en montrant les avantages et les inconvénients de cha-cune ; troisièmement, leur indiquer la réponse qui a leur préférence.

L'idée de réduire la documentation à l'essentiel est née de la constatation que les ministres, jadis, n'avaient pas le temps de lire tout ce qui leur était soumis et, finalement, au moment d'arrêter leur décision, n'avaient pas encore pris connaissance de renseignements très importants, alors que des détails insignifiants avaient retenu leur attention. Le défi posé aux fonctionnaires du secrétariat du Conseil privé consiste à faire le tri dans les documents relatifs à chaque question, de manière à fournir aux ministres, en quelques pages, les données qui leur permettent de trancher, sans les encombrer d'informations secondaires. Cependant, comme les ministres se réunissent habituellement en l'absence des fonctionnaires (même lors des séances de comités), la description des faits doit être adéquate, et l'analyse des options ouvertes, suffisante.

L'analyse des options exige une évaluation des avantages et inconvénients de chacune. Cet inventaire est indispensable, puisque la solidarité ministérielle impose de rechercher l'option qui peut rallier la plupart des ministres ou, idéalement, faire l'unanimité.

Enfin, puisqu'il est un organe de décision, le Cabinet doit en arriver à faire un choix. Or, l'avis des fonctionnaires fait partie des considérations à prendre en compte dans l'élaboration des décisions. C'est pourquoi les ministres veulent connaître, parmi les réponses possibles à chaque question, celle que préfèrent les fonctionnaires. La réponse « recommandée » peut ne pas faire l'affaire ; elle a toutefois le grand mérite d'informer les ministres des sentiments des personnes qui sont au « service du gouvernement ».

Depuis 1968, à Ottawa, pour faciliter l'examen des questions étudiées par les ministres, en séance du Cabinet ou en réunion de comités, le secrétariat du Conseil privé a cherché à uniformiser la présentation des documents qui décrivent les faits, énumèrent les options (en analysant leurs avantages et inconvénients) et indiquent les préférences des personnes qui les ont rédigés. Dans les quelque huit à dix pages que devrait compter le document idéal (qu'on peut appeler « mémoire »), les ministres devraient trouver, dans l'ordre, les sections suivantes (lesquelles peuvent être subdivisées en sous-sections, le modèle finalement retenu n'étant, somme toute, rien d'autre qu'un plan).

a) Un exposé de la situation (complet, mais clair et concis) faisant état de l'urgence d'agir (s'il y a lieu) et mentionnant toute décision antérieure mise en cause par la situation (par exemple, une loi ou un règlement) ;

b) Un inventaire des actions qui permettraient de répondre à la question soulevée dans l'exposé de la situation (inventaire assorti d'une analyse des avantages, inconvénients et implications de chaque option, avec mention des groupes ou organismes qui la préconisent) ;

c) Une recommandation (qui peut être celle de ministres ou de fonctionnaires) en faveur d'une des actions inventoriées (sans aucune récapitulation des avantages et inconvénients, puisque ceux-ci ont déjà été énumérés) ;

d) Un commentaire supplémentaire (si nécessaire) pour signaler d'éventuelles complications, quelle que soit la décision qui aura été prise (des complications en matière de crédits budgétaires, des complications en raison des réticences ou objections de certains des organismes concernés par cette éventuelle décision, des complications liées à la publication de cette éventuelle décision, des complications en matière de « relations fédérales-provinciales » ou de « relations internationales », des complications découlant du calendrier parlementaire, etc.).

Le rôle assumé par le secrétariat du Conseil privé est considérable, et l'influence des fonctionnaires de ce secrétariat, dans l'élaboration des décisions, est parfois très grande, comme l'est d'ailleurs, en matière de politique économique et de politique budgétaire, celle des fonctionnaires du ministère des Finances, ou, du point de vue des plans de dépenses, celle des fonctionnaires du secrétariat du Conseil du trésor. Cette influence est grande, certes, mais la décision appartient toujours aux ministres (et, ultimement, au premier ministre).

LES MEMBRES DE LA CHAMBRE DES COMMUNES

S'il est vrai que les fonctionnaires des organes centraux ont une grande influence, les membres de la Chambre des communes, quant à eux, peuvent faire ou défaire un gouvernement. Il suffit souvent de quelques voix pour renverser une majorité. Il s'ensuit que les parlementaires détiennent une influence que ne peuvent avoir les fonctionnaires.

Cependant, l'influence exercée par les parlementaires n'est pas évidente. En effet, les travaux du Parlement sont, dans une très large mesure, inspirés par les ministres. D'une certaine façon, la Chambre des communes subit la domination du conseil des ministres. Tant qu'il a l'appui de la majorité, le gouvernement réussit à faire approuver ses politiques et adopter ses projets de loi par la Chambre des communes. La domination des ministres sur les travaux du Parlement (et sur ceux de la Chambre des communes, en particulier) donne à bien des gens l'impression que les parlementaires n'ont pas d'influence.

Mais, puisque les ministres sont membres de la Chambre des communes, on peut tout aussi bien dire que cette dernière dicte la composition et l'action du gouvernement. D'ailleurs, le premier ministre et ses ministres ne peuvent espérer rester en place à moins d'obtenir l'appui constant d'une majorité des membres de la Chambre des communes. Cet appui constant dépend, en partie du moins, de la conformité des actions du gouvernement avec les vœux de la majorité. Par ailleurs, les membres du groupe parlementaire du premier ministre savent bien que certaines décisions peuvent entraîner leur défaite et celle du gouvernement, de sorte que tout est fait pour éviter l'adoption de décisions dites «désastreuses». Finalement, comme on l'a vu à quelques reprises dans les pages précédentes, le premier ministre, ses ministres et les autres membres de leur groupe parlementaire forment un ensemble dont les composantes s'influencent mutuellement, en raison de complexes relations d'interdépendance.

Cette influence réciproque procède de la règle de la majorité en vertu de laquelle, on vient de le voir, le poste de premier ministre est accordé au chef du groupe parlementaire dominant. Elle procède aussi des pratiques qui mènent le premier ministre à solliciter les avis de ses ministres et mènent les ministres à solliciter à leur tour les avis des autres parlementaires de la majorité. On l'a vu, quand il veut l'unité de son parti aux élections à venir, un premier ministre prudent prend le pouls de son caucus avant toute décision importante. Mais, on l'a vu aussi, l'intérêt des membres du caucus du premier ministre leur dicte de l'appuyer.

L'approbation des politiques du gouvernement

Le premier ministre soumet quelques-unes des grandes politiques de son gouvernement à l'approbation de la Chambre des communes. Les principales décisions du gouvernement (nouvelles politiques et projets de loi dont la présentation est prévue) sont énumérées dans le discours d'ouverture de chaque session (ce discours inaugural, appelé «discours du trône», préparé sous la direction du premier ministre, est prononcé par le gouverneur général, dans la salle réservée au Sénat, où sont convoqués tous les parlementaires). Par ailleurs, la politique budgétaire annuelle du gouvernement est présentée à la Chambre des communes, par le ministre des Finances, peu avant le début de l'année financière (qui va du 1er avril au 31 mars de l'année suivante). Comme le discours inaugural, le discours du budget suscite un débat, qui se poursuit pendant plusieurs jours et qui se termine par un vote.

Tant qu'il a l'appui d'une majorité (autrement dit, la «confiance de la chambre»), le gouvernement obtient, par ces votes, l'approbation de son programme législatif et de ses politiques générales, puis celle de sa politique budgétaire. Puisqu'ils reflètent les vœux de la majorité, ces politiques et ce programme législatif peuvent sembler démontrer l'influence exercée par cette majorité.

Cette influence est impalpable, car elle s'exerce à l'extérieur de la Chambre des communes en raison de la logique du mécanisme électoral et de l'application de la règle de la majorité.

Elle s'exerce, de plus, à long terme. Les avis pris en compte dans l'élaboration du budget, par exemple, peuvent avoir été formulés au cours de l'année précédente. De toute façon, la politique budgétaire est préparée par des centaines de choix, effectués tout au long de l'année qui précède sa formulation finale ; des centaines de personnes participent à ces choix multiples, mais, hormis quelques ministres, les membres de la majorité ne participent pas à son élaboration finale.

L'élaboration finale des décisions budgétaires se fait en secret par le (ou la) ministre des Finances et deux ou trois autres ministres, dont le premier ministre (s'il le désire). Comme on l'a vu précédemment, ces ministres ont l'aide d'une importante équipe de fonctionnaires, qui prennent en compte toutes sortes de considérations pour évaluer les avantages et inconvénients de chacune des centaines d'options à analyser. Parmi les considérations prises en compte figurent les avis et recommandations que les parlementaires ont pu formuler au cours des mois précédents.

La façon de procéder pour l'élaboration finale de la politique budgétaire et des diverses décisions qui l'accompagnent (modifications aux lois créant les taxes et impôts, autorisations de dépenses, etc.) évite aux ministres qui y participent de s'impliquer dans des débats et des déchirements sans fin.

Au Canada, les décisions budgétaires exprimées dans le discours du budget et dans le «livre des crédits» (et précisées dans divers textes complémentaires) peuvent être «discutées» mais sont «à prendre ou à laisser». L'article 54 de la Loi constitutionnelle de 1867 stipule que la Chambre des communes ne peut adopter aucune dépense (appelée «appropriation» dans le texte), si ce n'est pour un objet qui lui a été recommandé par le gouverneur général au cours de la session.

Les autorisations de dépenses sont accordées par la Chambre des communes (et par le Sénat), mais à la demande du gouvernement. Ces autorisations sont appelées «crédits» et elles sont divisées par «objets», chaque autorisation ou crédit portant sur un objet, par exemple «le programme des services de défense» (de onze milliards de dollars en 1995-1996), qui permet de financer les traitements (près de 130 000 personnes et quatre milliards de dollars en 1995-1996), leurs frais de matériel (quatre milliards) et leurs autres dépenses, dites de fonctionnement (trois milliards).

La politique budgétaire doit être adoptée telle que présentée, sinon le premier ministre démissionne ou demande au gouverneur général de dissoudre la Chambre des communes et d'ordonner de nouvelles élections. L'adoption de la politique budgétaire concrétise l'appui de la majorité au gouvernement.

Curieusement, même si, parmi les membres de la majorité, personne ne peut se réjouir de la politique budgétaire («en raison de la rigueur des temps, même si une reprise ou une accélération paraît imminente»), le groupe parlementaire ministériel acclame le compromis extraordinaire que le gouvernement a su orchestrer. C'est à croire que les membres de la majorité ont eu, collectivement, une grande influence sur cette politique, comme sur les autres.

L'adoption des projets de loi du gouvernement

Contrairement à la politique budgétaire du gouvernement et à certaines autres décisions que le premier ministre peut considérer comme majeures (il en fait une « question de confiance »), les projets de loi du gouvernement pourraient être rejetés ou amendés sans pour autant entraîner une crise ministérielle. Pourtant, les projets de loi que lui soumet le gouvernement sont, en général, adoptés sans modification importante par la Chambre des communes, en raison de l'appui que la majorité accorde au gouvernement.

L'élaboration finale des projets de loi du gouvernement relève des ministres (qui sont des parlementaires). Les autres parlementaires ne participent pas à cette élaboration finale.

L'influence des parlementaires de la majorité qui ne sont pas ministres s'exerce surtout par le truchement des ministres (y compris le premier ministre). Les ministres reçoivent les demandes et recommandations que leur adressent les parlementaires de la majorité et, dans leur propre intérêt, essaient d'en tenir compte. Parfois, des versions préliminaires de projets importants peuvent être soumises au caucus du parti par des ministres en quête de suggestions ou de réactions. Dans tous les cas, même s'il est difficile d'identifier les chemins qu'elle emprunte pour s'exercer, l'influence des parlementaires de la majorité se fait sentir dans les projets de loi du gouvernement puisque, lors des débats suscités par ces projets, les parlementaires de la majorité clament bien fort leur approbation.

Lors des débats sur les projets de loi du gouvernement, les voix discordantes proviennent des banquettes de l'opposition (situées à gauche du trône). Il arrive que les parlementaires de l'opposition obtiennent quelques modifications mineures au texte d'un projet de loi du gouvernement, qui est, par définition, un projet de loi public, à distinguer d'un « projet de loi privé » (ou *private bill*) qui, par définition, concerne une personne ou quelques personnes seulement.

Il arrive que des parlementaires soumettent à l'attention de leurs collègues un projet de loi public qui n'est pas un projet de loi du gouvernement. Il est exceptionnel qu'un tel projet de loi (*a private member's public bill*) franchisse plus de deux des quatre étapes usuelles du processus législatif.

Ces quatre étapes permettent aux parlementaires de faire une pause entre le moment où ils prennent une première fois connaissance d'un projet (étape de la première lecture) et le moment où ils examinent la proposition qui leur est faite d'en adopter le principe (étape de la deuxième lecture), puis entre ce moment et celui de l'étude détaillée du texte (étape dite de l'étude en comité ou en commission) et enfin entre cette troisième étape et l'adoption du projet (étape de la troisième lecture).

C'est seulement à l'étape de l'étude en comité ou en commission que les parlementaires de l'opposition réussissent, parfois, à faire accepter des modifications (mineures) à l'un ou l'autre des projets de loi du gouvernement. Les seuls amendements et sous-amendements que le gouvernement accepte sont ceux qui, même formulés par l'opposition, font l'affaire de la majorité.

Grâce à ces éventuelles modifications, des parlementaires qui ne sont pas ministres peuvent avoir une influence visible (qui s'ajoute à l'influence exercée en coulisse). Mais cette influence visible n'est pas tellement spectaculaire, car elle s'exerce lors des travaux des commissions (ou comités) parlementaires, qui n'attirent pas tellement les journalistes.

Chacune des quelque quinze commissions parlementaires de la Chambre des communes (le nombre des commissions change de temps en temps) réunit une vingtaine de parlementaires, parmi lesquels dominent les membres de la majorité favorable au premier ministre. Parce que ses supporters y sont majoritaires, le gouvernement peut dicter les décisions finales d'une commission parlementaire. Mais, parce que le droit de parole leur permet d'intervenir sur chaque article du projet de loi à l'étude, les parlementaires de l'opposition, dans une commission parlementaire, peuvent faire durer le débat très longtemps. Pour mettre un terme à un débat qui dure depuis longtemps, un ministre peut toutefois recourir à un vote de la chambre, qu'il n'obtient qu'après un débat au cours duquel, immanquablement, l'opposition soutient que le gouvernement cherche à la « bâillonner ». Ce qu'on appelle « la motion de clôture » est une arme que les ministres hésitent à utiliser, puisque, mettant fin au débat, elle paraît restreindre la liberté d'expression ; inversement, l'obstruction systématique (appelée *filibuster*, en anglais) menée par l'opposition (qui fait durer un débat) peut donner l'impression d'un défi à la majorité. Finalement, lors de l'étude des projets de loi du gouvernement, l'opposition ne combat vraiment que les mesures les plus impopulaires.

Le combat mené par l'opposition, à la Chambre des communes, peut influencer l'électorat et, à la fin, mener à la défaite du parti au pouvoir. Ayant depuis longtemps pris la mesure de ce risque, les ministres évitent habituellement de présenter à l'approbation de la Chambre des communes des mesures très impopulaires. Cependant, il leur arrive parfois de découvrir qu'une mesure qui semblait laisser l'électorat indifférent suscite, en raison des clameurs de l'opposition, une désapprobation imprévue. Dans un tel cas, un premier ministre prudent se hâte d'annoncer que le projet décrié mérite effectivement d'être révisé.

Quand on prend en compte les quelques projets que le gouvernement a décidé de réviser complètement, par suite des réactions de l'opposition, quand on prend en compte, également, la prudence inspirée aux ministres par la crainte de l'opposition, et l'acceptation par les ministres de certaines des modifications que l'opposition veut apporter à leurs projets, on doit conclure que les décisions politiques du gouvernement subissent l'influence de l'ensemble des parlementaires, y compris celle des membres de l'opposition.

LES MEMBRES DU SÉNAT

Quand les membres de l'opposition sont majoritaires au Sénat, comme cela s'est produit entre 1984 et 1990, puis au cours des sessions parlementaires de 1994 et de 1995, le Sénat donne l'impression d'avoir davantage d'influence que d'habitude. Mais, en pratique, le Sénat a toujours une grande influence, puisque ses membres adressent des demandes et des recommandations aux ministres, tout comme les membres de la Chambre des communes. Il est même possible que l'influence des quelques dizaines de sénateurs et de sénatrices qui soutiennent le premier ministre empêche parfois l'adoption d'un projet de décision.

Parmi les membres du Sénat figurent des personnes qui ont été ministres, à Ottawa ou dans une capitale provinciale, des personnes qui ont déjà occupé des fonctions importantes dans l'un des grands partis fédéraux, des hommes et des femmes de grand prestige (incidemment, la première femme à accéder au Sénat, Cairine Wilson, y a été nommée en 1930).

Une des raisons qui expliquent l'influence de ces personnes tient au fait qu'elles ont été choisies par un premier ministre qui les tenait en grande estime, qui voulait les honorer et qui attendait d'elles des avis ou, éventuellement, des services. Les critères retenus par chaque premier ministre pour le choix des membres du Sénat sont sans doute fort nombreux, mais, il en est un qui domine : l'affiliation partisane antérieure ou, même, subséquente. Ainsi, parmi les personnes choisies par le premier ministre Brian Mulroney, chef du Parti progressiste-conservateur du Canada, certaines avaient déjà milité dans un parti provincial allié du Parti libéral du Canada, mais toutes ont soutenu les politiques du gouvernement après leur nomination, et jusqu'à l'avènement d'un nouveau gouvernement en 1993. En résumé, pour connaître l'affiliation partisane d'un sénateur ou d'une sénatrice, il suffit de connaître la date de sa nomination (et le nom du parti du premier ministre qui a recommandé cette nomination).

Même si l'influence du Sénat est grande, en raison des mérites personnels de ses membres et de leur position privilégiée au sein des institutions fédérales, c'est la Chambre des communes qui détient l'influence la plus grande. L'influence de la Chambre des communes tient, en partie, à la présence en son sein des ministres et des nombreux parlementaires de la majorité. Et ce sont les élections à la Chambre des communes qui décident du choix du premier ministre ; le Sénat n'a guère d'impact sur la formation du gouvernement. Même si, pour obtenir la sanction du gouverneur, un projet de loi doit être adopté par le Sénat, celui-ci ne peut obtenir, en refusant de le faire, la démission du gouvernement ou la dissolution de la Chambre des communes : le gouvernement n'a pas besoin de la «confiance» du Sénat.

En général, les projets de loi du gouvernement sont présentés à la Chambre des communes, qui ne les envoie au Sénat qu'après les avoir adoptés. L'article 53 de la Loi constitutionnelle de 1867 précise d'ailleurs que «tout bill ayant pour but l'appropriation d'une portion quelconque du revenu public, ou la création de taxes ou d'impôts, devra originer de la Chambre des communes».

En refusant d'adopter ou en modifiant un projet de loi du gouvernement, le Sénat peut exercer une influence collective qui, dans certaines circonstances, semble fort importante.

Jadis, jusqu'en 1943 précisément, le Sénat a souvent exercé son pouvoir législatif pour influencer l'action du gouvernement. Il l'a fait davantage alors qu'il était formé d'une majorité de l'opposition. Ainsi, entre 1921 et 1930, alors que les libéraux formaient le gouvernement (exception faite du deuxième semestre de 1926), le majorité au Sénat étant formée par des conservateurs, près de 9 % des projets de loi du gouvernement ont «échoué» au Sénat et, parmi ceux qui y ont été adoptés, plus du quart y ont été modifiés.

En 1943, les libéraux y ayant enfin la majorité, le Sénat a cessé son obstruction : les projets de loi du gouvernement libéral y ont reçu le même accueil qu'à la Chambre des communes (en moyenne, sur cent projets du gouvernement, dix ont été modifiés au Sénat, tout comme à la Chambre des communes).

Le Sénat a eu une majorité libérale de 1943 à 1990. Entre juin 1957 et avril 1963, puis entre juin 1979 et mars 1980, alors que le gouvernement était dirigé par un premier ministre conservateur (John Diefenbaker en 1957, Charles Joseph Clark en 1979), la majorité libérale au Sénat n'a pas pratiqué d'obstruction particulière, sauf à l'égard de projets qui suscitaient une vive opposition. (Il a refusé d'adopter, en 1961-1962, un projet de loi sur les tarifs douaniers et, à la même époque, a refusé une motion visant le renvoi du gouverneur de la Banque du Canada, James Coyne.)

Après l'accession au pouvoir du premier ministre conservateur Brian Mulroney, en 1984, la majorité libérale au Sénat, très nombreuse, a choisi ce qu'on a appelé «la ligne dure».

Finalement, le 27 septembre 1990, quand enfin la majorité libérale au Sénat a été inférieure à huit, le premier ministre Brian Mulroney y a fait nommer huit personnes d'un coup, en faisant jouer, pour la première fois de l'histoire du Parlement fédéral, une clause destinée, justement, à briser une obstruction persistante de la majorité de la chambre haute (le Sénat est souvent appelé «chambre haute», comme le sont les «secondes chambres» de plusieurs pays, en souvenir de l'époque où, en Angleterre, les «lords» se réunissaient dans un lieu situé en amont de celui où siégaient les «communes»). Cette clause, l'article 26 de la Loi constitutionnelle de 1867 (modifié en 1915 pour tenir compte des provinces de l'Ouest), permet à la reine, sur recommandation du gouverneur général (lui-même conseillé par le premier ministre), d'ajouter au Sénat quatre ou huit personnes à celles qui y sont déjà.

Étant donné que les personnes nommées au Sénat après 1965 cessent d'en être membres le jour de leur 75e anniversaire, alors qu'elles y ont accédé à l'âge de la maturité (l'âge moyen des huit personnes nommées le 27 septembre 1990 était de 55 ans), environ cinq places sont libérées, chaque année, au Sénat.

Quand la majorité au Sénat n'est pas celle de la Chambre des communes, de nombreuses personnes proposent de réformer le Sénat et quelques-unes suggèrent de l'abolir. C'est ainsi que l'on a beaucoup parlé du Sénat entre 1984 et 1990. Selon la partie V de la Loi constitutionnelle de 1982, il faut l'accord d'au moins sept assemblées provinciales pour modifier le nombre de sièges par lesquels une province est représentée au Sénat, et pour modifier les dispositions relatives aux pouvoirs du Sénat, au mode de sélection de ses membres et aux conditions de résidence qu'ils remplissent ; toute autre modification au Sénat doit avoir l'assentiment de la majorité de ses membres. Pour cela, seule est réaliste une réforme qui valorise davantage le Sénat. Devenue membre du Sénat, une personne prend la mesure de l'influence nouvelle qu'elle peut exercer et du rôle utile qu'elle peut jouer, et, comme les autres membres du Sénat, elle s'éprend de l'institution dont elle fait partie. Il s'ensuit que, malgré les nombreuses propositions de réforme ou d'abolition du Sénat qui ont été formulées depuis 1867, les institutions fédérales sont toujours celles du bicamérisme (ou bicaméralisme), c'est-à-dire formées de deux assemblées législatives.

TABLEAU 9.2
Représentation au Sénat, 1867-1999

Province	1867 à 1870	1873 à 1882	1882 à 1887	1887 à 1892	1892 à 1903	1903 à 1905	1905 à 1915	1915 à 1949	1949 à 1975	1975 à 1999	Depuis 1999
Ontario	24	24	24	24	24	24	24	24	24	24	24
Québec	24	24	24	24	24	24	24	24	24	24	24
Nouvelle-Écosse	12	10	10	10	10	10	10	10	10	10	10
Nouveau-Brunswick	12	10	10	10	10	10	10	10	10	10	10
Île-du-Prince-Édouard		4	4	4	4	4	4	4	4	4	4
Manitoba		2	3	3	4	4	4	6	6	6	6
Colombie Britannique		3	3	3	3	3	3	6	6	6	6
Saskatchewan				2	2	4	4	6	6	6	6
Alberta							4	6	6	6	6
Terre-Neuve									6	6	6
Les territoires										2	3
Total	72	77	78	80	81	83	87	96	102	104	105

Source : *Annuaires du Canada* et divers documents officiels.

Note: L'article 26 de la Loi constitutionnelle de 1867 permet de nommer au Sénat, en plus du maximum, 4 ou 8 personnes afin d'y constituer une majorité favorable au gouvernement. Cet article a permis, en septembre 1990, de renverser la majorité au Sénat, comme l'explique un paragraphe de ce livre.

LA REINE ET LE GOUVERNEUR GÉNÉRAL

Tout comme elle conserve le Sénat, qui n'est pas une assemblée élue, la démocratie canadienne conserve la monarchie, que bien d'autres populations ont abolie. Cependant, au Canada, tout en étant maintenues, les institutions monarchiques remplissent aujourd'hui un rôle relativement mineur dans le processus décisionnel.

Le gouverneur général assure la continuité de l'autorité, puisqu'il doit s'assurer de la présence, au sein du Conseil privé, d'une personne capable d'assumer la fonction de chef du gouvernement et que la Loi constitutionnelle de 1867 lui permet de prendre les décisions d'urgence dans l'éventualité d'une vacance au poste de premier ministre. Le choix de la personne que le gouverneur général désigne comme premier ministre est dicté par la tradition (autrement dit, par la pratique institutionnelle) : ce choix doit porter sur le chef du groupe parlementaire qui a l'appui d'une majorité à la Chambre des communes (mais cette personne peut ne pas faire partie du Parlement comme on l'a vu en 1984 quand John Turner a pris la succession de Pierre Elliott Trudeau). Si ce groupe perd l'appui de la majorité, le gouverneur est tenu d'accepter la recommandation que lui fait le premier ministre, soit de tenir de nouvelles élections, soit de nommer une autre personne au poste de premier ministre.

Dans l'éventualité d'une défaite de son groupe parlementaire (et de son parti) aux élections, un premier ministre doit démissionner et recommander au gouverneur la nomination, au poste de premier ministre, du chef du groupe parlementaire qui commande dorénavant l'appui de la majorité. Si aucun groupe n'a l'appui de la majorité, le premier ministre peut tenter de l'obtenir, sinon la crise parlementaire doit être résolue par de nouvelles élections. Le recours à de nouvelles élections est la façon de régler une crise parlementaire comme le montre un épisode de l'histoire du Canada qui s'est produit en 1926 à l'époque où les libéraux, qui avaient moins de sièges que les conservateurs, voulaient continuer à former le gouvernement tout en demandant au gouverneur d'ordonner de nouvelles élections.

La Loi constitutionnelle de 1867 donne au gouverneur général les pouvoirs requis pour résoudre une crise parlementaire que n'aurait pas réglé un recours à de nouvelles élections, mais elle ne prévoit pas la façon de le faire. Elle donne en effet (article 11 de la Loi constitutionnelle de 1867) au gouverneur le pouvoir de choisir, de nommer et même de révoquer les membres de ce conseil.

TABLEAU 9.3
Gouverneurs généraux du Canada, 1867-1999

Nom	Période
Le vicomte Monck de Ballytrammon	1867-1868
Le baron Lisgar de Lisgar et Bailieborough	1868-1872
Le comte de Dufferin	1872-1878
Le marquis de Lorne	1878-1883
Le marquis de Lansdowne	1883-1888
Le baron Stanley de Preston	1888-1893
Le comte d'Aberdeen	1893-1898
Le comte de Minto	1898-1904
Le comte de Grey	1904-1911
Son Altesse royale le maréchal duc de Connaught	1911-1916
Le duc de Devonshire	1916-1921
Le général baron Byng de Vimy	1921-1926
Le vicomte de Willington de Ratton	1926-1931
Le comte de Bessborough	1931-1935
Le baron Tweedsmuir d'Elsfield	1935-1940
Le major-général comte d'Athlone	1940-1946
Le maréchal vicomte Alexander de Tunis	1946-1952
Le très honorable Vincent Massey	1952-1959
Le général et très honorable George P. Vanier	1959-1967
Le très honorable Roland Michener	1967-1974
Le très honorable Jules Léger	1974-1979
Le très honorable Edward Schreyer	1979-1984
La très honorable Jeanne Sauvé	1984-1990
Le très honorable Ramon John Hnatyshyn	1990-1995
Le très honorable Roméo-A. Leblanc	1995-1999
La très honorable Adrienne Clarkson	1999-

Elle donne aussi à la reine (article 14) la possibilité d'autoriser le gouverneur général à se choisir des substituts ou fondés de pouvoir (*deputies*, en anglais) pour exercer les fonctions qu'il déciderait de leur déléguer.

La Loi constitutionnelle de 1867 donne au gouverneur général le pouvoir de convoquer les parlementaires, de proroger les sessions parlementaires et de dissoudre la Chambre des communes, mais, comme on l'a vu déjà, tous ces pouvoirs sont exercés sur la recommandation du premier ministre, à moins d'une crise parlementaire comme celle à laquelle il a été fait allusion plus haut.

Le gouverneur général (ou une personne qui le remplace à cette fin, comme on vient de le voir) est aussi appelé à donner la sanction royale aux projets de loi adoptés par les parlementaires et à signer les documents que la loi ou la coutume lui dicte de signer (quelques milliers de documents par année). Parmi ces documents figurent les nominations qu'il doit faire conformément à la Loi constitutionnelle de 1867 (celles des membres du Sénat, celle du président ou de la présidente du Sénat, celles des lieutenants-gouverneurs, celles des juges). À titre de représentant de la reine au Canada, le gouverneur général assume même le commandement en chef des forces militaires (conformément à l'article 15 de la Loi constitutionnelle de 1867 et aux documents qui précisent les fonctions que la reine lui confie). La coutume veut que le gouverneur général fasse la lecture d'un texte (le discours du trône) qui, lors de l'ouverture d'une session parlementaire, informe les membres du Parlement des raisons qui les amènent à se réunir. En définitive, le gouverneur général possède des attributions très nombreuses.

Mais, il faut le répéter, comme le précisent les articles 12 et 13 de la Loi constitutionnelle de 1867, le gouverneur général exerce ses pouvoirs de l'avis ou de l'avis et du consentement de ses ministres. On l'a vu à maintes reprises, les décisions politiques qu'entérine le gouverneur général doivent avoir l'aval du premier ministre.

En plus d'exercer les pouvoirs que lui attribuent la Constitution du Canada et la coutume, le gouverneur général assume d'importantes fonctions destinées à promouvoir les sentiments d'appartenance des gens au Canada. Représentant de la reine dans la capitale du Canada, il est l'hôte officiel des membres de la famille royale lors de leur visite au Canada. Il accueille les dignitaires d'autres pays en visite au Canada et il reçoit les lettres de créance des ambassadeurs et ambassadrices à leur arrivée à Ottawa. Il décerne, lors de cérémonies empreintes de solennité, des distinctions honorifiques qui visent à encourager l'excellence (par exemple, l'Ordre du Canada). Il rehausse de sa présence de très nombreuses manifestations (inaugurations, anniversaires, commémorations, défilés, et ainsi de suite). En définitive, le gouverneur général remplit des fonctions très variées.

Le choix de la personne qui devra remplir la charge de gouverneur général est laissé à la reine mais, avant de procéder à la nomination, celle-ci prend conseil auprès du premier ministre du Canada. Depuis 1952, les personnes qui ont accédé à la fonction de gouverneur général étaient toutes de nationalité canadienne et, comme le laisse deviner le tableau 9.3, une personne de langue maternelle française à succédé à une personne de langue anglaise, et inversement.

LECTURES RECOMMANDÉES

BAKVIS, Herman, *Regional Ministers: Power and Influence in the Canadian Government*, Toronto, University of Toronto Press, 1991, 378 pages.

BERNARD, André, *Les institutions politiques au Québec et au Canada*, Montréal, Boréal, 1996, 123 pages.

BOURGAULT, Jacques, Maurice DEMERS, et Cynthia WILLIAMS (sous la direction de), *Administration publique et management public, expériences canadiennes*, Québec, Les Publications du Québec, 1997, 440 pages.

CAMPBELL, Colin et George J. SZABLOWSKI, *The Superbureaucrats: Structure and Behaviour in Central Agencies*, Toronto, Gage 1979, 286 pages.

CLARKE, Harold D., Colin CAMPBELL, F.Q. QUO, et Arthur GODDARD (sous la direction de), *Parliament, Policy and Representation*, Toronto, Methuen, 1980, 325 pages.

COURTNEY, John C. (sous la direction de), *The Canadian House of Commons. Essays in Honour of Norman Ward*, Calgary, University of Calgary Press, 1985, 217 pages.

D'AQUINO, Thomas, G. Bruce DOERN, et Cassandra BLAIR, *Parliamentary Democracy in Canada: Issues for Reform*, Toronto, Methuen, 1983, 130 pages.

FRANKS, Charles Edward Selwyn, *The Parliament of Canada*, Toronto, University of Toronto Press, 1987, 305 pages.

FRASER, John A., *La Chambre des Communes en action*, Montréal, Éditions de la Chenelière, 1993, 208 pages.

HOCKIN, Thomas A. (sous la direction de), *The Apex of Power: The Prime Minister and Political Leadership in Canada*, Scarborough (Ontario), Prentice-Hall, 1971, 276 pages.

KORNBERG, Allan, *Canadian Legislative Behaviour: A Study of the 25th Parliament*, New York, Holt, Rinehart and Winston, 1976, 166 pages.

KORNBERG, Allan, et William MISHLER, *Influence in Parliament: Canada*, Durham (North Carolina), Duke University Press, 1976, 403 pages.

KUNZ, F.A., *The Modern Senate of Canada: 1925-1963. A Re-appraisal*, Toronto, University of Toronto Press, 1965, 395 pages.

MACKAY, Robert Alexander, *The Unreformed Senate of Canada*, Toronto, McClelland and Stewart, 1967, 216 pages (première édition: 1963).

MATHESON, W.A., *The Prime Minister and the Cabinet*, Toronto, Methuen, 1976, 246 pages.

McTEER, Maureen, *Petit guide du système parlementaire canadien*, Montréal, Libre Expression, 1987, 124 pages.

TREMBLAY, Manon, et Marcel R. PELLETIER (sous la direction de), *Le système parlementaire canadien*, Sainte-Foy, Presses de l'Université Laval, 1996, 370 pages.

WARD, Norman, *The Canadian House of Commons: Representation*, Toronto, University of Toronto Press, 1963, 307 pages (première édition: 1959).

10

Les autorités
provinciales et municipales

En faisant l'union de colonies jusqu'alors distinctes, l'Acte de l'Amérique du Nord britannique, appelé aujourd'hui la Loi constitutionnelle de 1867, a concrétisé un compromis conclu entre les «unificateurs» (qui voulaient que l'union relève d'une autorité unique) et certains de leurs adversaires. Ce compromis de 1867 consistait, pour l'essentiel, à doter la nouvelle union d'un Parlement semblable à celui du Royaume-Uni, tout en attribuant à chacun des territoires de cette nouvelle union, appelés provinces, des institutions représentatives habilitées à faire, pour cette province, des lois relatives aux questions d'intérêt local ou privé. On l'a vu et revu à maints endroits dans les chapitres précédents, les institutions des provinces ont réussi à donner du Canada l'image d'une fédération.

Aujourd'hui, dans toutes les provinces, sauf en Ontario, les institutions provinciales sont même perçues, par la majorité, comme étant «plus près des gens» que celles d'Ottawa.

Dans le cas du Québec, la valorisation des institutions «de l'État du Québec» atteint une intensité particulière, qu'on ne peut pas comparer à celle accordée, ailleurs, aux institutions provinciales. Au Québec, l'assemblée provinciale, souvent appelée «le Parlement», est nommée, depuis 1968, Assemblée nationale (alors que, dans chacune des autres provinces, l'assemblée provinciale est appelée, tout simplement, l'Assemblée législative). Par ailleurs, au Québec, beaucoup de gens voudraient que l'Assemblée nationale puisse devenir celle d'un État souverain, alors que personne, ailleurs, ne semble vouloir faire de l'une ou de l'autre assemblée provinciale celle d'un État souverain. Pour le moment, selon une interprétation que l'on peut faire des données de sondages, parmi les adultes du Québec, les deux tiers prendraient le parti de l'Assemblée nationale contre le Parlement fédéral, dans l'hypothèse d'un différend opposant l'une à l'autre.

Même si elle paraît différente des autres institutions législatives provinciales, l'Assemblée nationale du Québec voit ses juridictions limitées aux pouvoirs attribués aux «législatures des provinces» par la Constitution du Canada et exerce son autorité en suivant, comme les autres, les règles du parlementarisme de type britannique. Elle est, de plus, tenue de respecter les dispositions constitutionnelles qui concernent le statut monarchique des institutions canadiennes (la reine étant représentée, dans chaque province, par un lieutenant-gouverneur dont le rôle, dans la province, est censé être analogue à celui du gouverneur général).

Parce qu'elles fonctionnent toutes selon les principes ou les règles du parlementarisme de type britannique et qu'elles sont tenues de conserver les formes monarchiques, les institutions provinciales peuvent apparaître, de prime abord, comme les répliques, en beaucoup plus petit, des institutions d'Ottawa, qui, elles aussi, respectent les formes monarchiques et reproduisent le modèle parlementaire britannique, appelé parfois le «système» de Westminster, du nom du lieu où est situé le Parlement du Royaume-Uni (ce système est aussi appelé, en anglais, *the Cabinet system of government*).

En vigueur dans les institutions provinciales, le modèle parlementaire britannique et la forme monarchique ne se retrouvent pas dans les institutions municipales. En effet, contrairement aux institutions provinciales, la plupart fonctionnent différemment du système de Westminster et aucune (sauf l'Anse-Saint-Jean!) n'arbore les symboles de la monarchie. D'ailleurs, relevant de la compétence des institutions législatives provinciales, les institutions municipales de chacune des provinces se distinguent quelque peu (ou même beaucoup) de celles d'autres provinces.

En raison de la diversité de leurs conditions et en raison de leur nombre, les institutions municipales du Canada donnent l'impression d'une vaste mosaïque. Il y a quelque 5 000 municipalités au Canada ; parmi celles-ci, une centaine méritent le titre de « grandes villes », un millier sont des villes ou cités de moindre importance, un autre millier sont des villages, et 3 000 environ sont des municipalités rurales.

Parmi les quelque 5 000 municipalités du Canada, environ 1 400 se trouvent au Québec. Comme celles des autres provinces, les municipalités du Québec donnent l'image d'une mosaïque. C'est à cette mosaïque que les dernières pages de ce chapitre seront consacrées.

LES ASSEMBLÉES PROVINCIALES

Même si elles ont toutes les mêmes juridictions et fonctionnent toutes selon le même modèle, les assemblées provinciales diffèrent les unes des autres par la taille, par l'envergure de leur action et par quelques autres caractéristiques.

Les différences entre les assemblées provinciales

Des membres des institutions provinciales de cinq des six provinces sises à l'Est du Canada font parfois référence à l'ancienneté de leurs traditions parlementaires. Les assemblées de la Nouvelle-Écosse, de l'Île-du-Prince-Édouard et du Nouveau-Brunswick ont été constituées au XVIIIe siècle (en 1758, 1773 et 1785, respectivement), alors que celles du Bas-Canada et du Haut-Canada (dont les provinces de Québec et de l'Ontario sont issues) ont été créées par une loi britannique de 1791 (communément appelée l'Acte constitutionnel de 1791). À Terre-Neuve, colonie britannique jusqu'en 1949, les institutions représentatives ont été remplacées, en 1933, par une commission formée de fonctionnaires du Royaume-Uni, de sorte que la tradition parlementaire y a été interrompue pendant un temps.

Dans les provinces de l'Ouest, même si elles sont plus récentes, les traditions sont tout de même centenaires (compte tenu du statut territorial que l'Alberta et la Saskatchewan ont obtenu avant de devenir des provinces).

Mais c'est par la taille ou, plus précisément, le nombre des parlementaires qu'elles rassemblent que les institutions provinciales se distinguent le plus nettement, comme le montre le tableau 10.1.

TABLEAU 10.1
Le nombre de membres de chacune des assemblées provinciales

Province	Nombre de membres au moment de l'entrée dans l'union	Nombre de membres en 1999	Population du recensement de 1996 en milliers
Alberta	25 (en 1905)	83	2 669
Colombie-Britannique	25 (en 1871)	75	3 690
Île-du-Prince-Édouard	30 (en 1873)	27	132
Manitoba	24 (en 1870)	57	1 100
Nouveau-Brunswick	41 (en 1867)	58	730
Nouvelle-Écosse	38 (en 1867)	52	900
Ontario	84 (en 1867)	103	10 643
Québec	65 (en 1867)	125	7 045
Saskatchewan	25 (en 1905)	58	976
Terre-Neuve	28 (en 1949)	48	547

Les assemblées qui comptent le moins de membres sont celles des provinces les moins peuplées, mais le nombre de membres d'une assemblée n'est pas proportionnel à la population de la province qu'elle représente. L'Alberta, moins peuplée que la Colombie-Britannique, a une assemblée plus considérable. Chaque parlementaire de l'Île-du-Prince-Édouard représente 4 800 personnes, alors que chaque parlementaire de l'Ontario en représente plus de 103 000.

Dans chaque assemblée qui a longtemps compté moins d'une quarantaine de membres, les affaires ont pu être «expédiées» relativement vite. Le nombre de membres d'une assemblée a en effet une grande importance. Quand ce nombre est petit, l'assemblée se comporte d'une façon; quand il est élevé, elle se comporte d'une autre façon (on y multiplie les commissions restreintes, on y adopte des règles de procédure plus rigides, et ainsi de suite).

Parmi les membres des petites assemblées, les ministres (même en petit nombre) ont parfois constitué la moitié de la majorité parlementaire. Il a été dit que les petites assemblées ressemblaient aux conseils municipaux des grandes villes, bien que leurs juridictions aient été d'une tout autre envergure que celles des conseils municipaux.

Dans les petites assemblées, encore récemment, chaque parlementaire pouvait arriver, si tel était son désir, à connaître personnellement la plupart des adultes de sa circonscription. Cette particularité, propre aux petites assemblées, explique en partie le sentiment des gens qui s'estiment « plus près » des institutions provinciales que des institutions fédérales. Alors qu'elle est représentée par quatre parlementaires à la Chambre des communes à Ottawa, l'Île-du-Prince-Édouard a une assemblée législative de 27 membres. Le Nouveau-Brunswick est représenté par dix parlementaires à la Chambre des communes, mais son assemblée législative en réunit 58. Inversement, le Québec a longtemps eu 65 sièges à la Chambre des communes et 65 sièges à son assemblée législative, et l'Ontario a longtemps eu à la Chambre des communes un nombre de sièges presque égal au nombre de sièges que comptait son assemblée législative.

Malgré toute l'importance qu'elles pouvaient avoir en vertu de leurs compétences, et malgré la majesté des immeubles où elles siégeaient, les petites assemblées provinciales n'ont certainement pas eu à faire face aux conflits qui confrontent les autorités des provinces les plus peuplées et les plus urbanisées. Le contraste, de ce point de vue, entre l'assemblée législative de l'Île-du-Prince-Édouard (ou celle du Nouveau-Brunswick ou d'une autre province comptant moins d'un million d'habitants) et, à l'autre extrémité, l'assemblée législative de l'Ontario (ou du Québec) peut paraître évident.

Distinctes par le nombre de leurs membres et par les particularités associées à ce nombre, les assemblées des provinces se différencient aussi par l'envergure des actions qu'elles ont entreprises. Certaines assemblées ont en effet adopté de nombreuses lois novatrices, alors que d'autres ont limité leurs interventions. Les lois novatrices n'ont cependant pas été l'apanage exclusif des assemblées qui comptaient le plus grand nombre de membres. Ainsi, l'Assemblée législative de la Saskatchewan et celle du Manitoba ont acquis, à l'époque où elles étaient dominées par une majorité social-démocrate, une réputation d'interventionnisme au moins comparable à celle que s'était méritée l'Assemblée législative de Québec à l'époque d'Honoré Mercier. Depuis 1960, toutefois, l'Assemblée législative du Québec (devenue Assemblée nationale en 1968) se distingue par le volume et la nature de ses interventions.

L'une des explications de la différence observée entre les provinces, du point de vue des innovations que les autorités provinciales ont pu imaginer, tient aux disparités économiques. Certaines provinces sont plus prospères que d'autres : leur prospérité peut permettre aux autorités de ces provinces des innovations auxquelles on ne peut songer dans d'autres provinces. Inversement, les difficultés économiques peuvent mener les autorités des «petites provinces» à imaginer des façons de faire exceptionnellement efficaces et efficientes.

De toute façon, les disparités économiques distinguent les provinces à maints égards. Les autorités des «petites provinces», qui sont moins prospères que l'Ontario (et que certaines des provinces en forte croissance), ont toujours réclamé l'aide financière des autorités fédérales et, malgré l'opposition épisodique des autorités des provinces «riches», elles ont obtenu d'importantes subventions.

De fait, dans certaines provinces, les dépenses effectuées par les autorités provinciales sont financées en bonne partie par des subventions attribuées par les autorités fédérales. Dans les quatre provinces de l'Est (Île-du-Prince-Édouard, Nouveau-Brunswick, Nouvelle-Écosse et Terre-Neuve), ces subventions représentent environ 40 % des revenus totaux dont disposent les autorités provinciales (un peu plus dans le cas de l'Île-du-Prince-Édouard et de Terre-Neuve, un peu moins dans le cas des deux autres provinces). Au Québec, ces subventions fédérales représentent près de 20 % des revenus totaux, au Manitoba, 30 % environ, en Saskatchewan, 25 % environ. Dans les trois provinces les plus prospères du Canada, l'Ontario, l'Alberta et la Colombie-Britannique, les subventions fédérales représentent entre 10 et 15 % des revenus perçus par les autorités provinciales.

L'importance des subventions fédérales dans les revenus des autorités provinciales a considérablement diminué depuis 1970, à l'époque où elles représentaient 62 % des revenus des autorités de Terre-Neuve et de l'Île-du-Prince-Édouard, à une extrémité, et 17 % des revenus des autorités de l'Ontario et de la Colombie-Britannique, à l'autre extrémité. En 1970, près de 30 % des revenus des autorités provinciales du Québec étaient constitués de subventions provenant des autorités fédérales.

En raison des inégalités dans le revenu individuel moyen, qui départagent les populations des provinces en plusieurs catégories (trois provinces sont nettement plus prospères, et, parmi les autres, certaines le sont beaucoup moins), les autorités des « petites provinces » ne pourraient offrir les services publics qui leur incombent, selon des normes voisines de celles qui sont suivies ailleurs, si les autorités fédérales ne leur attribuaient d'importantes subventions.

Avant 1960, parmi les subventions accordées aux autorités provinciales par les autorités fédérales, la plupart étaient assorties de conditions. Pour les obtenir, les autorités provinciales devaient s'engager à effectuer des dépenses pour les fins correspondant aux « conditions » d'octroi de ces subventions. Dans certains cas, ces subventions conditionnelles, qui sont le propre des « programmes à frais partagés », obligeaient les autorités provinciales qui les recevaient à défrayer jusqu'à la moitié du coût des dépenses correspondantes. Quelques-uns des programmes à frais partagés, selon la formule dite du « cinquante-cinquante », avantageaient finalement les populations des provinces les plus prospères, car les autorités de ces provinces avaient une marge de manœuvre budgétaire que n'avaient pas les autorités des « petites provinces ». Inversement, pour bénéficier de telles subventions, les autorités des « petites provinces » devaient réduire l'envergure de programmes de services publics qui ne faisaient pas l'objet d'un financement en provenance des autorités fédérales. Au bout du compte, les disparités économiques entre les provinces, au Canada, posaient un dilemme colossal, un dilemme qui se pose toujours d'ailleurs.

Les autorités des « petites provinces » ont réclamé davantage de « péréquation » alors que, parfois, celles des provinces prospères estimaient que les autorités fédérales devaient réduire leur participation au financement des dépenses provinciales. La « péréquation », qui est une forme de subvention fondée sur une mesure des besoins et qui n'est pas assortie de conditions, a pris une importance croissante, alors que les autres formes de subvention ont petit à petit diminué.

Les paiements de péréquation ont augmenté régulièrement, depuis leur création en 1957, mais, depuis 1977, leur montant total n'a pas suivi la croissance de la population et la hausse des prix, de sorte que la proportion qu'ils représentent, dans les revenus des autorités provinciales, a eu tendance à diminuer. Au cours des dernières décennies, il en a été de même du montant total des subventions dites «conditionnelles» (celles-ci étant identifiées, dans les comptes des autorités fédérales, au titre de «transferts à des fins particulières»). En 25 ans, de 1970 à 1995, l'importance relative des subventions fédérales dans les revenus des autorités provinciales a diminué d'un tiers.

Aujourd'hui, les subventions fédérales accordées aux autorités provinciales représentent environ 20 % de leurs revenus totaux (mais, comme on vient de le voir, dans le cas de certaines provinces, cette proportion atteint 40 %, alors qu'elle n'est que de 10 % dans le cas de la province la plus prospère). Aujourd'hui, les «transferts à des fins générales» représentent 40 % de ces subventions, la péréquation constituant l'essentiel des «transferts à des fins générales».

Alors qu'elles représentent environ 20 % des revenus des autorités provinciales, les subventions fédérales (appelées également «transferts») représentent aujourd'hui environ 17 % des dépenses des autorités fédérales (mais, tout récemment, en 1995 par exemple, comme une partie de ces dépenses était couverte par des emprunts, les «transferts» aux autorités provinciales représentaient 21 %, environ, des revenus des autorités fédérales). En raison de leur importance dans les budgets, les «transferts» sont l'objet d'âpres discussions.

Une bonne part des relations «fédérales-provinciales», au Canada comme dans d'autres fédérations, tient aux inégalités économiques entre les divers «États fédérés». Ces inégalités, qui distinguent les provinces, distinguent aussi, forcément, les pratiques de leurs diverses assemblées.

D'autres distinctions importantes entre les assemblées provinciales découlent de la présence, dans quelques provinces, d'une importante population d'origine française. À cet égard, les institutions du Québec occupent une place à part.

Il serait possible d'identifier de nombreuses distinctions entre les institutions provinciales, en plus de celles qui paraissent évidentes. Les spécialistes qui s'intéressent aux «systèmes politiques provinciaux» ont noté que chaque province (ou, à tout le moins, chaque région) a développé sa propre «culture politique», laquelle reflète en partie les particularités dont il a été question dans les trois premiers chapitres de ce livre. Ces spécialistes font aussi remarquer que chaque province a son propre «système de partis» (comme on l'a d'ailleurs vu dans le chapitre 5 de ce livre). Il est également possible de voir des différences entre les lois électorales des diverses assemblées provinciales (on l'a aussi suggéré dans le chapitre 6), tout comme on peut en voir en comparant de nombreuses autres lois relatives aux institutions ou à leurs pratiques (par exemple, l'usage de la langue française lors des débats parlementaires).

Grâce aux données de sondages, on sait que, dans la plupart des provinces, la majorité des gens se sentent «plus près» des institutions de leur province que des institutions fédérales du Canada (cette majorité est supérieure à 70 % dans trois provinces, l'Île-du-Prince-Édouard, l'Alberta et la Colombie-Britannique). Il n'y a qu'en Ontario que la majorité des gens se sentent «plus près» des institutions du Canada que de celles de leur province.

Les particularités des institutions provinciales du Québec

Les institutions provinciales du Québec se distinguent des autres de multiples façons. Le tableau 10.1 montre que l'Assemblée nationale est la première par la taille (celle de l'Ontario a cependant compté 130 membres de 1986 à 1999). On l'a vu, au Québec, les institutions provinciales, et en particulier l'Assemblée nationale, sont même perçues, par la majorité, comme celles qui représentent vraiment les intérêts du Québec, contrairement aux institutions fédérales. Plus de 70 % des francophones du Québec se sentent «plus près» des institutions de leur province que des institutions fédérales (inversement, la plupart des anglophones du Québec se sentent «aussi près» des institutions fédérales que des institutions provinciales ou «plus près» des institutions fédérales).

Depuis 1960, les parlementaires du Québec ont adopté de nombreuses lois novatrices (ils l'avaient fait également entre 1886 et 1891, à l'époque où Honoré Mercier était premier ministre). Les autorités provinciales du Québec ont d'ailleurs adopté des lois qu'aucune autre assemblée provinciale n'a adoptées. De toute façon, en raison du droit civil, de tradition française, qui relève des autorités provinciales du Québec, de nombreuses mesures législatives doivent être adoptées au

Québec, alors qu'il n'est pas nécessaire d'en adopter d'équivalentes ailleurs au Canada, où s'applique le droit coutumier d'inspiration britannique. Par ailleurs, en raison d'ententes conclues entre les autorités fédérales et les autorités provinciales du Québec, certaines décisions sont prises à Québec, alors que, pour le reste du Canada, les décisions correspondantes sont adoptées à Ottawa (c'est le cas, par exemple, du Régime des rentes du Québec, le reste du Canada adhérant au Régime de pensions du Canada).

Puisque chaque mot a une signification particulière, il faut bien reconnaître la portée symbolique des appellations données aux institutions du Québec. On l'a vu, celles-ci sont désignées par des appellations qui n'ont pas cours ailleurs. On désigne, depuis 1968, l'assemblée provinciale du Québec par l'expression «Assemblée nationale», comme si cette assemblée était celle d'un pays souverain. On dit même de la province de Québec qu'elle est l'État du Québec, alors que les autres provinces canadiennes sont désignées par l'expression «province», tout simplement. Au Québec, les francophones désignent le chef du gouvernement provincial par le titre donné au chef du gouvernement fédéral (il est un premier ministre), alors que les anglophones font une distinction de statut entre l'un et l'autre, le chef du gouvernement provincial étant appelé *Premier* (en anglais) alors que le chef du gouvernement fédéral est appelé *Prime Minister.*

Même si la Loi constitutionnelle de 1867 donne un titre peu valorisant aux institutions législatives provinciales (*Legislatures*), la plupart des francophones du Québec donnent le titre de «parlement» aux institutions législatives du Québec, comme si «leur parlement» de Québec était l'égal de celui d'Ottawa. Les anglophones, hors Québec, donnent aux institutions législatives provinciales des titres moins valorisants (*The Legislature, The Legislative Assembly, The Members of the Legislative Assembly*) que ceux qui sont réservés au Parlement du Canada (*The Parliament of Canada*).

Le texte de la Loi constitutionnelle établit une hiérarchie symbolique entre le Parlement du Canada et les «législatures» provinciales. Cette hiérarchie symbolique contraste avec l'usage américain : aux États-Unis, les institutions des États (et non pas «provinces») sont calquées sur celles de l'union : un Sénat et une Chambre des représentants. Au Canada, le vocabulaire semble avoir été choisi pour bien marquer le statut «inférieur» des institutions des territoires réunis pour former une «Union fédérale» («*to be federally united*», pour citer le texte officiel du préambule de la Loi constitutionnelle de 1867).

Le personnel attaché à l'Assemblée nationale du Québec est, depuis longtemps, beaucoup plus considérable que celui de l'Assemblée législative de l'Ontario ou d'une autre province de la fédération canadienne. La taille considérable des services administratifs de l'Assemblée nationale vient, pour l'essentiel, de la volonté des autorités du Québec de doter leurs institutions de services spécialisés, dont les petites assemblées préfèrent se passer, et que l'Assemblée législative de l'Ontario elle-même n'a pas choisi de développer (peut-être parce que, en Ontario, la majorité se sent «plus près» du Parlement du Canada que des institutions provinciales).

Au nombre des services administratifs de l'Assemblée nationale du Québec figurent les services de traduction (du français à l'anglais ou inversement), dont aucune autre assemblée provinciale n'a dû se doter avant 1960. L'article 133 de la Loi constitutionnelle de 1867 impose aux institutions législatives du Québec de rédiger en anglais et en français leurs archives, procès-verbaux et journaux. Cet article n'impose cette obligation à aucune autre institution provinciale. La loi constitutive du Manitoba, en 1870, avait imposé cette obligation aux institutions législatives de cette province, mais, pendant plus d'un siècle, les autorités provinciales, à Winnipeg, n'en ont pas tenu compte, de sorte que, pendant tout ce temps, les textes ont été rédigés en anglais. Depuis peu, par ailleurs, dans quelques provinces (le Nouveau-Brunswick étant la plus remarquable à cet égard), les autorités ont décidé d'accorder à la langue française un traitement qui s'apparente à celui que l'Assemblée nationale du Québec accorde à la langue anglaise. Mais il n'y a qu'au Québec que les services de traduction ont une importance digne de mention.

On pourrait même supposer que la volonté d'affirmer le caractère distinct du Québec explique pourquoi, pendant un siècle, de 1867 à 1968, le système parlementaire de la province de Québec a été bicaméral, comme celui du Royaume-Uni, des États-Unis ou de la France. Il n'y a qu'au Québec que le bicamérisme ait perduré (le Québec a en effet conservé jusqu'en 1968 son conseil législatif, formé de 24 personnes, nommées à vie par le lieutenant-gouverneur sur recommandation du premier ministre du Québec). Les provinces de l'Ontario, de la Colombie-Britannique, de la Saskatchewan, de l'Alberta et de Terre-Neuve ont été dotées, dès leur entrée dans l'union, d'un système parlementaire monocaméral (autrement dit, elles n'ont eu qu'une assemblée législative, contrairement au Parlement du Canada, qui est composé de deux «chambres»). Au Manitoba, le conseil législatif, créé par la loi constitutive de 1870, a été aboli dès 1876. La deuxième chambre, que comportaient les institutions législatives de chacune des provinces proches de l'océan Altantique avant 1867, a été maintenue pendant un temps; celle du Nouveau-Brunswick a été dissoute en 1892, celle de l'Île-du-Prince-Édouard a été unie à l'assemblée en 1893, et celle de la Nouvelle-Écosse a été abolie en 1928. Le maintien d'un conseil législatif aux côtés de l'Assemblée législative, à Québec, peut expliquer, en partie, l'utilisation du mot «parlement» pour désigner les institutions provinciales du Québec.

On pourrait penser que l'importance que les francophones accordent au Parlement de Québec tient à sa situation dans une ville qui n'est pas la métropole provinciale. Cependant, au Nouveau-Brunswick également, la capitale, Fredericton, n'est pas la principale agglomération de la province (et, au Nouveau-Brunswick, les gens désignent leurs institutions comme le font les anglophones). En Colombie-Britannique également, la capitale, Victoria (située sur l'île de Vancouver), est six fois moins peuplée que Vancouver (ville située à l'embouchure du fleuve Fraser, face à l'île de Vancouver), et les journalistes, en Colombie-Britannique, désignent les institutions de leur province comme le font les anglophones des autres régions du Canada.

Dans chacune des sept autres provinces canadiennes (les exceptions étant le Québec, le Nouveau-Brunswick et la Colombie-Britannique), la capitale est perçue comme la ville la plus importante et les activités des institutions provinciales n'y ont pas toujours la préséance par rapport aux autres activités d'une grande agglomération. On peut imaginer que les activités financières, industrielles et commerciales de l'agglomération torontoise reçoivent, à Toronto, plus d'attention que l'Assemblée législative (communément appelée *Queen's Park*, du nom du terrain auquel elle fait face), alors que les activités de l'Assemblée nationale, à Québec, suscitent un intérêt beaucoup plus grand que les nouvelles provenant des gens d'affaires de la «vieille capitale».

Québec, «vieille capitale», a effectivement été, jadis, la capitale du Canada (avant 1791), puis celle du Bas-Canada (de 1791 à 1840) et enfin, brièvement, de 1850 à 1866, celle du Canada-Uni, alternativement avec Toronto (la capitale du Canada-Uni ayant d'abord été Kingston, entre 1840 et 1843, et Montréal, de 1843 à 1849). L'importance du Parlement de Québec tient sans doute en partie à son histoire, qui remonte au XVIIIe siècle, et au statut de capitale du «pays» que Québec a déjà eu.

Mais l'explication principale des particularités des institutions provinciales du Québec se trouve peut-être surtout dans le «caractère distinct» de sa population, dont la plupart des membres parlent ou comprennent le français et peuvent, de ce fait, se reconnaître davantage dans l'Assemblée nationale du Québec que dans le Parlement fédéral du Canada. Depuis que le suffrage universel des hommes et des femmes permet à l'ensemble des adultes (dont les noms apparaissent sur les listes électorales du Québec) de voter aux élections législatives du Québec (c'est-à-dire depuis 1944), le Parlement de Québec ne réunit que des personnes qui peuvent s'exprimer en français (que celui-ci soit leur langue maternelle ou non). La langue des débats, à Québec, a sans doute contribué à renforcer le sentiment, fort répandu, que les autorités provinciales du Québec représentent vraiment les francophones, alors que les autorités fédérales représenteraient davantage la majorité de langue anglaise de l'ensemble du Canada.

Les mesures novatrices adoptées par les autorités provinciales du Québec répondent sans doute aux demandes que les gens du Québec leur adressent (plutôt que de les adresser aux autorités fédérales), comme on l'a suggéré aux chapitres 4 et 8 de ce livre.

L'importance accordée à l'Assemblée nationale de Québec tient sans doute, aussi, aux questions qui y sont débattues. C'est là que s'expriment avec le plus de force les revendications des francophones qui, au Canada, sont minoritaires et, dit-on parfois, victimes des comportements que, dans de nombreux pays et non seulement au Canada, plusieurs «majoritaires» réservent aux minoritaires.

Une bonne part des conflits qui opposent les autorités fédérales du Canada aux autorités provinciales sont, en fait, des conflits suscités par les revendications exprimées par des membres de l'Assemblée nationale du Québec.

Et puis il y a, au Québec, un bon nombre de personnes qui aimeraient faire de cette province un pays souverain (les résultats du référendum du 30 octobre 1995 le laissent croire, en tout cas). En raison du projet qu'elles appuient, ces personnes peuvent souhaiter valoriser l'institution qui devrait, à leur avis, assumer la totalité des pouvoirs législatifs d'un État souverain.

Selon une perception donnée par l'examen des chroniques de l'actualité, le traitement accordé par les médias aux activités de l'Assemblée nationale du Québec semble plus important que celui que méritent les activités des assemblées législatives des autres provinces du Canada, comparativement à l'attention octroyée aux activités du Parlement fédéral.

Et pourtant, en dépit de leurs particularités, les institutions provinciales du Québec sont assujetties, comme celles des autres provinces, aux dispositions constitutionnelles qui s'appliquent à toutes, sans distinction. On l'a vu en évoquant les compétences attribuées aux institutions législatives provinciales, et la même chose est vraie à propos du rôle que joue ou peut jouer le lieutenant-gouverneur.

LE LIEUTENANT-GOUVERNEUR

Dans leur pratique quotidienne, les lieutenants-gouverneurs assument, dans les provinces, quelques-uns des rôles qu'assume, à Ottawa, le gouverneur général. Ils remplissent les fonctions propres au chef de l'État dans un régime parlementaire, telles que la nomination des membres du conseil exécutif, la convocation, la prorogation et la dissolution de l'assemblée législative provinciale, la sanction des projets de lois adoptés par cette assemblée, et les diverses proclamations qui rendent exécutoires les décisions du gouvernement. Au moment où se réunissent les parlementaires pour la séance inaugurale d'une session, le lieutenant-gouverneur prononce une courte allocution (communément appelée « discours du trône »).

Les lieutenants-gouverneurs peuvent aussi rehausser de leur présence certaines cérémonies et remplir des tâches diverses de nature protocolaire.

Dans chaque province, le lieutenant-gouverneur représente la reine, tout comme le gouverneur général la représente à Ottawa. Cependant, alors que le gouverneur général est nommé par la reine, chaque lieutenant-gouverneur est nommé par le gouverneur général, sur recommandation du premier ministre du Canada.

Les articles 58, 59, 60 et 61 de la Loi constitutionnelle de 1867

Nommé par les autorités fédérales, le lieutenant-gouverneur d'une province est également rétribué par elles. C'est ce que précisent les articles 58 et 60 de la Loi constitutionnelle de 1867, alors que l'article 61 stipule que «chaque lieutenant-gouverneur, avant d'entrer en fonction, prêtera devant le gouverneur général les serments d'allégeance et d'office prêtés par le gouverneur général».

Nommé par les autorités fédérales, un lieutenant-gouverneur pourrait également être destitué. Toutefois, au cours des cinq premières années de son mandat, un lieutenant-gouverneur ne peut être démis de ses fonctions que s'il y a «cause» (sur ce point, l'article 59 de la Loi constitutionnelle de 1867, reproduit en annexe, est explicite). Depuis 1867, seuls deux lieutenants-gouverneurs ont été révoqués: le premier, en 1879 (il s'agissait du lieutenant-gouverneur du Québec, Luc Letellier de Saint-Just, dont il sera question plus loin), le second l'a été en 1900 (Thomas Robert McInnes, lieutenant-gouverneur de la Colombie-Britannique).

Les dispositions de la Loi constitutionnelle de 1867 qui prévoient que chaque lieutenant-gouverneur est nommé par le gouverneur général ont longtemps fait croire que les institutions provinciales étaient «dominées» par les autorités du Dominion du Canada (le mot «dominion», synonyme de «puissance», a longtemps désigné des pays qui, comme le Canada ou l'Australie, jouissaient d'une certaine autonomie au sein de l'Empire britannique, et il a été conservé pour désigner ces mêmes pays, devenus souverains, mais toujours rattachés à la Couronne britannique, dans ce qui est devenu le Commonwealth britannique).

Chose certaine, les articles de la Loi constitutionnelle de 1867 qui donnent ses pouvoirs au lieutenant-gouverneur pourraient être évoqués à l'encontre de la volonté d'une majorité parlementaire dans une province. La preuve en est qu'ils l'ont déjà été (comme on le verra plus loin).

Cependant, s'ils étaient exercés à l'encontre d'une majorité parlementaire, ces pouvoirs, tout en respectant la lettre de la Constitution, pourraient paraître bafouer les principes du parlementarisme et contredire la théorie classique du fédéralisme. Alors qu'ils l'ont été dans le passé à l'encontre de majorités parlementaires provinciales, ces pouvoirs n'ont pas été utilisés récemment. Les autorités fédérales ont même refusé, entre 1988 et 1993, d'accéder aux demandes de groupes qui réclamaient le recours à la Loi constitutionnelle de 1867 pour contrer certaines décisions de la majorité parlementaire du Québec (des décisions relatives à l'utilisation du français et de l'anglais en matière d'affichage et des décisions relatives à l'enseignement public en français et en anglais).

Les articles 63, 64 et 65 de la Loi constitutionnelle de 1867

Considérées «au pied de la lettre», les dispositions de la Loi constitutionnelle de 1867 accordent des pouvoirs considérables au lieutenant-gouverneur. Ainsi, en vertu de l'article 63, c'est le lieutenant-gouverneur qui nomme les membres du conseil exécutif provincial (le conseil exécutif étant, dans une province, l'équivalent du Cabinet à Ottawa). Le libellé en langue anglaise de cet article faisant autorité, il appert que le lieutenant-gouverneur peut nommer, mais aussi révoquer : «*The Executive Council of Ontario and of Quebec shall be composed of such persons as the Lieutenant Governor from Time to Time thinks fit...*». À l'évidence, le lieutenant-gouverneur peut exercer ce pouvoir de nomination et de révocation en conformité avec les principes du parlementarisme (évoqués, à plusieurs reprises, dans les chapitres précédents de ce livre). Et c'est ce que font tous les lieutenants-gouverneurs depuis de nombreuses années.

D'ailleurs, l'article 65 précise que le lieutenant-gouverneur exerce ses prérogatives «de l'avis ou de l'avis et du consentement» du conseil exécutif dont il a nommé les membres (sauf en ce qui concerne les pouvoirs qu'il exerce individuellement, notamment celui de nommer les membres du conseil exécutif). Autrement dit, s'il a le pouvoir de nommer les membres du conseil exécutif, le lieutenant-gouverneur a le devoir de suivre leurs avis, tant qu'il ne les a pas révoqués ou tant qu'il n'a pas reçu leur démission. L'article 66 affirme en outre que «les dispositions de la présente loi relatives au lieutenant-gouverneur en conseil seront interprétées comme s'appliquant au lieutenant-gouverneur de la province agissant de l'avis de son conseil exécutif».

Considérant l'article 65 et l'article 66, les parlementaires membres des assemblées législatives des provinces ont estimé, dès les premières années de l'union (c'est-à-dire peu après 1867), que les pratiques du parlementarisme de type britannique, appliquées à Ottawa, devaient également s'appliquer dans les institutions provinciales.

En conséquence, dans chaque province, selon ces pratiques, le lieutenant-gouverneur devrait nommer au conseil exécutif le chef qui a ou peut avoir l'appui de la majorité parlementaire et les personnes (les ministres) que celui-ci lui désigne, tout comme cela se fait dans les autres institutions modelées sur celles du Royaume-Uni. Par ailleurs, pour les mêmes raisons, le lieutenant-gouverneur devrait suivre les avis formulés par le premier ministre, tout comme fait le gouverneur général, à Ottawa.

Or, en dépit de l'interprétation qui serait conforme au parlementarisme, l'article 63 de la Loi constitutionnelle de 1867 a été, à quelques reprises, utilisé à l'encontre d'une majorité parlementaire. En 1878, le lieutenant-gouverneur du Québec a remplacé une équipe ministérielle qui avait l'appui de la majorité par une équipe qui ne l'avait pas. En 1891, un autre lieutenant-gouverneur a fait la même chose. Dans les deux cas, faute d'avoir l'appui de la majorité parlementaire, la nouvelle équipe ministérielle a demandé et obtenu la dissolution de l'assemblée et tenu des élections qui, bien orchestrées, lui ont permis de rester en place.

Les interventions du lieutenant-gouverneur du Québec à l'encontre de la majorité parlementaire en 1878

En dépit de l'article 65 et des pratiques du parlementarisme de type britannique, le lieutenant-gouverneur Luc Letellier de Saint-Just a remplacé par des libéraux, en 1878, les membres du conseil exécutif du Québec, dirigés par Charles-Eugène Boucher de Boucherville, le chef de la majorité parlementaire, formée de conservateurs. Ainsi, dix ans à peine après l'union de 1867, le premier différend important entre les gens au pouvoir à Ottawa et les gens au pouvoir dans une province se concluait par une décision qui bafouait les pratiques du parlementarisme (et les principes du fédéralisme).

Selon plusieurs conservateurs, la décision du lieutenant-gouverneur était dictée, d'une part, par des intérêts partisans (puisqu'elle avait pour effet de mettre les libéraux au pouvoir à Québec, alors qu'ils étaient minoritaires à l'Assemblée législative) et, d'autre part, par la volonté de certains parlementaires libéraux d'empêcher les autorités provinciales de soutenir des compagnies de chemins de fer qui concurrençaient celles qu'eux-mêmes privilégiaient et d'empêcher diverses autres mesures. Le lieutenant-gouverneur Luc Letellier de Saint-Just, partisan libéral notoire, ancien ministre fédéral (dans le Cabinet d'Alexander Mackenzie) avait été nommé sur la recommandation du premier ministre du Canada (le chef des parlementaires libéraux à Ottawa).

Le prétexte invoqué par le lieutenant-gouverneur découlait en effet de son opposition aux conservateurs, à leur politique de subventions aux compagnies de chemins de fer «provinciaux» et à quelques autres de leurs politiques. Ce prétexte était fourni par la présentation, à l'Assemblée législative, d'un projet de loi du gouvernement de Charles-Eugène Boucher de Boucherville (portant sur l'octroi de fonds publics destinés à financer la construction de chemins de fer «provinciaux»), auquel les libéraux s'objectaient et que le lieutenant-gouverneur Luc Letellier de Saint-Just condamnait, et par la présentation de quelques autres projets. Selon l'article 54 de la Loi constitutionnelle de 1867 (qu'il faut lire après avoir lu l'article 90), aucun projet de loi visant l'utilisation des fonds publics ne peut être adopté s'il n'a, au préalable, été recommandé à l'Assemblée par un message du lieutenant-gouverneur. Puisqu'il n'avait pas donné son assentiment formel à la présentation du projet auquel il s'objectait et à celle de quelques autres projets à caractère financier, le lieutenant-gouverneur Luc Letellier de Saint-Just s'estimait justifié de révoquer les ministres, ceux-ci ayant, à son avis, contrevenu aux obligations imposées par l'article 54 de la Loi constitutionnelle de 1867.

Le prétexte invoqué a été contesté par le chef des conservateurs, qui a soutenu que la recommandation requise allait de soi, puisque les conservateurs occupaient 40 des 65 sièges de l'Assemblée. Révoqué, Charles-Eugène Boucher de Boucherville a, en outre, rappelé que ses projets avaient été transmis au lieutenant-gouverneur, lequel n'avait pas signifié formellement son refus de les recommander (le premier ministre avait d'ailleurs reçu un « blanc » du lieutenant-gouverneur). Il a également rappelé que le lieutenant-gouverneur n'avait pas à signer formellement chacune des recommandations relatives aux projets financiers que le gouvernement soumettait à l'Assemblée, puisque, selon la pratique du parlementarisme et aussi selon l'article 65 de la Loi constitutionnelle de 1867, le lieutenant-gouverneur devait suivre l'avis de ses ministres. Charles-Eugène Boucher de Boucherville faisait enfin valoir que les objections du lieutenant-gouverneur, qui avaient bel et bien été formulées antérieurement à propos de ses politiques, ne pouvaient justifier son refus de recommander les projets de loi qui les concrétisaient.

Malgré les objections qu'il pouvait émettre, le chef des conservateurs a perdu le poste de premier ministre, et ses collègues du conseil exécutif ont cessé d'être ministres. La révocation signifiée par le lieutenant-gouverneur (et concrétisée par la demande qu'il avait adressée de Henri-Gustave Joly de Lotbinière de former un nouveau gouvernement) faisait autorité, puisqu'elle était permise par le texte de la Loi constitutionnelle de 1867. Si Charles-Eugène Boucher de Boucherville avait voulu continuer à exercer la fonction de premier ministre, alors qu'il était, de fait, révoqué, le lieutenant-gouverneur aurait pu le faire arrêter par les agents de police, qui lui auraient obéi, puisqu'il était le détenteur de l'autorité formelle, définie par la Loi constitutionnelle.

Le lieutenant-gouverneur a remplacé les membres conservateurs du conseil exécutif par des libéraux, dont le chef était Henri-Gustave Joly de Lotbinière. Celui-ci est devenu premier ministre le 8 mars 1878, mais il n'avait pas la possibilité de faire adopter le moindre projet de loi par l'Assemblée, puisque celle-ci était toujours composée d'une majorité de conservateurs.

Comme il n'était pas possible d'obtenir l'assentiment de la majorité conservatrice de l'Assemblée aux politiques d'un nouveau conseil exécutif formé de libéraux, il a fallu tenir de nouvelles élections. À l'issue de ces élections, tenues le premier mai 1878, les conservateurs ont obtenu 32 sièges, et les libéraux, 32, un siège (sur 65) ayant été acquis par un député « non aligné ». Les libéraux, grâce au vote du député indépendant Arthur Turcotte, désigné président de l'Assemblée, ont pu conserver le pouvoir jusqu'en octobre 1879.

Entre le 8 mars 1878 (jour de la nomination d'Henri-Gustave Joly de Lotbinière au conseil exécutif) et le 31 octobre 1879 (jour de la nomination de son successeur, le chef conservateur, Joseph-Adolphe Chapleau), la majorité avait changé à la Chambre des communes d'Ottawa (les élections ayant eu lieu le 17 septembre 1878), et le nouveau gouvernement, dirigé par le premier ministre conservateur John Alexander Macdonald, avait décidé de révoquer le lieutenant-gouverneur Luc Letellier de Saint-Just, estimant que ce dernier avait eu tort de démettre les membres du conseil exécutif du Québec en 1878. Le successeur de Luc Letellier de Saint-Just au poste de lieutenant-gouverneur du Québec a été désigné le 26 juillet 1879.

Conservateur lui-même et adversaire des libéraux, le lieutenant-gouverneur, Théodore Robitaille, a refusé de dissoudre l'Assemblée, comme le demandait Henri-Gustave Joly de Lotbinière, à la suite d'un vote de non-confiance consécutif à la défection, au profit des conservateurs, de cinq libéraux (ce qui a forcé le premier ministre libéral à donner sa démission et permis au lieutenant-gouverneur de remplacer les membres du conseil exécutif par des conservateurs, dirigés cette fois par Joseph-Adolphe Chapleau).

Les conservateurs, en 1878, avaient qualifié de « coup d'État » l'action du lieutenant-gouverneur Luc Letellier de Saint-Just. Le geste du lieutenant-gouverneur Théodore Robitaille, qui a refusé une demande de dissolution, était pourtant « exceptionnel », puisque la pratique suggère d'obtempérer aux demandes du premier ministre.

Les interventions du lieutenant-gouverneur du Québec à l'encontre de la majorité parlementaire en 1891

Mais l'histoire s'est répétée. En décembre 1891, un autre lieutenant-gouverneur, Auguste-Réal Angers, ancien membre du conseil exécutif dirigé par le chef conservateur Charles-Eugène Boucher de Boucherville, nommé sur la recommandation du premier ministre conservateur John Alexander Macdonald, a démis, à son tour, les membres du conseil exécutif, dirigé à ce moment-là par le chef « nationaliste » Honoré Mercier. Le 21 décembre 1891, le vieux chef conservateur, Charles-Eugène Boucher de Boucherville, est redevenu premier ministre du Québec, et il a fallu tenir de nouvelles élections. Celles-ci, le 8 mars 1892, ont donné la majorité aux conservateurs (qui ont obtenu 53 des 73 sièges que comptait l'Assemblée législative à l'époque). Le scénario de 1878 se répétait, mais, cette fois, les rôles étaient inversés, puisque le lieutenant-gouverneur Auguste-Réal Angers était un conservateur, et le premier ministre révoqué, un ancien libéral, chef du rassemblement de libéraux provinciaux et de nationalistes auquel il avait donné le nom de Parti national en 1886 (et dont il a été question au chapitre 5).

Le prétexte invoqué par le lieutenant-gouverneur Auguste-Réal Angers, pour démettre le premier ministre Honoré Mercier et son équipe, lui était fourni, pour l'essentiel, par ce qu'on a appelé le « scandale de la Baie des Chaleurs ». L'équipe d'Honoré Mercier avait en effet décidé de financer, avec les fonds publics, la construction d'un autre chemin de fer « provincial », cette fois le long de la baie des Chaleurs, entre Matapédia et Gaspé. Ce chemin de fer devait traverser le comté de Bonaventure, dont Honoré Mercier était le député, et permettre de faire de Carleton (plus précisément Carleton-sur-mer), où il avait une résidence, le « petit Nice » du Québec. Les promoteurs privés de cet admirable projet avaient donné un imposant pot-de-vin au « trésorier » du parti d'Honoré Mercier, et cela s'était su...

Ayant gagné les élections à la Chambre des communes, le 5 mars 1891, les conservateurs, au pouvoir à Ottawa depuis 1878, avaient obtenu un autre mandat de cinq ans ; ils n'ont pas révoqué le lieutenant-gouverneur Auguste-Réal Angers, conservateur comme eux, qui avait pourtant agi comme le lieutenant-gouverneur Luc Letellier de Saint-Just, libéral, qu'ils avaient relevé de ses fonctions en 1879.

Les interventions des lieutenants-gouverneurs de la Colombie-Britannique à l'encontre des premiers ministres de cette province, de 1898 à 1903

Quelques années plus tard, en Colombie-Britannique cette fois, le lieutenant-gouverneur de cette province a lui aussi révoqué ses ministres. En 1898, le lieutenant-gouverneur Thomas Robert McInnes a révoqué le premier ministre John H. Turner. Deux ans après, il a démis un autre premier ministre, Charles Semlin.

Le premier ministre libéral du Canada, Wilfrid Laurier, a alors décidé de démettre le lieutenant-gouverneur Thomas Robert McInnis de ses fonctions et nommé, pour le remplacer, Henri-Gustave Joly de Lotbinière, qui avait été chef des libéraux du Québec au moment où, 23 ans plus tôt, le lieutenant-gouverneur Luc Letellier de Saint-Just l'avait nommé premier ministre de cette province.

En 1903, le lieutenant-gouverneur Henri-Gustave Joly de Lotbinière a démis à son tour le nouveau premier ministre de la Colombie-Britannique, E.G. Prior. En cinq ans, trois premiers ministres de la Colombie-Britannique avaient été révoqués par deux lieutenants-gouverneurs.

Les libéraux fédéraux, au pouvoir, ont maintenu le lieutenant-gouverneur Henri-Gustave Joly de Lotbinière à son poste, alors qu'ils avaient révoqué son prédécesseur, Thomas Robert McInnes. De 1898 à 1903, la Colombie-Britannique avait donc connu le même scénario qui s'était déroulé au Québec entre 1878 et 1891.

Après la révocation du premier ministre de Colombie-Britannique E.G. Prior, en 1903, les lieutenants-gouverneurs au Canada n'ont plus utilisé le pouvoir de démettre, de leur propre initiative, les membres des conseils exécutifs.

Même s'il n'a pas été utilisé depuis 1903 dans une province du Canada, le pouvoir de révoquer les membres du conseil exécutif provincial existe toujours puisqu'il est implicite dans l'article 63 (en anglais) de la Loi constitutionnelle de 1867. Aujourd'hui encore, ce pouvoir pourrait permettre à un lieutenant-gouverneur de révoquer, *en conformité avec la Loi constitutionnelle*, un premier ministre provincial et son conseil exécutif. On peut penser qu'aucun lieutenant-gouverneur ne fera cela, mais il n'empêche que la Loi constitutionnelle lui en donne le pouvoir.

Le refus, par un lieutenant-gouverneur, de donner sa sanction à un projet de loi adopté par les parlementaires

La Loi constitutionnelle de 1867 attribue au lieutenant-gouverneur beaucoup d'autres pouvoirs que ceux qu'on vient d'évoquer en se référant aux articles 63, 54 et 90. En vertu de l'article 55 de la Loi constitutionnelle de 1867 (à lire après l'article 90), aucun projet de loi adopté par les parlementaires ne peut devenir loi tant qu'il n'a pas reçu la «sanction» du lieutenant-gouverneur (acte par lequel le chef de l'État rend exécutoire une décision votée par les parlementaires). S'il voulait s'en tenir aux dispositions de la Loi constitutionnelle de 1867 et s'il le jugeait opportun, un lieutenant-gouverneur pourrait refuser de donner sa sanction à un projet de loi dûment approuvé par les parlementaires; il pourrait aussi, plus simplement, en référer aux autorités d'Ottawa.

Si on y inscrit les mots prescrits par l'article 90, l'article 55 de la Loi constitutionnelle de 1867 se lit ainsi : «Lorsqu'un bill [autrement dit, un projet de loi] voté par la législature sera présenté au lieutenant-gouverneur pour la sanction de la reine, le lieutenant-gouverneur devra déclarer à sa discrétion, mais sujet aux dispositions de la présente loi et aux instructions du gouverneur général (a) ou qu'il le sanctionne au nom de la reine, (b) ou qu'il refuse cette sanction, (c) ou qu'il réserve le bill pour la signification du bon plaisir du gouverneur général.» S'il refuse la sanction, le lieutenant-gouverneur prononce ce qu'on appelle un *veto* (il ne pourrait se contenter de ne pas donner la sanction, puisque ses ministres exigeraient qu'il se prononce). S'il «réserve» le projet de loi, il laisse tout simplement aux autorités fédérales le choix entre une approbation (le gouverneur général signifiant alors la sanction de la reine), un refus de sanction (autrement dit, un *veto*) et, troisième possibilité, des manœuvres dilatoires. Dans les ouvrages écrits en français, on apprend que le pouvoir de «réserver» un projet au bon plaisir du gouverneur général est un «pouvoir de réserve» (en anglais, on dit *reservation*), qui s'ajoute au pouvoir de *veto*.

Les articles 55 et 90 de la Loi constitutionnelle de 1867 qui donnent ces pouvoirs au lieutenant-gouverneur ont été effectivement évoqués à bien des reprises. Il est en effet arrivé (28 fois) qu'un lieutenant-gouverneur refuse de donner sa sanction à un projet de loi qui avait été adopté par les parlementaires. Et il est arrivé encore plus souvent qu'il «réserve» la sanction à la décision des autorités fédérales. En 1882, le premier ministre du Canada a même dit aux lieutenants-gouverneurs d'attendre les «instructions» des autorités fédérales avant d'agir en ce domaine. Entre 1867 et 1882, 45 projets avaient été réservés, parfois de la propre initiative d'un lieutenant-gouverneur. Depuis 1882, 21 projets ont été réservés (le dernier, en 1961).

Le refus, par les autorités fédérales, de donner la sanction à un projet réservé, par un lieutenant-gouverneur, au «bon plaisir» du gouverneur général

Parmi les projets qui ont été réservés au «bon plaisir» du gouverneur général, certains n'ont fait l'objet ni d'une sanction (ou approbation) ni d'un *veto*, les autorités fédérales ayant préféré laisser s'écouler le délai au terme duquel un projet réservé ne peut plus avoir d'effet, en vertu de la Loi constitutionnelle de 1867. Lu selon les termes prescrits par l'article 90, l'article 57 de la Loi constitutionnelle de 1867 précise simplement ceci: «Un bill réservé à la signification du bon plaisir du gouverneur général n'aura ni force ni effet avant et à moins que, dans l'année à compter du jour où il aura été présenté au lieutenant-gouverneur pour recevoir la sanction de la reine, ce dernier ne signifie, par discours ou message à la législature, ou par proclamation, qu'il a reçu la sanction de la reine par l'entremise du gouverneur général en conseil.»

Parmi les projets «réservés», 22 % ont reçu la sanction de la reine.

Les quatre derniers projets réservés au «bon plaisir» du gouverneur général l'ont été en 1937 et en 1961. Les trois projets réservés en 1937 se rapportaient à la volonté du gouvernement du Crédit social, en Alberta, de réglementer davantage le secteur financier de l'économie et d'éviter les recours devant les tribunaux pour contrer les lois provinciales en Alberta. Ces trois projets ne sont jamais devenus lois. Par contre, le projet réservé en 1961 a obtenu la sanction rapidement, le gouvernement du premier ministre John Diefenbaker ayant conclu que ce projet reflétait les vues de la majorité parlementaire de la province concernée (la Saskatchewan) et ne mettait pas les intérêts du Canada en danger.

À l'occasion du débat suscité par la décision du lieutenant-gouverneur Frank Bastedo de réserver «un projet d'inspiration socialiste» au bon plaisir du gouverneur général, en 1961, le premier ministre John Diefenbaker a déclaré que les autorités fédérales ne devaient pas contrecarrer la volonté d'une majorité parlementaire provinciale «à moins de circonstances extraordinaires».

Le désaveu, par les autorités fédérales, d'une loi provinciale

Les articles 56 et 90 de la Loi constitutionnelle de 1867 obligent le lieutenant-gouverneur d'une province à transmettre, au gouverneur général du Canada, une copie authentique de toute loi qu'il a sanctionnée. Ces dispositions sont encore en vigueur aujourd'hui.

Ces mêmes dispositions donnent aux autorités fédérales le pouvoir de « désavouer » une loi provinciale. La décision de désavouer une loi provinciale doit cependant être prise dans l'année qui suit sa sanction par le lieutenant-gouverneur.

D'après les compilations des juristes, les autorités fédérales ont eu recours à l'article 56 de la Loi constitutionnelle de 1867 contre 112 lois provinciales. Entre 1868 et 1895, c'est-à-dire de l'union jusqu'à l'avènement du gouvernement du premier ministre Wilfrid Laurier (en 1896), 65 lois provinciales ont été ainsi rendues nulles et sans effet par des décisions des autorités fédérales. Le gouvernement du premier ministre Wilfrid Laurier, pourtant favorable à l'autonomie des autorités provinciales, a désavoué 30 lois provinciales entre 1897 et 1910. Enfin, entre 1917 et 1943, 17 autres lois provinciales ont été ainsi désavouées. Depuis 1943, aucune loi provinciale n'a été désavouée par les autorités fédérales en vertu de l'article 56 de la Loi constitutionnelle.

Les onze dernières lois provinciales qui ont été désavouées étaient toutes des lois adoptées en Alberta à l'instigation du gouvernement du Crédit social. Chacune de ces lois aurait pu être contestée devant les tribunaux, et les juges les auraient sans doute déclarées « contraires à la Constitution ». Plusieurs d'entre elles, qui visaient à réaliser les objectifs du « crédit social », concernaient les « banques », sujet qui fait partie de l'énumération des matières réservées à la compétence législative exclusive du Parlement du Canada.

L'impossibilité pratique de modifier les dispositions de la Loi constitutionnelle de 1867 qui concernent le lieutenant-gouverneur

Depuis le milieu du XXᵉ siècle, même si un projet de loi provincial ne plaît pas, les lieutenants-gouverneurs préfèrent ne pas recourir à l'article 55, qui permet le *veto* et qui permet de réserver un projet « au bon plaisir » du gouverneur général.

De même, les autorités fédérales préfèrent ne pas recourir à l'article 56 de la Loi constitutionnelle de 1867, qui autorise le «désaveu», et à l'article 57, qui permet d'opposer un *veto* à un projet réservé au bon plaisir du gouverneur général.

Le chef du parti au pouvoir à Ottawa n'a pas intérêt à suggérer le recours aux articles 55 et 57 (*veto* du lieutenant-gouverneur ou *veto* du gouverneur général à l'endroit d'un projet réservé à son bon plaisir) ou à l'article 56 (désaveu). Contrée par le lieutenant-gouverneur ou par les autorités fédérales, la majorité parlementaire provinciale réagirait très négativement. Inversement, certains groupes peuvent se détourner du parti au pouvoir à Ottawa s'ils demandent en vain une intervention du lieutenant-gouverneur ou des autorités fédérales pour contrer un projet de loi qui vient d'être adopté contre leur gré. Quoi qu'il fasse, le chef du gouvernement, à Ottawa, perd des votes. On comprend que les premiers ministres, à Ottawa, préfèrent s'en remettre à la Cour suprême (dont les juges sont choisis par les autorités fédérales, de toute manière), qui, dans les conflits politiques, sait garder l'attitude qui sied.

Depuis qu'elle a été créée (en 1875), la Cour suprême du Canada a invalidé plusieurs dizaines de lois provinciales en s'appuyant sur son interprétation des divers articles de la Loi constititionnelle de 1867 (et, récemment, sur son interprétation des articles de la Loi constitutionnelle de 1982). Les recours auprès des tribunaux permettent en effet, aujourd'hui, de contrer les lois provinciales qui paraissent contredire la Loi constitutionnelle de 1867 ou la Loi constitutionnelle de 1982. Quand elle paraît toucher un sujet qui fait partie de l'énumération des matières que l'article 91 de la Loi constitutionnelle attribue à la compétence législative du Parlement du Canada, une loi provinciale risque d'être déclarée «*ultra vires*» par les tribunaux (l'expression «*ultra vires*» signifiant «au-delà des pouvoirs»). Une loi provinciale perd tout effet dès qu'un tribunal déclare qu'elle est «*ultra vires*», autrement dit, si elle porte sur un sujet qui n'est pas de la compétence législative des autorités provinciales. Par ailleurs, une loi provinciale peut aussi contrevenir à une disposition de la Loi constitutionnelle de 1982 et être déclarée inconstitutionnelle.

Parce qu'il n'y a eu aucun *veto* ou désaveu depuis plusieurs décennies, on peut penser qu'il n'y en aura pas à l'avenir, néanmoins les articles 55, 56 et 90 n'ont pas été abolis. Un *veto* ou un désaveu restent possibles, en accord avec la Loi constitutionnelle de 1867.

Lors d'une réunion des porte-parole des gouvernements des provinces et du gouvernement fédéral tenue en 1950, les représentants de la province de Québec ont dit souhaiter l'abolition du «pouvoir de réserve» et du «pouvoir de désaveu». Cette abolition a finalement été considérée comme opportune par les participants des réunions de premiers ministres au cours desquelles des projets de révision constitutionnelle ont été étudiés. En 1970, lors de la réunion tenue à Victoria, les premiers ministres se sont tous dits d'accord avec le principe de l'abolition du «pouvoir de réserve» et du «pouvoir de désaveu».

Ces deux pouvoirs n'ont cependant pas été abolis et, depuis l'entrée en vigueur de la Loi constitutionnelle de 1982, ils ne peuvent plus l'être que dans l'hypothèse d'un accord unanime des autorités fédérales et des autorités provinciales. En pratique, par conséquent, ces pouvoirs demeurent, tout comme demeurent les pouvoirs attribués au lieutenant-gouverneur par la Loi constitutionnelle de 1867.

Les autorités provinciales ne peuvent, seules, modifier les dispositions de la Loi constitutionnelle de 1867 relatives au lieutenant-gouverneur. L'article 41 de la Loi constitutionnelle de 1982 précise en effet que la modification de la Constitution du Canada, en ce qui a trait à la charge de lieutenant-gouverneur (et à diverses autres questions, énumérées dans le texte en annexe de ce livre), ne peut se faire sans le consentement unanime du gouverneur général, du Sénat, de la Chambre des communes et de l'Assemblée législative de chaque province.

L'unanimité requise pour modifier les articles de la Loi constitutionnelle de 1867 qui concernent le lieutenant-gouverneur garantit pour longtemps la forme monarchique des institutions provinciales et les pouvoirs formels du chef de l'État, dans chaque province. En pratique, le statut du lieutenant-gouverneur est irrévocable. En conséquence, aucune province ne peut changer son statut et se proclamer «république».

LE CONSEIL EXÉCUTIF

Le texte de la Loi constitutionnelle de 1867 identifie par l'expression «conseil exécutif» l'organe chargé de conseiller le lieutenant-gouverneur dans l'exercice du «pouvoir exécutif», alors qu'il désigne par l'expression

«Conseil privé» l'organe équivalent, à Ottawa. Le texte marque, de cette façon, une sorte de hiérarchie symbolique qui contraste avec la théorie classique du fédéralisme (encore que, aux États-Unis, le chef de l'État, est appelé «président», alors que ses homologues, dans les États membres de la fédération américaine, sont appelés «gouverneurs»).

On l'a vu, le Conseil privé, à Ottawa, comprend de nombreuses autres personnes que les ministres (et inclut, notamment, les ministres des précédents gouvernements). Par contre, le gouvernement est composé uniquement des ministres en fonction, et on lui donne communément le nom de Cabinet.

Le conseil exécutif d'une province correspond très précisément au Cabinet. Il réunit seulement les ministres qui sont en fonction. Les ministres des gouvernements antérieurs ne font plus partie du conseil exécutif. Le titre d'«honorable», que porte un (ou une) ministre, dans une province, est uniquement lié à l'exercice de sa fonction, alors que le même titre, accordé aux membres du Conseil privé, est conservé même après que ses membres ont quitté le Cabinet (à noter que le titre de «très honorable» est attribué aux personnes qui accèdent au Conseil privé britannique, où il est coutume de nommer le premier ministre du Canada, de sorte que ce dernier peut porter ce titre, qui paraît encore plus valorisant que celui porté par ses ministres).

Le conseil exécutif provincial (qu'on appelle aussi Cabinet ou gouvernement ou encore conseil des ministres) est soumis au premier ministre de la province, tout comme le Cabinet fédéral est soumis au premier ministre du Canada. Et, tout comme le premier ministre du Canada quand il forme son Cabinet, le premier ministre d'une province choisit ses ministres, leur donne les affectations qu'il désire et, éventuellement, les modifie (on appelle «remaniement ministériel» le changement d'affectation des membres du Cabinet et, surtout, la modification de sa composition). Et, tout comme le fait le premier ministre du Canada, le premier ministre d'une province choisit ses ministres en fonction de nombreux critères, y compris des critères partisans, car il est, avant d'être le chef du gouvernement, un leader qui a besoin de l'appui d'un parti politique (l'affiliation partisane de chacun des premiers ministres qui se sont succédés à Québec entre 1867 et 1999 est mentionnée dans le tableau 10.2).

TABLEAU 10.2
Premiers ministres du Québec, 1867-1999

Nom et affiliation	Période	
Pierre-Joseph-Olivier Chauveau (cons.)	juil. 1867	fév. 1873
Gédéon Ouimet (cons.)	fév. 1873	sept. 1874
Charles.-E. Boucher de Boucherville (cons.)	sept. 1874	mars 1878
Henri-Gustave Joly de Lotbinière (lib.)	mars 1878	oct. 1879
Joseph-Adolphe Chapleau (cons.)	oct. 1879	juil. 1882
Joseph-Alfred Mousseau (cons.)	juil. 1882	janv. 1884
John Jones Ross (cons.)	janv. 1884	janv. 1887
Louis-Olivier Taillon (cons.)	du 23 au 25	janv. 1887
Honoré Mercier (lib. et nat.)	janv. 1887	déc. 1891
Charles-E. Boucher de Boucherville (cons.)	déc. 1891	déc. 1892
Louis-Olivier Taillon (cons.)	déc. 1892	mai 1896
James Edmund Flynn (cons.)	mai 1896	mai 1897
Félix-Gabriel Marchand (lib.)	mai 1897	oct. 1900
Simon-Napoléon Parent (lib.)	oct. 1900	mars 1905
Lomer Gouin (lib.)	mars 1905	juil. 1920
Louis-Alexandre Taschereau (lib.)	juil. 1920	juin 1936
Joseph-Adélard Godbout (lib.)	juin 1936	août 1936
Maurice LeNoblet Duplessis (Union nationale)	août 1936	nov. 1939
Joseph-Adélard Godbout (lib.)	nov. 1939	août 1944
Maurice LeNoblet Duplessis (Union nationale)	août 1944	sept. 1959
Joseph-Mignault-Paul Sauvé (Union nationale)	sept. 1959	janv. 1960
Antonio Barrette (Union nationale)	janv. 1960	juil. 1960
Jean Lesage (lib.)	juil. 1960	juin 1966
Daniel Johnson (Union nationale)	juin 1966	sept. 1968
Jean-Jacques Bertrand (Union nationale)	oct. 1968	mai 1970
Robert Bourassa (lib.)	mai 1970	nov. 1976
René Lévesque (Parti québécois)	nov. 1976	oct. 1985
Pierre-Marc Johnson (Parti québécois)	oct. 1985	déc. 1985
Robert Bourassa (lib.)	déc. 1985	janv. 1994
Daniel Johnson, fils (lib.)	janv. 1994	sept. 1994
Jacques Parizeau (Parti québécois)	sept. 1994	janv. 1996
Lucien Bouchard (Parti québécois)	janv. 1996	

Les abréviations « lib. », « cons. » et « nat. » signifient « libéral », « conservateur » et « nationa-liste » (ce dernier vocable réfère au Parti national du premier ministre Honoré Mercier).

Le premier ministre décide, et le lieutenant-gouverneur entérine (encore que, on l'a vu, quelques lieutenants-gouverneurs ont jadis imposé leurs volontés à l'encontre de celles du chef de la majorité parlementaire).

Depuis 1960, le nombre de ministres, dans chacun des conseils exécutifs des provinces, a été augmenté de façon importante. Jusqu'alors, ce nombre avait été relativement petit (une douzaine de personnes, en moyenne). Depuis, un cabinet provincial «typique» compte près d'une vingtaine de membres. Au début de 1995, par exemple, le Cabinet le plus important était celui de l'Ontario (27 membres), et le moins nombreux, celui de l'Île-du-Prince-Édouard (10 membres). À Terre-Neuve, au même moment, il y avait 13 ministres; il y en avait 16 en Nouvelle-Écosse, 17 en Saskatchewan, 18 en Alberta et au Manitoba, 19 en Colombie-Britannique, 20 au Québec et 21 au Nouveau-Brunswick.

Le nombre de membres des cabinets provinciaux a eu tendance à croître rapidement aux alentours de 1970. Il a fallu créer plusieurs ministères pour faire face aux besoins nouveaux. Parmi ceux-ci, les plus importants découlaient des interventions dans le domaine de la santé et de l'aide aux personnes en difficulté, interventions qui, dans bien des cas, concrétisaient des «ententes fédérales-provinciales», les autorités fédérales du Canada ayant décidé de participer au financement des services de santé et des services sociaux relevant des autorités provinciales. Par ailleurs, alors que les budgets de la santé et des affaires sociales augmentaient très rapidement, d'autres dossiers prenaient une importance croissante (par exemple, le dossier de l'environnement ou celui des affaires intergouvernementales), en raison de la complexité des conflits qui les concernaient : ces dossiers dont l'importance croissait rapidement ont été confiés à des ministres qui sont venus s'ajouter à ceux dont les responsabilités avaient des fondements plus anciens.

L'histoire de l'administration publique de la province de Québec est exemplaire d'un phénomène d'expansion que l'on a pu observer dans les diverses provinces du Canada. Peu après l'union de 1867, le conseil exécutif, à Québec, réunissait une demi-douzaine de personnes, puis, au fil des ans, de nouveaux portefeuilles ont été créés pour permettre aux autorités de mieux gérer des dossiers qui avaient pris de l'importance. L'expansion s'est faite petit à petit jusqu'en 1960 puis, en quelques années, le nombre de ministres a atteint un sommet (une trentaine de personnes). Le dernier Cabinet du premier ministre René Lévesque, en 1985, comptait 29 membres. Après les élections de 1989, il y a eu 30 ministres dans le Cabinet du premier ministre Robert Bourassa (alors que la moyenne, dans l'ensemble des provinces, à cette époque, dépassait de peu la vingtaine). On l'a vu, le premier ministre Jacques Parizeau (en 1994) a choisi de former un conseil des ministres réduit (20 personnes) ; ce choix a aussi été celui de son successeur (le Cabinet du premier ministre Lucien Bouchard, à Québec, au dernier jour de janvier 1996, comptait 22 membres), mais c'est un choix qui a obligé quelques ministres à gérer des dossiers fort distincts (par exemple, Jacques Brassard a été nommé responsable des Transports ainsi que des Affaires intergouvernementales, alors que Louise Harel a obtenu la responsabilité de l'Emploi et de la Solidarité, de même que celle de la Condition féminine).

Il y a toujours eu, peu importe le nombre de membres du gouvernement, un petit comité, formé par le premier ministre et deux ou trois autres ministres, qui se réunissait avant les séances plénières du conseil exécutif, mais, dans un cabinet d'une vingtaine de personnes (ou davantage), il est nécessaire de former plusieurs «comités restreints», composés de quelques ministres seulement. Cette pratique des «comités restreints» s'est imposée définitivement au Québec en 1970. Dans la formation de son premier gouvernement, en 1976, le premier ministre René Lévesque a même décidé de donner une grande importance à ces comités restreints et il a nommé, pour les présider, des ministres d'État (par exemple, un ministre d'État au développement économique, un ministre d'État au développement culturel, etc.). Cette formule, abandonnée par la suite, a été reprise, avec quelques modifications, par le premier ministre Lucien Bouchard en 1996 (ainsi, Bernard Landry, vice-premier ministre, ministre d'État de l'Économie et des Finances, a été chargé de présider un comité «ministériel» de l'emploi et du développement économique).

Tout en créant quelques comités ministériels présidés par des collègues, le premier ministre s'est réservé la présidence d'un petit comité de coordination générale (communément appelé, à Québec, comité des priorités) et, parfois, celle d'un autre comité (à Québec, le premier ministre Lucien Bouchard s'est réservé la présidence d'un comité formé de quelques ministres pour examiner les «affaires régionales et territoriales»).

Quand ils comptent peu de membres, les conseils exécutifs des provinces n'ont pas à se doter de services de coordination aussi imposants que ceux rattachés au conseil des ministres à Ottawa.

Néanmoins, à Québec et à Toronto (et, dans une moindre mesure, dans quelques-unes des autres provinces), on a senti, vers 1970, le besoin de doter les ministres d'une organisation calquée sur celle qui avait été développée à Ottawa. Comme à Ottawa, ce mode de fonctionnement permet aux ministres de consacrer davantage d'attention aux questions qui leur paraissent plus importantes.

Comme à Ottawa, il arrive aussi que ces services de soutien servent davantage le premier ministre que ses collègues.

Comme à Ottawa, chaque projet de décision soumis au conseil des ministres à Québec (ou dans une autre capitale provinciale) est accompagné d'un texte d'accompagnement d'une dizaine de pages. Souvent appelé mémoire (en anglais, *memorandum*), ce texte d'accompagnement peut expliquer pourquoi une décision est requise, faire état des divers choix possibles et comparer leurs avantages et inconvénients respectifs (revoir, à ce propos, les pages 442 et 443).

Dans les capitales provinciales comme à Ottawa, les projets de loi du gouvernement sont soumis aux parlementaires après avoir été examinés par le conseil des ministres.

Au bout du compte, les conseils exécutifs des grandes provinces du Canada ont beaucoup en commun avec le Cabinet fédéral. Les principes du parlementarisme, appliqués dans tous les cas, ont mené à des pratiques institutionnelles similaires.

LES AUTORITÉS MUNICIPALES

L'une des compétences les plus importantes des autorités provinciales se rapporte aux administrations municipales. Souvent considérées comme un «ordre de gouvernement» au même titre que les institutions provinciales, les institutions municipales sont davantage valorisées que les autres institutions qui relèvent également des autorités provinciales ; elles le sont bien davantage que les commissions scolaires ou les institutions du secteur de la santé et des services sociaux, lesquelles n'ont d'ailleurs pratiquement aucune autonomie.

L'autonomie des autorités municipales

L'autonomie des autorités municipales est encore considérable. Elle subsiste grâce à la volonté de populations influentes, et en dépit des souhaits de bien des ministres du gouvernement provincial. Si elles avaient l'appui d'une majorité de l'électorat pour le faire, les autorités provinciales pourraient réduire à peu de choses ce qu'on appelle l'autonomie municipale. La Loi constitutionnelle de 1867 (paragraphe 8 de l'article 92) précise en effet que «les institutions municipales dans la province» font partie des matières attribuées aux «législatures provinciales», et à maintes reprises, au cours des années passées, des ministres, à Québec, ont laissé penser que l'autonomie municipale était menacée. D'ailleurs, l'autonomie des autorités municipales n'est plus ce qu'elle était, en raison notamment des lois provinciales qui encadrent les décisions à prendre localement. Cependant, en dépit des personnes qui souhaitent «uniformiser» ou «rationaliser» davantage, la majorité soutient encore le principe de l'autonomie municipale, de sorte que celle-ci subsiste et paraît devoir subsister encore longtemps, même si elle est érodée.

L'érosion de l'autonomie municipale est le résultat de causes multiples. Une cause évidente se trouve dans la volonté des autorités provinciales et des autorités fédérales d'étendre, aux dépens des municipalités, le champ de leurs propres interventions (l'extension de ces interventions découlant de toutes sortes d'évolutions qui se sont produites depuis un siècle). D'autres causes tiennent aux changements qui se sont opérés, avec le temps, dans le champ fiscal : les revenus tirés des taxes sur l'échange de produits et services (taxes de vente, et autres) et des impôts sur le revenu ont donné aux autorités provinciales et aux autorités fédérales des moyens considérables, alors que les moyens des municipalités stagnaient, en raison, notamment, de la volonté des autorités municipales de limiter les prélèvements permis par l'impôt foncier, qui tombait sous leur compétence.

Tant qu'ils ont pu se passer de l'aide financière ou de l'intervention matérielle des autorités provinciales, les conseils municipaux ont certainement bénéficié d'une très grande autonomie.

L'autonomie, qui est la capacité de décider indépendamment des autres, varie en fonction de plusieurs paramètres. Elle dépend d'abord des compétences qui ont été déléguées par les autorités de tutelle, si l'on parle de l'autonomie d'organismes décentralisés (à distinguer des autorités provinciales dont l'autonomie dépend de la Constitution et non d'une délégation). Dans le cas d'une délégation (à distinguer du fédéralisme), les autorités qui « décentralisent » peuvent donner plus ou moins de « pouvoirs » aux organismes « décentralisés ». L'autonomie des organismes décentralisés dépend ensuite de leur capacité de moduler et d'utiliser à leur guise les ressources financières, matérielles et humaines nécessaires à la mise en œuvre de leurs décisions. Cette autonomie est subordonnée, enfin, aux aléas de la vie politique (options des partis, rivalités entre corps intermédiaires ou groupes d'intérêt, divisions au sein des populations...) ; elle est grande quand la plupart des gens s'entendent pour la sauvegarder.

Du point de vue de l'étendue des juridictions et de l'importance des attributions, l'autonomie des institutions municipales du Québec est plus considérable que celle qui est accordée aux « administrations locales » dans les pays d'Europe (et dans quelques États des États-Unis d'Amérique). Le Code municipal et la *Loi des cités et villes du Québec* attribuent en effet aux autorités municipales des pouvoirs très étendus sur une vaste gamme de sujets. Les autorités provinciales du Québec, en 1867, ont d'ailleurs hérité des lois du Canada-Uni qui, après 1855, avaient déjà consacré l'autonomie (considérable) des institutions municipales de l'époque. Ces lois du Canada-Uni ont été codifiées par les autorités provinciales en 1871 (tout juste quatre ans après la « confédération »). Cependant, comme on vient de le voir, en fixant des normes, diverses lois provinciales et fédérales ont encadré de plus en plus étroitement les décisions que les autorités municipales peuvent effectivement prendre.

Même si elle est limitée en pratique, l'autonomie des autorités municipales s'appuie sur des forces politiques qui paraissent solidement implantées. Cette autonomie limitée n'est pas vraiment menacée, parce que beaucoup de gens, parmi les catégories les plus influentes, y tiennent mordicus. Néanmoins, de très nombreuses personnes réclament l'intervention des autorités provinciales pour répondre à des besoins insatisfaits, que les autorités municipales auraient le pouvoir, mais pas toujours les moyens ou la volonté, de satisfaire.

D'autres demandent aux autorités provinciales de céder de nouvelles sources de revenu fiscal aux municipalités, de manière à leur donner les moyens de faire face aux contraintes qui leur sont imposées (mais les ministres, à Québec, font valoir, avec raison, que l'élargissement de l'assiette fiscale des municipalités n'aura aucun effet sur les inégalités). Et il y a des gens qui préconisent des regroupements de municipalités (le nombre de municipalités, au Québec, a diminué de 450 en quinze ans, de 1981 à 1999, suite aux fusions et annexions ; en Ontario, en deux ans, de 1997 à 1999, le nombre des municipalités a été réduit de 28 %, passant de 815 à 586). Il y a des gens, et notamment plusieurs ministres qui préconisent le renforcement et la transformation des instances régionales existantes. Finalement, au Québec, quel que soit l'argument utilisé, une minorité croissante se tourne vers les autorités provinciales, alors que la majorité semble toujours préconiser une considérable décentralisation territoriale (c'est-à-dire un système ou mode d'organisation des pouvoirs publics qui accorde un réel pouvoir de décision à des organismes autonomes, disséminés sur l'ensemble du territoire).

De toute façon, la « politique locale » fait partie des préoccupations de nombreuses personnes, en raison des questions qui s'y rattachent et de l'action des membres des conseils municipaux. Porteuses d'un héritage à protéger, les municipalités donnent aux gens leur premier cadre territorial de référence. Avec leurs diverses caractéristiques et les traits particuliers qui les distinguent, les institutions municipales seraient, comme on le dit souvent, les assises de la démocratie.

La place des institutions municipales dans la vie politique

Les institutions municipales occupent assurément une place de première importance dans le déroulement de la vie politique, ne serait-ce qu'en raison du poids considérable des impôts locaux dans l'ensemble des prélèvements fiscaux, ou en raison de diverses manifestations d'intérêt pour les questions qui relèvent des autorités municipales.

Les autorités municipales s'occupent de questions qui préoccupent les gens au plus haut point (voirie locale, plans d'aménagement du territoire, approvisionnement en eau potable, égouts, enlèvement des ordures, organisation des loisirs, réglementations relatives à l'hygiène, au bruit, aux odeurs...).

Au Québec, tout comme la *Loi des cités et villes*, le Code municipal (un document de quelque 250 pages s'adressant aux municipalités de moins de 2 000 habitants) donne aux autorités municipales un pouvoir de réglementation qui s'applique à de très nombreux objets (y compris des questions de «bonnes mœurs»).

Du point de vue des personnes impliquées dans des rôles électifs, les institutions municipales, dans leur ensemble, surclassent largement les institutions provinciales et les institutions fédérales. Le nombre de membres des conseils municipaux qu'il faut élire au Québec s'élève à 10 000 environ (dont, en 1999, près de 2 000 femmes), alors que l'Assemblée nationale du Québec réunit seulement 125 personnes (75 sièges de la Chambre des communes et 24 sièges du Sénat étant réservés à des personnes représentant la population du Québec).

Les gens ont davantage l'occasion de rencontrer les membres des conseils municipaux que les parlementaires. Dans neuf municipalités sur dix, au Québec, chaque conseiller ou conseillère représente moins de 1 000 personnes, de sorte que les possibilités d'échanges avec leur électorat offertes aux membres des conseils municipaux sont beaucoup plus grandes que celles qui s'offrent aux parlementaires. Ces possibilités d'échanges sont plus grandes même à Montréal, dont la population est représentée par 52 élus au conseil municipal, alors qu'elle a seulement 12 porte-parole à l'Assemblée nationale (de plus, siégeant à Québec, ces parlementaires ne passent pas tout leur temps à Montréal).

Le paysage municipal du Québec d'aujourd'hui

Aujourd'hui, dans le paysage municipal du Québec, se superposent trois catégories principales d'organes décisionnels: la première catégorie est composée des quelque 1 340 municipalités proprement dites (les corporations municipales que dirigent les conseils municipaux, dont les membres représentent l'électorat); la deuxième catégorie comprend les organes de coordination intermunicipale (il y en a une centaine, chacun réunissant les maires de plusieurs municipalités voisines les unes des autres) ; la troisième catégorie, enfin, est celle des instances de concertation polyvalentes, qui embrassent des territoires relativement étendus, appelés « régions ».

Du point de vue « institutionnel », les municipalités d'aujourd'hui ressemblent beaucoup à celles d'autrefois. L'organe décisionnel, dans les municipalités, est, maintenant comme jadis, le conseil municipal, formé de personnes élues. Cependant, alors qu'il a longtemps été réservé aux propriétaires et locataires, le droit de vote aux élections municipales est aujourd'hui attribué à toute personne adulte, de nationalité canadienne, domiciliée dans la municipalité où elle compte voter. Par ailleurs, comme par le passé, dans la plupart des localités, le conseil municipal est formé d'au moins six personnes et un maire ou une mairesse ; dans les villes importantes, cependant, le nombre des membres du conseil municipal est plus élevé (le conseil municipal de Montréal, le plus considérable, compte 52 conseillers).

Comme au XIXᵉ siècle, la personne qui assume la présidence du conseil municipal porte le titre de « maire » (en anglais, *mayor*) ou de « mairesse » (si cette personne est une femme et désire être désignée ainsi).

Depuis que la fonction de maire est accessible aux femmes, un débat s'est engagé autour du « féminin » du mot « maire ». Au Canada (ainsi qu'en Suisse romande et dans quelques autres régions de langue française), la plupart des femmes qui ont accédé à la tête de municipalités préfèrent se faire appeler « mairesses » (même si, jadis, ce mot était réservé à l'épouse d'un maire) plutôt que « la maire » ou « le maire ». La première femme élue à la tête d'une municipalité au Québec s'appelait Elsie M. Gibbons : elle a été « mairesse » de Portage-du-Fort, dans la circonscription de Pontiac, de 1954 à 1971. Au Québec, actuellement (avant les élections municipales de novembre 1999), il y a 137 mairesses et 1 216 maires (et il y a 1 874 conseillères et 6 509 conseillers).

Le maire ou la mairesse préside le conseil et assume la direction exécutive de l'administration municipale. Il est difficile d'imaginer qu'un maire ou une mairesse, même dans un village, puisse accomplir les tâches qui lui incombent sans leur consacrer au moins une vingtaine d'heures par semaine (ne serait-ce que pour prendre connaissance du courrier et y répondre, préparer les réunions, les présider et leur donner suite, échanger avec les gens...). Dans beaucoup de municipalités, les exigences réelles de la fonction de maire ou de mairesse demandent une disponibilité que n'ont probablement pas la plupart des personnes qui ont un emploi salarié à plein temps (et, de fait, les «bénévoles» qui envisagent ou acceptent la direction d'une municipalité sont surtout des personnes qui peuvent moduler leur horaire et qui ne marchandent pas leurs heures).

Pour gérer sa municipalité, un maire ou une mairesse doit obligatoirement s'appuyer sur d'autres personnes. Le Code municipal prévoit l'embauche d'un secrétaire-trésorier ou d'une secrétaire-trésorière. Par ailleurs, la *Loi des cités et villes* stipule que chaque municipalité doit embaucher un greffier ou une greffière et un trésorier ou une trésorière (ces deux fonctions pouvant être assumées par une seule personne, qui porte alors le titre de secrétaire-trésorier ou secrétaire-trésorière). Dans des agglomérations importantes, il est permis d'embaucher un directeur général ou une directrice générale.

Dans les agglomérations importantes, celles dont le conseil est formé d'au moins 12 personnes, la *Loi des cités et villes* permet de constituer un comité exécutif (si les deux tiers des membres en décident ainsi). Ce comité exécutif doit compter seulement trois membres si le conseil lui-même en réunit moins de 20 ; il doit en compter cinq si le conseil se compose de plus de 20 personnes.

Dans les quelques grandes agglomérations où il y en a un, le comité exécutif est habilité, par la *Loi des cités et villes*, à préparer les projets de règlement à soumettre au conseil (y compris les règlements relatifs au budget annuel, aux affectations et aux virements budgétaires en cours d'année, et aux diverses questions d'ordre financier). Là où il existe, le comité exécutif fonctionne sur le modèle d'un conseil des ministres.

Plusieurs des plus grandes agglomérations du Québec semblent en voie d'adopter un mode de fonctionnement qui s'apparente à celui en vigueur dans les institutions provinciales. On trouve en effet des partis politiques municipaux dans plus de vingt des principales villes du Québec (et dans chacune d'elles l'un des partis est majoritaire, l'autre ou les autres se trouvant du côté de l'opposition). Quand il y détient les deux tiers des sièges, le parti majoritaire au conseil est tenté de préconiser la formation d'un comité exécutif. Par ailleurs, conformément à la *Loi sur les élections et les référendums dans les municipalités*, dans celles dont la population est égale ou supérieure à 20 000 personnes, les autorités *doivent* adopter un règlement divisant leur territoire en districts électoraux (dans les villes dont la population est moindre, les autorités *peuvent*, elles aussi, diviser leur territoire). Or, dans plusieurs villes du Québec, la formation de districts électoraux paraît avoir été de pair avec la formation de partis municipaux. En définitive, le mode de fonctionnement en vigueur dans les principales villes du Québec se distingue de plus en plus de celui qui caractérise encore la quasi-totalité des petites villes et des villages.

Les équipes qui « gèrent » les affaires locales, dans la quasi-totalité des petites villes et des villages, ne se constituent pas en partis politiques. Les circonstances, de toute façon, n'y favorisent pas la formation de partis. Cependant, dans chaque municipalité, qu'il s'y trouve un parti ou non, le maire ou la mairesse doit toujours son élection (y compris une élection par acclamation) aux réseaux qui lui ont donné leur appui. L'équipe en place, dans un village ou une municipalité rurale, peut se maintenir en poste, si elle le désire, sans recourir à une organisation qui mériterait le nom de parti : le nombre de membres du conseil (six, plus le maire ou la mairesse) et le nombre d'habitants de la localité ne justifient pas le type d'organisations auxquelles on donne le titre de partis. D'ailleurs, dans un grand nombre de cas, il n'y a finalement qu'une personne en lice pour chacun des sièges à remplir. Les compétitions, entre deux ou plusieurs candidats ou candidates, procèdent souvent de stratégies individuelles ou de pressions inspirées par le voisinage ou par une catégorie d'appartenance (et motivées par diverses récriminations adressées aux équipes en place). Par ailleurs, dans les petites municipalités, la gratuité, la disponibilité et les compétences exigées des membres des conseils découragent bien des candidatures.

Le travail attendu des membres des conseils municipaux, s'il est accompli honnêtement, n'enrichit personne et n'est pas perçu comme particulièrement prestigieux. C'est surtout l'altruisme qui fait courir les conseillers et conseillères, comme les maires et mairesses, en particulier dans les petites villes et les villages.

Or, dans la majorité des municipalités, l'administration locale est tout entière question de « politique », de telle sorte que la distinction entre politique et administration y tient davantage des artifices du vocabulaire que de la nature des dossiers. Même quand elles concernent des problèmes de tous les jours, les questions soulevées impliquent des choix «politiques» entre diverses options, les unes étant préconisées par certaines personnes, les autres étant soutenues par d'autres personnes.

De très nombreux «conflits» sont soumis aux membres des conseils municipaux. Ces conflits peuvent toucher des sujets aussi précis que l'ordre dans lequel seront déblayées les rues en hiver ou l'horaire des camions qui enlèvent les déchets domestiques; ils peuvent aussi concerner des sujets qui engagent l'avenir (la construction d'une patinoire intérieure, la réfection d'un aqueduc, l'installation d'un réseau d'égouts...). Dans tous les cas, certaines personnes réclament une action dont d'autres ne veulent pas (les propriétaires de chiens ne veulent pas d'un règlement, réclamé par d'autres, qui limiterait le «droit» à la liberté qu'ont toujours eue les chiens, les propriétaires de piscines s'opposent au projet, réclamé par d'autres, d'interdire les bains de minuit, et ainsi de suite). Le nombre de conflits de voisinage à prendre en compte est assurément fort élevé (les fumées et les odeurs, les bruits, les «pollutions visuelles» et de multiples autres nuisances suscitent des querelles interminables, immanquablement relayées jusqu'aux autorités municipales, tout comme les nombreux projets d'aménagement ou de réglementation qui permettraient, selon les personnes qui les chérissent, d'améliorer leur qualité de vie). Les autorités municipales ont souvent à choisir entre des options lourdes de conséquences (permettre ou non à une entreprise de l'Ontario ou des États-Unis d'implanter un centre commercial qui apportera quelques emplois, mais qui ruinera quelques-unes des boutiques du centre-ville; permettre ou non un nouveau lotissement qui accroîtra les revenus fiscaux, mais aussi les dépenses...). Au bout du compte, au Québec, en raison des nombreuses attributions des conseils municipaux, une très grande part de l'activité politique relève de la «vie politique locale».

Celle-ci occupe assurément beaucoup de place dans les préoccupations de très nombreuses personnes. Et elle en occupe davantage que ce que les grands médias peuvent laisser croire (car ceux-ci, par vocation, transmettent les informations politiques qui intéressent les publics de nombreuses localités distinctes).

Les questions de vie politique locale dont traitent davantage les grands médias sont celles qui concernent les relations intermunicipales et les relations entre les autorités municipales et les autorités provinciales. Les médias traitent abondamment des débats qui concernent les interventions des autorités provinciales dans des domaines qui ont été jusqu'ici du ressort des autorités municipales (ces questions, qui concernent l'autonomie des conseils municipaux, ont été abordées précédemment, dans ce chapitre). Par ailleurs, parmi les questions qui ont toujours relevé des autorités locales, il en est un certain nombre qui, aujourd'hui, mettent en cause plusieurs municipalités à la fois ou plusieurs municipalités et l'un ou l'autre des ministères provinciaux.

Pendant longtemps, au Québec, les besoins de coordination entre municipalités ont été comblés par ce qu'on appelait les conseils de comté (les diverses municipalités d'un même comté constituant une « municipalité de comté », dotée d'un « conseil » formé des maires et mairesses du comté). Depuis quelques décennies, il est apparu que les concurrences entre municipalités voisines (qu'on qualifie souvent de « querelles de clochers ») pouvaient accroître les coûts nets de nombreuses interventions (une intervention unique ayant été justifiée, une seconde fait du total des deux une opération déficitaire). Ainsi, un « centre commercial » dans une municipalité peut paraître justifié tant qu'il n'est pas concurrencé par un autre « centre commercial » dans la localité voisine ; de même, une patinoire intérieure peut paraître justifiée tant qu'elle est la seule dans les environs...

On a cru, en modifiant les organes de coordination intermunicipale, qu'on pourrait régler certains conflits nés de la concurrence entre municipalités. En 1969 ont été créées la Communauté urbaine de Montréal, la Communauté urbaine de Québec et la Communauté régionale de l'Outaouais. Plus tard, après l'adoption, en 1979, d'une loi relative à l'aménagement et à l'urbanisme, ont été instituées des « municipalités régionales de comté » (dont le nombre, depuis, a varié autour de 95, sans compter les territoires nordiques). Enfin, pour faciliter la concertation, les autorités provinciales ont aussi formé des « conseils » régionaux qui, entre 1966 et 1996, ont pris diverses configurations. Si on les ajoute aux municipalités, à la Commission municipale (organisme de 15 membres chargé des enquêtes relatives aux défaillances imputées, éventuellement, à certaines autorités municipales et habilité à gérer, provisoirement, leurs affaires) et au ministère des Affaires municipales (dont les fonctionnaires sont les interlocuteurs, à Québec, des porte-parole des conseils municipaux), les organes de coordination intermunicipale et les organismes de concertation régionale complètent ce qu'on peut appeler le paysage municipal du Québec.

Les organismes de coordination intermunicipale et les organismes de concertation régionale

Parmi les organismes de coordination intermunicipale, il en est un qui se distingue par la taille et par l'ampleur des débats qui s'y déroulent : cet organisme, c'est le conseil de la Communauté urbaine de Montréal.

Comme les deux autres communautés urbaines du Québec, la Communauté urbaine de Montréal exerce ses compétences sur des matières qui intéressent les populations des diverses municipalités qui en font partie : assainissement de l'atmosphère, assainissement des eaux, récupération et recyclage des déchets, santé publique, loisirs (et parcs), police et, enfin, transport en commun.

Chacune des trois communautés urbaines du Québec est dotée d'un organe décisionnel adapté à sa propre situation. Ainsi, la Communauté urbaine de Montréal est dirigée par un conseil formé par le maire de Montréal, les 52 autres membres du conseil municipal de la Ville de Montréal et les maires ou mairesses des autres municipalités qui en sont membres (chaque municipalité étant représentée par une personne). Ce conseil de la Communauté urbaine de Montréal, qui doit se réunir assez souvent (à tous les deux mois au moins), choisit, parmi ses membres, un exécutif de 13 personnes. Chacune des 13 personnes qui forment le comité exécutif de la Communauté urbaine de Montréal assume une fonction précise : présidence du comité exécutif, présidence et vice-présidence du conseil, présidence et vice-présidence d'une des commissions du conseil (il y en a cinq).

Les questions qui confrontent le conseil de la Communauté urbaine de Montréal sont extraordinairement controversées. Elles le sont parce que, sur l'île de Montréal, vivent côte à côte des populations distinctes dont les visions du monde paraissent fort différentes les unes des autres. Les visées des unes contrecarrent celles des autres, de sorte que, depuis des décennies, très rares ont été, sur l'île de

Montréal, les projets communs qui ont pu rallier des majorités capables de les imposer.

Malgré les efforts déployés, la Communauté urbaine de Montréal ne peut guère échapper aux rivalités qui s'appuient sur les diverses autorités municipales de l'île de Montréal, rivalités aggravées par les différences considérables qui distinguent les municipalités les unes des autres.

Des rivalités analogues, quoique moins graves, divisent également plusieurs des organismes de concertation que sont les municipalités régionales de comté. La municipalité régionale de comté est chargée, en premier lieu, de planifier l'aménagement du territoire, en dehors des zones couvertes par les trois communautés urbaines (Montréal, Québec et Outaouais) et en dehors des territoires nordiques. L'aménagement du territoire consiste en une série d'actions (règlements, constructions, etc.) permettant d'optimiser l'utilisation des sols et des cours d'eau. Cet aménagement procède, en partie, de l'analyse des particularités ou caractéristiques des diverses parties du territoire (composition et morphologie des sols et des cours d'eau) visant à déterminer la nature des affectations optimales du point de vue de la production en matières premières (forêts, mines, pâturages, produits de l'agriculture, et ainsi de suite) et du point de vue des implantations humaines (voies de communication, installations industrielles, commerciales, administratives, sportives, résidentielles...). Les décisions d'aménagement procèdent aussi de l'analyse des ressources humaines et financières disponibles, des désirs ou besoins des populations, et de diverses autres considérations.

Les organes décisionnels des municipalités régionales de comté (conseils formés des maires et mairesses des municipalités concernées) ont à considérer d'autres questions que l'aménagement du territoire, puisque les relations intermunicipales touchent de nombreux objets. Mais, dans les municipalités régionales de comté tout comme à la Communauté urbaine de Montréal ou dans les autres communautés urbaines, il y a des écarts considérables entre les municipalités les mieux dotées et les municipalités les plus défavorisées et les inégalités avivent les rivalités.

Ces rivalités s'expriment aussi au sein des organes de concertation que sont les conseils régionaux. Formés de personnes de divers milieux (membres des conseils municipaux, parlementaires, porte-parole d'organismes de services publics ou d'organismes représentatifs des entreprises et des associations...), les conseils régionaux sont chargés de gérer un Fonds régional de développement dont l'utilisation est l'enjeu de débats importants.

Dans ces organes décisionnels régionaux comme dans les autres, les choix sont toujours difficiles, puisqu'ils portent nécessairement sur des options concurrentes, voire contradictoires.

*

*   *

Les conflits sont le propre de la vie politique. Ceux que les gens n'arrivent pas à résoudre sont immanquablement soumis aux autorités. Les décisions des autorités engendrent elles-mêmes des conflits. Les autorités elles-mêmes sont contestées. Les institutions sur lesquelles elles s'appuient peuvent, elles aussi, être contestées. En définitive, comme l'ont montré les réflexions présentées dans ce chapitre, les personnes qui participent le plus activement à la vie politique sont sans cesse confrontées aux contradictions.

Or, les autorités ne cessent de prendre des décisions, y compris des décisions de continuité (à noter que la décision de ne rien faire ne mérite guère le titre de «décision», puisque, selon les spécialistes, le terme «décision» devrait être réservé à un choix délibéré débouchant sur l'action). Étant donné qu'il faut choisir entre des options contradictoires et controversées (ne pas agir, agir dans tel sens, agir dans tel autre), les autorités prennent continuellement parti. Mais leurs motifs ne sont jamais évidents.

Même si elles avaient conscience de leur propre cheminement (ce qui n'est probablement pas le cas), les personnes qui prennent les décisions politiques n'auraient aucun intérêt à exposer les véritables motifs qui les ont guidées, et cela, en raison même de la logique de la vie politique. Il s'ensuit qu'il est très difficile d'expliquer les choix politiques : les motifs réels et complets de ces choix ne sont jamais totalement connus.

Et ce mystère qui entoure l'aboutissement de la vie politique, c'est-à-dire la décision politique, ajoute à sa fascination.

LECTURES RECOMMANDÉES

BACCIGALUPO, Alain, *Système politique et administratif des municipalités québécoises : une perspective comparative*, Montréal, Agence d'Arc, 1990, 568 pages.

BÉLANGER, Réal, Richard JONES, et Marc VALLIÈRES, *Les grands débats parlementaires : 1792-1992*, Sainte-Foy, Presses de l'Université Laval, 1994, 487 pages.

BÉLANGER, Yves (sous la direction de), *La CUM et la région métropolitaine : l'avenir d'une communauté*, Sainte-Foy, Presses de l'Université du Québec, 1998, 176 pages.

BÉLANGER, Yves, et Laurent LEPAGE (sous la direction de), *L'Administration publique québécoise : évolutions sectorielles 1960-1985*, Sillery, Presses de l'Université du Québec, 1989, 226 pages.

BERNARD, André, *Les institutions politiques au Québec et au Canada*, Montréal, Boréal, 1996, 123 pages.

BERNARD, André, *Politique et gestion des finances publiques : Québec et Canada*, Sillery, Presses de l'Université du Québec, 1992, 470 pages.

BERNARD, Louis, *Réflexions sur l'art de se gouverner : essai d'un praticien*, Montréal, Québec-Amérique, 1987, 132 pages.

GÉLINAS, André, *Organismes autonomes et centraux*, Montréal, Presses de l'Université du Québec, 1975, 346 pages.

GOW, James Iain, *Histoire de l'administration publique québécoise, 1867-1970*, Montréal, Presses de l'Université de Montréal, 1986, 443 pages.

LACHAPELLE, Guy, Luc BERNIER, et Pierre P. TREMBLAY (sous la direction de), *Le processus budgétaire au Québec*, Sainte-Foy, Presses de l'Université du Québec, 157 pages.

LEVY, Gary, et Graham WHITE, *Provincial and Territorial Legislatures in Canada*, Toronto, University of Toronto Press, 1989, 245 pages.

LIGHTBODY, James (sous la direction de), *Canadian Metropolitics. Governing our Cities*, Toronto, Copp Clark, 1995, 321 pages.

LINTEAU, Paul-André, *Histoire de Montréal depuis la Confédération*, Montréal, Boréal, 1992, 613 pages.

MASSICOTTE, Louis, Cohésion et dissidence à l'Assemblée nationale du Québec depuis 1867, *Canadian Journal of Political Science - Revue canadienne de science politique*, 22(3), septembre 1989, pages 505-521.

MASSICOTTE, Louis, La vie parlementaire, dans Robert BOILY (sous la direction de), *L'Année politique au Québec 1997-1998*, Montréal, Presses de l'Université de Montréal, 1999, pages 57-64.

PELLETIER, Réjean, Les fonctions du député : bilan des réformes parlementaires à Québec, *Politique*, 6, automne 1984, pages 145-164.

ROY, Jean-Hugues, et Brendan WESTON (sous la direction de), *Politique urbaine à Montréal. Un guide du citoyen*, Montréal, Guernica, 1990, 374 pages.

SAINT-PIERRE, Diane, *L'évolution municipale du Québec des régions. Un bilan historique*, Sainte-Foy, Union des municipalités régionales de comté et des municipalités locales du Québec (UMRCQ), 1994, 198 pages.

SAYWELL, John, *The Office of Lieutenant-governor : A Study in Canadian Government and Politics*, Toronto, University of Toronto Press, 1957, 302 pages.

TINDAL, C.R., et S. NOBES TINDAL, *Local Government in Canada. Third Edition*, Toronto, McGraw-Hill Ryerson, 1990, 375 pages.

TREMBLAY, Pierre P., avec la collaboration d'André BERNARD (sous la direction de), *L'État administrateur : modes et émergences*, Sainte-Foy, Presses de l'Université du Québec, 1997, 423 pages.

Conclusion

La mise en œuvre d'une décision politique est l'aboutissement d'un long processus qui a commencé par un désir de changement, exprimé par quelqu'un quelque part. L'expression d'un désir de changement politique peut se produire au sein de l'administration, mais, la plupart du temps, même quand elle se produit au sein de l'administration, cette manifestation d'un besoin nouveau est l'écho de demandes formulées ailleurs. De fait, la plupart des décisions politiques apparaissent comme les conclusions provisoires d'affrontements entre des points de vue concurrents ou contradictoires, certaines personnes réclamant un changement, d'autres s'y opposant. Et, comme les moyens sont toujours insuffisants, les demandes adressées aux autorités sont, à tout le moins, en concurrence les unes avec les autres. Elles sont même, le plus souvent, contradictoires.

La vie politique est faite de ces affrontements entre deux ou plusieurs camps. Les uns veulent des changements, aux lois et règlements en vigueur, dans la composition des équipes dirigeantes, dans les institutions... Les autres en préconisent des différents, ou s'opposent aux changements proposés par leurs adversaires. Les changements réclamés requièrent une décision politique, tout comme est une décision politique la tentative des autorités visant à décourager les personnes qui réclament des changements. On peut dire, finalement, que les affrontements dont est faite la vie politique ont pour enjeux des décisions politiques (la décision étant au cœur de la vie politique).

Parmi les motifs qui amènent les gens à réclamer des changements politiques, les plus importants sont assurément ceux qui procèdent du désir d'améliorer leur condition, par rapport à la nature et aux autres êtres humains. Le premier chapitre de ce livre a tenté de montrer que la diversité de la population, au Canada et au Québec, alimentait d'incessantes demandes de changement politique, car des membres de chacune des diverses communautés tentent, grâce aux interventions des autorités, d'améliorer leur situation relative, à peu près tout le monde souhaitant, par ailleurs, accroître le bien-être général de l'humanité. Dans le chapitre 2, l'accent a porté sur les distinctions qui divisent les personnes selon leur âge, leur sexe, leur position actuelle ou passée dans la hiérarchie des «classes sociales», leurs activités, leurs emplois, leurs diplômes, leurs revenus... On a vu que toutes ces distinctions suscitaient des insatisfactions qui menaient de nombreuses personnes à demander l'intervention des autorités dans l'espoir d'une amélioration. On a vu aussi que toute demande de changement politique était contrecarrée par le conservatisme des personnes qui n'avaient pas à se plaindre de la situation que d'autres voulaient modifier.

À l'origine des demandes de changement politique (autrement dit, des demandes adressées aux autorités à propos de ce qu'on qualifie habituellement de besoins nouveaux) se trouvent aussi, forcément, les modifications qui se produisent sans cesse dans les sociétés et, plus largement, dans le monde. L'évolution incessante des sociétés génère toutes sortes de modifications dans les perceptions que les gens ont de leur situation. L'objectif du troisième chapitre de ce livre était de montrer que, en raison du changement qui se produit autour d'elles et en elles, certaines personnes se mettent à réclamer une décision politique plutôt qu'une autre, alors que d'autres personnes exigent des autorités qu'elles ne changent rien aux lois, règlements et pratiques en vigueur.

Même quand elle est inspirée par une réaction au changement, l'action politique d'une personne dépend, à l'évidence, des visions du monde qu'elle peut avoir, de ses perceptions des réalités et de nombreuses autres considérations qui, dans l'ensemble, se rapportent à sa situation dans la société. En conséquence, plus que la conjoncture, c'est la croissance ou le déclin des catégories d'appartenance qui semble davantage influencer les demandes «d'adaptation au changement» adressées aux autorités. Au Canada, de nombreuses «demandes d'adaptation» ont été suscitées par le déclin de la proportion de la population totale constituée par les personnes dont la langue maternelle est le français. De même, les autorités ont dû faire face à de nombreuses demandes d'ajustement aux changements qui se sont produits dans la répartititon de la population entre les provinces ou entre les diverses agglomérations du territoire. Les modifications dans l'importance relative des divers groupes d'âge, dans l'ensemble de la population, posent elles aussi des problèmes d'ajustement auxquels les pouvoirs publics sont appelés à répondre. Les changements majeurs qui se produisent au Canada, en raison notamment de l'immigration et des flux migratoires internes au pays, sont indéniablement à l'origine d'un grand nombre de demandes adressées aux autorités.

Considérés ensemble, les trois premiers chapitres de ce livre devraient avoir montré que les fondements de la vie politique sont divers et extraordinairement complexes. Ils devraient avoir montré que la vie politique est une lutte incessante entre des forces concurrentes ou antagonistes ; chacune de ces forces multiples tente d'imposer ses intérêts, grâce à l'intervention des autorités, grâce à la conquête des postes d'autorité, grâce, enfin, aux institutions qui confèrent une part de leur pouvoir aux personnes qui occupent les postes d'autorité. Les trois premiers chapitres du livre l'ont aussi montré : au Canada et au Québec, en raison de l'hétérogénéité de la population, de l'étendue du territoire et de quelques autres particularités du pays et de ses habitants, en raison aussi de la conjoncture et de l'évolution, les demandes de changement adressées aux autorités sont très nombreuses, certaines allant même jusqu'à viser les institutions.

Dès qu'on y regarde de près, comme on a voulu le faire dans les premiers chapitres de ce livre, la vie politique apparaît ainsi comme un brassage d'idées concurrentes et, parfois, contradictoires, un brassage incessant ponctué, de jour en jour, par des décisions politiques qui visent à répondre à certaines demandes de changement ou, parfois, à contrer certaines de ces demandes.

LES DÉCISIONS POLITIQUES : ABOUTISSEMENT DES PROCESSUS QUI SOUS-TENDENT LE DÉROULEMENT DE LA VIE POLITIQUE

Les processus qui mènent aux décisions politiques comportent, très souvent, une phase de mobilisation orchestrée par des corps intermédiaires et, éventuellement, par des partis politiques (les chapitres 4 et 5 ont présenté ces deux types d'organisations, qui, au Canada et au Québec, affichent plusieurs traits distinctifs).

Dans la vie politique, au Canada comme ailleurs, les forces du changement affrontent les intérêts en place et, pour atteindre leurs objectifs, elles ont recours à des organisations, que l'on connaît sous les noms de « corps intermédiaires » et de « partis ». Les intérêts en place ont eux aussi recours à des corps intermédiaires et à des partis pour défendre la position qu'ils occupent ou pour la renforcer.

Dans l'action qu'ils mènent, les corps intermédiaires et les partis utilisent, selon les circonstances et les possibilités qui s'offrent à eux, divers moyens (examinés dans les chapitres 6, 7 et 8), qu'ils mettent en œuvre lors des élections et, surtout, dans le cadre de ce qu'on peut appeler les jeux d'influence. Les partis, toutefois, sont des organisations qui concentrent leurs activités autour des scrutins, car leur objectif premier est de porter ou de maintenir leurs chefs à la direction des affaires publiques. Les corps intermédiaires participent plutôt aux jeux d'influence, dans la mesure où leurs objectifs immédiats, relativement circonscrits, concernent des lois, des règlements ou des pratiques politiques, et non pas le renversement ou le maintien des équipes dirigeantes.

Quand une nouvelle équipe en remplace une autre dans les postes d'autorité, certaines décisions de changement sont rapidement prises, mais la précipitation avec laquelle elles sont prises marque un contraste saisissant avec la longue période écoulée depuis le moment où ont été exprimées les demandes auxquelles elles correspondent. En général, il est rare qu'une décision politique soit prise sans avoir été précédée de longues années de débats, ceux-ci ayant été engagés au moment où ont été exprimées les demandes de changement auxquelles la décision répond enfin. Au Canada et au Québec, les débats qui suivent les demandes de changement politique sont habituellement très longs : on dit souvent que les autorités, au Canada, ont l'art de temporiser. À l'évidence, avant qu'un projet de changement politique majeur, souhaité aujourd'hui par quelques personnes, ne rallie une majorité dans la population, il peut s'écouler bien du temps.

C'est indéniable, entre le moment où des personnes expriment, séparément, ici et là, des désirs de changement politique et le moment où, finalement, une décision politique est prise pour satisfaire ou faire taire ces désirs de changement, il s'écoule énormément de temps, un temps au cours duquel s'organise la mobilisation des gens, pour ou contre le changement, une mobilisation orchestrée par des corps intermédiaires et des partis, une mobilisation encadrée par les « mécanismes » que sont les scrutins et, plus largement, les jeux d'influence.

Dans certains cas, pour atteindre les objectifs qu'elles visent, les forces du changement ne peuvent se contenter de faire pression sur les autorités. Il leur faut s'allier aux partis qui combattent les personnes qui occupent les postes d'autorité et, enfin, obtenir qu'elles soient remplacées par d'autres. Il arrive même, parfois, que les forces de changement n'aient d'autre recours, pour atteindre leurs objectifs, que d'obtenir une modification des institutions elles-mêmes. Ainsi, certaines des forces du changement à l'œuvre au Canada réclament une dévolution considérable des pouvoirs du Parlement du Canada en faveur de l'Assemblée nationale du Québec, voire même la « souveraineté du Québec », car les mécanismes qui permettent la formation d'une majorité, au Parlement du Canada, donnent forcément le pouvoir aux membres de la communauté linguistique majoritaire, dont les visions et visées sont, sur certains points, fort différentes de celles qui dominent dans la communauté de langue française.

Il est rare que les personnes qui occupent les postes d'autorité prennent des décisions qui déplaisent à leurs propres supporters, pour satisfaire les demandes d'une minorité dont la plupart des membres appuient l'opposition. Inversement, comme on l'a vu à maintes reprises dans ce livre, il est rare qu'une majorité parlementaire soit formée par un parti qui n'a pas l'appui d'une proportion importante de l'électorat. Et, quand cela se produit, la majorité parlementaire, faute d'appuis suffisants dans l'électorat, doit rapidement réorienter son action dans un sens qui permette de rallier de nouveaux soutiens (sinon les difficultés s'accroissent). En conséquence, dans le cours normal des choses, et à propos des dossiers les plus difficiles, les autorités se contentent de prendre les décisions qui leur semblent bénéficier de l'adhésion ou du consentement d'une proportion importante de l'électorat.

Les dossiers les moins controversés, qui n'opposent qu'une minorité à une autre et n'intéressent pas la majorité, sont souvent réglés dans ce qui semble être l'indifférence ou la lassitude générale.

Il y a, enfin, beaucoup de décisions qui, n'intéressant qu'une minorité, ne sont absolument pas connues du grand public.

Parmi les milliers de décisions politiques prises chaque année par les autorités, il en est finalement bien peu qui fassent l'objet de controverses généralisées. La plupart ne concernent qu'un petit nombre de protagonistes, les uns s'objectant aux décisions prises et réclamant un changement, les autres, leurs adversaires, se réjouissant des décisions prises et exigeant qu'on s'y tienne.

Comme on l'a vu au chapitre 4, ces protagonistes de la vie politique ont tendance, s'ils sont de langue anglaise, à exercer leurs pressions sur les autorités fédérales du Canada. À l'inverse, les groupes dominés par les francophones du Québec ont tendance à diriger leurs demandes vers les autorités provinciales du Québec, même si l'objet de ces demandes peut relever indifféremment des compétences législatives du Parlement du Canada et de celles des institutions provinciales du Québec.

Comme nous l'avons montré dans les deux derniers chapitres de ce livre, en raison de l'arrangement institutionnel de type fédéral en vigueur au Canada, les décisions qui portent sur des questions d'intérêt local appartiennent à des «législatures provinciales» (chacune ayant compétence sur une portion du territoire appelée «province»). Par ailleurs, en raison d'une tradition de décentralisation qui remonte aux premiers temps de la colonie, les «législatures provinciales» ont laissé d'importantes attributions aux «autorités municipales», qui conservent, encore aujourd'hui, une «certaine» autonomie. En revanche, toutes les décisions concernant des sujets qui n'ont pas été attribués aux «législatures provinciales» par la Loi constitutionnelle de 1867 appartiennent au Parlement du Canada, qui exerce sa compétence sur l'ensemble du pays.

La Loi constitutionnelle de 1867 consacre, au Canada et dans chacune des provinces canadiennes, les principes monarchiques et les pratiques parlementaires en vigueur au Royaume-Uni. C'est ainsi que la reine du Royaume-Uni est aussi reine du Canada, où elle est représentée par un gouverneur général, à Ottawa, et par un lieutenant-gouverneur, dans chacune des capitales provinciales. De même, la pratique institutionnelle, au Canada et dans les provinces canadiennes, est celle du parlementarisme de type britannique.

Même si la Loi constitutionnelle de 1867 accorde d'importants pouvoirs formels à la reine et aux personnes qui la représentent (gouverneur général à Ottawa, lieutenant-gouverneur dans chacune des capitales provinciales), y compris celui de refuser d'approuver les projets de loi adoptés par les parlementaires, dans la pratique, c'est la majorité parlementaire qui décide. Et, dans les faits, cette majorité parlementaire, à Ottawa tout comme dans chacune des capitales provinciales, est dominée par une oligarchie (celle que forment les ministres et quelques autres personnes), une oligarchie qui est elle-même assujettie à la prééminence du chef de la majorité, lequel est, d'office, chef du gouvernement, autrement dit premier ministre.

Comme nous l'avons montré dans maints passages de ce livre, la suprématie du premier ministre est devenue un trait marquant de la pratique institutionnelle, au Canada et dans chaque province canadienne.

En dépit de cette suprématie du premier ministre, de nombreuses dispositions de la Loi constitutionnelle de 1867, qui a constitué le «Dominion du Canada», restent en vigueur et obligent le chef du gouvernement, à Ottawa ou dans une capitale provinciale, à soumettre ses décisions à l'approbation de la Couronne, que ces décisions aient été prises en vertu des lois en vigueur ou avec l'accord formel de la majorité parlementaire.

Il s'ensuit que, à Ottawa et dans chacune des capitales provinciales, les décisions politiques importantes (celles qui ont la forme de lois ou de règlements ministériels) doivent être adoptées selon les mécanismes institutionnels définis par la Loi constitutionnelle de 1867. Néanmoins, toute décision requiert l'approbation du premier ministre, que celle-ci soit explicite ou implicite.

Dans une municipalité, les décisions importantes doivent être entérinées par le conseil (à qui la loi provinciale attribue un pouvoir réglementaire), mais avec l'aval du maire ou de la mairesse.

Il y aurait bien des distinctions à faire à propos des décisions politiques, puisque les textes qui les expriment sont souvent préparés par des personnes différentes de celles qui ont le pouvoir légal ou constitutionnel de les adopter. Ainsi, à Québec, de nombreux projets de loi, préparés par des fonctionnaires, sous la supervision de ministres, sont soumis à l'attention du premier ministre qui, ne voyant pas d'objection à le faire, autorise leur transmission à l'Assemblée nationale, qui les adopte. Chacun de ces textes est ensuite soumis au lieutenant-gouverneur, qui lui accorde ce qu'on appelle «la sanction royale», après quoi, à moins qu'un délai de proclamation n'ait été prévu, il entre en vigueur. Une fois entré en vigueur, le texte, qu'on appelle dorénavant «loi», peut parfois rester lettre morte parce que le gouvernement n'a pas dégagé, en fin de compte, les moyens de sa mise en œuvre. En somme, un même texte (ici, un projet de loi qui devient loi) est l'objet de très nombreuses interventions qui, toutes, peuvent être considérées comme des décisions : les fonctionnaires qui ont préparé le texte ont dû faire des choix, prendre des décisions ; les ministres qui ont supervisé la préparation du texte ont dû faire de même ; le premier ministre, à son tour, a choisi de soutenir le projet, puis les parlementaires de la majorité ont suivi son exemple, comme ensuite le lieutenant-gouverneur. Quand, finalement, arrive le moment de la mise en œuvre de ce qui apparaît comme une décision finale, les ministres peuvent décider de surseoir, de sorte que la décision antérieure est contredite par une nouvelle décision.

LA MISE EN ŒUVRE, PAR LE POUVOIR EXÉCUTIF, DES DÉCISIONS DU POUVOIR LÉGISLATIF

La mise en œuvre des décisions qui prennent la forme de lois (et de règlements, dans le cas de décisions autorisées par les lois) appartient au pouvoir exécutif. Pour l'ensemble du Canada, ce pouvoir exécutif, c'est tout simplement le gouvernement du Canada. Dans chaque province, c'est le gouvernement provincial. Dans une municipalité, c'est le maire ou la mairesse qui met en œuvre les règlements municipaux et autres textes dont la responsabilité lui incombe. Dans une autre instance décisionnelle autonome, c'est la direction qui exécute les décisions politiques qui ont été prises.

Cette mise en œuvre des décisions qui prennent la forme de lois ou règlements, on vient de le voir, exige elle-même de nombreux choix, de nombreuses autres décisions. Parmi ces choix, il y a lieu de distinguer, à tout le moins, ceux qui concernent le moment où commence la mise en œuvre (moment qui pourrait être retardé indéfiniment, à moins que la loi ou le règlement ne le précise), ceux qui ont trait au rythme de cette mise en œuvre et, enfin, ceux qui se rapportent aux moyens de la mise en œuvre (les ressources financières, matérielles et humaines). L'observation montre que de nombreuses lois et de nombreux règlements ne sont pas mis en œuvre (pensons, pour prendre des exemples estivaux, aux règlements qui interdisent de laisser vagabonder les chiens ou qui interdisent la tonte des pelouses en dehors de certaines périodes).

En raison de difficultés de toutes sortes, un maire ou une mairesse, tout comme un premier ministre, à Ottawa ou dans une capitale provinciale, peut éprouver des difficultés à mettre en œuvre les décisions à appliquer. La pénurie de ressources fait assurément partie de ces difficultés, mais les oppositions que susciterait la mise en œuvre d'une décision constituent, elles aussi, des embûches souvent formidables. Et puis il y a le manque de temps.

Parce que le temps leur manque pour tout faire, les détenteurs et détentrices du pouvoir exécutif doivent déléguer à des intermédiaires l'autorité qui leur permettra de les relayer. Dans les limites des délégations qui leur ont été attribuées, ces subalternes peuvent prendre des décisions administratives et, parfois, des décisions politiques (une décision est « administrative » quand elle est entièrement déterminée par des règles définies dans les lois ou règlements et dans les textes qui les prolongent). C'est ainsi que des fonctionnaires (les sous-ministres, par exemple) doivent assumer des tâches fort importantes dans le processus de mise en œuvre des décisions politiques, y compris en « suggérant » (aux personnes investies du pouvoir de prendre les décisions) le rythme de mise en œuvre des décisions et les moyens de cette mise en œuvre.

Par ailleurs, en vertu des délégations d'autorité ou de lois particulières (ou de règlements), de nombreux organismes ont été créés pour assurer la mise en œuvre des décisions (ministères, directions générales, bureaux, services, régies, offices, commissions, sociétés, etc.). Parmi ces organismes, plusieurs sont assujettis à un contrôle exigeant, d'autres ont une large autonomie. Les organismes autonomes sont cependant soumis à une certaine tutelle, exercée par le pouvoir exécutif (les autorités qui ont créé ces organismes conservant le pouvoir de les faire disparaître). Ensemble, ces organismes, autonomes ou non, constituent ce qu'on appelle le secteur public (l'étude des mécanismes de gestion du secteur public est surtout faite par des «spécialistes en administration publique», alors que l'étude de la vie politique est la spécialité des «politologues», «politicologues» ou «politistes»).

Parmi les organismes autonomes, les plus importants sont les tribunaux, qui échappent, d'une certaine façon, à la tutelle du pouvoir exécutif. En effet, en vertu des lois, les juges exercent leurs fonctions en toute indépendance. Ces fonctions ont trait à la mise en œuvre des lois et des règlements.

LA MISE EN ŒUVRE, PAR LE POUVOIR JUDICIAIRE, DES LOIS, DÉCRETS, ARRÊTÉS ET RÈGLEMENTS

Les fonctions des juges sont multiples, mais consistent, pour l'essentiel, à «dire le droit» et à «appliquer la loi». De ce point de vue, les juges sont des auxiliaires des autorités; on dit même des tribunaux qu'ils représentent l'autorité. Selon une distinction qui avait déjà cours dans la Grèce antique, les juges exercent le «pouvoir judiciaire», et ce «pouvoir», selon la théorie de la séparation des pouvoirs (séparation qui protégerait de la dictature), devrait être séparé et indépendant du «pouvoir législatif» et du «pouvoir exécutif».

Au Canada, le choix des juges des cours supérieures appartient au gouvernement fédéral (la nomination est faite par le gouverneur général), alors que le choix des juges de certains tribunaux provinciaux relève des autorités provinciales.

Les tribunaux du Canada forment une structure hiérarchique au sommet de laquelle se trouve la Cour suprême du Canada, formée de neuf membres, dont trois sont spécialistes du droit civil appliqué au Québec, les autres étant spécialistes du droit commun ou coutumier (_common law_), en vigueur ailleurs au Canada. La Cour suprême du Canada est le tribunal de dernière instance; on peut y faire appel, à certaines conditions, des décisions des tribunaux fédéraux (Cour canadienne de l'impôt, Cour fédérale du Canada, Cour d'appel des cours martiales du Canada) et des décisions des autres cours d'appel. Dans chaque province (et chaque territoire), la structure hiérarchique est dominée par une cour d'appel qui entend les « recours » en provenance d'autres tribunaux (cour supérieure, cour provinciale, cours des sessions de la paix, cours municipales...). C'est la Cour suprême du Canada qui décide d'entendre ou non les personnes qui en appellent d'une décision d'une cour d'appel provinciale.

Dans l'exercice de leurs fonctions, les juges s'inspirent d'abord d'un grand principe, celui de la primauté du droit. Au Canada, ce principe de la primauté du droit (en anglais, *rule of law*) a toujours inspiré les juges, car il fait partie, depuis des siècles, des traditions juridiques. Il est énoncé en introduction de la Charte canadienne des droits et libertés entrée en vigueur en 1982.

En vertu de ce principe, du point de vue de l'objet de ce livre, toute décision politique doit être compatible avec les lois et règlements en vigueur, lesquels peuvent toutefois faire l'objet de modifications par les autorités qui ont le pouvoir de les adopter. Ainsi, la Loi constitutionnelle de 1867 peut être modifiée conformément aux dispositions constitutionnelles et elle s'impose à toutes les décisions politiques, y compris celles qui prennent la forme de lois du Parlement du Canada, de lois des provinces ou de règlements. Le Parlement du Canada peut modifier les lois qu'il a déjà adoptées, mais, tant qu'elles demeurent en vigueur, les lois du Canada s'imposent à tout le monde, y compris aux autorités. La Loi constitutionnelle de 1867 (et ses amendements) et la Loi constitutionnelle de 1982 dictent le cadre général que doivent respecter les décisions politiques. Ainsi, les décisions des autorités provinciales ne peuvent concerner que les sujets qui relèvent de leur compétence (ou « juridiction »). Par ailleurs, les décisions des autorités municipales ne peuvent concerner que les sujets qui relèvent d'elles en vertu des lois provinciales ; ces décisions des autorités municipales, en outre, doivent être compatibles avec les lois du Parlement du Canada aussi bien qu'avec celles de la province où elles s'appliquent.

Leur intérêt leur dictant de respecter le principe de la primauté du droit, les autorités ne devraient prendre que des décisions qu'elles croient conformes aux lois en vigueur, sinon elles devraient modifier ces dernières dans le sens désiré.

Même si les autorités respectent systématiquement le principe de la primauté du droit, les juges ont parfois à décider de la constitutionnalité des lois (quand celle-ci est mise en doute) et de la conformité des règlements et autres décisions par rapport aux lois (quand elle est mise en doute). Il arrive en effet qu'un même texte (par exemple, un article de la Loi constitutionnelle de 1867) puisse être interprété de diverses façons et que l'interprétation retenue par les autorités ne soit pas celle que retiennent d'autres personnes, mécontentes de la décision adoptée en vertu de l'interprétation qu'elles contestent. Une décision politique dont la pertinence est mise en doute peut être soumise à l'appréciation d'un tribunal, et celui-ci, s'il y a lieu, peut la déclarer contraire à une loi, ou à la Loi constitutionnelle de 1867 ou à la Loi constitutionnelle de 1982.

Quand elle est déclarée inconstitutionnelle, une décision politique devient caduque. Trois possibilités s'offrent alors aux autorités qui l'ont prise : ne rien faire (la décision, ayant été annulée, ne sera pas appliquée), adopter, dans une version compatible avec les dispositions constitutionnelles, une nouvelle décision, de même nature que celle qui a été annulée, ou tenter de faire modifier les dispositions constitutionnelles, de façon à rendre possible une nouvelle adoption de la décision annulée. Ainsi, l'Assemblée nationale du Québec a dû accepter l'annulation de certaines sections de la Charte de la langue française (communément appelée «loi 101»), déclarées incompatibles avec la Charte canadienne des droits et libertés (Loi constitutionnelle de 1982), et recourir à une clause dérogatoire inscrite dans cette même charte («la clause nonobstant») pour adopter, dans une deuxième version, des textes qui avaient été déclarés contraires aux dispositions constitutionnelles. Par ailleurs, les autorités provinciales du Québec ont tenté, en vain, de faire modifier diverses dispositions constitutionnelles qui ne les satisfont pas (notamment lors des négociations qui ont précédé l'adoption de la Loi constitutionnelle de 1982 et lors des négociations relatives à l'Accord du lac Meech de 1987 et à l'Entente de Charlottetown de 1992).

Parce qu'elle «dit le droit», l'intervention des juges est fort utile dans le cas de litiges inspirés par deux interprétations différentes d'un texte constitutionnel ou d'une loi, l'une de ces interprétations autorisant un certain type de décision politique, l'autre, non. La conclusion des juges est censée être fondée sur un examen attentif des arguments des deux parties (chacune soutenant une interprétation) et sur la prise en compte des jugements antérieurs prononcés, sur le même sujet, par le même tribunal ou une cour d'appel. Ce sont d'ailleurs les arrêts du tribunal de dernière instance (la Cour suprême du Canada) qui font jurisprudence (autrement dit, qui font autorité, et servent d'exemple ou de «précédent»).

Jusqu'en 1949, les jugements de la Cour suprême du Canada, en matière de droit constitutionnel, pouvaient faire l'objet d'un «pourvoi» adressé à un comité de juges membres du Conseil privé britannique (*le comité judiciaire du Conseil privé*). Ce comité a prononcé, entre 1867 et 1949, plusieurs arrêts soutenant une interprétation du texte de l'article 92 de la Loi constitutionnelle de 1867 qui a permis aux autorités provinciales d'adopter des lois dans des domaines qui n'étaient pas mentionnés nommément dans la liste des sujets que l'article 91 de la même loi attribue à la compétence législative du Parlement du Canada. Inversement, d'autres arrêts du même comité ont permis aux autorités fédérales du Canada d'intervenir dans certains champs que les autorités provinciales estiment, en général, relever de leur propre compétence. Les jugements du comité judiciaire du Conseil privé britannique ont eu un impact significatif sur l'évolution du «fédéralisme» au Canada, tout comme les arrêts de la Cour suprême du Canada depuis 1949.

La Cour suprême du Canada peut même être amenée à trancher ce qu'on appelle des «conflits de droit». Il peut aussi arriver, en effet, que deux lois (ou deux décisions politiques), toutes deux compatibles avec la Loi constitutionnelle de 1867 et la Loi constitutionnelle de 1982, se contredisent l'une l'autre. Si les circonstances le permettent ou l'exigent, une telle incompatibilité peut être soumise à l'appréciation des juges. Et les conclusions des juges, dans ces affaires, ont la même utilité que leurs jugements en matière de constitutionnalité.

En plus de «dire le droit» (et de remplir les diverses autres fonctions qui leur incombent), les juges doivent «appliquer la loi». Les tribunaux ont, en effet, à régler des litiges (conflits entre deux ou plusieurs parties, à propos d'une question de fait ou de droit) et à appliquer les peines, prévues par la loi (ou un règlement), imposées aux personnes reconnues coupables d'avoir contrevenu à une loi ou à un règlement ou d'avoir enfreint une disposition du code criminel (lequel, relevant du Parlement du Canada, énumère les comportements prohibés sous peine de poursuite par les autorités ; un homicide est un crime, tout comme le vol ou la « fraude »). Le nombre d'infractions au code criminel constatées au Québec chaque année se situe aux alentours de 130 000. (Même si une même personne peut avoir commis plusieurs infractions, le « taux d'infractions au code criminel » est calculé en rapportant le nombre d'infractions au nombre d'habitants.) Les contraventions aux lois et règlements (sans compter les infractions constatées en matière de circulation automobile et de stationnement prohibé des véhicules) s'élèvent à environ 30 000 par année, au Québec. Quant aux litiges que doivent étudier les juges, ils couvrent une gamme très large de sujets, allant des plaintes formulées à propos de la responsabilité pour dommages jusqu'aux bris de contrats, en passant par des questions de divorce ou de faillite ; c'est plus de 250 000 dossiers litigieux, chaque année, que doit étudier la Cour supérieure du Québec. (À ces dossiers, il faudrait en ajouter bien d'autres, qui relèvent d'autres instances, en particulier les quelque 150 000 dossiers soumis chaque année à la Cour du Québec.)

Il arrive, comme on l'a vu à quelques reprises dans ce livre, que des personnes poursuivent leur action politique en s'adressant aux tribunaux, dans l'espoir de faire casser des décisions politiques qu'elles contestent. Ces interventions, auprès des tribunaux, alimentent une partie de la chronique politique, dont elles ponctuent, à l'occasion, le déroulement. Les arrêts des juges, dans les causes qui opposent les autorités à certaines personnes, s'apparentent ainsi aux décisions politiques, bien que les décisions judiciaires présentent des caractéristiques qui permettent de les distinguer des décisions politiques (l'arrêt d'un tribunal est en effet dicté par les textes de loi ou, plus largement, le droit et la coutume, d'une part, et par les faits, d'autre part).

LES DÉCISIONS POLITIQUES ET LE DÉROULEMENT DE LA VIE POLITIQUE

À l'évidence, les décisions politiques suscitent immanquablement des réactions, puisqu'elles consistent en un choix entre deux ou plusieurs options, chacune étant soutenue par certaines personnes et contestée par d'autres. Les personnes qui trouvent à redire réclament des dérogations, voire de nouvelles décisions. De nouvelles mobilisations s'organisent, des corps intermédiaires engagent de nouvelles démarches, les partis politiques interviennent... et la vie politique continue.

Parce que les décisions politiques ont toujours un caractère provisoire, même si on les dit «définitives», parce qu'elles sont immanquablement, un jour ou l'autre, contestées par des personnes qui réclament de nouvelles décisions, on pourrait dire que l'un des fondements de la vie politique se trouve dans les décisions politiques du passé.

La vie politique apparaît, de fait, comme un éternel recommencement, puisque de nombreuses décisions antérieures sont, à tout moment, l'objet de demandes de modifications ou d'abrogation. Rares sont les lois et les règlements qui ne sont pas, un jour ou l'autre, modifiés, abrogés ou remplacés.

La vie politique étant caractérisée par l'opposition entre des personnes qui réclament de nouvelles décisions ou des changements aux décisions passées et celles qui n'en veulent pas, il faut donc reconnaître que la décision politique est au cœur de la vie politique. L'enjeu ultime de la vie politique, c'est la décision politique, que cette décision concerne les interventions des autorités, le choix des personnes qui occupent les postes d'autorité ou les institutions sur lesquelles s'appuient les autorités. L'intérêt que présente la vie politique vient finalement de ce qu'elle a pour enjeux des décisions des autorités, des décisions qui engagent pratiquement tout le monde, y compris des gens qui n'en ont pas conscience.

Bibliographie générale

Chacun des sujets abordés dans *La vie politique au Québec et au Canada* peut être étudié plus en détail. Comme il a été dit en avant-propos, l'accès facile à la documentation explique pourquoi *La vie politique au Québec et au Canada* ne comporte pas de notes en bas de page. Pour identifier les documents qui traitent d'un sujet en particulier, il suffit de recourir à une bibliographie.

La plupart des grandes bibliothèques offrent aujourd'hui un service de référence informatisé qui donne accès à la liste des bibliographies disponibles, que celles-ci se présentent sous forme imprimée ou sous forme de renseignements informatisés. Ainsi, dans les bibliothèques rattachées au réseau de l'Université du Québec, se trouvent des terminaux, accessibles sur place ou par modem, qui permettent de consulter la banque des données à accès direct de l'Université du Québec (connue par ses initiales, qui forment le sigle BADADUQ). Cette banque de données permet de connaître, en un instant, les titres et références des documents qui, dans les collections disponibles, se rapportent au sujet qui aura été épelé sur le clavier rattaché au terminal utilisé. Ces titres et références, qui apparaissent à l'écran, peuvent, au besoin, être immédiatement reproduits sur des feuilles, grâce à une imprimante asservie à chaque terminal et située à proximité de ce terminal (l'utilisation d'un modem pour atteindre la banque de données de l'Université du Québec permet la copie sur disque ou l'impression sur papier des données à conserver). Tout comme les bibliothèques du réseau de l'Université du Québec, celles de la plupart des institutions d'enseignement collégial et universitaire et des villes mettent des services informatisés à la disposition des personnes qui, en raison de leurs études ou du fait qu'elles résident à proximité, y ont accès.

En plus de permettre l'accès informatisé à leurs propres collections, les grandes bibliothèques donnent accès aux ressources d'autres bibliothèques du voisinage et offrent aussi la possibilité de consulter des banques informatisées de données produites par des services spécialisés (par exemple, *ABC POL SCI*, une bibliographie courante informatisée, également disponible sous forme imprimée, qui répertorie les articles de quelque 300 périodiques de science politique en provenance du monde entier ; ou encore, *Francis CD-ROM*, une bibliographie courante produite en France, qui donne accès à quelque 60 000 références indexées par année ; un troisième exemple, *Public Affairs Information Service International in Print*, une bibliographie courante publiée par un organisme à but non lucratif de New York, sous forme imprimée et avec accès informatisé, qui recense des articles de périodiques et des livres publiés partout dans le monde, dans les principales langues européennes).

Les banques de données informatisées ont pour support des disques compacts (CD) qu'on ne peut modifier (les initiales ROM signifiant «Read-Only Memory»). En plus des sources bibliographiques qui viennent d'être citées et de celles qui le seront plus loin, les bibliothèques donnent accès à des centaines (bientôt des milliers) de documents informatisés qui peuvent présenter de l'intérêt du point de vue de *la vie politique au Québec et au Canada*. Ainsi, sur CD-ROM, on peut avoir accès (depuis 1985) au texte intégral de la revue *L'actualité*, des quotidiens *Le Devoir, Le Droit, La Presse* et *Le Soleil*, du *Journal des débats* de la Chambre des communes du Canada, des Rapports du vérificateur général du Canada et de nombreux autres documents.

Les grandes bibliothèques sont en outre reliées au réseau INTERNET. Ce réseau ou tout réseau semblable, avec son outil de recherche par mots clés (un mot clé étant celui qui identifie le sujet auquel on s'intéresse), donne accès à un immense index, incomparablement plus vaste que celui de la banque du réseau de l'Université du Québec (BADADUQ). Mais, confidence de l'auteur de *La vie politique au Québec et au Canada*, rien ne sert d'avoir accès à toutes les sources d'information du monde si le temps de les consulter fait défaut...

LES BIBLIOGRAPHIES CANADIENNES

Parmi les bibliographies courantes accessibles par ordinateur (et disponibles, également, sous forme imprimée), la plus importante, du point de vue de *la vie politique au Québec et au Canada*, est le *Canadian Index*. Le *Canadian Index* est une bibliographie courante qui répertorie les textes publiés dans les principaux quotidiens du Canada et dans plusieurs centaines de périodiques produits au Canada. Pour connaître les titres et références des textes répertoriés qui portent sur un sujet, il suffit d'épeler ce sujet sur le clavier ou de se rendre à ce sujet dans l'index, où les sujets sont classés par ordre alphabétique.

En plus du *Canadian Index*, il est possible de consulter le *Canadian Periodical Index – Index de périodiques canadiens*. Cette bibliographie courante, qui paraît encore uniquement sous forme imprimée (au moment où ces lignes sont écrites), recense les articles de quelques centaines de périodiques canadiens, y compris des périodiques publiés en langue française (par exemple, *L'actualité* et *Châtelaine*).

Parmi les revues dont les articles sont recensés par le *Canadian Periodical Index – Index des périodiques canadiens* figure le périodique dans lequel sont publiés les principaux résultats des recherches effectuées par les politologues du Canada à propos de la politique canadienne, *Canadian Journal of Political Science – Revue canadienne de science politique*, revue qui relève à la fois de la Société québécoise de science politique et de la Canadian Political Science Association – Association canadienne de science politique.

Le *Canadian Periodical Index – Index des périodiques canadiens* tient également compte d'autres publications universitaires qui publient, à l'occasion, des résultats de recherches consacrées à la vie politique au Canada, notamment *Queen's Quarterly*, *Dalhousie Review*, *Canadian Public Administration – Administration publique du Canada*, *Canadian Public Policy – Analyse de politiques* (la liste précédente énumère seulement quelques-unes des nombreuses publications universitaires dans lesquelles paraissent, parfois, les résultats des recherches consacrées à la politique canadienne).

En plus d'un index de périodiques, il convient enfin de consulter un répertoire des livres publiés au Canada ou à propos du Canada, quand on veut identifier les textes qui se rapportent au sujet auquel on s'intéresse. La plus importante de ces bibliographies générales est intitulée *Canadiana – Canada's National Bibliography – La bibliographie nationale du Canada*. Produite à Ottawa par la Bibliothèque nationale du Canada, *Canadiana* a paru sous forme imprimée pendant un peu plus de quarante ans (1951-1992). Cette bibliographie courante est maintenant produite sous forme de microfiches (les volumes antérieurs les plus récents étant aussi disponibles sur microfiches), qui ne peuvent être consultées qu'à l'aide d'un appareil de lecture adapté, mais elle est aussi accessible sur cédérom.

Canadiana, le *Canadian Index* et le *Canadian Periodical Index – Index des périodiques canadiens* étant des bibliographies courantes, c'est-à-dire des répertoires qui sont constamment mis à jour, il est d'usage de consulter d'abord l'édition la plus récente, puis les éditions antérieures.

Il est aussi d'usage de recourir à des bibliographies rétrospectives spécialisées, qui sont des répertoires qui recensent les textes consacrés à un sujet précis au cours d'une période relativement longue. De nombreuses bibliographies rétrospectives spécialisées sont disponibles dans les grandes bibliothèques (certaines sont même accessibles par ordinateur) et, parmi elles, plusieurs traitent de sujets qui peuvent avoir un lien avec la politique au Canada (par exemple, *Women in Canada : A Bibliography 1965-1982*).

LES BIBLIOGRAPHIES QUÉBÉCOISES

Une personne qui s'intéresse à un sujet se rapportant à la vie politique au Québec a tout intérêt à consulter des bibliographies produites au Québec (en plus du *Canadian Index*, du *Canadian Periodical Index – Index des périodiques canadiens* et de *Canadiana*). Pour l'étude de la politique au Québec, il convient donc de consulter l'*Index de l'actualité*, produit par Microfor. L'*Index de l'actualité*, une bibliographie courante, recense les textes qui paraissent dans les grands quotidiens de langue française du Québec (*La Presse, Le Devoir, Le Journal de Montréal, Le Journal de Québec, Le Soleil*).

Il convient aussi de consulter *Point de repère*, une bibliographie courante produite par la Bibliothèque nationale du Québec. *Point de repère* répertorie les articles parus dans des périodiques (revues parmi lesquelles environ 200 sont d'origine québécoise). Parmi les périodiques recensés figurent la revue de la Société québécoise de science politique (dont le titre, depuis la livraison de l'automne 1995, est *Politique et sociétés*) et plusieurs autres productions universitaires pertinentes du point de vue de *la vie politique au Québec et au Canada* (par exemple, *Recherches sociographiques, Sociologie et sociétés, Conjoncture*).

De nombreuses bibliographies rétrospectives spécialisées sont également disponibles. La plus importante, du point de vue de *la vie politique au Québec et au Canada*, est celle qui a été publiée par les Éditions du Boréal, à Montréal, en 1993 : *Politique et société au Québec. Guide bibliographique*. Cette bibliographie rétrospective spécialisée de 432 pages a été réalisée par Daniel Latouche, avec la collaboration de Guy Falardeau et Michel Lévesque.

En plus de *Politique et société au Québec. Guide bibliographique*, il y a lieu de recommander d'autres bibliographies rétrospectives, compilées par Michel Lévesque ou avec la collaboration de Michel Lévesque et publiées, notamment, par la Bibliothèque de l'Assemblée nationale. Par exemple, *Le Parti québécois : bibliographie rétrospective*, par Robert Comeau et Michel Lévesque (ouvrage de 132 pages publié en 1991, à Québec, par la Bibliothèque de l'Assemblée nationale).

LES PRODUCTIONS RELEVANT DES AUTORITÉS

Les productions qui relèvent des autorités ne sont pas toutes répertoriées dans les bibliographies courantes, car ces dernières évitent de couvrir les catalogues exhaustifs que publient certains organismes publics. Néanmoins, la liste des rapports préparés par les organismes publics, celle des énoncés de politiques des gouvernements et celle de divers autres documents dont la publication relève des autorités (y compris des autorités des diverses provinces et des autorités des principales villes du Canada) sont reproduites dans un répertoire intitulé *Microlog: Canadian Research Index – Index de recherche du Canada,* une bibliographie courante publiée à Toronto par Micromedia.

Les personnes qui s'intéressent spécifiquement aux documents qui relèvent des autorités provinciales du Québec peuvent consulter la *Liste bimestrielle des publications du Gouvernement du Québec.* Parmi ces publications du gouvernement du Québec, certaines sont également répertoriées dans la *Bibliographie du Québec,* dans *Canadiana* et dans *Microlog.*

Les publications qui relèvent des autorités fédérales du Canada sont répertoriées dans un catalogue trimestriel, *Governement of Canada Publications – Publications du gouvernement du Canada.* Parmi ces publications, certaines sont également répertoriées dans *Canadiana* et dans *Microlog.*

Parmi les publications qui relèvent des autorités, il en est quelques-unes qui présentent un très grand intérêt du point de vue de *la vie politique au Québec et au Canada.* C'est le cas des rapports de recherche préparés par ou pour les services de documentation attachés au Parlement du Canada ou à l'Assemblée nationale du Québec. C'est le cas, aussi, des textes de lois et de règlements, des études et rapports qui concernent les élections et les référendums, des comptes rendus des débats parlementaires et de quelques autres documents, notamment les recueils de statistiques.

Un organisme fédéral, Statistique Canada, publie annuellement le répertoire des très nombreuses compilations accessibles par son entremise. Ce répertoire est intitulé *Catalogue de Statistique Canada – Statistics Canada Catalogue.* Statistique Canada publie également une synthèse des principales compilations disponibles, sous la forme d'un gros volume intitulé *Annuaire du Canada.* L'*Annuaire du Canada 1999* est publié sur cédérom et en version imprimée, l'une ou l'autre version pouvant être commandée par internet (order@statcan.ca).

Tout comme Statistique Canada le fait pour l'ensemble du Canada, le Bureau de la statistique du Québec réalise, pour le Québec, d'importantes compilations (dont la liste est reproduite dans un catalogue) et publie un recueil synthétique qui rappelle, par son contenu, l'*Annuaire du Canada*. Les plus récentes éditions de ce recueil portaient le titre suivant : *Le Québec statistique*. La dernière, l'édition de 1995, qui compte 819 pages, a paru six ans après la précédente (1989), laquelle suivait de trois ans la première édition (1985-1986). *Le Québec statistique* a pris la relève de l'*Annuaire du Québec*, le premier *Annuaire statistique du Québec* ayant paru en 1914. Pour qui s'intéresse à l'histoire politique du Québec au XXe siècle, la collection de l'*Annuaire du Québec* peut s'avérer une source de renseignements d'accès facile.

En plus des compilations de Statistique Canada et du Bureau de la statistique du Québec, les banques de données comprennent des milliers d'autres compilations, dont certaines peuvent être d'un grand intérêt du point de vue de la politique au Québec et au Canada. Un répertoire de ces nombreuses compilations est publié annuellement par la société Micromedia de Toronto, sous le titre *Canadian Statistics Index – Index des statistiques du Canada*.

LES CHRONOLOGIES, RÉPERTOIRES ET RECUEILS

L'examen de certains sujets requiert une connaissance de la chronologie des événements. L'hebdomadaire *Canadian News Facts* publie un index cumulatif qui peut rendre de grands services. Il en va de même de certains chapitres de l'annuaire intitulé *Canadian Sourcebook* (exemple, *1999 Canadian Sourcebook*) ou de l'annuaire appelé *Canadian Almanac Directory*, ce document ayant la particularité d'être «bilingue».

La publication annuelle intitulée *Canadian Annual Review of Politics and Public Affairs* peut s'avérer fort utile également.

Il en va de même des recueils intitulés *L'année politique au Québec 1998-1999*, publié par les Presses de l'Université de Montréal, et *Québec 2000*, (qui traite de la période 1998-1999), annuaire publié par les Éditions Fides. Ces ouvrages récents ont été précédés de plusieurs autres livraisons du même type. Le premier annuaire de ce type était *L'année politique au Québec 1987-1988* (publié par les éditions Québec-Amérique).

Enfin, pour certains travaux, la consultation de répertoires ou recueils spécialisés peut s'avérer nécessaire. L'un des ouvrages de référence les plus utiles, du point de vue de la vie politique au Canada, est l'ouvrage intitulé *The Canadian Parliamentary Guide – Guide parlementaire canadien*, publié chaque année par Gale Canada. On trouve dans cet ouvrage, parmi d'autres renseignements (par exemple, les biographies des membres du Conseil privé et de la Cour suprême du Canada), des compilations de résultats d'élections fédérales et provinciales et des biographies des parlementaires membres du Sénat, de la Chambre des communes et de chacune des assemblées des provinces et des territoires.

La consultation des bibliographies signalées plus haut révélera l'existence de nombreuses autres sources de renseignements.

ANNEXE

Extraits annotés de la Loi constitutionnelle de 1867 et de la Loi constitutionnelle de 1982

Les extraits suivants reproduisent fidèlement les tournures et la ponctuation de la codification publiée par les autorités du Canada, mais ils appliquent quelques majuscules à des mots comme « Parlement » et des minuscules à des mots comme « gouverneur général ». Ces extraits reproduisent également, sans aucun changement, les termes utilisés au genre masculin, dans la codification publiée par les autorités du Canada, pour désigner des personnes qui peuvent être des femmes.

Dans ces extraits, des crochets entourent des explications ou observations présentées dans un autre caractère qui ne figurent pas dans la Loi constitutionnelle de 1867 ni dans la Loi constitutionnelle de 1982.

Conformément à une pratique ancienne sont appelées « articles » les sections du texte identifiées par des chiffres qui se suivent, en commençant au début du texte, et sont appelés « paragraphes » les divers éléments qui, à l'intérieur d'un « article », portent un numéro. Sont appelés « alinéas » (ou parfois « sous-paragraphes ») les éléments qui, à l'intérieur d'un paragraphe, sont précédés d'une lettre. Il peut arriver qu'un article qui ne comporte qu'un seul paragraphe puisse néanmoins comporter des alinéas (par exemple, les articles 2, 10, 11, 25, 35.1, 41 et 43 de la Loi constitutionnelle de 1982).

Il est d'usage de référer à un paragraphe d'un article en citant, à la suite, le numéro de l'article et le numéro du paragraphe. Ainsi, on dit «le paragraphe 38(1) de la Loi constitutionnelle de 1982» plutôt que «le paragraphe (1) de l'article 38.» De même, on parle de «l'alinéa 41d) de la Loi constitutionnelle de 1982» plutôt que de «l'alinéa d) de l'article 41». On parle également, suivant le même usage, de «l'alinéa 23(1)a) de la Loi constitutionnelle de 1982».

Certains articles, par exemple, l'article 92 de la Loi constitutionnelle de 1867, comportent un «préambule», puis une énumération de sujets, lesquels sont précédés d'un numéro. Il est d'usage d'appeler «catégories» les divers éléments d'une telle énumération, même si ces éléments peuvent aussi être appelés «paragraphes». Ainsi, l'alinéa c de la catégorie 10 de l'article 92 de la Loi constitutionnelle de 1867 concerne le pouvoir du Parlement du Canada de déclarer que des travaux ou entreprises relèvent de sa compétence, pouvoir que l'on appelle le «pouvoir déclaratoire du Parlement du Canada».

Enfin, les grandes divisions de la Loi constitutionnelle de 1867 et de la Loi constitutionnelle de 1982, communément appelées «parties», sont elles-mêmes subdivisées, et ces subdivisions sont identifiées par des titres secondaires (présentés ici en caractères italiques).

LOI CONSTITUTIONNELLE DE 1867

La Loi constitutionnelle de 1867, datée du 29 mars 1867, a été adoptée par le Parlement du Royaume-Uni de Grande-Bretagne et d'Irlande. Jusqu'en 1982, cette loi a été appelée «Acte de l'Amérique du Nord britannique de 1867».

Depuis 1982, la Loi constitutionnelle de 1867 peut être modifiée par les autorités fédérales et provinciales du Canada, sans le concours des autorités britanniques.

Les extraits suivants proviennent d'une codification qui tient compte des modifications apportées, entre 1867 et 1982, à la loi adoptée en 1867. Abstraction faite de nouvelles formulations à d'autres lois permises par la Loi constitutionnelle de 1982, aucune modification n'a été apportée à la Loi constitutionnelle de 1867 depuis 1982 (la dernière modification étant celle que lui a apportée la Loi constitutionnelle de 1982). Cette codification est une traduction du texte de la loi (rédigé d'abord en anglais).

Loi concernant l'union et le gouvernement du Canada, de la Nouvelle-Écosse et du Nouveau-Brunswick, ainsi que les objets qui s'y rattachent.

Considérant que les provinces du Canada, de la Nouvelle-Écosse et du Nouveau-Brunswick ont exprimé le désir de contracter une union fédérale pour ne former qu'une seule et même puissance [« Dominion »] sous la Couronne du Royaume-Uni de la Grande-Bretagne et d'Irlande, avec une constitution reposant sur les mêmes principes que celle du Royaume-Uni ;

Considérant de plus qu'une telle union aurait l'effet de développer la prospérité des provinces et de favoriser les intérêts de l'Empire britannique ;

Considérant de plus qu'il est opportun, concurremment avec l'établissement de l'union par autorité du Parlement [du Royaume-Uni], non seulement de décréter la constitution du pouvoir législatif de la puissance [« Dominion »], mais aussi de définir la nature de son gouvernement exécutif ;

Considérant de plus qu'il est nécessaire de pourvoir à l'admission éventuelle d'autres parties de l'Amérique du Nord britannique dans l'union ;

I. Préliminaires

[L'acticle 1 reproduit le titre, identifié plus haut.]

[L'article 2, abrogé en 1893, parce qu'une autre loi y pourvoyait, spécifiait que les dispositions relatives à la reine s'appliquaient à ses héritiers.]

II. Union

3. Il sera loisible à la Reine, de l'avis du très honorable Conseil privé de Sa Majesté, de déclarer par proclamation [cette proclamation a été faite le 22 mai 1867] qu'à compter du jour désigné [ce jour a été le premier jour de juillet 1867] les provinces du Canada, de la Nouvelle-Écosse et du Nouveau-Brunswick ne formeront qu'une seule et même puissance [« One Dominion »] sous le nom de Canada ; et dès ce jour, ces trois provinces ne formeront, en conséquence, qu'une seule et même puissance [« Dominion »] sous ce nom.

4. À moins que le contraire n'y apparaisse explicitement ou implicitement, le nom de Canada signifiera le Canada tel que constitué sous la présente loi.

5. Le Canada sera divisé en quatre provinces, dénommées : Ontario, Québec, Nouvelle-Écosse et Nouveau-Brunswick [cet article n'a décrit la réalité que pendant trois ans, puisque le Manitoba est devenu une province de l'union le 15 juillet 1870, la Colombie-Britannique, le 20 juillet 1871, l'Île-du-Prince-Édouard, le 1er juillet 1873, l'Alberta et la Saskatchewan, le 1er septembre 1905, Terre-Neuve, le 31 mars 1949].

6. Les parties de la province du Canada (telle qu'existant à la passation de la présente loi) qui constituaient autrefois les provinces respectives du Haut et du Bas-Canada, seront censées séparées et formeront deux provinces distinctes. La partie qui constituait autrefois la province du Haut-Canada formera la province d'Ontario ; et la partie qui constituait la province du Bas-Canada formera la province de Québec.

7. Les provinces de la Nouvelle-Écosse et du Nouveau-Brunswick auront les mêmes délimitations qui leur étaient assignées à l'époque de la passation de la présente loi.

8. Dans le recensement général de la population du Canada qui, en vertu de la présente loi, devra se faire en mil huit cent soixante et onze, et tous les dix ans ensuite, il sera fait une énumération distincte des populations respectives des quatre provinces.

III.   Pouvoir exécutif

9.   À la Reine continueront d'être et sont par la présente attribués le gouvernement et le pouvoir exécutifs du Canada.

10.   Les dispositions de la présente loi relatives au gouverneur général s'entendent et s'appliquent au gouverneur général du Canada, ou à tout autre chef exécutif ou administrateur pour le temps d'alors, administrant le gouvernement du Canada au nom de la Reine, quel que soit le titre sous lequel il puisse être désigné.

11.   Il y aura, pour aider et aviser, dans l'administration du gouvernement du Canada, un conseil dénommé Conseil privé de la Reine pour le Canada ; les personnes qui formeront partie de ce conseil seront, de temps à autre, choisies et mandées par le gouverneur général et assermentées comme conseillers privés ; les membres de ce conseil pourront, de temps à autre, être révoqués par le gouverneur général.

12.   Tous les pouvoirs, attributions et fonctions qui, par une loi du Parlement de la Grande-Bretagne, ou du Parlement du Royaume-Uni de la Grande-Bretagne et d'Irlande [le Parlement du Royaume-Uni, dans les mêmes locaux, a pris la relève du Parlement de la Grande-Bretagne en 1802], ou de la législature du Haut-Canada, du Bas-Canada, du Canada [cette législature a pris la relève de celles du Haut-Canada et du Bas-Canada en vertu de l'Acte d'union de 1840], de la Nouvelle-Écosse ou du Nouveau-Brunswick, lors de l'union, sont conférés aux gouverneurs ou lieutenants-gouverneurs de ces provinces [réunies pour former l'union] ou peuvent être par eux exercés, de l'avis ou de l'avis et du consentement des conseils exécutifs de ces provinces, ou avec la coopération de ces conseils, ou d'aucun nombre de membres de ces conseils, ou par ces gouverneurs ou lieutenants-gouverneurs individuellement, seront, en tant qu'ils continueront d'exister et qu'ils pourront être exercés, après l'union, relativement au gouvernement du Canada, conférés au gouverneur général et pourront être par lui exercés, de l'avis ou de l'avis et du consentement ou avec la coopération du Conseil privé de la Reine pour le Canada ou d'aucun de ses membres, ou par le gouverneur général individuellement, selon le cas ; mais ils pourront, néanmoins (sauf ceux existant en vertu de lois du Parlement de la Grande-Bretagne ou du Parlement du Royaume-Uni de la Grande-Bretagne et d'Irlande), être révoqués ou modifiés par le Parlement du Canada.

13. Les dispositions de la présente loi relatives au gouverneur général en conseil seront interprétées de manière à s'appliquer au gouverneur général agissant de l'avis du Conseil privé de la Reine pour le Canada.

[L'article 14, toujours en vigueur, permet à la reine d'autoriser le gouverneur général à nommer une ou plusieurs personnes pour agir en son nom, de la façon qu'il juge à propos ; dans les faits, le gouverneur général nomme quelques personnes, par exemple le juge en chef de la Cour suprême du Canada, pour prendre sa relève dans certaines circonstances.]

15. À la Reine continuera d'être et est par la présente attribué le commandement en chef des milices de terre et de mer et de toutes les forces militaires et navales en Canada.

16. Jusqu'à ce qu'il plaise à la Reine d'en ordonner autrement, Ottawa sera le siège du gouvernement du Canada.

IV. Pouvoir législatif

17. Il y aura, pour le Canada, un Parlement qui sera composé de la Reine, d'une chambre haute appelée le Sénat, et de la Chambre des communes.

[L'article 18, relatif aux privilèges, immunités et pouvoirs du Sénat et de la Chambre des communes et de leurs membres, a été remplacé en 1875 par un texte qui précise que ces privilèges, immunités et pouvoirs doivent être prescrits par une loi du Parlement du Canada mais qu'ils ne peuvent excéder ceux dont bénéficiait, en 1875, la Chambre des communes britannique.]

[L'article 19, qui a cessé d'avoir son utilité dès 1867, concernait la première session du Parlement du Canada, qui a effectivement commencé le 6 novembre 1867.]

[Aujourd'hui remplacé par l'article 5 de la Loi constitutionnelle de 1982, l'article 20 prescrivait le tenue d'une session du Parlement chaque année.]

Le Sénat

21. Sujet aux dispositions de la présente loi, le Sénat se composera de cent quatre membres, qui seront appelés sénateurs [cette version de l'article 21 est celle de 1975; l'article 21 a été modifié à plusieurs reprises pour tenir compte des modifications apportées à l'article 22, relatif à la représentation des régions du Canada au Sénat].

[L'article 22, qui a été modifié plusieurs fois, établit que le Canada est divisé en quatre « divisions » aux fins de la représentation au Sénat, l'Ontario, le Québec, les provinces maritimes et les provinces de l'Ouest, chacune ayant droit à 24 sièges; chacune des quatre provinces de l'Ouest a ainsi droit à 6 sièges, mais le Nouveau-Brunswick et la Nouvelle-Écosse en ont 10 chacune, l'Île-du-Prince-Édouard en a 4 et, en addition, Terre-Neuve en a 6, le territoire du Yukon, 1, et les Territoires du Nord-Ouest, 1. L'article 21 stipule également que, dans le cas du Québec, chacun des 24 sièges correspond à l'un des 24 collèges électoraux du Bas-Canada, lesquels sont énumérés en annexe à la loi, mais ne le sont pas ici.]

23. Les qualifications d'un sénateur seront comme suit:

1. Il devra être âgé de trente ans révolus.

2. Il devra être sujet-né de la Reine, ou sujet de la Reine naturalisé par la loi du Parlement de la Grande-Bretagne, ou du Parlement du Royaume-Uni de la Grande-Bretagne et d'Irlande, ou de la législature de l'une des provinces du Haut-Canada, du Bas-Canada, du Canada, de la Nouvelle-Écosse, ou du Nouveau-Brunswick, avant l'union, ou du Parlement du Canada, après l'union.

3. Il devra posséder, pour son propre usage et bénéfice, comme propriétaire en droit ou en équité, des terres ou tènements tenus en franc et commun socage, ou être en bonne saisine ou possession, pour son propre usage et bénéfice, de terres ou tènements tenus en franc-alleu ou en roture dans la province pour laquelle il est nommé, de la valeur de quatre mille piastres en sus de toutes rentes, dettes, charges, hypothèques et redevances qui peuvent être attachées, dues et payables sur ces immeubles ou auxquelles ils peuvent être affectés.

4. Ses propriétés mobilières et immobilières devront valoir, somme toute, quatre mille piastres, en sus de toutes ses dettes et obligations.

5. Il devra être domicilié dans la province pour laquelle il est nommé [la personne qui représente le territoire du Yukon, ou les Territoires du Nord-Ouest, doit avoir son domicile dans la région qu'elle représente].

6. En ce qui concerne la province de Québec, il devra être domicilié ou posséder sa qualification foncière dans le collège électoral dont la représentation lui est assignée.

24. Le gouverneur général mandera de temps à autre au Sénat, au nom de la Reine et par instrument sous le grand sceau du Canada, des personnes ayant les qualifications voulues; et, sujettes aux dispositions de la présente loi, les personnes ainsi mandées deviendront et seront membres du Sénat et sénateurs.

[L'article 25, abrogé en 1893, concernait les personnes à nommer au Sénat en 1867.]

26. Si en aucun temps, sur la recommandation du gouverneur général, la Reine juge à propos d'ordonner que quatre ou huit membres soient ajoutés au Sénat, le gouverneur général pourra, par mandat adressé à quatre ou huit personnes (selon le cas) ayant les qualifications voulues, représentant également les quatre divisions du Canada, les ajouter au Sénat [initialement, en 1867, étant donné qu'il n'y avait pas encore de province à l'ouest de l'Ontario, il n'y avait que trois « divisions », et, en conséquence, les nombres prévus à l'article 26 étaient trois et six; en 1989, pour la première fois dans l'histoire du Canada, le gouverneur général du Canada a eu recours à l'article 26].

27. Dans le cas où le nombre des sénateurs serait ainsi en aucun temps augmenté, le gouverneur général ne mandera aucune personne au Sénat, sauf sur pareil ordre de la Reine donné à la suite de la même recommandation, tant que la représentation de chacune des quatre divisions du Canada ne sera pas revenue au nombre fixe de vingt-quatre sénateurs [le texte de l'article 27 tient compte de celui de l'article 26].

28. Le nombre des sénateurs ne devra en aucun temps excéder cent douze [conformément aux articles précédents].

29. (1) Sous réserve du paragraphe (2), un sénateur occupe sa place au Sénat sa vie durant, sauf les dispositions de la présente loi.

(2) Un sénateur qui est nommé au Sénat après l'entrée en vigueur du présent paragraphe occupe sa place au Sénat, sous réserve de la présente loi, jusqu'à ce qu'il atteigne l'âge de soixante-quinze ans [le texte initial de cet article a été modifié en 1965 afin de limiter la durée du mandat des personnes nommées au Sénat après cette date ; les membres du Sénat qui avaient été nommés avant cette date en étaient « membres à vie »].

30. Un sénateur pourra, par écrit revêtu de son seing et adressé au gouverneur général, se démettre de ses fonctions au Sénat, après quoi son siège deviendra vacant.

31. Le siège d'un sénateur deviendra vacant dans chacun des cas suivants :

1. Si, durant deux sessions consécutives du Parlement, il manque d'assister aux séances du Sénat.

2. S'il prête un serment, ou souscrit une déclaration ou reconnaissance d'allégeance, obéissance ou attachement à une puissance étrangère, ou s'il accomplit un acte qui le rend sujet ou citoyen, ou lui confère les droits et les privilèges d'un sujet ou citoyen d'une puissance étrangère.

3. S'il est déclaré en état de banqueroute ou de faillite, ou s'il a recours au bénéfice d'aucune loi concernant les faillis, ou s'il se rend coupable de concussion.

4. S'il est atteint de trahison ou convaincu de félonie, ou d'aucun crime infamant.

5. S'il cesse de posséder la qualification reposant sur la propriété ou le domicile ; mais un sénateur ne sera pas réputé avoir perdu la qualification reposant sur le domicile du seul fait de sa résidence au siège du gouvernement du Canada pendant qu'il occupe sous ce gouvernement une charge qui y exige sa présence.

32. Quand un siège deviendra vacant au Sénat par démission, décès ou toute autre cause, le gouverneur général remplira la vacance en adressant un mandat à quelque personne capable et ayant les qualifications voulues.

33. S'il s'élève quelque question au sujet des qualifications d'un sénateur ou d'une vacance dans le Sénat, cette question sera entendue et décidée par le Sénat.

34. Le gouverneur général pourra, de temps à autre, par instrument sous le grand sceau du Canada, nommer un sénateur comme orateur [traduction ancienne du mot *speaker*, mot que l'on traduit aujourd'hui par président], et le révoquer et en nommer un autre à sa place [en pratique, cet article permet au gouvernement de faire nommer, à la présidence du Sénat, une personne qui lui est favorable].

35. Jusqu'à ce que le Parlement du Canada en ordonne autrement, la présence d'au moins quinze sénateurs, y compris l'orateur [président, présidente], sera nécessaire pour constituer une assemblée du Sénat dans l'exercice de ses fonctions.

36. Les questions soulevées dans le Sénat seront décidées à la majorité des voix, et dans tous les cas, l'orateur [président, présidente] aura voix délibérative ; quand les voix seront également partagées, la décision sera considérée comme rendue dans la négative [cet article signifie que le président ou la présidente du Sénat a droit de voter sur chaque question, contrairement au président ou à la présidente de la Chambre des communes, qui, en vertu de l'article 49, ne peut voter qu'en cas d'égalité des voix].

La Chambre des communes

37. La Chambre des communes sera, sujette aux dispositions de la présente loi, composée de deux cent quatre-vingt-quinze membres, dont quatre-vingt-dix-neuf représenteront Ontario, soixante-quinze Québec, onze la Nouvelle-Écosse, dix le Nouveau-Brunswick, quatorze le Manitoba, trente-deux la Colombie-Britannique, quatre l'Île-du-Prince-Édouard, vingt-six l'Alberta, quatorze la Saskatchewan, sept Terre-Neuve, un le territoire du Yukon et deux les Territoires du Nord-Ouest [le texte de cet article est déterminé par celui de l'article 51, lequel a été modifié à quelques reprises, notamment en 1946, 1952, 1974 et 1985].

38. Le gouverneur général convoquera, de temps à autre, la Chambre des communes au nom de la Reine, par instrument sous le grand sceau du Canada.

39. Un sénateur ne pourra ni être élu, ni siéger, ni voter comme membre de la Chambre des communes.

[L'article 40, sans utilité aujourd'hui, concernait les districts électoraux de la Chambre des communes lors des premières élections tenues en 1867.]

[L'article 41, sans utilité aujourd'hui, précisait que les lois relatives aux élections, en vigueur, au moment de l'union, dans chacune des provinces, devaient s'appliquer aux élections à la Chambre des communes. Cet article stipulait que ces lois « provinciales » devaient s'appliquer jusqu'à ce que le Parlement du Canada en décide autrement. Ce n'est que cinquante-trois ans après 1867 que, finalement, des lois du Parlement du Canada ont complètement remplacé les lois provinciales pour les élections à la Chambre des communes.]

[L'article 42, abrogé en 1893, concernait, comme l'article 40, les premières élections générales tenues après l'union.]

[L'article 43 était un complément de l'article 42, abrogé en 1893.]

44. La Chambre des communes, à sa première réunion après une élection générale, procédera, avec toute la diligence possible, à l'élection de l'un de ses membres comme orateur [on dit aujourd'hui, en français, « président ou présidente »].

45. Survenant une vacance dans la charge d'orateur [président, présidente], par décès, démission ou autre cause, la Chambre des communes procédera, avec toute la diligence possible, à l'élection d'un autre de ses membres comme orateur [président, présidente].

46. L'orateur [président, présidente] présidera à toutes les séances de la Chambre des communes.

[L'article 47 concerne la procédure à suivre en cas d'absence du président ou de la présidente de la Chambre des communes. Cet article est aujourd'hui complété par l'un des articles de la *Loi sur le Parlement du Canada*, qui prévoit la façon de parer à l'absence du président ou de la présidente.]

48. La présence d'au moins vingt membres de la Chambre des communes sera nécessaire pour constituer une assemblée de la chambre dans l'exercice de ses pouvoirs ; à cette fin, l'orateur [président, présidente] sera compté comme un membre.

49. Les questions soulevées dans la Chambre des communes seront décidées à la majorité des voix, sauf celle de l'orateur [président, présidente], mais lorsque les voix seront également partagées, et en ce cas seulement, l'orateur [président, présidente] **pourra voter** [auquel cas, sa voix, qui n'est pourtant pas une voix prépondérante, puisqu'elle s'ajoute aux autres, décide de la question].

50. La durée de la Chambre des communes ne sera que de cinq ans, à compter du jour du rapport des brefs d'élection, à moins qu'elle ne soit plus tôt dissoute par le gouverneur général [le principe de cet article se trouve aussi dans l'article 4 de la Loi constitutionnelle de 1982].

51. (1) À l'entrée en vigueur du présent paragraphe et, par la suite, à l'issue de chaque recensement décennal, il est procédé à la révision du nombre des députés et de la représentation des provinces à la Chambre des communes selon les pouvoirs conférés et les modalités de temps ou autres fixées en tant que besoin par le Parlement du Canada, compte tenu des règles suivantes :

1. Il est attribué à chaque province le nombre de députés résultant de la division du chiffre de sa population par le quotient du chiffre total de la population des provinces et de deux cent soixante-dix-neuf, les résultats dont la partie décimale dépasse 0,50 étant arrondis à l'unité supérieure.

2. Le nombre total des députés d'une province demeure inchangé par rapport à la représentation qu'elle avait à la date de l'entrée en vigueur du présent paragraphe si l'application de la règle 1 lui attribue un nombre inférieur à cette représentation.

(2) Le territoire du Yukon et les territoires du Nord-Ouest, dans les limites et selon la description qu'en donnent l'annexe du chapitre Y-2 et l'article 2 du chapitre N-22 des Statuts révisés du Canada de 1970, ont droit respectivement à un et à deux députés [en 1867, l'article 51 prévoyait l'attribution de 65 sièges au Québec et l'attribution à chacune des autres provinces, après chaque recensement décennal, d'un nombre de sièges correspondant à l'importance de sa population par rapport à celle du Québec ; cet article contenait une clause visant à conserver à une province le nombre de sièges qu'elle avait précédemment, même si, à la suite d'un recensement, le nombre de ses sièges aurait dû être réduit légèrement ; cette clause n'a pu protéger la représentation de l'Île-du-Prince-Édouard à la Chambre des

communes, de sorte que l'article 51A a été ajouté à l'article 51 en 1915 ; en protégeant leur représentation, cette clause a finalement entraîné une surreprésentation de certaines provinces et la sous-représentation du Québec, de telle sorte qu'il a fallu, en 1946, réviser l'article 51, révision modifiée ultérieurement pour tenir compte, notamment, de l'arrivée de Terre-Neuve dans l'union ; l'article 51 a été modifié à nouveau en 1974 et en 1985, en raison des changements démographiques qui s'étaient produits au Canada au cours des années précédentes].

51A. Nonobstant quoi que ce soit en la présente loi, une province doit toujours avoir droit à un nombre de membres dans la Chambre des communes non inférieur au nombre de sénateurs représentant cette province [article édicté en 1915 pour garantir à certaines provinces, l'Île-du-Prince-Édouard en particulier, une représentation minimale à la Chambre des communes].

52. Le nombre des membres de la Chambre des communes pourra de temps à autre être augmenté par le Parlement du Canada, pourvu que la proportion établie par la présente loi dans la représentation des provinces reste intacte.

Législation financière ; sanction royale

53. Tout bill [c'est-à-dire tout projet de loi] ayant pour but l'appropriation d'une portion quelconque du revenu public, ou la création de taxes ou d'impôts, devra originer dans la Chambre des communes [l'article 53 consacre la préséance de la Chambre des communes, par rapport au Sénat, en matière de finances publiques].

54. Il ne sera pas loisible à la Chambre des communes d'adopter aucune résolution, adresse ou bill [projet de loi] pour l'appropriation d'une partie quelconque du revenu public, ou d'aucune taxe ou impôt, à un objet qui n'aura pas, au préalable, été recommandé à la chambre par un message du gouverneur général durant la session pendant laquelle telle résolution, adresse ou bill est proposé [l'article 54, qui, en vertu de l'article 90, s'applique aux législatures provinciales comme au Parlement du Canada, consacre l'initiative de l'exécutif en matière de finances publiques].

55. Lorsqu'un bill [projet de loi] voté par les chambres du Parlement sera présenté au gouverneur général pour la sanction de la Reine, le gouverneur général devra déclarer à sa discrétion, mais sujet aux dispositions de la présente loi et aux instructions de Sa Majesté, ou qu'il le sanctionne au nom de la Reine, ou qu'il refuse cette sanction, ou qu'il réserve le bill pour la signification du bon plaisir de la Reine [en vertu de l'article 90, l'article 55 s'applique à la fois aux projets de loi adoptés par la Chambre des communes et le Sénat et aux projets de lois adoptés, dans une province, par les parlementaires de cette province ; on appelle « veto » le refus d'accorder la sanction à un projet de loi adopté par les parlementaires, et « réservation » la décision d'en référer à une autorité supérieure ; les compilations disponibles laissent penser que 70 projets de lois des provinces ont été réservés « au bon plaisir » des autorités fédérales ; selon les compilations disponibles, également, 28 vetos auraient été opposés, par des lieutenants-gouverneurs, à des projets de loi adoptés par les parlementaires].

56. Lorsque le gouverneur général aura donné sa sanction à un bill [projet de loi] au nom de la Reine, il devra, à la première occasion favorable, transmettre une copie authentique de la loi à l'un des principaux secrétaires d'État de Sa Majesté ; si la Reine en conseil, dans les deux ans après que le secrétaire d'État l'aura reçu, juge à propos de la désavouer, ce désaveu, accompagné d'un certificat du secrétaire d'État, constatant le jour où il a reçu la loi, étant signifié par le gouverneur général, par discours ou message, à chacune des chambres du Parlement, ou par proclamation, annulera la loi à compter du jour de telle signification [l'article 56, qui, en vertu de l'article 90, s'applique à la fois aux lois du Parlement du Canada et aux lois des législatures provinciales, a été invoqué contre 112 lois provinciales au cours des années qui ont suivi l'union, en 1867 ; le dernier désaveu d'une loi provinciale a été prononcé en 1943].

57. Un bill [projet de loi] réservé à la signification du bon plaisir de la Reine n'aura ni force ni effet avant et à moins que dans les deux ans à compter du jour où il aura été présenté au gouverneur général pour recevoir la sanction de la Reine, ce dernier ne signifie, par discours ou message, à chacune des deux chambres du Parlement, ou par proclamation, qu'il a reçu la sanction de la Reine en conseil.

Ces discours, messages ou proclamations, seront consignés dans les journaux de chaque chambre, et un double dûment certifié en sera délivré à l'officier qu'il appartient pour qu'il le dépose parmi les archives du Canada.

V. Constitutions provinciales

Pouvoir exécutif

58. Il y aura, pour chaque province, un officier appelé lieutenant-gouverneur, lequel sera nommé par le gouverneur général en conseil par instrument sous le grand sceau du Canada.

59. Le lieutenant-gouverneur restera en charge durant le bon plaisir du gouverneur général ; mais tout lieutenant-gouverneur nommé après le commencement de la première session du Parlement du Canada, ne pourra être révoqué dans le cours des cinq ans qui suivront sa nomination, à moins qu'il n'y ait cause ; et cette cause devra lui être communiquée par écrit dans le cours d'un mois après qu'aura été rendu l'ordre décrétant sa révocation, et l'être aussi par message au Sénat et à la Chambre des communes dans le cours d'une semaine après cette révocation si le Parlement est alors en session, sinon, dans le délai d'une semaine après le commencement de la session suivante du Parlement [deux lieutenants-gouverneurs ont été révoqués avant l'expiration des cinq années suivant leur nomination : le lieutenant-gouverneur du Québec, Luc Letellier de Saint-Just, en 1879, et le lieutenant-gouverneur de la Colombie-Britannique, Thomas Robert McInnis, en 1901].

60. Les salaires des lieutenants-gouverneurs seront fixés et payés par le Parlement du Canada.

61. Chaque lieutenant-gouverneur, avant d'entrer dans l'exercice de ses fonctions, prêtera et souscrira devant le gouverneur général ou quelque personne à ce par lui autorisée, les serments d'allégeance et d'office prêtés par le gouverneur général.

62. Les dispositions de la présente loi relatives au lieutenant-gouverneur s'étendent et s'appliquent au lieutenant-gouverneur de chaque province ou à tout autre chef exécutif ou administrateur pour le temps d'alors administrant le gouvernement de la province, quel que soit le titre sous lequel il est désigné.

63. Le conseil exécutif d'Ontario et de Québec se composera des personnes que le lieutenant-gouverneur jugera, de temps à autre, à propos de nommer, et en premier lieu, des officiers suivants, savoir :

le procureur général, le secrétaire et régistraire de la province, le trésorier de la province, le commissaire des terres de la Couronne, et le commissaire d'agriculture et des travaux publics, et, dans la province de Québec, l'orateur [président] du conseil législatif, et le solliciteur général [la composition du conseil exécutif de chaque province peut être modifiée par une loi de cette province, mais il appartient toujours au lieutenant-gouverneur de nommer au conseil exécutif les personnes qu'il « juge à propos de nommer » ; l'usage prescrit toutefois au lieutenant-gouverneur de choisir comme premier ministre le chef qui peut avoir l'appui de la majorité parlementaire].

64.   La constitution de l'autorité exécutive dans chacune des provinces du Nouveau-Brunswick et de la Nouvelle-Écosse continuera, sujette aux dispositions de la présente loi, d'être celle en existence lors de l'union, jusqu'à ce qu'elle soit modifiée sous l'autorité de la présente loi.

[L'article 65 reproduit le texte de l'article 12 en l'appliquant aux lieutenants-gouverneurs.]

66.   Les dispositions de la présente loi relatives au lieutenant-gouverneur en conseil seront interprétées comme s'appliquant au lieutenant-gouverneur de la province agissant de l'avis de son conseil exécutif.

67.   Le gouverneur général en conseil pourra, au besoin, nommer un administrateur qui remplira les fonctions de lieutenant-gouverneur durant l'absence, la maladie ou autre incapacité de ce dernier.

68.   Jusqu'à ce que le gouvernement exécutif d'une province en ordonne autrement, relativement à telle province, les sièges du gouvernement des provinces seront comme suit, savoir : pour Ontario, la cité de Toronto ; pour Québec, la cité de Québec ; pour la Nouvelle-Écosse, la cité d'Halifax ; et pour le Nouveau-Brunswick, la cité de Fredericton.

Pouvoir législatif

69.   Il y aura, pour l'Ontario, une législature composée du lieutenant-gouverneur et d'une seule chambre appelée l'assemblée législative d'Ontario.

70. L'assemblée législative d'Ontario sera composée de quatre-vingt-deux membres qui devront représenter les quatre-vingt-deux districts électoraux énumérés dans la première annexe de la présente loi [cet article a été remplacé par les dispositions des lois de l'Ontario; la première annexe, mentionnée dans l'article 70, n'est pas reproduite ici].

71. Il y aura, pour Québec, une législature composée du lieutenant-gouverneur et de deux chambres appelées le conseil législatif de Québec et l'assemblée législative de Québec [en 1968, une loi du Québec a mis fin à l'existence du conseil législatif; par ailleurs, depuis 1968, l'assemblée législative du Québec est désignée par l'expression «Assemblée nationale du Québec»].

[Les articles 72 à 79 sont sans objet aujourd'hui puisque le conseil législatif a été aboli en 1968. L'article 72 fixait à vingt-quatre le nombre des membres du conseil législatif, précisait que chaque membre devait représenter l'un des vingt-quatre collèges électoraux de l'ancien Bas-Canada et indiquait que chacun était nommé à vie par le lieutenant-gouverneur. L'article 73 précisait que les qualifications requises des membres du conseil législatif étaient celles qui étaient requises des membres du Sénat. L'article 74 indiquait que la procédure à suivre pour combler une vacance au Sénat s'appliquait au conseil législatif; les articles 75, 76, 77, 78 et 79 reproduisaient les articles 32, 33, 34, 35 et 36 en les appliquant au conseil législatif.]

80. L'assemblée législative de Québec se composera de soixante-cinq membres, qui seront élus pour représenter les soixante-cinq divisions ou districts électoraux du Bas-Canada, mentionnés à la présente loi, sauf toute modification que pourra y apporter la législature de Québec, mais il ne pourra être présenté au lieutenant-gouverneur de Québec, pour qu'il le sanctionne, aucun bill [projet de loi] à l'effet de modifier les délimitations des divisions ou districts électoraux énumérés dans la deuxième annexe de la présente loi, à moins qu'il n'ait été passé à ses deuxième et troisième lectures dans l'assemblée législative avec le concours de la majorité des membres représentant toutes ces divisions ou districts électoraux; et la sanction ne sera donnée à aucun bill [projet de loi] de cette nature à moins qu'une adresse n'ait été présentée au lieutenant-gouverneur par l'assemblée législative déclarant que tel bill [projet de loi] a été ainsi passé [cet article, sans objet aujourd'hui, reconduisait les délimitations des circonscriptions électorales antérieures à l'union sur le territoire du Québec et, de plus, avait pour objectif de protéger, contre les volontés de la majorité des membres de l'assemblée provinciale, la représentation parlementaire de la population de langue anglaise qui, au Québec, vers 1867, était concentrée dans les douze districts électoraux énumérés à la deuxième annexe de la loi ; il a fallu attendre 1970 pour obtenir l'assentiment des parlementaires représentant ces douze districts au projet d'abolir l'article 80, qui est aujourd'hui périmé].

[Reproduisant l'article 19 en l'appliquant aux législatures provinciales, l'article 81 prescrivait la convocation des législatures dans le cours des six mois qui suivraient l'union.]

82.   Le lieutenant-gouverneur d'Ontario et de Québec devra, de temps à autre, au nom de la Reine, par instrument sous le grand sceau de la province, convoquer l'assemblée législative de la province.

[L'article 83, sans objet aujourd'hui, rendait inéligible toute personne qui recevait des rétributions financières pour un emploi au service de la province et obligeait les membres de l'assemblée qui accédaient au conseil exécutif à se faire réélire. Quelque cinquante ou soixante ans après l'union de 1867, voyant que les nouveaux ministres, souvent réélus par acclamation, gagnaient systématiquement les élections partielles exigées en vertu de l'article 83, les parlementaires des provinces ont décidé, à tour de rôle, d'abroger cet article.]

[Reproduisant l'article 41 en l'appliquant aux élections provinciales, l'article 84, sans objet aujourd'hui, spécifiait que les lois électorales en vigueur au moment de l'union s'appliqueraient aux élections provinciales, jusqu'à ce que les législatures les modifient ou les remplacent.]

85.   La durée de l'assemblée législative d'Ontario et de l'assemblée législative de Québec ne sera que de quatre ans, à compter du jour du rapport des brefs d'élection, à moins qu'elle ne soit plus tôt dissoute par le lieutenant-gouverneur de la province [une quinzaine d'années après l'union de 1867, les parlementaires des provinces ont décidé, à tour de rôle, de porter à cinq ans la durée de leur mandat ; l'article 4 de la Loi constitutionnelle de 1982 précise d'ailleurs que ce mandat est de cinq ans].

86.   Il y aura une session de la législature d'Ontario et de celle de Québec, une fois au moins chaque année, de manière qu'il ne s'écoule pas un intervalle de douze mois entre la dernière séance d'une session

de la législature dans chaque province, et sa première séance dans la session suivante [l'article 5 de la Loi constitutionnelle de 1982 a confirmé cette disposition].

87. Les dispositions suivantes de la présente loi, concernant la Chambre des communes du Canada, s'étendront et s'appliqueront aux assemblées législatives d'Ontario et de Québec, savoir : les dispositions relatives à l'élection d'un orateur [président, présidente] en première instance et lorsqu'il surviendra des vacances ; aux devoirs de l'orateur [président, présidente] ; à l'absence de ce dernier ; au quorum et au mode de votation, tout comme si ces dispositions étaient ici décrétées et expressément rendues applicables à chaque assemblée législative.

88. La constitution de la législature de chacune des provinces de la Nouvelle-Écosse et du Nouveau-Brunswick continuera, sujette aux dispositions de la présente loi, d'être celle en existence à l'époque de l'union, jusqu'à ce qu'elle soit modifiée sous l'autorité de la présente loi [cette version de l'article 88 résulte d'une modification apportée en 1893 au texte initial ; chacune des législatures provinciales a, depuis longtemps, modifié sa constitution, par exemple en augmentant le nombre de sièges de son assemblée].

[L'article 89, applicable en 1867 seulement et abrogé en 1893, exigeait que les lieutenants-gouverneurs émettent les brefs pour les premières élections tenues après l'union de telle manière que les élections provinciales aient lieu en même temps que les élections à la Chambre des communes.]

90. Les dispositions suivantes de la présente loi, concernant le Parlement du Canada, savoir : les dispositions relatives aux bills [projets de loi] d'appropriation et d'impôts, à la recommandation de votes de deniers, à la sanction des bills [projets de loi], au désaveu des lois, et à la signification du bon plaisir quant aux bills [projets de loi] réservés, s'étendront et s'appliqueront aux législatures des différentes provinces, tout comme si elles étaient ici décrétées et rendues expressément applicables aux provinces respectives et à leurs législatures, en substituant toutefois le « lieutenant-gouverneur de la province » au « gouverneur général », le « gouverneur général » à la « Reine » et au « secrétaire d'État », un an à deux ans, et la « province » au « Canada » [l'article 90 interdit, conformément à l'article 54, l'adoption par les

parlementaires des provinces de mesures financières qui n'auraient pas été recommandées par le lieutenant-gouverneur et, conformément à l'article 55, donne au lieutenant-gouverneur la possibilité de refuser la sanction de la reine à un projet de loi adopté par les parlementaires des provinces ainsi que la possibilité d'en référer au gouverneur général, c'est-à-dire aux autorités du Canada ; de plus, l'article 90, conformément à l'article 56, donne aux autorités du Canada la possibilité de désavouer une loi provinciale, à condition de le faire dans l'année qui suit son adoption, et, conformément à l'article 57, stipule qu'un projet de loi provincial réservé « au bon plaisir » du gouverneur général ne prendra effet que s'il a obtenu la sanction royale dans un délai d'un an].

VI. Distribution des pouvoirs législatifs

Pouvoirs du Parlement

91. Il sera loisible à la Reine, de l'avis et du consentement du Sénat et de la Chambre des communes, de faire des lois pour la paix, l'ordre et le bon gouvernement du Canada, relativement à toutes les matières ne tombant pas dans les catégories de sujets par la présente loi exclusivement assignés aux législatures des provinces ; mais, pour plus de garantie, sans toutefois restreindre la généralité des termes ci-haut employés dans le présent article, il est par la présente déclaré que [nonobstant toute disposition contraire énoncée dans la présente loi] l'autorité législative exclusive du Parlement du Canada s'étend à toutes les matières tombant dans les catégories de sujets ci-dessous énumérés, savoir :

> [Le premier élément de l'énumération, relatif à la modification de la Constitution du Canada, a été abrogé par la Loi constitutionnelle de 1982. La partie V de la Loi constitutionnelle de 1982 dispose maintenant de la façon de modifier la Constitution du Canada.]
>
> 1A. La dette et la propriété publique [cette catégorie était la première de l'énumération jusqu'en 1949, alors que les dispositions relatives à la modification de la Constitution furent inscrites au début de l'énumération].
>
> 2. La réglementation du trafic et du commerce.

2A. L'assurance-chômage [cette catégorie a été ajoutée à l'énumération en 1940].

3. Le prélèvement de deniers par tous modes ou systèmes de taxation.

4. L'emprunt de deniers sur le crédit public.

5. Le service postal.

6. Le recensement et les statistiques.

7. La milice, le service militaire et le service naval, et la défense du pays.

8. La fixation et le paiement des salaires et honoraires des officiers civils et autres du gouvernement du Canada.

9. Les amarques, les bouées, les phares et l'île de Sable.

10. La navigation et les bâtiments ou navires (*shipping*).

11. La quarantaine et l'établissement et maintien des hôpitaux de marine.

12. Les pêcheries des côtes de la mer et de l'intérieur.

13. Les passages d'eau (*ferries*) entre une province et tout pays britannique ou étranger, ou entre deux provinces.

14. Le cours monétaire et le monnayage.

15. Les banques, l'incorporation des banques et l'émission du papier-monnaie.

16. Les caisses d'épargne.

17. Les poids et mesures.

18. Les lettres de change et les billets promissoires.

19. L'intérêt de l'argent.

20. Les offres légales.

21. La banqueroute et la faillite.

22. Les brevets d'invention et de découverte.

23. Les droits d'auteur.

24. Les Indiens et les terres réservées pour les Indiens.

25. La naturalisation et les aubains [individus fixés dans un pays étranger sans y être naturalisés].

26. Le mariage et le divorce.

27. La loi criminelle, sauf la constitution des tribunaux de juridiction criminelle, mais y compris la procédure en matière criminelle.

28. L'établissement, le maintien et l'administration des pénitenciers.

29. Les catégories de sujets expressément exceptés dans l'énumération des catégories de sujets exclusivement assignés par la présente loi aux législatures des provinces [cet élément fait référence à la dixième catégorie de l'énumération inscrite à l'article 92].

Et aucune des matières énoncées dans les catégories de sujets énumérés dans le présent article ne sera réputée tomber dans la catégorie des matières d'une nature locale ou privée comprises dans l'énumération des catégories de sujets exclusivement assignés par la présente loi aux législatures des provinces [la conclusion de l'article 91 signifie qu'une loi du Parlement du Canada, portant sur l'une des matières de l'énumération précédente, ne peut être invalidée sous prétexte qu'elle empiète sur l'une des matières énumérées à l'article 92 ; le Parlement du Canada a d'autres pouvoirs, notamment le pouvoir d'établir de nouvelles provinces à l'extérieur des limites des quatre provinces qui ont formé l'union de 1867 et le pouvoir, avec le consentement de chacune des législatures des provinces concernées, de modifier les frontières des provinces].

Pouvoirs exclusifs des législatures provinciales

92. Dans chaque province la législature pourra exclusivement [le mot « exclusivement » signifiant ici à la fois « uniquement » et « en exclusivité »] faire des lois relatives aux matières tombant dans les catégories de sujets ci-dessous énumérés, savoir :

[Le premier élément de l'énumération, relatif à la modification de la constitution de la province, a été abrogé par la Loi constitutionnelle de 1982 et remplacé par l'article 45 de celle-ci. Les articles 38, 41, 42 et 43 de cette loi autorisent par ailleurs les assemblées des provinces à approuver, par des résolutions, certaines autres modifications de la Constitution du Canada.]

2.   La taxation directe dans les limites de la province, dans le but de prélever un revenu pour des objets provinciaux.

3.   Les emprunts de deniers sur le seul crédit de la province.

4.   La création et la tenure des charges provinciales, et la nomination et le paiement des officiers provinciaux.

5.   L'administration et la vente des terres publiques appartenant à la province, et des bois et forêts qui s'y trouvent.

6.   L'établissement, l'entretien et l'administration des prisons publiques et des maisons de réforme dans la province.

7.   L'établissement, l'entretien et l'administration des hôpitaux, asiles, institutions et hospices de charité dans la province, autres que les hôpitaux de marine.

8.   Les institutions municipales dans la province.

9.   Les licences de boutiques, de cabarets, d'auberges, d'encanteurs et autres licences, dans le but de prélever un revenu pour des objets provinciaux, locaux, ou municipaux.

10.   Les travaux et entreprises d'une nature locale, autres que ceux énumérés dans les catégories suivantes :

    a.   Lignes de bateaux à vapeur ou autres bâtiments, chemins de fer, canaux, télégraphes et autres travaux et entreprises reliant la province à une autre ou à d'autres provinces, ou s'étendant au-delà des limites de la province.

    b.   Lignes de bateaux à vapeur entre la province et tout pays dépendant de l'Empire britannique ou tout pays étranger.

    c.   Les travaux qui, bien qu'entièrement situés dans la province, seront avant ou après leur exécution déclarés par le Parlement du Canada être pour l'avantage général du Canada, ou pour l'avantage de deux ou d'un plus grand nombre de provinces.

11.   L'incorporation des compagnies pour des objets provinciaux.

12.   La célébration du mariage dans la province.

13.   La propriété et les droits civils dans la province.

14. L'administration de la justice dans la province, y compris la création, le maintien et l'organisation de tribunaux de justice pour la province, ayant juridiction civile et criminelle, y compris la procédure en matières civiles dans ces tribunaux.

15. L'infliction de punitions par voie d'amende, pénalité ou emprisonnement, dans le but de faire exécuter toute loi de la province décrétée au sujet des matières tombant dans aucune des catégories de sujets énumérés dans le présent article.

16. Généralement toutes les matières d'une nature purement locale ou privée dans la province.

Ressources naturelles non renouvelables, ressources forestières et énergie électrique

92A. (1)   La législature de chaque province a compétence exclusive pour légiférer dans les domaines suivants :

a)   prospection des ressources naturelles non renouvelables de la province ;

b)   exploitation, conservation et gestion des ressources naturelles non renouvelables et des ressources forestières de la province, y compris leur rythme de production primaire ;

c)   aménagement, conservation et gestion des emplacements et des installations de la province destinés à la production d'énergie électrique.

(2)   La législature de chaque province a compétence pour légiférer en ce qui concerne l'exportation, hors de la province, à destination d'une autre partie du Canada, de la production primaire tirée des ressources naturelles non renouvelables et des ressources forestières de la province, ainsi que de la production d'énergie électrique de la province, sous réserve de ne pas adopter de lois autorisant ou prévoyant des disparités de prix ou des disparités dans les exportations destinées à une autre partie du Canada.

(3)   Le paragraphe (2) ne porte pas atteinte au pouvoir du Parlement de légiférer dans les domaines visés à ce paragraphe, les dispositions d'une loi du Parlement adoptée dans ces domaines l'emportant sur les dispositions incompatibles d'une loi provinciale.

(4)　La législature de chaque province a compétence pour prélever des sommes d'argent par tout mode ou système de taxation :

a)　des ressources naturelles non renouvelables et des ressources forestières de la province, ainsi que de la production primaire qui en est tirée ;

b)　des emplacements et des installations de la province destinés à la production d'énergie électrique, ainsi que de cette production même.

Cette compétence peut s'exercer indépendamment du fait que la production en cause soit ou non, en totalité ou en partie, exportée hors de la province, mais les lois adoptées dans ces domaines ne peuvent autoriser ou prévoir une taxation qui établisse une distinction entre la production exportée à destination d'une autre partie du Canada et la production non exportée hors de la province.

(5)　L'expression «production primaire» a le sens qui lui est donné dans la sixième annexe [pour simplifier, cette annexe n'est pas reproduite ici].

(6)　Les paragraphes (1) à (5) ne portent pas atteinte aux pouvoirs ou droits détenus par la législature ou le gouvernement d'une province lors de l'entrée en vigueur du présent article [l'article 92A a été introduit dans la Loi constitutionnelle de 1867 en vertu de l'article 50 de la Loi constitutionnelle de 1982].

Éducation

93.　Dans chaque province, la législature pourra exclusivemnent décréter des lois relatives à l'éducation, sujettes et conformes aux dispositions suivantes :

(1)　Rien dans ces lois ne devra préjudicier à aucun droit ou privilège conféré, lors de l'union, par la loi à aucune classe particulière de personnes dans la province, relativement aux écoles séparées (*denominational*).

(2)　Tous les pouvoirs, privilèges et devoirs conférés et imposés par la loi dans le Haut-Canada, lors de l'union, aux écoles séparées et aux syndics d'écoles des sujets catholiques romains de Sa Majesté, seront et sont par la présente étendus aux écoles dissidentes des sujets protestants et catholiques romains de la Reine dans la province de Québec.

(3) Dans toute province où un système d'écoles séparées ou dissidentes existera par la loi, lors de l'union, ou sera subséquemment établi par la législature de la province, il pourra être interjeté appel au gouverneur général en conseil de toute loi ou décision d'aucune autorité provinciale affectant aucun des droits ou privilèges de la minorité protestante ou catholique romaine des sujets de Sa Majesté relativement à l'éducation.

(4) Dans le cas où il ne serait pas décrété telle loi provinciale que, de temps à autre, le gouverneur général en conseil jugera nécessaire pour donner suite et exécution aux dispositions du présent article, ou dans le cas où quelque décision du gouverneur général en conseil, sur appel interjeté en vertu du présent article, ne serait pas mise à exécution par l'autorité provinciale compétente, alors et en tout tel cas, et en tant seulement que les circonstances de chaque cas l'exigeront, le Parlement du Canada pourra décréter des lois propres à y remédier pour donner suite et exécution aux dispositions du présent article, ainsi qu'à toute décision rendue par le gouverneur général en conseil sous l'autorité de ce même article [les premier, troisième et quatrième paragraphes de l'article 93 ont été reproduits, à peu de choses près, dans les lois constituant les provinces du Manitoba, de la Saskatchewan, de l'Alberta et de Terre-Neuve ; cet article a été invoqué à maintes reprises, surtout depuis 1890, pour protéger les écoles séparées ou pour réclamer une action réparatrice de la part du Parlement du Canada lorsque les garanties accordées aux écoles séparées n'avaient pas été respectées].

Uniformité des lois dans Ontario, la Nouvelle-Écosse et le Nouveau-Brunswick

94. Nonobstant toute disposition contraire énoncée dans la présente loi, le Parlement du Canada pourra adopter des mesures à l'effet de pourvoir à l'uniformité de toutes les lois ou de parties de lois relatives à la propriété et aux droits civils dans Ontario, la Nouvelle-Écosse et le Nouveau-Brunswick, et de la procédure dans tous les tribunaux ou aucun des tribunaux de ces trois provinces ; et depuis et après la

passation de toute loi à cet effet, le pouvoir du Parlement du Canada de décréter des lois relatives aux sujets énoncés dans telles lois, sera illimité, nonobstant toute chose au contraire dans la présente loi ; mais toute loi du Parlement du Canada pourvoyant à cette uniformité n'aura d'effet dans une province qu'après avoir été adoptée et décrétée par la législature de cette province.

Pensions de vieillesse

94A. Le Parlement du Canada peut légiférer sur les pensions de vieillesse et prestations additionnelles, y compris des prestations aux survivants et aux invalides sans égard à leur âge, mais aucune loi ainsi édictée ne doit porter atteinte à l'application de quelque loi présente ou future d'une législature provinciale en ces matières [l'article 94A a été ajouté à la Loi constitutionnelle de 1867 en 1951 et il ne concernait alors que les pensions de vieillesse ; depuis la modification qui lui a été apportée en 1964, il concerne également les prestations additionnelles].

Agriculture et Immigration

95. Dans chaque province, la législature pourra faire des lois relatives à l'agriculture et à l'immigration dans cette province ; et il est par la présente déclaré que le Parlement du Canada pourra de temps à autre faire des lois relatives à l'agriculture et à l'immigration dans toutes les provinces ou aucune d'entre elles en particulier ; et toute loi de la législature d'une province relative à l'agriculture ou à l'immigration n'y aura d'effet qu'aussi longtemps et que tant qu'elle ne sera incompatible avec aucune des lois du Parlement du Canada.

VII. Judicature

96. Le gouverneur général nommera les juges des cours supérieures, de district et de comté dans chaque province, sauf ceux des cours de vérification dans la Nouvelle-Écosse et le Nouveau-Brunswick.

97. Jusqu'à ce que les lois relatives à la propriété et aux droits civils dans Ontario, la Nouvelle-Écosse et le Nouveau-Brunswick, et à la procédure dans les cours de ces provinces, soient rendues uniformes,

les juges des cours de ces provinces qui seront nommés par le gouverneur général devront être choisis parmi les membres des barreaux respectifs de ces provinces.

98. Les juges des cours de Québec seront choisis parmi les membres du barreau de cette province.

99. (1) Sous réserve du paragraphe (2) du présent article, les juges des cours supérieures resteront en fonction durant bonne conduite, mais ils pourront être révoqués par le gouverneur général sur une adresse du Sénat et de la Chambre des communes.

(2) Un juge d'une cour supérieure, nommé avant ou après l'entrée en vigueur du présent article, cessera d'occuper sa charge lorsqu'il aura atteint l'âge de soixante-quinze ans, ou à l'entrée en vigueur du présent article si, à l'époque, il a déjà atteint ledit âge [le texte actuel de l'article 99 tient compte d'une modification, adoptée en 1960 et entrée en vigueur le 1er mars 1961, en vertu de laquelle, depuis lors, les juges cessent d'exercer leurs fonctions à l'âge de 75 ans].

100. Les salaires, allocations et pensions des juges des cours supérieures, de district et de comté (sauf les cours de vérification dans la Nouvelle-Écosse et le Nouveau-Brunswick) et des cours de l'Amirauté, lorsque les juges de ces dernières sont alors salariés, seront fixés et payés par le Parlement du Canada.

101. Le Parlement du Canada pourra, nonobstant toute disposition contraire énoncée dans la présente loi, lorsque l'occasion le requerra, adopter des mesures à l'effet de créer, maintenir et organiser une cour générale d'appel pour le Canada, et établir des tribunaux additionnels pour la meilleure administration des lois du Canada [ainsi autorisé par l'article 101, le Parlement du Canada a créé, en 1875, une cour générale d'appel, la Cour suprême du Canada, et il a créé, plus tard, d'autres tribunaux, la Cour fédérale, la Cour canadienne de l'impôt et la Cour d'appel des cours martiales].

VIII. Revenus; dettes; actifs; taxe

102. Tous les droits et revenus que les législatures respectives du Canada, de la Nouvelle-Écosse et du Nouveau-Brunswick, avant et à

l'époque de l'union, avaient le pouvoir d'approprier, sauf ceux réservés par la présente loi aux législatures des provinces, ou qui seront perçus par elles conformément aux pouvoirs spéciaux qui leur sont conférés par la présente loi, formeront un fonds consolidé de revenu pour être approprié au service public du Canada de la manière et soumis aux charges prévues par la présente loi.

103. Le fonds consolidé de revenu du Canada sera permanemment grevé des frais, charges et dépenses encourus pour le percevoir, administrer et recouvrer, lesquels constitueront une première charge sur ce fonds et pourront être soumis à telles révision et audition qui seront ordonnées par le gouverneur général en conseil jusqu'à ce que le Parlement y pourvoie autrement.

104. L'intérêt annuel des dettes publiques des différentes provinces du Canada, de la Nouvelle-Écosse et du Nouveau-Brunswick, lors de l'union, constituera la seconde charge sur le fonds consolidé de revenu du Canada.

[L'article 105 stipule que le salaire du gouverneur général, fixé initialement à 10 000 livres sterling par année, montant sujet à modification par le Parlement du Canada, constitue la troisième charge dont est automatiquement grevé le fonds consolidé de revenu du Canada.]

106. Sujet aux différents paiements dont est grevé par la présente loi le fonds consolidé de revenu du Canada, ce fonds sera approprié par le Parlement du Canada au service public.

[L'article 107, appliqué dès l'union, en 1867, prévoyait que tous les fonds disponibles, au moment de l'union, deviendraient la propriété du Canada. Toutefois, le montant de ces fonds serait déduit du montant des dettes respectives des provinces.]

[L'article 108, appliqué dès l'union, en 1867, prévoyait que certains travaux et propriétés publics, énumérés dans une annexe, deviendraient propriété du Canada.]

[L'article 109, appliqué dès l'union, en 1867, et toujours valide aujourd'hui, concède aux provinces où ils se trouvent la propriété des terres, mines, minéraux et réserves royales.]

[Les articles 110 à 120, pour la plupart sans objet aujourd'hui, traitaient des actifs non visés par les articles précédents, qui restaient la propriété des provinces, des dettes publiques, dont une partie devait être assumée par le Canada, et, enfin de paiements que le gouvernement du Canada verserait aux autorités provinciales à titre de compensations ou de soutiens. Ces articles et leurs objets ont été à l'origine de conflits majeurs auxquels les autorités du Canada ont tenté d'apporter une solution en assumant la totalité des dettes publiques apparaissant au passif en 1867 et en augmentant le montant des paiements versés aux autorités provinciales.]

121. Tous articles du cru, de provenance ou manufacture d'aucune des provinces seront, à dater de l'union, admis en franchise dans chacune des autres provinces [article important, encore en vigueur aujourd'hui].

[Les articles 122 et 123, sans objet aujourd'hui, précisaient que les lois de douane et d'accise en vigueur en 1867 s'appliqueraient après l'union, sauf en matière de commerce entre deux provinces, tant que le Parlement du Canada ne les aurait pas modifiées.]

[L'article 124, abrogé en 1873, prolongeait l'application de certains droits sur le bois de construction au Nouveau-Brunswick.]

125. Nulle terre ou propriété appartenant au Canada ou à aucune province en particulier ne sera sujette à taxation [article important, encore en vigueur aujourd'hui].

126. Les droits et revenus que les législatures respectives du Canada, de la Nouvelle-Écosse et du Nouveau-Brunswick avaient, avant l'union, le pouvoir d'approprier, et qui sont, par la présente loi, réservés aux gouvernements ou législatures des provinces respectives, et tous les droits et revenus perçus par elles conformément aux pouvoirs spéciaux qui leur sont conférés par la présente loi, formeront dans chaque province un fonds consolidé de revenu qui sera approprié au service public de la province.

IX. Dispositions diverses

Dispositions générales

[L'article 127, abrogé en 1893, ne s'appliquait qu'en 1867. Il concernait l'obligation faite aux personnes à qui un siège au Sénat serait proposé, au moment de l'union, de l'accepter dans les trente jours et précisait qu'une personne ne pouvait à la fois être membre du Sénat et d'un conseil législatif.]

[L'article 128, encore en vigueur aujourd'hui, fait obligation aux personnes qui accèdent au Sénat, à la Chambre des communes, à une assemblée législative ou à un conseil législatif de prêter un serment d'allégeance décrit dans la cinquième annexe et dont le libellé, précisant le nom du roi ou de la reine, est le suivant : « Je, A.B., jure que je serai fidèle et porterai vraie allégeance à Sa Majesté... ».]

[L'article 129 stipule que toutes les lois en vigueur avant 1867 continuent à s'appliquer tant qu'elles n'ont pas été modifiées par les autorités compétentes. Parmi ces lois, certaines ont été adoptées avant 1802 par le Parlement de la Grande-Bretagne ou, après 1802, par le Parlement du Royaume-Uni de Grande-Bretagne et d'Irlande. En 1931, par le Statut de Westminster, le Parlement du Royaume-Uni a supprimé les restrictions qui, dans les lois antérieures, restreignaient certains des pouvoirs du Parlement du Canada ou des législatures des provinces et donné aux institutions canadiennes le pouvoir de modifier toutes les lois en vigueur au Canada, à l'exception de certaines dispositions de la Loi constitutionnelle de 1867, lesquelles peuvent maintenant être modifiées sans l'intervention du Parlement du Royaume-Uni, en vertu de la Loi constitutionnelle de 1982, qu'il a adoptée.]

[L'article 130, sans objet depuis 1867, stipulait que les fonctionnaires en poste avant l'union dans des fonctions relevant dorénavant du gouvernement du Canada devenaient fonctionnaires de ce dernier.]

131. Jusqu'à ce que le Parlement du Canada en ordonne autrement, le gouverneur général en conseil pourra de temps à autre nommer les officiers qu'il croira nécessaires ou utiles à l'exécution efficace de la présente loi.

132. Le Parlement et le gouvernement du Canada auront tous les pouvoirs nécessaires pour remplir envers les pays étrangers, comme portion de l'Empire britannique, les obligations du Canada ou d'aucune de ses provinces, naissant de traités conclus entre l'Empire et ces pays étrangers [important du point de vue du fédéralisme, cet article 132 a suscité bien des controverses].

133. Dans les chambres du Parlement du Canada et les chambres de la législature de Québec, l'usage de la langue française ou de la langue anglaise, dans les débats, sera facultative; mais dans la rédaction des archives, procès-verbaux et journaux respectifs de ces chambres, l'usage de ces deux langues sera obligatoire; et dans toute plaidoirie ou pièce de procédure par-devant les tribunaux ou émanant des tribunaux du Canada qui seront établis sous l'autorité de la présente loi, et par-devant tous les tribunaux ou émanant des tribunaux de Québec, il pourra être fait également usage, à faculté, de l'une ou de l'autre de ces langues.

Les lois du Parlement du Canada et de la législature de Québec devront être imprimées et publiées dans ces deux langues [l'article 133 a été considéré, dès 1867 et encore aujourd'hui, comme une garantie au bénéfice des personnes de langue française et des personnes de langue anglaise du Québec; à cet article 133 s'ajoutent aujourd'hui diverses dispositions contenues dans la Loi constitutionnelle de 1871 relative au Manitoba et dans la Loi constitutionnelle de 1982].

Ontario et Québec

[Dispositions transitoires, appliquées en 1867, les articles 134 et 135 concernaient la formation du conseil exécutif, les pouvoirs et devoirs de ses membres, l'article 136 traitait des sceaux utilisés pour authentifier les documents exprimant les décisions des autorités, les articles 137 et 138 indiquaient le sens à donner, après l'union, aux termes utilisés dans les textes antérieurs à l'union, les articles 139 et 140 avaient trait aux proclamations émises au moment de l'union, l'article 141 rappelait que le pénitencier de la province du Canada serait le pénitencier de l'Ontario et du Québec jusqu'à ce que le Parlement du Canada en décide autrement, l'article 142 attribuait à trois arbitres le soin de partager les dettes, crédits, obligations, propriétés et actifs de la province du Canada pour les répartir entre l'Ontario et le Québec, l'article 143, enfin, prévoyait le partage des archives publiques de la province du Canada entre le Canada, le Québec et l'Ontario.]

144. Le lieutenant-gouverneur de Québec pourra, de temps à autre, par proclamation sous le grand sceau de la province devant venir en force au jour y mentionné, établir des townships dans les parties de la province de Québec dans lesquelles il n'en a pas encore été établi, et en fixer les tenants et aboutissants.

X.   Chemin de fer intercolonial

[L'article 145, dont la mise en œuvre a commencé dès 1867, stipulait que, pour consolider l'union, le gouvernement et le Parlement du Canada étaient tenus de commencer dans les six mois suivant l'union les travaux de construction d'un chemin de fer reliant le fleuve Saint-Laurent et la ville d'Halifax et de les terminer avec toute la diligence possible.]

XI.   Admission des autres colonies

[Les articles 146 et 147 établissaient les modalités d'admission des autres colonies et territoires de l'Amérique du Nord britannique au sein de l'union; toutes les colonies et territoires visés par ces articles font aujourd'hui partie du Canada.]

Annexes

[À la Loi constitutionnelle de 1867 sont rattachées six annexes. La première présente les districts électoraux prévus pour les élections fédérales et provinciales de 1867 en Ontario, dont font mention les articles 40 et 70. La deuxième annexe contient la liste des douze districts électoraux auxquels l'article 80 fait allusion. La troisième énumère, dans le prolongement de l'article 108, les travaux et propriétés attribués au Canada lors de l'union. La quatrième, annoncée à l'article 113, identifie l'actif devenu la propriété commune de l'Ontario et du Québec lors de l'union. La cinquième décrit le serment d'allégeance prévu à l'article 128. La sixième, ajoutée en 1982, présente la définition de l'expression « production primaire » à laquelle fait allusion l'article 92A.]

LOI CONSTITUTIONNELLE DE 1982

La Loi constitutionnelle de 1982, adoptée par le Parlement du Royaume-Uni, est entrée en vigueur le 17 avril 1982. En adoptant ce document, le Parlement du Royaume-Uni a répondu à une demande que lui avaient adressée les autorités canadiennes et s'est conformé, comme les autorités canadiennes, aux dispositions du Statut de Westminster de 1931 relatives à la modification de la Loi constitutionnelle de 1867 (appelée, jusqu'en 1982, « Acte de l'Amérique du Nord britannique de 1867 »). En vertu du Statut de Westminster de 1931 et de la règle selon laquelle une loi ne peut être modifiée que conformément aux dispositions adoptées par les autorités de qui elle relève, certains éléments de l'Acte de l'Amérique du Nord britannique de 1867 ne pouvaient être modifiés que par le Parlement du Royaume-Uni. Ce sont ces éléments que vise la Loi constitutionnelle de 1982 en prévoyant la procédure de modification de la Constitution du Canada.

Le texte de la Loi constitutionnelle de 1982, avant d'être adopté par le Parlement du Royaume-Uni, avait été adopté par le Parlement du Canada et approuvé par neuf assemblées législatives provinciales. L'Assemblée nationale du Québec n'a pas donné son accord à ce texte, qui, à l'exception de son alinéa 23(1)a), s'applique néanmoins au Québec comme ailleurs au Canada.

Partie I
Charte des droits et libertés

Attendu que le Canada est fondé sur des principes qui reconnaissent la suprématie de Dieu et la primauté du droit :

Garantie des droits et libertés

1. La *Charte canadienne des droits et libertés* garantit les droits et libertés qui y sont énoncés. Ils ne peuvent être restreints que par une règle de droit, dans des limites qui soient raisonnables et dont la justification puisse se démontrer dans le cadre d'une société libre et démocratique.

Libertés fondamentales

2. Chacun a les libertés fondamentales suivantes :
    a) liberté de conscience et de religion ;
    b) liberté de pensée, de croyance, d'opinion et d'expression, y compris la liberté de presse et des autres moyens de communication ;

c)   liberté de réunion pacifique ;

d)   liberté d'association.

Droits démocratiques

3.   Tout citoyen canadien a le droit de vote et est éligible aux élections législatives fédérales ou provinciales.

4.   (1)   Le mandat maximal de la Chambre des communes et des assemblées législatives est de cinq ans à compter de la date fixée pour le retour des brefs relatifs aux élections générales correspondantes.

(2)   Le mandat de la Chambre des communes ou celui d'une assemblée législative peut être prolongé respectivement par le Parlement ou par la législature en question au-delà de cinq ans en cas de guerre, d'invasion ou d'insurrection, réelles ou appréhendées, pourvu que cette prolongation ne fasse pas l'objet d'une opposition exprimée par les voix de plus du tiers des députés de la Chambre des communes et de l'assemblée législative.

5.   Le Parlement et les législatures tiennent une séance au moins une fois tous les douze mois.

Liberté de circulation et d'établissement

6.   (1)   Tout citoyen canadien a le droit de demeurer au Canada, d'y entrer ou d'en sortir.

(2)   Tout citoyen canadien et toute personne ayant le statut de résident permanent au Canada ont le droit :

a)   de se déplacer dans tout le pays et d'établir leur résidence dans toute province ;

b)   de gagner leur vie dans toute province.

(3)   Les droits mentionnés au paragraphe (2) sont subordonnés :

a)   aux lois et usages d'application générale en vigueur dans une province donnée, s'ils n'établissent entre les personnes aucune distinction fondée principalement sur la province de résidence antérieure ou actuelle ;

b) aux lois prévoyant de justes conditions de résidence en vue de l'obtention des services sociaux publics.

(4) Les paragraphes (2) et (3) n'ont pas pour objet d'interdire les lois, programmes ou activités destinés à améliorer, dans une province, la situation d'individus défavorisés socialement ou économiquement, si le taux d'emploi dans la province est inférieur à la moyenne nationale.

Garanties juridiques

7. Chacun a droit à la vie, à la liberté et à la sécurité de sa personne ; il ne peut être porté atteinte à ce droit qu'en conformité avec les principes de justice fondamentale.

8. Chacun a droit à la protection contre les fouilles, les perquisitions ou les saisies abusives.

9. Chacun a droit à la protection contre la détention ou l'emprisonnement arbitraires.

10. Chacun a le droit, en cas d'arrestation ou de détention :

a) d'être informé dans les plus brefs délais des motifs de son arrestation ou de sa détention ;

b) d'avoir recours sans délai à l'assitance d'un avocat et d'être informé de ce droit ;

c) de faire contrôler, par *habeas corpus*, la légalité de sa détention et d'obtenir, le cas échéant, sa libération.

11. Tout inculpé a le droit :

a) d'être informé sans délai anormal de l'infraction précise qu'on lui reproche ;

b) d'être jugé dans un délai raisonnable ;

c) de ne pas être contraint de témoigner contre lui-même dans toute poursuite intentée contre lui pour l'infraction qu'on lui reproche ;

d) d'être présumé innocent tant qu'il n'est pas déclaré coupable, conformément à la loi, par un tribunal indépendant et impartial à l'issue d'un procès public et équitable ;

e)   de ne pas être privé sans juste cause d'une mise en liberté assortie d'un cautionnement raisonnable ;

f)   sauf s'il s'agit d'une infraction relevant de la justice militaire, de bénéficier d'un procès avec jury lorsque la peine maximale prévue pour l'infraction dont il est accusé est un emprisonnement de cinq ans ou une peine plus grave ;

g)   de ne pas être déclaré coupable en raison d'une action ou d'une omission qui, au moment où elle est survenue, ne constituait pas une infraction d'après le droit interne du Canada ou le droit international et n'avait pas de caractère criminel d'après les principes généraux de droit reconnus par l'ensemble des nations ;

h)   d'une part de ne pas être jugé de nouveau pour une infraction dont il a été définitivement acquitté, d'autre part de ne pas être jugé ni puni de nouveau pour une infraction dont il a été définitivement déclaré coupable et puni ;

i)   de bénéficier de la peine la moins sévère, lorsque la peine qui sanctionne l'infraction dont il est déclaré coupable est modifiée entre le moment de la perpétration de l'infraction et celui de la sentence.

12.   Chacun a droit à la protection contre tous traitements ou peines cruels et inusités.

13.   Chacun a droit à ce qu'aucun témoignage incriminant qu'il donne ne soit utilisé pour l'incriminer dans d'autres procédures, sauf lors de poursuites pour parjure ou pour témoignages contradictoires.

14.   La partie ou le témoin qui ne peuvent suivre les procédures, soit parce qu'ils ne comprennent pas ou ne parlent pas la langue employée, soit parce qu'ils sont atteints de surdité, ont droit à l'assistance d'un interprète.

Droits à l'égalité

15.   (1)   La loi ne fait acception de personne et s'applique également à tous, et tous ont droit à la même protection et au même bénéfice de la loi, indépendamment de toute discrimination, notamment des

discriminations fondées sur la race, l'origine nationale ou ethnique, la couleur, la religion, le sexe, l'âge ou les déficiences mentales ou physiques.

(2) Le paragraphe (1) n'a pas pour effet d'interdire les lois, programmes ou activités destinées à améliorer la situation d'individus ou de groupes défavorisés, notamment du fait de leur race, de leur origine nationale ou ethnique, de leur couleur, de leur religion, de leur sexe, de leur âge ou de leurs déficiences mentales ou physiques.

Langues officielles du Canada

16. (1) Le français et l'anglais sont les langues officielles du Canada ; ils ont un statut et des droits et privilèges égaux quant à leur usage dans les institutions du Parlement et du gouvernement du Canada.

(2) Le français et l'anglais sont les langues officielles du Nouveau-Brunswick ; ils ont un statut et des droits et privilèges égaux quant à leur usage dans les institutions de la Législature et du gouvernement du Nouveau-Brunswick.

(3) La présente charte ne limite pas le pouvoir du Parlement et des législatures de favoriser la progression vers l'égalité de statut ou d'usage du français et de l'anglais.

17. (1) Chacun a le droit d'employer le français ou l'anglais dans les débats et travaux du Parlement.

(2) Chacun a le droit d'employer le français ou l'anglais dans les débats et travaux de la Législature du Nouveau-Brunswick.

18. (1) Les lois, les archives, les comptes rendus et les procès-verbaux du Parlement sont imprimés et publiés en français et en anglais, les deux versions des lois ayant également force de loi et celles des autres documents ayant même valeur.

(2) Les lois, les archives, les comptes rendus et les procès-verbaux de la Législature du Nouveau-Brunswick sont imprimés et publiés en français et en anglais, les deux versions des lois ayant également force de loi et celles des autres documents ayant même valeur.

19. (1) Chacun a le droit d'employer le français ou l'anglais dans toutes les affaires dont sont saisis les tribunaux établis par le Parlement et dans tous les actes de procédure qui en découlent.

(2) Chacun a le droit d'employer le français et l'anglais dans toutes les affaires dont sont saisis les tribunaux du Nouveau-Brunswick et dans tous les actes de procédure qui en découlent.

20. (1) Le public a, au Canada, droit à l'emploi du français ou de l'anglais pour communiquer avec le siège ou l'administration centrale des institutions du Parlement ou du gouvernement du Canada ou pour en recevoir les services ; il a le même droit à l'égard de tout autre bureau de ces institutions là où, selon le cas :

a) l'emploi du français ou de l'anglais fait l'objet d'une demande importante ;

b) l'emploi du français et de l'anglais se justifie par la vocation du bureau.

(2) Le public a, au Nouveau-Brunswick, droit à l'emploi du français ou de l'anglais pour communiquer avec tout bureau des institutions de la législature ou du gouvernement ou pour en recevoir les services.

21. Les articles 16 à 20 n'ont pas pour effet, en ce qui a trait à la langue française ou anglaise, ou à ces deux langues, de porter atteinte aux droits, privilèges ou obligations qui existent ou sont maintenus aux termes d'une autre disposition de la Constitution du Canada [autrement dit, l'article 133 de la Loi constitutionnelle de 1867 s'applique toujours].

22. Les articles 16 à 20 n'ont pas pour effet de porter atteinte aux droits et privilèges, antérieurs ou postérieurs à l'entrée en vigueur de la présente charte et découlant de la loi ou de la coutume, des langues autres que le français ou l'anglais.

Droits à l'instruction dans la langue de la minorité

23. (1) Les citoyens canadiens :

a) dont la première langue apprise et encore comprise est celle de la minorité francophone ou anglophone de la province où ils résident,

b)   qui ont reçu leur instruction, au niveau primaire, en français ou en anglais au Canada et qui résident dans une province où la langue dans laquelle ils ont reçu cette instruction est celle de la minorité francophone ou anglophone de la province,

ont, dans l'un ou l'autre cas, le droit d'y faire instruire leurs enfants, aux niveaux primaire et secondaire, dans cette langue [l'article 59 de la Loi constitutionnelle de 1982 précise que l'alinéa a) du paragraphe (1) de l'article 23 ne peut s'appliquer au Québec tant que l'Assemblée nationale ne l'a pas décidé].

(2)   Les citoyens canadiens dont un enfant a reçu ou reçoit son instruction, au niveau primaire ou au niveau secondaire, en français ou en anglais au Canada ont le droit de faire instruire tous leurs enfants, aux niveaux primaire et secondaire, dans la langue de cette instruction.

(3)   Le droit reconnu aux citoyens canadiens par les paragraphes (1) et (2) de faire instruire leurs enfants, aux niveaux primaire et secondaire, dans la langue de la minorité francophone ou anglophone d'une province :

a)   s'exerce partout dans la province où le nombre des enfants des citoyens qui ont ce droit est suffisant pour justifier à leur endroit la prestation, sur les fonds publics, de l'instruction dans la langue de la minorité ;

b)   comprend, lorsque le nombre de ces enfants le justifie, le droit de les faire instruire dans des établissements d'enseignement de la minorité linguistique financés sur les fonds publics.

Recours

24.   (1)   Toute personne, victime de violation ou de négation des droits ou libertés qui lui sont garantis par la présente charte, peut s'adresser à un tribunal compétent pour obtenir la réparation que le tribunal estime convenable et juste eu égard aux circonstances.

(2)   Lorsque, dans une instance visée au paragraphe (1), le tribunal a conclu que des éléments de preuve ont été obtenus dans des conditions qui portent atteinte aux droits ou libertés garantis par la

présente charte, ces éléments de preuve sont écartés s'il est établi, eu égard aux circonstances, que leur utilisation est susceptible de déconsidérer l'administration de la justice.

Dispositions générales

25. Le fait que la présente charte garantit certains droits et libertés ne porte pas atteinte aux droits ou libertés, ancestraux, issus de traités ou autres, des peuples autochtones du Canada, notamment :

a) aux droits ou libertés reconnus par la proclamation royale du 7 octobre 1763 ;

b) aux droits ou libertés existants issus d'accords sur des revendications territoriales ou ceux susceptibles d'être ainsi acquis [le texte des deux lignes précédentes résulte d'une modification au texte initial, effectuée en 1983].

26. Le fait que la présente charte garantit certains droits et libertés ne constitue pas une négation des autres droits et libertés qui existent au Canada.

27. Toute interprétation de la présente charte doit concorder avec l'objectif de promouvoir le maintien et la valorisation du patrimoine multiculturel des Canadiens.

28. Indépendamment des autres dispositions de la présente charte, les droits et libertés qui y sont mentionnés sont garantis également aux personnes des deux sexes.

29. Les dispositions de la présente charte ne portent pas atteinte aux droits ou privilèges garantis en vertu de la Constitution du Canada concernant les écoles séparées et autres écoles confessionnelles [autrement dit, l'article 93 de la Loi constitutionnelle de 1867 s'applique toujours].

30. Dans la présente charte, les dispositions qui visent les provinces, leur législature ou leur assemblée législative visent également le territoire du Yukon, les Territoires du Nord-Ouest ou leurs autorités législatives compétentes.

31. La présente charte n'élargit pas les compétences législatives de quelque organisme ou autorité que ce soit.

Application de la charte

32. (1) La présente charte s'applique :

a) au Parlement et au gouvernement du Canada, pour tous les domaines relevant du Parlement, y compris ceux qui concernent le territoire du Yukon et les Territoires du Nord-Ouest ;

b) à la législature et au gouvernement de chaque province, pour tous les domaines relevant de cette législature.

(2) Par dérogation au paragraphe (1), l'article 15 n'a d'effet que trois ans après l'entrée en vigueur du présent article [ce deuxième paragraphe de l'article 32 est devenu sans objet le 17 avril 1985 puisque, en vertu de l'article 32, l'article 15 est en vigueur depuis cette date].

33. (1) Le Parlement ou la législature d'une province peut adopter une loi où il est expressément déclaré que celle-ci ou une de ses dispositions a effet indépendamment d'une disposition donnée de l'article 2 ou des articles 7 à 15 de la présente charte [sous prétexte que le mot « nonobstant » aurait dû être employé à la place du mot « indépendamment », cet article 33, où paraît le mot « indépendamment », a été appelé « clause nonobstant »].

(2) La loi ou la disposition qui fait l'objet d'une déclaration conforme au présent article et en vigueur a l'effet qu'elle aurait sauf la disposition en cause de la charte.

(3) La déclaration visée au paragraphe (1) cesse d'avoir effet à la date qui y est précisée ou, au plus tard, cinq ans après son entrée en vigueur.

(4) Le Parlement ou une législature peut adopter de nouveau une déclaration visée au paragraphe (1).

(5) Le paragraphe (3) s'applique à toute déclaration adoptée sous le régime du paragraphe (4).

Titre

34. Titre de la présente partie : *Charte canadienne des droits et libertés.*

Partie II
Droits des peuples autochtones du Canada

35. (1) Les droits existants, ancestraux ou issus de traités, des peuples autochtones du Canada sont reconnus et confirmés.

(2) Dans la présente loi, «peuples autochtones du Canada» s'entend notamment des Indiens, des Inuit et des Métis du Canada.

(3) Il est entendu que sont compris parmi les droits issus de traités, dont il est fait mention au paragraphe (1), les droits existants issus d'accords sur des revendications territoriales ou ceux susceptibles d'être ainsi acquis.

(4) Indépendamment de toute autre disposition de la présente loi, les droits, ancestraux ou issus de traités, visés au paragraphe (1) sont garantis également aux personnes des deux sexes [ce paragraphe 4 a été ajouté en 1983].

35.1 Les gouvernements fédéral et provinciaux sont liés par l'engagement de principe selon lequel le premier ministre du Canada, avant toute modification de la catégorie 24 de l'article 91 de la «*Loi constitutionnelle de 1867*», de l'article 25 de la présente loi ou de la présente partie:

a) convoquera une conférence constitutionnelle réunissant les premiers ministres provinciaux et lui-même et comportant à son ordre du jour la question du projet de modification;

b) invitera les représentants des peuples autochtones du Canada à participer aux travaux relatifs à cette question [l'article 35.1 a été ajouté en 1983].

Partie III
Péréquation et inégalités régionales

36. (1) Sous réserve des compétences législatives du Parlement et des législatures et de leur droit de les exercer, le Parlement et les législatures, ainsi que les gouvernements fédéral et provinciaux, s'engagent à:

a) promouvoir l'égalité des chances de tous les Canadiens dans la recherche de leur bien-être;

b) favoriser le développement économique pour réduire l'inégalité des chances;

c) fournir à tous les Canadiens, à un niveau de qualité acceptable, les services publics essentiels.

(2) Le Parlement et le gouvernement du Canada prennent l'engagement de principe de faire des paiements de péréquation propres à donner aux gouvernements provinciaux des revenus suffisants pour les mettre en mesure d'assurer les services publics à un niveau de qualité et de fiscalité sensiblement comparables.

Partie IV
Conférence constitutionnelle

[L'article 37 prévoyait la tenue d'une conférence constitutionnelle dans l'année suivant l'adoption du texte qui est devenu la Loi constitutionnelle de 1982. Cette conférence a eu lieu et l'article a été abrogé en vertu de l'article 54, lequel a été abrogé en prenant effet].

Partie V
Procédure de modification de la Constitution du Canada

38. (1) La Constitution du Canada peut être modifiée par proclamation du gouverneur général sous le grand sceau du Canada, autorisée à la fois:

a) par des résolutions du Sénat et de la Chambre des communes;

b) par des résolutions des assemblées législatives d'au moins deux tiers des provinces dont la population confondue représente, selon le recensement général le plus récent à l'époque, au moins cinquante pour cent de la population de toutes les provinces.

(2) Une modification faite conformément au paragraphe (1) mais dérogatoire à la compétence législative, aux droits de propriété

ou à tous autres droits ou privilèges d'une législature ou d'un gouvernement provincial exige une résolution adoptée à la majorité des sénateurs, des députés fédéraux et des députés de chacune des assemblées législatives du nombre requis de provinces [majorité requise est celle des membres des diverses institutions concernées, et non seulement la majorité des voix exprimées].

(3)   La modification visée au paragraphe (2) est sans effet dans une province dont l'assemblée législative a, avant la prise de la proclamation, exprimé son désaccord par une résolution adoptée à la majorité des députés, sauf si cette assemblée, par résolution également adoptée à la majorité, revient sur son désaccord et autorise la modification.

(4)   La résolution de désaccord visée au paragraphe (3) peut être révoquée à tout moment, indépendamment de la date de la proclamation à laquelle elle se rapporte.

39.   (1)   La proclamation visée au paragraphe 38(1) ne peut être prise dans l'année suivant l'adoption de la résolution à l'origine de la procédure de modification que si l'assemblée législative de chaque province a préalablement adopté une résolution d'agrément ou de désaccord.

(2)   La proclamation visée au paragraphe 38(1) ne peut être prise que dans les trois ans suivant l'adoption de la résolution à l'origine de la procédure de modification.

40.   Le Canada fournit une juste compensation aux provinces auxquelles ne s'applique pas une modification faite conformément au paragraphe 38(1) et relative, en matière d'éducation ou dans d'autres domaines culturels, à un transfert de compétences législatives provinciales au Parlement.

41.   Toute modification de la Constitution du Canada portant sur les questions suivantes se fait par proclamation du gouverneur général sous le grand sceau du Canada, autorisée par des résolutions du Sénat, de la Chambre des communes et de l'assemblée législative de chaque province :

a)   la charge de Reine, celle de gouverneur général et celle de lieutenant-gouverneur ;

b) le droit d'une province d'avoir à la Chambre des communes un nombre de députés au moins égal à celui des sénateurs par lesquels elle est habilitée à être représentée lors de l'entrée en vigueur de la présente partie ;

c) sous réserve de l'article 43, l'usage du français ou de l'anglais ;

d) la composition de la Cour suprême du Canada [formée de neuf juges, dont trois choisis parmi les spécialistes de droit civil du Québec] ;

e) la modification de la présente partie.

42. (1) Toute modification de la Constitution du Canada portant sur les questions suivantes se fait conformément au paragraphe 38(1) :

a) le principe de la représentation proportionnelle des provinces à la Chambre des communes prévu par la Constitution du Canada ;

b) les pouvoirs du Sénat et le mode de sélection des sénateurs ;

c) le nombre des sénateurs par lesquels une province est habilitée à être représentée et les conditions de résidence qu'ils doivent remplir ;

d) sous réserve de l'alinéa 41d), la Cour suprême du Canada ;

e) le rattachement aux provinces existantes de tout ou partie des territoires ;

f) par dérogation à toute autre loi ou usage, la création de provinces.

(2) Les paragraphes 38(2) à (4) ne s'appliquent pas aux questions mentionnées au paragraphe (1).

43. Les dispositions de la Constitution du Canada applicables à certaines provinces seulement ne peuvent être modifiées que par proclamation du gouverneur général sous le grand sceau du Canada, autorisée par des résolutions du Sénat, de la Chambre des communes et de l'assemblée législative de chaque province concernée. Le présent article s'applique notamment :

a) aux changements du tracé des frontières interprovinciales ;

b) aux modifications des dispositions relatives à l'usage du français ou de l'anglais dans une province.

44. Sous réserve des articles 41 et 42, le Parlement a compétence exclusive pour modifier les dispositions de la Constitution du Canada relatives au pouvoir exécutif fédéral, au Sénat ou à la Chambre des communes.

45. Sous réserve de l'article 41, une législature a compétence exclusive pour modifier la constitution de sa province.

46. (1) L'initiative des procédures de modification visées aux articles 38, 41, 42 et 43 appartient au Sénat, à la Chambre des communes ou à une assemblée législative.

(2) Une résolution d'agrément adoptée dans le cadre de la présente partie peut être révoquée à tout moment avant la date de la proclamation qu'elle autorise.

47. (1) Dans les cas visés à l'article 38, 41, 42 ou 43, il peut être passé outre au défaut d'autorisation du Sénat si celui-ci n'a pas adopté de résolution dans un délai de cent quatre-vingts jours suivant l'adoption de celle de la Chambre des communes et si cette dernière, après l'expiration du délai, adopte une nouvelle résolution dans le même sens.

(2) Dans la computation du délai visé au paragraphe (1), ne sont pas comptées les périodes pendant lesquelles le Parlement est prorogé ou dissous.

48. Le Conseil privé de la Reine pour le Canada demande au gouverneur général de prendre, conformément à la présente partie, une proclamation dès l'adoption des résolutions prévues par cette partie pour une modification par proclamation.

49. Dans les quinze ans suivant l'entrée en vigueur de la présente partie, le premier ministre du Canada convoque une conférence constitutionnelle réunissant les premiers ministres provinciaux et lui-même, en vue du réexamen des dispositions de cette partie [selon une interprétation, les réunions qui ont précédé l'Accord du lac Meech de 1987 ont donné suite aux intentions exprimées dans l'article 49].

Partie VI
Modification de la Loi constitutionnelle de 1867

[Les articles 50 et 51 visaient l'ajout de l'article 92A et de la sixième annexe dans le texte de la Loi constitutionnelle de 1867.]

Partie VII
Dispositions générales

52. (1) La Constitution du Canada est la loi suprême du Canada ; elle rend inopérantes les dispositions incompatibles de toute autre règle de droit.

(2) La Constitution du Canada comprend :

a) la Loi de 1982 sur le Canada, y compris la présente loi ;

b) les textes législatifs et les décrets figurant à l'annexe [cette annexe énumère trente documents distincts, dont six ont été abrogés ; le premier de ces trente documents est la Loi constitutionnelle de 1867 ; pour simplifier, cette annexe n'est pas reproduite ici] ;

c) les modifications des textes législatifs et des décrets mentionnées aux alinéas a) ou b).

(3) La Constitution du Canada ne peut être modifiée que conformément aux pouvoirs conférés par elle.

[Les articles 53 et 54, appliqués dès l'entrée en vigueur de la Loi constitutionnelle de 1982, concernaient l'abrogation de certains textes et la modification du titre de certains autres. L'article 55 chargeait le ministre de la Justice du Canada de la traduction, en langue française, des parties de la Constitution qui n'avaient pas encore été traduites. Cet article 55 précisait que les textes traduits en français pourraient être déposés pour adoption par proclamation du gouverneur général selon la procédure en vigueur à l'époque où les textes concernés avaient été adoptés dans leur version initiale.]

56. Les versions française et anglaise des parties de la Constitution du Canada adoptées dans ces deux langues ont également force de loi. En outre, ont également force de loi, dès l'adoption, dans le cadre

de l'article 55, d'une partie de la version française de la Constitution, cette partie et la version anglaise correspondante.

57.   Les versions française et anglaise de la présente loi ont également force de loi.

58.   Sous réserve de l'article 59, la présente loi entre en vigueur à la date fixée par proclamation de la Reine ou du gouverneur général sous le grand sceau du Canada [à l'exception de l'alinéa 23(1)a) pour le Québec, la loi est entrée en vigueur le 17 avril 1982 par proclamation de la reine].

59.   (1)   L'alinéa 23(1)a) entre en vigueur pour le Québec à la date fixée par proclamation de la Reine ou du gouverneur général sous le grand sceau du Canada.

(2)   La proclamation visée au paragraphe (1) ne peut être prise qu'après autorisation de l'assemblée législative ou du gouvernement du Québec [cette autorisation n'avait pas encore été donnée au moment où Lucien Bouchard est devenu premier ministre du Québec en janvier 1996. À noter que le texte de la Loi constitutionnelle de 1982 parle de « l'assemblée législative » du Québec, même si celle-ci est désignée depuis 1968, en vertu d'une loi du Québec compatible avec la Loi constitutionnelle de 1867, par l'expression « Assemblée nationale »].

(3)   Le présent article peut être abrogé à la date d'entrée en vigueur de l'alinéa 23(1)a) pour le Québec, et la présente loi faire l'objet, dès cette abrogation, des modifications et changements de numérotation qui en découlent, par proclamation de la Reine ou du gouverneur général sous le grand sceau du Canada.

60.   Titre abrégé de la présente loi: *Loi constitutionnelle de 1982*; titre commun des lois constitutionnelles de 1867 à 1975 (n° 75) et de la présente loi: *Lois constitutionnelles de 1867 à 1982*.

61.   Toute mention des « *Lois constitutionnelles de 1867 à 1982* » est réputée constituer également une mention de la « *Proclamation de 1983 modifiant le Constitution* ».

Index et lexique

A

Abbott (John Joseph Caldwell), chef conservateur, premier ministre du Canada en 1891 et 1892   71, 169

Abénaquis (*voir* premières nations)

Aberhart (William), animateur du mouvement du Crédit social, premier ministre de l'Alberta à la suite des élections de 1935 dans cette province   188

abstention, abstentions (*voir* abstentionnisme électoral)

abstentionnisme électoral (au sens strict, comportement des personnes qui, étant inscrites sur les listes électorales, choisissent de ne pas voter ; au sens large, comportement des personnes qui ne votent pas alors qu'elles ont le droit de le faire)   2, 5, 85, 235, 240, 319

Acadie   30, 36

acclamation (élection par acclamation, faute d'opposant, c'est-à-dire sans recours à un scrutin)   153, 166, 169, 309, 479

Accord de libre-échange nord-américain   379

Accord du lac Meech de 1987 (projet de modification constitutionnelle devenu caduc en 1990)   193, 194, 201, 295, 352, 394, 498

Acte constitutionnel de 1791 (loi britannique créant le Bas-Canada et le Haut-Canada et dotant chacune de ces provinces d'une assemblée élue)   221, 443

Acte de l'Amérique du Nord britannique de 1867 (*voir* Loi constitutionnelle de 1867)

Acte de Québec de 1774 (loi britannique octroyant certains droits aux habitants du Québec et instituant un conseil législatif)   52, 221

Acte d'union de 1840 (loi britannique réunissant le Bas-Canada et le Haut-Canada)   309

action collective et actions collectives
la logique de l'action collective   23, 25, 89, 91, 92
actions collectives   24, 123, 124, 127

Action démocratique du Québec (parti créé en 1993, dont le chef, Mario Dumont, a été le seul élu aux élections de 1994)   246, 296, 313

M

Plan de l'ouvrage

Québec, Canada
2000